L'ÉTÉ AVANT LA GUERRE

DU MÊME AUTEUR

La Dernière Conquête du Major Pettigrew,
NiL, 2012

HELEN SIMONSON

L'ÉTÉ AVANT LA GUERRE

Roman

traduit de l'anglais par Odile Demange

NiL

Titre original : THE SUMMER BEFORE THE WAR

ISBN 978-2-84111-890-8
(édition originale : ISBN 978-0-8129-9310-3 Random House, an imprint and division of Penguin Random House LLC, New York)

À mes parents
Alan et Margaret Phillips

PREMIÈRE PARTIE

C'était tout d'abord, de la plus étrange des façons, l'impression d'un extraordinaire mélange entre l'état le plus aimable de la lumière et de l'atmosphère, du ciel et de la mer, le plus bel été anglais, et toute la violence de l'action et de la passion... Jamais actes plus désespérés n'auront été aussi suavement éclairés que par les deux mois inoubliables dont j'allais passer une aussi grande partie à contempler, par-dessus le vieux rempart d'une petite ville perchée du Sussex, la traînée bleu vif de la Manche.

Henry James, *Within the Rim*

1.

La ville de Rye surgissait telle une île au-dessus des marais plats, sa pyramide éboulée de toits en tuiles rouges luisant dans la lumière oblique du soir. Les hautes falaises escarpées du Sussex dessinaient une ligne d'ombre massive et continue d'est en ouest, les champs exhalaient la chaleur du jour et la mer était une feuille d'étain martelé. Debout devant les grandes portes-fenêtres, Hugh Grange retint son souffle dans une vaine tentative pour figer cet instant, comme il le faisait quand il était petit, dans ce même salon un peu râpé, lorsque les lampes qu'on allumait signalaient à sa tante qu'il était temps de l'envoyer au lit. Il souriait en songeant à l'infinie longueur de ces soirées d'été et en se rappelant qu'il se plaignait toujours amèrement jusqu'à ce qu'on lui accorde la permission de rester debout bien après l'heure normale du coucher. Les petits garçons, il le savait à présent, étaient des manipulateurs éhontés, ils suppliaient, imploraient et cajolaient pour obtenir un surcroît de droits et de gâteries : regard innocent et cœur noir.

Les trois garçons à qui sa tante lui avait demandé de servir de répétiteur durant l'été l'avaient soulagé d'un demi-souverain et de la plupart de ses livres avant qu'il n'ait compris qu'ils n'étaient pas aussi affamés que leurs soupirs le donnaient à entendre et que leur passion pour

Ivanhoé ne s'expliquait que par les quelques sous que leur en donnerait le bouquiniste qui tenait un étal de livres d'occasion au marché de la ville. Il ne leur en voulait pas. Il admirait au contraire leur débrouillardise et se prenait à rêver que, pour brefs qu'ils aient été, son enseignement et son exemple transformeraient cette astuce en curiosité intellectuelle le jour où l'école reprendrait.

La porte du salon s'ouvrit, poussée par une main énergique, et le cousin de Hugh, Daniel, s'effaça dans un simulacre de courbette pour laisser passer leur tante Agatha. « Tante Agatha dit qu'il n'y aura pas de guerre, lança Daniel en lui emboîtant le pas, tout sourire. Tu peux donc être certain qu'il n'y en aura pas. Ils n'oseraient jamais la contredire. » Tante Agatha essaya de prendre l'air revêche avec pour seul résultat qu'elle se mit à loucher et faillit se prendre les pieds dans une table d'appoint car sa vue s'était soudainement brouillée.

« Ce n'est pas du tout ce que j'ai dit », protesta-t-elle tout en cherchant à retenir sur sa poitrine sa longue écharpe brodée, dans une tentative aussi vaine que s'ils s'était agi de poser un cerf-volant en équilibre sur un rocher arrondi, songea Hugh en constatant que l'étoffe s'obstinait à retomber sur le côté. À quarante-cinq ans, Tante Agatha conservait toute sa séduction, mais elle avait un certain penchant à l'embonpoint et sa silhouette comportait très peu de surfaces planes sur lesquelles draper ses vêtements. La robe qu'elle avait enfilée pour le dîner, en mousseline de soie glissante, présentait une encolure profondément échancrée et de longues manches pagodes. Hugh espérait qu'elle conserverait sa dignité jusqu'à la fin du dîner, car sa tante aimait souligner ses propos de gestes expansifs.

« Qu'en dit Oncle John ? demanda Hugh en se dirigeant vers un plateau de carafes pour servir à sa tante son petit verre de madère habituel. Avons-nous une chance de le voir demain ?» Il avait espéré pouvoir prendre l'avis de son oncle sur un sujet moins grave, mais non moins important. Après avoir consacré plusieurs années à ses études de médecine, Hugh s'apprêtait non seulement à devenir le premier assistant de Sir Alex Ramsey, l'un des plus éminents chirurgiens généralistes d'Angleterre, mais aussi, selon toute vraisemblance, à tomber amoureux de la très jolie fille de celui-ci, Lucy. Il s'était montré plutôt distant avec elle l'année précédente, peut-être afin de se prouver, et de prouver aux autres, que l'affection qu'il lui portait n'était pas liée à d'éventuelles ambitions professionnelles. En conséquence de quoi, la jeune fille n'avait littéralement d'yeux que pour Hugh parmi la masse d'étudiants et de jeunes médecins qui se pressaient autour de son père. Il avait pourtant fallu que vienne l'été et que Lucy et son père partent pour une longue tournée de conférences dans la région des lacs italiens pour qu'il se sente délicieusement malheureux de son absence. Il constatait que tout en elle lui manquait : ses yeux au regard dansant, le mouvement de ses cheveux blond pâle quand elle riait d'un commentaire caustique qu'il avait fait, et même les petites lunettes qu'elle chaussait pour recopier les fiches des malades de son père ou répondre à sa volumineuse correspondance. Cela ne faisait pas longtemps qu'elle avait quitté l'école et elle se laissait parfois distraire par tous les plaisirs que Londres avait à offrir aux jeunes gens intelligents, mais elle était toute dévouée à son père et ferait, songeait Hugh, une épouse exceptionnelle pour un jeune chirurgien en pleine ascension. Il souhaitait établir, sans perdre de temps, s'il était raisonnable d'envisager une telle union.

Oncle John était un homme plein de sagesse et au fil des ans, il avait toujours paru comprendre à demi-mot toutes les difficultés que son neveu lui confiait en bégayant ; il prenait le temps de discuter avec lui jusqu'à ce que Hugh fût convaincu d'avoir résolu par lui-même un problème apparemment insoluble. Hugh n'était plus un petit garçon et il avait compris que son oncle devait une partie de son discernement à sa formation de diplomate, mais il savait aussi que l'affection de celui-ci était sincère. L'ultime conseil de ses parents, avant leur départ pour une année de voyage longuement attendue, avait été de lui recommander de s'adresser à Oncle John en cas de besoin.

« Ton oncle dit qu'ils travaillent tous d'arrache-pied pour essayer d'arranger les choses avant que tout le monde s'égaille pour les vacances d'été, répondit sa tante. Il ne m'a pas fait de confidences, bien sûr, mais je sais que le Premier ministre et le secrétaire aux Affaires étrangères ont passé une grande partie de la journée enfermés avec le roi. »

Oncle John était haut fonctionnaire au Foreign Office, et depuis l'assassinat de l'archiduc à Sarajevo, Whitehall, généralement assoupi pendant la période estivale, avait été le théâtre d'un interminable ballet d'employés du gouvernement, d'hommes politiques et de généraux.

« Quoi qu'il en soit, il a téléphoné pour annoncer qu'il irait chercher la maîtresse de latin et la conduirait à Charing Cross où elle prendra le dernier train. Elle arrivera donc après le dîner. Nous lui ferons servir un souper tardif.

— À une heure pareille, ne serait-il pas plus judicieux de la conduire directement à ses appartements en ville et de demander à la cuisinière de lui apporter un repas froid ? demanda Daniel, ignorant le sherry sec que lui tendait Hugh pour se verser un verre du whisky préféré d'Oncle John. Elle sera éreintée et n'aura certainement aucune envie d'affronter une pièce pleine d'inconnus en tenue de soirée. »

Sous son air détaché, Hugh décela une légère répugnance à l'idée de devoir distraire la nouvelle enseignante que sa tante avait dénichée. Après avoir décroché son diplôme au Balliol College d'Oxford au mois de juin, Daniel avait passé les premières semaines d'été en Italie, invité par un de ses camarades de promotion, issu d'une famille de l'aristocratie. Depuis son retour, il manifestait un sentiment de supériorité sociale que Hugh aurait bien aimé que Tante Agatha extirpe de sa sacrée caboche. Mais Agatha s'était montrée indulgente : « Oh, qu'il goûte un peu à la grande vie si ça peut lui faire plaisir, avait-elle dit. Ne crois-tu pas qu'il aura le cœur brisé bien assez vite ? Je suis certaine que dès cet automne, quand Daniel prendra le poste que ton oncle John lui a obtenu non sans mal au Foreign Office, son prestigieux ami le laissera tomber. Laisse-le donc savourer son heure de faste. »

Hugh avait beau estimer qu'il fallait remettre Daniel à sa place, il adorait Tante Agatha et avait craint que, s'il poursuivait la discussion, elle ne finisse par croire qu'il acceptait mal que Daniel fût son préféré. La mère de son cousin, la sœur d'Agatha, était morte quand Daniel n'avait que cinq ans, et son père était un homme étrange, distant. Envoyé en pension un mois après la disparition de sa mère, Daniel avait trouvé chez Agatha un refuge pendant les vacances de Noël et d'été. Noël avait toujours été une source de déchirement pour Hugh. Il le fêtait chez lui, à Londres, en compagnie de ses parents, qui l'aimaient tendrement et le gâtaient beaucoup. Pour sa part, il aurait préféré qu'ils se retrouvent tous dans le Sussex chez Agatha, mais sa mère, la sœur d'Oncle John, tenait à être à Londres. Quant à son père, il n'aimait pas s'absenter de la banque trop longtemps en cette période de l'année. Hugh était heureux, certes, au milieu des amoncellements de papier à rayures, des énormes et mystérieux paquets et des assiettes de confiseries et de fruits disposés dans toute leur villa de Kensington. Mais parfois, quand on l'envoyait se coucher et qu'il entendait depuis sa chambre les échos de la musique des invités de ses parents, il restait allongé dans son lit et, regardant par la fenêtre au-delà des toits assombris, il cherchait à apercevoir le Sussex où, certainement, Tante Agatha était en train de border Daniel dans son lit en lui racontant une des ses histoires abracadabrantes de géants et de lutins qui vivaient dans des grottes, sous les Downs du Sussex, et dont les fêtes pouvaient parfois être prises, à tort, pour le bruit du tonnerre.

« Ne sois pas bête, Daniel. Mlle Nash passera la nuit ici », intervint Tante Agatha, tout en se penchant pour allumer la lampe électrique la plus proche du canapé à fleurs. Elle s'assit et étendit ses pieds, glissés dans des pantoufles orientales brodées, un peu curieusement, de homards. « J'ai dû me battre pour mettre dans la balance tout le poids du conseil d'établissement et faire accepter aux administrateurs d'engager une femme. Et j'ai bien l'intention de l'examiner de près et de m'assurer qu'elle a la tête sur les épaules. »

L'école primaire supérieure de Rye faisait partie des nombreuses œuvres sociales de leur tante. Celle-ci croyait aux vertus de l'instruction pour tous et semblait s'attendre à voir surgir de grands meneurs d'hommes de la petite communauté de fils d'agriculteurs et de commerçants aux genoux crasseux qui s'entassait dans le nouveau bâtiment scolaire de brique rouge construit au-delà de la voie de chemin de fer.

« Dites plutôt que vous souhaitez qu'elle vous examine de près, lança Hugh. Soyez sûre qu'elle sera dûment intimidée.

— J'approuve parfaitement la position des administrateurs, rétorqua Daniel. Il faut un homme pour maintenir la discipline parmi une bande d'écoliers.

— Sornettes, coupa Agatha. Et puis, figure-toi qu'il n'est pas facile d'attirer des professeurs par les temps qui courent. Notre dernier maître de latin, M. Puddlecombe, n'a passé qu'un an ici et il a eu le front de nous annoncer qu'il partait tenter sa chance avec un cousin, au Canada.

— De toute façon, c'est l'été, ma tante, il ne se passe plus grand-chose à l'école, observa Hugh.

— Ce qui a rendu les choses encore plus difficiles. Nous avons de la chance que ton oncle John ait parlé à Lord Marbely et que Lady Marbely ait précisément cherché une place pour cette jeune personne. C'est une de leurs nièces, me semble-t-il, et les Marbely l'ont chaleureusement recommandée; bien que j'aie cru comprendre qu'ils avaient une autre raison de souhaiter l'éloigner du Gloucestershire.

— Ils ont un fils? demanda Daniel. Généralement, il n'y a pas à chercher plus loin.

— Oh, non, Lady Marbely a pris grand soin de m'assurer qu'elle n'a rien d'une beauté. Je suis progressiste sans doute, mais jamais je n'embaucherais une jolie enseignante.

— Nous ferions bien de dîner de bonne heure», remarqua Hugh en consultant la montre de gousset bosselée qui avait appartenu à son grand-père et que ses parents le suppliaient de remplacer par un instrument plus moderne.

Le gong du dîner retentit avant qu'il n'ait achevé sa phrase.

«En effet. J'aimerais bien pouvoir digérer tranquillement avant que ce parangon de vertu ne s'abatte sur nous, approuva Daniel en vidant d'un trait le fond de son verre. Je suppose que je n'échapperai pas aux présentations et qu'il n'est pas question que je me terre dans ma chambre?

— Accepterais-tu d'accompagner Smith à la gare, Hugh? demanda Agatha. Vous y envoyer tous les deux risquerait d'imposer une trop rude épreuve à cette pauvre fille, et de toute évidence, je ne peux pas compter sur Daniel pour ne pas l'accabler de son mépris.

— Et si Hugh tombe amoureux d'elle ? » lança Daniel.

Hugh faillit répondre que son cœur était déjà pris, mais ses intentions matrimoniales étaient trop sérieuses pour qu'il les expose aux taquineries irrespectueuses de Daniel. Il se contenta d'adresser à son cousin un regard dédaigneux.

« Après tout, ajouta Daniel, Hugh n'a rien d'une beauté, lui non plus. »

Beatrice Nash était presque sûre d'avoir une grosse tache de suie sur le nez, mais n'osait pas ressortir son miroir de poche de crainte d'encourager le jeune homme ivre assis en face d'elle à se lancer dans une nouvelle envolée de compliments. Elle avait vérifié l'état de son visage dans son minuscule miroir doré peu après avoir quitté Charing Cross, et il avait feint d'y voir un signe évident de coquetterie et d'envie de badiner. Le livre dans lequel elle s'était plongée lui avait donné un nouveau motif d'engager la conversation, bien que visiblement, le nom de Trollope ne lui ait rien dit et qu'il ait fini par avouer qu'il ne voyait pas à quoi la lecture pouvait être utile. Il lui avait même offert de poser les pieds sur son sac de voyage, et elle avait reculé ses chevilles le plus loin possible sous son siège, craignant qu'il ne se permette de la débarrasser de ses chaussures.

Elle l'avait sermonné sèchement quand ils avaient changé de train à Kent et qu'il l'avait suivie dans la voiture qu'elle avait choisie. Il avait reculé en riant, mais le convoi avait déjà démarré. Et voilà qu'ils étaient enfermés ensemble dans un compartiment sans accès à un couloir. Il était plongé dans un sommeil maussade tandis qu'elle était assise, très raide, le dos parfaitement droit contre le tissu piquant de la banquette, retenant son souffle pour ne pas inhaler l'haleine avinée de son compagnon de voyage et cherchant à ne pas sentir la proximité insolente de ses jambes allongées vêtues d'un pantalon de flanelle blanche repassé et de ses pieds chaussés de souliers bruns à boucles impeccablement cirés.

Elle gardait le visage obstinément tourné vers la fenêtre, laissant le spectacle des champs mouillés et verdoyants glisser sur ses yeux jusqu'à ce que les moutons, l'herbe et le ciel se brouillent en bandes peintes. Elle regrettait à présent d'avoir refusé la proposition des Marbely de se faire accompagner par une domestique. Le long discours d'Ada Marbely sur la difficulté de trouver un véhicule pour la conduire à la gare et sur le choix d'une servante dont elle pourrait se dispenser l'avait mise au supplice. On lui avait fait comprendre que son transport constituait un désagrément majeur et qu'il n'était pas question de mettre la voiture à sa disposition, pas plus qu'un membre du personnel domestique permanent. Elle avait dissimulé son humiliation derrière une affirmation énergique d'indépendance. Elle leur avait rappelé qu'elle avait beaucoup voyagé avec son père, du Grand Ouest américain aux casbahs du Maroc et aux sites archéologiques les moins connus d'Italie du Sud, et était parfaitement capable de rejoindre le Sussex par ses propres moyens avec sa malle, dût-elle emprunter un char à bœufs. Songeant à son inflexibilité, elle se disait à présent qu'elle n'avait à s'en prendre qu'à elle-même d'être exposée aux inconvénients d'un voyage solitaire. Son obstination réussit même à lui arracher un petit sourire.

« Toutes les femmes peuvent être jolies quand elles sourient », observa le jeune homme. Elle se retourna pour le fusiller du regard, mais il avait toujours les yeux clos, et son visage, rond et couvert de sueur, restait enfoncé dans son cou épais entouré d'une cravate jaune graisseuse. Il se gratta le torse et bâilla sans mettre la main devant sa bouche, comme si elle n'existait pas.

Traiter une femme de laideron était l'insulte la plus mesquine qu'on pût imaginer, mais les petits garçons pas plus que les hommes faits ne reculaient apparemment devant pareille bassesse quand ils se sentaient provoqués. Si elle avait toujours écarté d'une plaisanterie l'insistance de son père à l'appeler sa beauté, elle estimait avoir un visage agréable et régulier et s'enorgueillissait d'une certaine vigueur au niveau du menton et d'une posture irréprochable. Que pareille offense fût mensongère ne l'empêchait pas d'être blessante et elle ne put que se mordre la lèvre pour ne pas donner à son vis-à-vis la satisfaction de voir qu'il l'avait piquée au vif.

Le train ralentit dans un grand sifflement de vapeur, et ce fut avec un profond soulagement qu'elle entendit le chef de gare annoncer : « Rye, gare de Rye. » Elle sauta sur ses pieds pour attraper son bagage, descendit la vitre, indifférente aux éventuelles escarbilles, et posa la main sur la poignée extérieure de la portière, prête à l'ouvrir aussitôt que possible.

« Quelle heureuse coïncidence », remarqua le jeune homme en la coinçant entre la porte et lui, collant son sac contre sa jambe. Elle faillit fondre en larmes en sentant son souffle dans sa nuque. « On pourrait peut-être se revoir si vous restez un moment dans le coin. »

Elle ouvrit la portière et mit le pied hors du wagon ; une dernière embardée faillit la faire tomber sur le quai. Son sac lui écorcha la cheville gauche et elle sentit au moins une épingle à cheveux se détacher de sa coiffure. Indifférente à son aspect et à la douleur, elle s'enfuit en direction du wagon à bagages pour récupérer sa malle et heurta de plein fouet un homme qui se tenait là, enveloppé par la vapeur. Elle ne put réprimer un cri de peur lorsqu'il la rattrapa par le coude pour leur éviter de tomber tous les deux.

« Vous ne vous êtes pas fait mal, j'espère ? demanda-t-il. Je suis vraiment navré.

— Lâchez-moi », siffla-t-elle d'une voix que la colère rentrée rendait farouche.

L'homme – un jeune homme – recula, levant les mains dans un geste de soumission.

«Je ne voulais pas vous froisser, mademoiselle. Je suis profondément navré.

— Hé, Grange, c'est moi qui l'ai vue le premier ! lança le passager du train.

— Je vous en prie, laissez-moi tranquille», murmura Beatrice, enfouissant son visage dans ses mains. Soudain accablée d'épuisement, elle renonça à lutter. Sa fureur reflua et elle sentit ses membres trembler comme si la brise légère avait la force d'une bourrasque hivernale.

«Wheaton, tu n'es qu'un affreux ivrogne, répliqua le jeune homme d'une voix si calme qu'on aurait pu croire qu'il parlait du temps. N'es-tu pas capable de distinguer une jeune femme respectable d'une de tes poules ? Tiens-toi correctement, tu veux ?

— Je ne savais pas que tu t'intéressais aux dames, Grange, fit Wheaton avec un petit rire entendu. Mais je te confonds peut-être avec ton charmant cousin Daniel ?

— Ne joue pas au dur, Wheaton. Rentre chez toi avant que ce soit moi qui te fasse rentrer. Je sais que tu n'aurais pas de mal à me jeter sur le carreau, mais tu risquerais d'abîmer tes beaux vêtements.

— J'y vais, j'y vais. Ma mère m'attend en sanglotant devant le veau gras, reprit Wheaton, visiblement peu ému par cette menace voilée de violence physique. Tu peux garder l'institutrice.»

Il s'éloigna en titubant, et Beatrice se sentit rougir.

«Êtes-vous mademoiselle Nash ?» demanda le jeune homme. Elle posa les yeux sur lui mais n'eut pas le courage de répondre. «Je suis Hugh Grange. Ma tante, Agatha Kent, m'a demandé de venir vous chercher.

— J'aimerais m'asseoir un instant», murmura-t-elle. Elle avait remarqué que le jeune homme avait des yeux gris pleins de bonté, mais elle ne vit rien d'autre car la gare se mit à tourner lentement autour d'elle. « Pardonnez-moi, mais je crains de m'évanouir.

— Voici un banc », dit-il, et sa main la saisit énergiquement par le coude.

Elle s'effondra.

« Voilà. Laissez votre tête pendre entre vos genoux et inspirez profondément », ajouta-t-il, et elle sentit qu'il lui poussait la tête vers les briques poussiéreuses du quai.

Elle prit lentement plusieurs profondes inspirations et le monde cessa de tournoyer tandis qu'une légère transpiration perlait sur son front.

« Pardon. C'est ridicule.

— Pas du tout. »

Elle ne voyait qu'une paire de grosses chaussures, parfaitement cirées mais striées et éraflées par l'âge.

« Je suis navré que Wheaton vous ait troublée à ce point.

— Il n'y est pour rien. Simplement je... j'aurais dû prendre un déjeuner plus copieux, c'est tout. En général, je mange beaucoup quand je voyage.

— Il est essentiel de garder des forces », approuva-t-il et bien qu'elle ne décelât pas l'ombre d'un sarcasme dans sa voix, elle sentit renaître la colère qui l'animait depuis le début de la journée.

Un nouveau frisson la parcourut et le jeune homme, les doigts posés sur le pouls de son poignet gauche, ajouta :

« Voulez-vous que j'aille demander un peu d'eau au chef de gare ou pensez-vous pouvoir marcher jusqu'à la voiture ? Nous ferions mieux de nous rendre immédiatement chez ma tante Agatha.

— Je me sens tout à fait bien maintenant, dit-elle en se levant lentement. Il faut que je m'occupe de ma malle et de ma bicyclette.

— Je demanderai à Smith d'aller les chercher plus tard. Le chef de gare les gardera d'ici là. Permettez-moi de porter votre sac. »

Beatrice hésita, mais il n'y avait pas trace de condescendance dans le ton du jeune homme et son visage ouvert manifestait son inquiétude par une unique ride qui s'était creusée entre ses yeux. Il cherchait à la traiter avec douceur, et elle prit conscience qu'au cours non seulement des deux dernières heures, mais des derniers mois, elle avait perdu confiance dans les intentions d'autrui à son égard. Elle cilla et lui tendit son sac en silence. Il s'en saisit et le soupesa, étonné par son poids.

« Pardon, fit-elle. J'ai emporté trop de livres, comme toujours.

— C'est parfait, la rassura-t-il en lui prenant le bras et en lui faisant franchir une grille latérale. Mais je préfère ne pas imaginer ce que doit peser votre malle. Je ferais peut-être mieux de demander au chef de gare de téléphoner pour qu'on envoie une charrette si nous voulons éviter de casser un essieu de la voiture. »

Tandis que l'automobile gravissait le coteau en s'éloignant de la ville, la jeune fille garda le visage détourné, le regard rivé sur les haies et les cottages qui défilaient. Hugh contempla la courbe de son long cou et ses épais cheveux bruns attachés en un chignon flou sur la nuque. Elle était certainement fatiguée, mais n'avait pas les épaules voûtées par un sentiment permanent de défaite que Hugh avait observées chez la plupart des enseignants qu'il avait connus. Même ses professeurs d'Oxford, dont beaucoup jouissaient d'une confortable sécurité familiale et financière, avaient paru se tasser au fil du temps, comme sous l'assaut permanent de l'ignorance de leurs élèves. Le manteau de voyage de Mlle Nash était coupé dans une toile de lin épaisse et souple qui semblait de bonne qualité et sa veste bien taillée assortie à sa jupe étroite était tout à fait à la mode, sans fantaisie néanmoins. Il lui donnait à peu près son âge ; vingt-deux ou vingt-trois ans peut-être, contre vingt-quatre pour lui. Sans être une jeune demoiselle craintive fraîche émoulue de l'école, elle était loin d'être la vieille fille terne à laquelle il s'attendait. Il reconnut qu'elle lui inspirait une lueur d'intérêt qui ne demandait qu'à être attisée et affermie par la conversation.

«Je vous prie encore d'excuser la conduite de ce pauvre Wheaton, dit-il. Il se comporte très bien avec les femmes quand il est sobre mais dès qu'il boit, il a tendance à se jeter sur toutes celles qui passent à sa portée.

— Vous n'avez pas à me présenter d'excuses. Si j'ai bien compris, je n'aurais pas dû décider d'occuper le compartiment dans lequel lui-même souhaitait voyager, c'est cela?»

Hugh se sentit rougir sous son regard. «Ce n'est pas du tout ce que je voulais dire. Mais des hommes comme Wheaton...

— Parce qu'il y en existe plusieurs sortes?

— Plusieurs sortes?

— D'hommes? Il me semble pourtant que la majorité d'entre eux est encline au même genre d'écarts sous l'influence de l'alcool.»

Elle pinça les lèvres et Hugh commença à se demander comment se dépêtrer de cette conversation.

«Souhaitez-vous que je vous présente des excuses au nom de l'intégralité de la gent masculine? demanda-t-il doucement.

— Je préférerais que vous ne présentiez pas d'excuses au nom d'autrui, répliqua-t-elle. Mon père dit toujours que si nous étions aussi prompts à reconnaître nos torts qu'à nous répandre en excuses pour ceux des autres, la société pourrait enfin accomplir quelques réels progrès.

— Je pense qu'il a raison, mais qu'il est d'un optimisme excessif. C'est un homme très religieux, sûrement?»

L'image d'un membre d'une société de tempérance faisant la moue tout en tapotant la couverture d'une Bible de ses doigts décharnés lui traversa l'esprit. La jeune fille laissa échapper un rire étranglé avant de poser sa main gantée sur sa bouche, semblant lutter contre ses émotions.

« Pardon, fit Hugh, regrettant de ne pas pouvoir ravaler ses propos.

— Merci », dit-elle enfin. Un sourire transforma son visage, illuminant ses yeux bruns. « Mon père est mort l'année dernière et je ne pensais pas qu'il me serait à nouveau possible de rire à son propos.

— Il n'était pas religieux, si j'ai bien compris.

— Non. Pas vraiment. Surtout, n'en dites rien à votre tante. Je suis sûre que les maîtresses d'école sont censées avoir des parents irréprochables.

— Certainement, approuva-t-il. Avez-vous étudié leurs autres attributs ? »

Elle lui jeta un regard indécis.

« Je vous assure que je suis parfaitement qualifiée, répondit-elle. Certains m'ont tout de même fait remarquer qu'il conviendrait que je fasse un plus gros effort pour cultiver la juste attitude de subordination reconnaissante.

— Heureusement pour vous, ma tante a pris une position tellement intransigeante avec les administrateurs de l'école qu'elle serait aux cent coups si elle devait leur annoncer que sa candidate ne fait pas l'affaire », la rassura-t-il pendant qu'ils s'engageaient dans la vaste cour recouverte de gravier de la confortable villa des Kent.

Il avait dit cela pour plaisanter, mais l'air inquiet de la jeune femme quand Smith ouvrit la porte ne lui échappa pas. Tandis qu'elle le précédait pour aller se présenter à Tante Agatha, il se demanda s'il aurait également dû lui faire remarquer qu'elle était loin d'être aussi laide que l'aurait souhaité sa tante.

2.

La maison plut immédiatement à Beatrice. Alors que son architecture extérieure évoquait un hybride entre un château médiéval et deux cottages à toit de chaume, ses vastes pièces, son éclairage électrique et ses sols immaculés parlaient de relations sociales et d'énergie, au lieu de refléter une maisonnée en voie de pétrification sous la pression tellurique de son propre lignage. Lady Marbely se mouvait avec la lenteur d'une femme qui attend son inhumation dans la crypte familiale, sa vie et sa demeure empoussiérées par l'étiquette et condamnées à la réclusion par des murailles de supériorité. Beatrice ignorait la position exacte d'Agatha Kent et de son mari dans le monde, mais elle ne les pensait pas du genre à se jeter sur toutes les failles de sa généalogie avant que la soupière ne fût posée sur la table de la salle à manger.

« Vous devez être Beatrice et je suis sûre que vous mourez de faim », dit une femme replète vêtue d'une robe orientale fluide qui apparut sur le seuil d'une porte vitrée menant à un salon éclairé par plusieurs lampes.

Elle avait l'âge où la fraîcheur de la jeunesse est contrainte de céder la place à la force de caractère, mais son visage était séduisant avec ses yeux intelligents et son sourire impérieux, et ses cheveux avaient conservé un ressort juvénile qui les faisait menacer d'échapper à tout instant à ses rouleaux soigneusement épinglés.

«Je suis Agatha Kent. Voici mon neveu, Daniel Bookham.

— Bonjour mademoiselle», dit-il sans la moindre trace d'intérêt, fût-il de pure politesse.

Bien qu'elle eût décidé de tirer définitivement un trait sur ses rêveries d'écolière romanesque, Beatrice n'était pas encore indifférente au charme d'un joli visage. Avec ses cheveux bruns soigneusement ébouriffés qui retombaient sur ses yeux bleus, son menton parfaitement dessiné et une moustache presque duveteuse, Daniel Bookham était d'une beauté saisissante. Tout en jugeant ridicules son foulard négligemment noué et son allure faussement bohème, elle ne put que réprimer un regret fugace en constatant qu'il était plus jeune qu'elle.

«Vous connaissez déjà mon autre neveu, Hugh Grange», ajouta Agatha.

Se retournant, Beatrice observa celui-ci à la lumière vive du vestibule. Il dépassait Daniel d'une bonne tête, et sans être beau, il aurait pu passer pour séduisant s'il n'avait été soumis à cette comparaison directe avec la figure presque classique de son jeune cousin. Tandis que sa tante l'envoyait s'occuper des bagages et appelait la domestique pour qu'elle la conduise à sa chambre, Beatrice songea qu'il serait prudent de garder les yeux fermement rivés sur Hugh Grange.

C'était probablement la chambre d'amis de troisième choix, se dit Beatrice : exiguë et meublée d'un étroit lit de chêne et d'un secrétaire très simple, mais joliment décorée d'un papier peint à rayures bleues et de rideaux de chintz fleuri. Un lavabo bordé d'un jupon de dentelle, avec l'eau courante, occupait un angle de la pièce, et les parfums du jardin pénétraient par une grande fenêtre ouverte sur la nuit. Au loin, un scintillement d'argent trahissait la présence de la mer éclairée par la lune. De l'autre côté du couloir, la domestique lui avait fièrement vanté les avantages d'une salle de bains contenant une énorme baignoire équipée d'une effrayante armada de robinets de cuivre et flanquée d'un trône d'acajou décoré, dont le siège surélevé révélait des cabinets d'intérieur. Un réservoir d'acajou sculpté était accroché très haut sur le mur et une longue chaîne de cuivre lui prêtait un aspect vaguement ecclésiastique.

«Je sais m'en servir, merci, dit Beatrice, devançant les instructions de la servante.

— Il n'y a pas d'autres invités dans cette aile, annonça celle-ci. Elle est donc à votre entière disposition.

— Les jeunes messieurs ne logent pas ici? s'étonna Beatrice.

— Ils aiment mieux occuper leurs anciennes chambres, à l'étage du haut. Je ne sais pas comment M. Hugh arrive à dormir dans ce petit lit. Sûrement qu'il est roulé en boule comme un hérisson mais il ne veut pas entendre parler de changer de chambre. Quant à M. Daniel, il a essayé de s'installer dans la chambre verte sur l'avant, mais M. Hugh l'a tellement asticoté, et en plus, Mme Kent ne voulait pas qu'il fume le cigare parce que les rideaux étaient tout neufs, qu'il n'a fait ni une ni deux, et il est remonté.»

Sa voix s'était adoucie pendant ce long discours, et Beatrice songea que des jeunes gens capables d'inspirer pareille affection devaient posséder bien des qualités.

Elle pensa à son père et à la loyauté farouche qu'il avait inspirée aux nombreux domestiques qui s'étaient occupés d'eux. Quelle gentillesse, mais aussi quelle amertume dans toutes ces séparations! À combien de reprises s'était-elle blottie contre le sein généreux d'une gouvernante en larmes qui lui caressait les cheveux et la suppliait de lui écrire? Une seule fois, ils avaient emmené une servante avec eux, en Italie, mais la jeune fille avait été incapable de s'acclimater à ces contrées inconnues, malgré son chagrin à l'idée de les décevoir. Beatrice n'avait jamais oublié le quai glacial de la gare, le visage ruisselant de larmes de la domestique à travers la vitre du train, et elle-même, fillette maigrichonne, qui cherchait à contrôler une vague de frissons et prenait la résolution de garder plus de réserve avec la prochaine servante. Chacune de ces femmes pleines de bonté – et elles étaient, semble-t-il, toujours embauchées par son père pour leur bonté plus que pour leurs talents de ménagère ou de cuisinière – avait été tenue un peu plus à distance que la précédente et elle était désormais capable d'apprécier la domestique d'Agatha Kent avec un parfait détachement.

Essoufflée par ses explications, la jeune fille faisait des efforts pour conserver une certaine hauteur. Tout le personnel, évidemment, savait que Beatrice était maîtresse d'école, et il était curieux, songea-t-elle, que les gens de service pussent se montrer aussi grossiers que des révolutionnaires avec ceux dont la condition était à peine supérieure à la leur, tout en vouant à leurs maîtres une loyauté inconditionnelle. La jeune domestique avait de toute évidence bon cœur, c'était sûrement une bonne travailleuse que son accent régional mettait probablement en butte à la condescendance des autres. Beatrice lui adressa un grand sourire.

« Merci pour votre gentillesse, Jenny.

— Je vais vous apporter à souper tout de suite », annonça la fille en lui rendant son sourire, toute trace de morgue effacée.

Étant descendue après avoir enfilé un corsage propre et s'être drapé les épaules d'un châle, Beatrice croisa Daniel dans le vestibule.

« Ah, attendez ici un instant, je vais demander à Tante Agatha où elle souhaite vous recevoir », dit-il avant de disparaître par la porte du salon.

Beatrice s'arrêta au pied de l'escalier, se cramponnant à la rampe jusqu'à ce que son poignet lui fasse mal. Elle murmura, très vite : « L'humiliation est le passe-temps des esprits mesquins », une maxime paternelle qu'elle n'avait trouvée que trop utile au cours de l'année écoulée.

« Dois-je faire entrer la maîtresse d'école dans le petit bureau ? entendit-elle Daniel demander.

— Mon Dieu non, il n'est pas chauffé et il y fait un froid de loup quand la nuit est tombée. Fais-la venir ici, veux-tu ? »

Daniel apparut sur le seuil, ses traits classiques défigurés par la désapprobation, et lui fit un signe de la main.

« Par ici, mademoiselle. Ne soyez pas intimidée, nous ne faisons pas de manières.

— Je peux vous assurer que mon éducation ne m'a pas appris à être timide, répliqua Beatrice d'une voix tranchante. Un salon de campagne n'a rien pour me faire peur.

— Entendez-vous, Tante Agatha ? demanda Daniel. Vous ne terrorisez pas la Terre entière.

— Je l'espère bien, répondit Agatha, alanguie dans l'angle d'un canapé rembourré. Après tout, je suis la plus douce des femmes et je m'entends parfaitement avec tout le monde. »

Assis dans une bergère à oreilles près de la cheminée, Hugh parut s'étrangler de rire et avala une grande gorgée de son verre en se relevant.

« Hugh lui-même vous dira que ma tante est absolument redoutable. »

Daniel sourit à Beatrice, mais elle était désormais à l'abri de sa séduction, immunisée par son arrogance désinvolte.

« Vraiment, les garçons, vous êtes affreusement grossiers, observa Agatha. Ne peux-tu pas offrir un verre à Mlle Nash, Daniel ? Venez vous asseoir près de moi, mademoiselle Nash.

— Rien pour moi, merci », dit Beatrice, qui aurait eu grande envie d'un petit verre de porto mais se garda bien de le faire savoir.

Lady Marbely avait mis plusieurs semaines à cesser de faire des commentaires, s'étonnant qu'une jeune fille de bonne famille s'y connaisse aussi bien en porto et regrettant amèrement qu'elle n'ait pas eu de mère pour contrebalancer les idées peu conventionnelles de son père en matière de bienséance.

« Avez-vous suffisamment mangé ? s'inquiéta Agatha. Je peux sonner pour demander qu'on vous apporte des fruits.

— Non, merci, le souper était délicieux et ma chambre est très confortable. C'est tellement aimable à vous de m'accueillir sous votre toit.

— Il m'a paru utile que nous fassions plus ample connaissance, si possible avant le reste de la ville. Un travail important nous attend, mademoiselle Nash, et il est essentiel que nous nous comprenions parfaitement, vous et moi.

— Autrement dit, nous sommes priés de nous retirer, lança Daniel. Une partie de billard nous attend justement, Hugh et moi. »

« Hugh vous donnera toutes les informations nécessaires sur les cours particuliers, reprit Agatha pendant que les jeunes gens quittaient la pièce.

— Des cours particuliers ?

— Quelques garçons du village, mes petits protégés. J'ai expliqué à Hugh que vous cherchiez à donner des leçons pendant l'été, et il ne demande qu'à s'en décharger sur vous. Cela ne devrait pas être trop pénible

– un peu de soutien pour les élèves du cours avancé de latin.

— J'en serais ravie. J'ai été répétitrice des trois filles d'un professeur de notre université, en Californie, et j'ai trouvé passionnant de voir fleurir la pratique du latin dans cette petite société si avide de savoir.

— Je ne suis pas certaine que ces garçons soient aptes à la floraison, affirma Agatha en lui jetant un regard dubitatif. Hugh reconnaît qu'ils sont intelligents et que l'un d'eux, en particulier, pourrait prouver l'utilité de nos efforts, mais ils sont quelque peu chahuteurs et parfois rétifs.

— Dans certains cas, les plus grands défis sont aussi les plus dignes de nos efforts. Je vous suis très reconnaissante, à vous et à l'école, de m'offrir cette possibilité.

— Oui, bien sûr. Mais il faudra veiller à ne donner aux administrateurs aucun motif de vous chercher noise. » Elle hésita, et Beatrice comprit qu'elle ne savait comment poursuivre.

« Ils ne voulaient pas m'embaucher. »

C'était plus un constat qu'une question.

« Ma foi, pas vraiment, en effet. Mais il suffira que vous réussissiez pour qu'ils changent d'avis. » Elle s'interrompit. « Nous ne sommes que deux femmes au conseil d'établissement, vous savez. Je me trouve dans une situation très délicate, ce qui m'oblige à tempérer mes envies de réforme et à choisir soigneusement mes combats. Nous avons des maîtresses, évidemment, pour les matières qui s'y prêtent. Mais en l'occurrence, nous avons eu du mal à trouver un remplaçant digne de ce nom pour le professeur principal de latin, qui nous a quittés très brutalement, et vos qualifications dépassaient de si loin celles des postulants habituels que je... enfin, j'ai fait tout mon possible pour pousser votre candidature.

— Je vous remercie.

— Pour être franche, vous n'êtes pas exactement telle que je vous imaginais. »

Elle ne développa pas, et Beatrice, embarrassée par ce silence, retint son souffle, espérant éviter ainsi que ses joues ne s'empourprent.

« Je puis vous assurer que mes diplômes universitaires et mes certificats d'aptitude à l'enseignement sont parfaitement en règle, dit-elle enfin.

— Vos qualifications, et la description que Lady Marbely m'a faite de vos nombreux voyages et de votre vaste expérience m'avaient conduite à vous croire plus âgée.

— Cela fait un certain temps déjà que j'ai renoncé aux frivolités et enfantillages de toute sorte. J'ai été la secrétaire de mon père et sa dame de compagnie pendant plusieurs années. Mais le plus déterminant pour moi est que je ne peux pas me permettre financièrement de prendre le temps d'arriver à maturité comme un fromage. » Elle sourit pour émousser le tranchant de ses propos. « Je n'ai pas l'intention de me marier, madame, et maintenant que mon père n'est plus, il faut que je gagne ma vie. Vous ne me refuserez certainement pas le travail pour lequel j'ai étudié et je me suis formée ?

— Certainement pas, la rassura Agatha. Mais il serait préférable de ne pas évoquer une nécessité aussi embarrassante. Si nous voulons arriver à nos fins, nous ferions mieux de mettre en avant vos liens avec les Marbely et suggérer qu'à vos yeux, l'enseignement est un service davantage qu'une profession.

— Comme vous voudrez », acquiesça Beatrice plus sèchement qu'elle ne l'aurait voulu, en se demandant comment aborder la question de son salaire et de son logement si elle n'était censée avoir besoin ni de l'un ni de l'autre.

« Bien sûr, j'étais plus âgée que vous lorsque je me suis mariée », reprit Agatha.

Son observation ne contenant pas de question, Beatrice, lasse des gens qui prenaient la liberté de l'interroger sur sa détermination à vivre sans mari, se mordit la lèvre et garda le silence. Agatha poussa un soupir et poursuivit :

« Le monde change, mademoiselle Nash, mais très lentement. J'espère que grâce au travail que j'accomplis et à celui que vous accomplirez, nous contribuerons à faire progresser l'intelligence et le mérite et aiderons notre pays à aller de l'avant.

— Dois-je supposer, madame, que vous soutenez la cause des femmes ? demanda Beatrice.

— Grands dieux non ! riposta Agatha. Ces scènes d'hystérie dans les rues sont affreusement dommageables. Ce n'est qu'à travers des activités aussi raisonnables que les conseils d'administration scolaire et les bonnes œuvres, sous la conduite de nos gentlemen les plus respectés et les plus instruits, que nous prouverons notre valeur aux yeux de Dieu et de nos prochains. N'êtes-vous pas de cet avis, mademoiselle Nash ? »

Beatrice n'était pas du tout sûre de l'approuver. Elle aurait bien voulu, pensait-elle, être autorisée à voter et à passer un diplôme à Oxford, l'université qu'avait fréquentée son père. Les gentlemen les plus instruits eux-mêmes ne semblaient guère pressés de remédier sans combat aux injustices faites aux femmes. Et elle n'était pas certaine qu'Agatha Kent fût tout à fait sincère dans ses propos. Son visage, sous ses sourcils arqués, était indéchiffrable.

« Tout ce que je sais, c'est que je voudrais enseigner autre chose que ce qu'on apprend à l'école élémentaire, répondit-elle. Je voudrais enseigner, étudier et écrire, comme mon père l'a fait, et je voudrais que mes efforts ne soient pas considérés avec moins de sérieux simplement parce que je suis une femme. »

Agatha soupira.

« Vous êtes une jeune personne instruite et vous pouvez être utile à notre pays, mais les femmes comme nous doivent prouver leur valeur, au lieu de manifester dans les rues. En outre, ajouta-t-elle, il ne serait sans doute pas judicieux que toutes nos servantes déclarent leur indépendance et se précipitent au music-hall, n'est-ce pas ?

— Qui mettrait l'eau à chauffer pour le thé ? ne put s'empêcher de lancer Beatrice.

— Il faut que vous sachiez, mademoiselle Nash, que nous allons être surveillées de très près, vous et moi, au cours de ces prochains mois. Permettez-moi de vous dire en toute franchise que j'attends de vous non seulement que vous prouviez la supériorité de vos mérites et l'irréprochabilité de votre respectabilité, mais que vous vous attachiez aussi à préserver ma propre réputation. J'ai passé de longues années à établir, sans faire de vagues, une position qui me permet d'accomplir un travail utile dans cette ville, mais je n'y ai pas que des amis.

— Je vois.

— Je n'en suis pas si sûre. Je ne suis jamais allée jusqu'à commettre un acte aussi scandaleux que d'engager une jeune femme pour enseigner le latin et je suis personnellement responsable de vous. Si nous devions, vous et moi, échouer dans cette tâche, ce sont de nombreux autres projets qui risqueraient d'en pâtir. »

Beatrice vit une ombre de lassitude voiler ce visage plein de bonté.

« J'ai mis tous mes œufs dans le même panier, le vôtre, mademoiselle Nash. Ai-je été suffisamment claire ? »

Beatrice sentit avec intérêt s'épanouir en elle un germe de motivation qui ne ressemblait en rien à la résolution – la fureur obstinée – avec laquelle elle avait cherché à fuir les Marbely. Cela faisait de longs mois que personne n'avait eu besoin d'elle. Et voilà qu'elle semblait pouvoir être précieuse à Agatha Kent : elle éprouva comme un écho du sentiment de détermination que les projets de son père lui avaient toujours inspiré.

« Je ne vous décevrai pas, madame, dit-elle.

— Je compte sur vous », répondit Agatha avec un sourire chaleureux.

Elle se leva et lui tendit les deux mains. Le geste était gracieux, mais Beatrice comprit qu'elle était congédiée.

« Bonne nuit, madame.

— Une dernière chose, mademoiselle Nash, ajouta Agatha alors que Beatrice se dirigeait vers le vestibule. Si j'étais vous, je garderais mes aspirations littéraires pour moi. Il serait absolument désastreux qu'une jeune personne dans votre position se fasse une réputation de bohème. »

Dans la salle de billard, Daniel était fort occupé à faire son choix parmi les quatre vieilles queues d'Oncle John qu'il connaissait pourtant depuis le temps où Hugh et lui portaient des culottes courtes.

« Si seulement Tante Agatha cessait de s'emballer pour des projets invraisemblables », dit-il en poussant un soupir long comme la queue d'ébène et de bois de rose qu'Oncle John avait rapportée du Maroc.

Il commença à passer du bleu sur le procédé de caoutchouc indien pendant que Hugh, comme d'habitude, se chargeait d'allumer les lampes et de disposer les boules.

« Il me semble que l'intérêt que lui inspire l'éducation pourrait être plus justement qualifié de cause », remarqua Hugh, savourant le cliquètement mat et doux de la boule rouge contre la jaune quand il les rangea en triangle.

« S'agissant du conseil d'établissement, oui, sans doute, acquiesça Daniel. Mais tu sembles oublier les garnements qu'elle t'a fourgués.

— C'est l'ascension de la classe ouvrière qui t'inquiète ?

— Pas le moins du monde. Comment peut-on imaginer que l'un d'entre eux puisse réussir à devenir ne fût-ce qu'employé de bureau dans une usine ? Absurde ! Ce qui me chagrine, c'est qu'elle risque de se ridiculiser.

— En même temps que ses proches...

— Je ne pense qu'à Oncle John, rétorqua Daniel. Et maintenant, voilà qu'elle se met en tête de faire venir une femme comme professeur de latin à l'école primaire supérieure ! Quelle extravagance !

— Je crois avoir compris que les autres candidats n'étaient pas à la hauteur, observa Hugh.

— A-t-on vraiment besoin d'autre chose que d'un rudiment de connaissances ? Le secret du métier consiste avant tout à avoir le bras solide pour manier la canne sans fatigue.

— Si j'ai bien compris, Mlle Nash est convaincue que faire découvrir César et Virgile aux jeunes peut être un plaisir. »

Daniel poussa un grognement et abandonnant sa vilaine moue méprisante, son visage s'épanouit dans un large sourire. Hugh poussa un soupir de soulagement. Son cousin mettait toujours un certain temps à se réhabituer à la vie sereine que l'on menait à Rye. Quand il était petit, on avait toujours l'impression qu'il arrivait la mine renfrognée, les épaules voûtées sous un fardeau imaginaire, les yeux soupçonneux comme ceux d'un chien battu. Hugh, son aîné de deux ans, faisait comme si de rien n'était et se plongeait dans un livre ou allait aider le jardinier à cueillir une laitue pour la cuisine, impatient de voir son jeune cousin briser sa gangue et reprendre son rôle de meneur pour l'entraîner dans toutes sortes de délits et d'aventures dans les bois et aux quatre coins de la ville.

C'était Daniel qui organisait les maraudages de vergers en pleine nuit, les sorties de pêche, les excursions jusqu'à la côte. C'était Daniel qui réussissait à convaincre la cuisinière de remplir son cartable de tourtes au porc et d'œufs durs, ou à persuader le laitier de les laisser monter dans sa carriole pour les conduire en ville. Hugh aurait bien voulu être aussi intrépide que son cousin, déborder comme lui d'idées et de projets, mais il avait compris depuis longtemps que le sens des responsabilités et la conscience dont il était doté lui faisaient prévoir toutes les embûches potentielles des grandioses entreprises de Daniel. C'était en tout cas ce que Tante Agatha lui avait affirmé quand, à cause de Daniel, ils s'étaient égarés toute une nuit dans le bois de Higgins ; quand Daniel s'était cassé le bras en tombant d'une corde raide qu'il avait tendue pour se préparer à une carrière de funambule ; quand ils avaient ramené à la maison un porcelet malade qui n'avait que trois pattes qu'ils avaient prétendu garder dans un cageot d'oranges au fond de la nursery et qui avait couvert le tapis d'excréments – et terrifié la cuisinière lorsqu'il avait dévalé l'escalier de service en couinant.

« C'est toi le responsable. »

« C'est toi l'aîné. »

« Daniel n'a pas de mère pour lui expliquer cela », lui rappelait sa tante.

Hugh trouvait ce dernier reproche légèrement injuste. Ce n'était tout de même pas sa faute si sa mère était encore en vie. Ils avaient un père, l'un comme l'autre, même si le sien était indéniablement plus gai que celui de Daniel. De plus, il était convaincu que beaucoup d'autres gens, depuis Tante Agatha elle-même jusqu'au maître de l'école du dimanche dont les dents de céramique claquaient quand il s'emportait contre les garçons turbulents, étaient tout disposés à inculquer à son cousin quelques règles de morale élémentaire.

Bien qu'il n'appréciât pas de se faire systématiquement réprimander comme si c'était lui qui avait suggéré d'aller espionner les bohémiens au bord du marais ou d'emprunter son âne au voisin pour rejouer le voyage à Bethléem, Hugh gardait sa langue. Malgré son jeune âge, il s'était fait à l'idée que, pour des raisons mystérieuses, l'indiscipline de Daniel et ses accès de mauvaise humeur méritaient une singulière indulgence.

Hugh avait entendu à maintes reprises son oncle et sa tante discuter tout bas du pensionnat austère que fréquentait Daniel ; Tante Agatha voulait en parler au père de Daniel tandis qu'Oncle John l'exhortait à ne pas s'en mêler. Hugh n'avait jamais pensé que le problème de Daniel pût dépendre de son école, car il était tout aussi morose quand il arrivait à Rye après un séjour chez son père, à Londres. Le temps passant, l'humeur sombre de Daniel laissa progressivement place à une attitude distante d'impassibilité cynique. Il devint plus populaire auprès de ses camarades de classe et Hugh avait la nette impression que son cousin avait étudié les arts mondains avec bien plus de zèle que les mathématiques ou le grec. À Oxford, sa compagnie était apparemment très recherchée par différents groupes d'étudiants, et Hugh l'avait vu moins souvent à Londres ou dans le Sussex, Daniel étant régulièrement invité dans des maisons de campagne, à des voyages en famille dans des capitales étrangères ou à des randonnées dans les Dolomites et autres régions pittoresques.

« À propos de Virgile, c'était comment, Florence ? demanda Hugh.

— Pour l'essentiel, bourré de matrones anglaises et américaines s'évertuant à réduire plusieurs siècles d'histoire et d'art à la routine estivale ordinaire d'une station thermale de province. Surtout pas plus d'une heure et demie aux Offices, parce que, bien sûr, on déjeune à midi et qu'ensuite, en début d'après-midi, il fait trop chaud pour visiter des églises et qu'on prend le thé à quatre heures. En plus, elles sont toutes sur le pied de guerre pour faire étalage de leurs troupeaux de filles, de sorte que les soirées ne sont que dîners et réceptions. » Il visa la phalange de boules et les dispersa habilement sur la surface verte de la table. « En un mot, elles se donnent un mal de chien pour rendre l'Italie aussi peu exotique que le centre du Surrey.

— Et comment as-tu supporté ça ?

— J'ai attrapé un rhume d'été récidivant, qui m'a permis de prétendre passer mes journées cloîtré dans ma chambre. Dès que la voie était libre, mon ami Craigmore et moi filions en douce et passions la journée en ville tout seuls.

— Craigmore partage-t-il ton goût pour la poésie ?

— Mon Dieu, non ! C'est un artiste plutôt grossier et un athlète de la pire espèce. Mais c'est un remarquable marcheur et nous avons parcouru toute la ville et même les collines alentour. J'étais chargé d'assimiler toute la beauté et tout l'art, pour lui dire ce qu'il devait noter dans son journal de voyage. Quant à lui, son rôle a été de m'apprendre à être capable de tenir tête à n'importe quel adversaire au tennis.

— Je ne te connaissais pas autant de patience avec les philistins, remarqua Hugh, avec un petit pincement de jalousie en constatant que son cousin avait aussi aisément troqué leur compagnonnage estival pour un autre. Il est vrai qu'il a un titre, ajouta-t-il.

— Aïe ! lança Daniel. Ce genre de sarcasme ne t'est pas coutumier.

— Pardon !

— Heureusement, on peut toujours compter sur toi pour te répandre en excuses. »

Daniel tira et envoya une boule rouge dans la poche d'angle. Le reproche implicite de Daniel, suggérant que ses bonnes manières n'étaient qu'une forme de faiblesse, fit rougir Hugh. Au moins, ses regrets étaient toujours sincères. Combien de fois n'avait-il pas entendu Daniel présenter des excuses charmantes, mais de pure forme ?

« Pardonne-moi, Hugh, c'était d'une méchanceté gratuite. » Hugh scruta le visage de son cousin en quête d'ironie, mais, exceptionnellement, n'en releva pas. « Il s'agit du vicomte Craigmore, le fils de Lord North, précisa Daniel. Dans un curieux accès de romantisme, sa mère l'a baptisé Lancelot, un prénom si ridicule que tout le monde ne l'appelle que Craigmore, même ses plus proches amis.

— Je vois.

— Nous avons l'intention de partir ensemble à Paris cet automne pour écrire et peindre. Nous projetons de lancer une revue qui associerait poésie et illustrations.

— Et comment diable comptes-tu persuader ton père de soutenir une telle virée ? Je croyais que tu lui dissimulais soigneusement tes incursions en poésie ?

— Il y a tant de choses que je lui cache. En l'occurrence, je lui dirai que le père de Craigmore m'a invité à séjourner en France avec eux. Père ne verra rien à redire à ce que je joue les gentlemen – surtout si je lui glisse que Craigmore a une petite sœur tout à fait mariable.

— Daniel, ne me dis pas que tu es amoureux ? » s'étonna Hugh, avec un frémissement d'espoir.

Si c'était le cas, il pourrait aborder lui-même le sujet de ses aspirations romantiques sans avoir à redouter d'impitoyables taquineries.

« Grands dieux non, démentit Daniel. C'est une pauvre petite chose pâlichonne, et elle sent le tapioca – mais Craigmore pense arriver à convaincre son père que quelques mois à Paris, moyennant un minimum de fonds pour entretenir une maîtresse, constituent exactement le lustre ultime nécessaire à un gentleman britannique avant qu'il ne se décide à assumer ses responsabilités.

— La maîtresse en question sera la poésie, si j'ai bien compris ? demanda Hugh tout en manquant un coup et en enfonçant sa queue dans le tapis. Ne serait-elle pas mieux servie si vous lui disiez la vérité ?

— Certainement pas ! Lord North ne m'apprécie pas beaucoup. Je crois qu'il se méfie des gens qui lisent.

— Peut-être le père de Craigmore mérite-t-il de se laisser abuser, mais ne t'imagine pas pouvoir en faire autant avec Tante Agatha. Elle est bien décidée à ce que tu marches sur les traces d'Oncle John en entrant dans l'administration dès cette année.

— Il faudra simplement que je lui fasse comprendre que si je ne saisis pas cette occasion, je le regretterai toute ma vie, observa Daniel.

— Il doit tout de même être possible d'écrire de la poésie tout en menant une carrière sérieuse.

— Je veux bien croire que la chirurgie puisse être un passe-temps du dimanche, mais je peux t'assurer que pour moi, la poésie est une question de vie ou de mort. Il faut que j'écrive, voilà tout, exactement comme une passion irrésistible te pousse à contempler les entrailles sanguinolentes de pauvres diables étendus sur ta table d'opération et à conserver des têtes de poule dans la saumure dans les plus gros bocaux à confitures de Tante Agatha.

— Inutile de mentionner les pots. Je les ai remis à l'office avant que la cuisinière ne le remarque.

— Inutile de mentionner Paris, rétorqua Daniel. Notre nouvelle maîtresse de latin devrait suffire à distraire Tante Agatha. Nous devrions adopter cette pauvre fille, Hugh, et veiller à ce que Tante Agatha continue à l'abriter sous son aile protectrice.

— Je ne suis pas certain que ce soit une bonne idée. Mlle Nash n'est pas un pudding au tapioca.

— Elle a pourtant l'air chagrin typique du bas-bleu. Tu devrais engager des débats d'érudition avec elle,

Hugh. Mais si tout le reste échoue, je pourrai toujours lui composer un sonnet.

— Un sonnet?

— Aucune femme ne résiste à des pentamètres iambiques faisant rimer son nom et celui d'une fleur. »

3.

Sur la pelouse, la rosée ne s'était pas encore évaporée sous les rayons du soleil et la brise salée était chargée d'un parfum de chèvrefeuille et de giroflée. Le petit matin était le moment préféré d'Agatha, car il vous rappelait les joies simples de l'enfance et vous invitait à sortir, songeait-elle, pour marcher pieds nus dans l'herbe mouillée. Bien décidée à répondre à cet appel, elle finit de nouer les rubans qui resserraient l'encolure et la taille de son peignoir de coton uni, glissa les pieds dans une paire de pantoufles éculées à talon bas et se dirigea vers l'escalier de service.

Agatha n'empruntait ce passage que de très bonne heure et jamais elle ne se sentait plus chez elle dans sa propre demeure que lorsqu'elle glissait la tête par la porte de la cuisine pour demander à la cuisinière une tasse de thé de la grosse théière brune tenue au chaud toute la journée pour le personnel. Pendant un bref instant, dans la cuisine carrelée de noir et blanc, avec ses hautes fenêtres ensoleillées et son fourneau à gaz flambant neuf, rien ne les obligeait à être patronne et domestique, régnant sur des domaines distincts de part et d'autre d'une porte matelassée. Elles pouvaient se retrouver comme deux femmes, levées avant le reste de la maisonnée et ayant grand besoin de leur première tasse de thé de la journée.

Ce matin-là, deux jattes de framboises étaient posées sur la table et la cuisinière était en train de prélever la couche de crème déposée au sommet du lait contenu dans une cruche.

« J'espère que j'ai bien fait de les prendre ? s'inquiéta-t-elle. Le laitier en avait dans sa carriole et je sais que monsieur Daniel ne refuse jamais quelques framboises. Les nôtres ne sont pas encore mûres.

— Je crois que vous ne cesserez jamais de gâter ces garçons, observa Agatha. Comment va votre petite-fille ?

— Mieux, grâce au soleil et au bon air. Elle se déplace bien plus vite, maintenant. »

La fillette portait un appareil orthopédique pour redresser ses jambes déformées et affaiblies par le rachitisme, fléau des classes défavorisées. Agatha envoyait fréquemment des corbeilles de bouillon et de beurre par l'intermédiaire de la cuisinière, mais l'enfant, qui avait à présent cinq ans, restait obstinément frêle et souffreteuse, ce qui affligeait tant sa grand-mère que certains jours, Agatha hésitait à prendre de ses nouvelles.

« J'en suis ravie », dit-elle tout en adressant au ciel une action de grâce silencieuse pour la bonne santé de ses neveux, grands et robustes.

Tasse de thé à la main, Agatha franchit une arche de bois ménageant un passage dans l'épaisse haie d'ifs, refermant derrière elle le haut portail de planches jointes et laissant tomber bruyamment le loquet pour annoncer sa présence au jardinier, parfois matinal. Elle avait fait comprendre discrètement à tous les domestiques que l'accès de ce coin paisible du jardin leur était interdit quand la porte était fermée. Agatha n'en préférait pas moins signaler son arrivée plutôt que de s'introduire furtivement.

Elle prit un moment pour savourer l'ingéniosité avec laquelle elle avait aménagé cette petite chambre de verdure avec sa haie à hauteur de menton du côté qui dominait la mer, et ses murs d'ifs plus élevés sur les trois faces donnant de l'autre côté. Le gazon uni et soigneusement entretenu avait l'air presque assez lisse pour qu'on pût y jouer au croquet, et l'unique banc de chêne massif situé au centre lui plaisait infiniment avec sa charmante peinture bleu céruléen. Posant sa tasse, elle retira son peignoir et se débarrassa de ses pantoufles d'un coup de pied pour s'abandonner au soleil matinal, en chemise, avec une paire de courtes culottes bouffantes au-dessus de bas de laine dont elle avait coupé les extrémités. Tortillant ses orteils dans l'herbe humide, elle prit deux longues et profondes inspirations, étira les deux bras au-dessus de sa tête et commença à dessiner des cercles énergiques avec son torse et sa tête.

Chaque fois qu'elle faisait de la gymnastique dans le jardin, Agatha se trouvait transportée en esprit dans l'atmosphère tout embaumée de camélias de Baden-Baden où John et elle, lors de brèves vacances, étaient allés assister à une conférence sur les bienfaits d'exercices physiques quotidiens assidus. Ils étaient sortis ce soir-là parce qu'ils avaient envie de voir la magnificence verte et blanche de cuivre et de verre du palais des fêtes situé au bord du lac, et d'admirer l'élégance des promeneurs tout de blanc vêtus. Les Allemands semblaient affectionner les larges ceintures incrustées de médailles ainsi que les broches évoquant des décorations, de sorte que leurs promenades estivales tenaient plus de la parade militaire que de la flânerie dans une ville thermale de province. Le conférencier, un petit Scandinave maigre et nerveux, n'avait pas paru de taille à dominer la vaste scène déserte, et tandis qu'il chantait les vertus du développement musculaire et la salubrité des bains froids, la salle avait commencé à s'agiter. Mais il avait suffi qu'il retire brusquement son pantalon pour galvaniser le public. Vêtu d'un simple pagne de tissu, l'homme s'était tenu en équilibre sur la tête, s'était plié en deux avant de franchir une barre placée à presque deux mètres du sol, avait fait monter sur l'estrade un auditeur qui lui avait sauté sur le ventre à plusieurs reprises. Il avait achevé par un grand écart. John avait immédiatement émis l'opinion qu'aucune de ces dernières aptitudes ne saurait être un atout pour un gentleman, et que cette démonstration ne pouvait que dissuader d'éventuels amateurs d'acheter le livre de ce pauvre homme. Pourtant, malgré les gloussements scandalisés de la foule excitée et quelques commentaires désobligeants parus dans la presse locale, le Scandinave et son programme de gymnastique avaient fait fureur cet été-là. Agatha et John avaient lu son petit ouvrage pour pouvoir participer aux conversations des dîners, mais John avait été conquis par quelques idées parfaitement sensées – dormir la fenêtre ouverte, faire quotidiennement sa toilette à l'éponge – et six ans plus tard, il arborait une silhouette admirablement amincie. Il avait préféré ne pas s'en vanter et exaspérait son tailleur, à qui il commandait obstinément des vêtements conformes à ses anciennes mensurations.

Agatha s'était à regret résignée à ne pas être armée de la même volonté que son mari. Son application incohérente du programme, associée à son goût immodéré pour les gâteaux, la crème et les sauces épaisses, l'avait condamnée à conserver un abdomen dodu qui refusait de céder à l'exercice physique et aux pressions d'un corset. En cet instant précis, allongée dans l'herbe, les pieds glissés sous les barres transversales du banc, un petit pneu charnu contrariait ses efforts alors qu'elle cherchait à se redresser en position assise, douze fois. Elle n'en appréciait pas moins cette séance routinière de gymnastique dans son jardin privé, par une belle journée lumineuse, et attendait avec impatience la fin de ces mouvements pour s'accorder la dose prescrite de bénéfiques rayons du soleil.

Lorsque Beatrice se réveilla, la lumière du jour semblait danser sur le papier peint bleu et les oiseaux se disputaient leur petit déjeuner dans des arbres invisibles. Par la fenêtre ouverte, la brise apportait déjà le parfum d'une chaude matinée dans la légère fraîcheur de la chambre. Un moment, elle ne sut plus où elle était, et le cœur battant, crut se trouver encore en Italie, dans ce village surplombant Florence, tandis que son père, installé à la table du petit déjeuner sur la terrasse de leur *pensione*, au-dessous, lisait des journaux vieux de l'avant-veille et réclamait un peu plus de lait chaud. Elle se renfonça dans son oreiller et chercha à prolonger ces minutes de demi-sommeil où elle retrouvait un bonheur perdu.

Quand elle finit par ouvrir les yeux, la chambre étrangère retrouva ses contours en même temps qu'elle-même prenait lentement conscience d'avoir enfin réussi à échapper à la famille de sa tante. Elle était dans le Sussex et sa chambre était tout emplie de l'odeur du jardin et, plus faiblement, de la mer. Aujourd'hui au moins, le chagrin qui la clouait physiquement au lit presque tous les matins ne pouvait triompher de l'impatience d'un nouveau départ. Pour la première fois depuis des mois, elle faillit bondir de son lit pour saluer cette journée d'été.

Lavée et coiffée, vêtue d'une robe de coton gris au corsage ajusté dont la large ceinture était fermée par des boutons d'os, Beatrice laissa son sac de voyage bouclé et prêt à côté de la porte de la chambre et descendit en quête d'un petit déjeuner. Le vestibule soigneusement astiqué était silencieux et désert, tout comme le salon et la salle à manger, juste en face. Percevant quelques bruits ténus dans les profondeurs de la maison, derrière l'escalier, Beatrice hésita pourtant à pénétrer plus loin sans y avoir été invitée. Les portes-fenêtres du salon étaient ouvertes et laissaient pénétrer la brise.

Embarrassée à l'idée qu'on la surprenne à rôder, elle se glissa au-dehors.

La terrasse de pierre sur laquelle elle se trouvait paraissait déjà plus ancienne que la maison, patinée d'un agréable gris moussu du fait du ruissellement incessant de la pluie anglaise, ses balustres de pierre bordées d'épais buissons et drapées d'un entrelacs de tiges de chèvrefeuille et de glycine, éclairé par les fleurs vert pâle, grandes comme des soucoupes, d'une clématite. Des roses blanches partaient à l'assaut de la maison depuis des parterres remplis d'agapanthes bleu vif. Beatrice se pencha pour entourer de ses deux mains un capitule bleu cireux aussi large qu'un chapeau, se demandant si les plantes ressentaient l'éloignement de leur terre natale : ce lis du Nil transporté par bateau en Angleterre du temps d'Henry VIII, les rhododendrons déterrés sur les flancs onduleux des montagnes chinoises, les passiflores s'enroulant sur elles-mêmes dans un air tellement plus sec que l'atmosphère des forêts pluviales d'Amérique du Sud. Au-delà de la terrasse, un terrain de croquet rejoignait une étendue plus basse de pelouse vallonnée, surplombant l'escarpement abrupt de la corniche. Plus loin, l'empilement de toits rouges de Rye surgissait au milieu de la jupe étale des marais, tandis qu'à l'horizon, la mer formait un andain large et luisant sous la grande jatte bleue du ciel. Sur la gauche, la terrasse s'achevait par un épais bosquet de pins qui séparait la maison de sa plus proche voisine, tandis qu'à droite, elle se poursuivait, invitant Beatrice à longer un jardin d'ornement et un potager jusqu'à une porte percée dans une haie derrière laquelle s'étendaient de vieux bois.

Agatha Kent somnolait parmi les plis d'un peignoir de coton blanc, sur un banc bleu vif perché au milieu d'une pelouse verte, lisse comme un miroir – entièrement nue. Si Beatrice avait compris un instant plus tôt que cette teinte rose était celle de la chair, si elle n'avait enregistré que l'étendue vallonnée de peau au lieu du bleu du banc, elle aurait pu se retirer avant que les paupières de Mme Kent ne se relèvent brusquement. Mais elle se figea. Elle ne prit que vaguement conscience que Mme Kent, une femme replète, battait l'air comme un poisson échoué en cherchant à se redresser et à attraper les bords de son peignoir, dans une tentative maladroite pour en draper ses formes opulentes. Le visage rouge et brûlant, Beatrice regardait autour d'elle, cherchant désespérément à river ses yeux ailleurs. Le gazon devint flou sous son regard.

« Excusez-moi, réussit-elle à bredouiller. Je suis vraiment navrée. »

La vaste perspective rose dansait encore sous ses yeux.

« Vous ne pouviez pas deviner..., dit Agatha en gonflant les joues tandis qu'elle essayait tout à la fois de respirer et de nouer ses rubans. Tout le monde ici sait qu'il ne faut pas me déranger.

— Pardon, pardon, répéta Beatrice, prête à courir chercher son sac et à filer à la gare sans demander son reste. Je ne voulais pas être indiscrète.

— Cela fait longtemps que j'ai l'intention de faire mettre un verrou à cette porte, poursuivit Agatha. Évidemment cela aurait l'air un peu bizarre dans un jardin et...

— Je me lève toujours trop tôt, interrompit Beatrice. Je n'ai pas le sommeil très profond.

— Je prenais un bain de soleil, expliqua Agatha, dont la respiration s'apaisait et dont la voix retrouvait son autorité. C'est un élément vital des prescriptions de mon programme d'exercices quotidien.

— Je comprends.

— Vous devriez essayer, vous aussi. Aucune fille de votre âge ne devrait avoir les traits aussi tirés.

— Je ne suis plus une fille. Et j'aurais meilleure mine s'il ne pleuvait pas tout le temps dans ce pays.

— Raison de plus pour prendre le soleil chaque fois qu'on le peut. Et si vous faisiez un petit essai là, maintenant ?

— Je ne voudrais pas m'imposer.

— Allons, ne vous inquiétez pas, il n'est pas question de nous ébattre telles des nymphes sylvestres. Venez simplement vous asseoir à côté de moi. Je me tournerai par ici et nous pourrons toutes les deux bénéficier d'un peu de soleil, à défaut d'un bain complet. »

Elle recula à l'extrémité du banc et d'un mouvement d'épaules, fit glisser son peignoir, le retenant d'une main au-dessus de son ample poitrine. Beatrice rejoignit rapidement l'autre extrémité du banc et s'assit. Elle déboutonna le col de sa robe dont elle retourna les pointes rigides avant de retrousser ses manches jusqu'aux coudes.

« Il va falloir défaire votre robe bien plus bas si vous voulez en profiter vraiment », fit observer Agatha, relevant le menton en direction du soleil et fermant les yeux.

Beatrice défit quelques boutons de plus et dégagea ses épaules. La brise caressa ses clavicules, faisant frémir les bords de sa fine chemise. Le soleil était comme une main tiède posée sur son épaule. Il commença à chauffer la douce voussure de son torse et la peau délicate au creux de ses coudes. Elle sentit sa respiration précipitée ralentir et s'apaiser. Tournant son visage vers le soleil, elle éprouva l'envie on ne peut plus étrange de retirer ses chaussures et de se promener pieds nus dans l'herbe.

Hugh feignait de savourer paisiblement son petit déjeuner en feuilletant négligemment un des journaux londoniens de la semaine précédente, mais en réalité, il tendait l'oreille en direction de l'entrée, épiant des bruits indiquant que ces dames se dirigeaient vers la salle à manger. Il se réjouissait sans s'en cacher à l'idée de revoir la jeune latiniste et avait déjà envisagé mentalement plusieurs manœuvres pour engager la conversation. Un appétit de discussions nouvelles et de compagnie de son âge stimulait son impatience.

Percevant dans le vestibule un bruissement et un murmure de voix, il s'essuya les mains à sa serviette et redressa son col. Il n'eut pas le temps de replier son journal avant que la domestique n'ouvre la porte.

« Merci, Jenny, dit Beatrice en entrant.

— Je vais refaire du thé et vous apporter des toasts chauds », annonça Jenny en soulevant la grosse théière d'argent posée sur la desserte.

Hugh ne se rappelait pas qu'elle lui eût jamais proposé de préparer du thé exprès pour lui.

« Bonjour, lança-t-il. J'espère qu'un petit déjeuner sans cérémonie vous convient. Vous pouvez très bien demander autre chose à Jenny, si vous le souhaitez. »

Très satisfait de son attitude enjouée, il se demanda si l'affection qu'il venait de se découvrir pour Lucy Ramsey lui donnait déjà plus d'aisance dans ses relations avec toutes les femmes.

« Cela ira très bien », répondit Beatrice, admirant l'assiette de fruits et soulevant l'un après l'autre le couvercle des plats posés sur les réchauds afin d'inspecter les œufs brouillés, les saucisses et le bacon, les cakes chauds aux raisins secs et le kedgeree[1]. C'était la seconde fois que le kedgeree quittait la cuisine, et Hugh se demanda s'il devait faire remarquer qu'il était devenu plus piquant que la veille, une saveur que la cuisinière n'était pas parvenue à masquer par l'ajout de généreuses quantités de

1. Plat d'origine indienne à base de riz, de poisson fumé et de curry, traditionnellement servi en Angleterre au petit déjeuner. (*N.d.T.*)

persil haché. Il y renonça, se disant que ce n'était pas à lui de faire cette observation.

« En été, chacun de nous aime suivre son emploi du temps personnel, reprit-il, conscient que les arrangements domestiques de la famille ne constituaient pas un sujet de conversation particulièrement passionnant. Je n'ai pas encore vu ma tante ce matin. »

Beatrice déposa dans une coupelle un petit monticule de framboises à laquelle elle ajouta une copieuse cuillerée de crème fraîche prélevée dans un pichet. Y ajoutant une saucisse qu'elle plaça sur une petite assiette, elle apporta les deux à table.

« Votre tante m'a déjà fait visiter le jardin ce matin, dit-elle. Après le petit déjeuner, nous irons faire un tour en ville, et elle m'a gentiment proposé de me présenter ensuite à ma logeuse.

— Il faut que je vous prévienne : ma tante connaît tout le monde en ville et elle n'est pas trop collet monté pour s'arrêter dans la rue et parler à chacun. Aussi la moindre sortie avec elle ressemble-t-elle à une série de départs énergiques suivis de longues pauses durant lesquelles vous risquez fort de piétiner.

— Oh ! Seigneur, s'écria Beatrice. Il faudra que je m'arme de toute ma patience.

— Et comme elle attend encore de savoir si mon oncle rentre de Londres, elle ne devrait pas quitter la maison de sitôt.

— Que dois-je faire ? » demanda Beatrice. Elle parlait d'un ton léger, mais Hugh remarqua qu'elle poignardait sa saucisse avec une grande énergie au fond de son assiette. « C'est votre tante qui a fait cette suggestion, mais je me rends compte qu'en l'acceptant avec empressement, je lui ai imposé un terrible désagrément.

— Mais non, pas du tout, la rassura Hugh. Je me disais simplement que vous deviez avoir hâte de voir la ville et... » Sa voix se perdit, tandis que son propre plan, encore très vague, se dessinait plus clairement dans son esprit et que la simple idée de le formuler dans toute son énormité étouffait instantanément l'audace qu'il venait de se découvrir.

« Peut-être pourrait-elle demander à une servante ou à quelqu'un d'autre de m'indiquer le chemin, proposa Beatrice. Encore que la ville me paraisse suffisamment petite pour que je puisse me débrouiller seule.

— Ma tante n'apprécierait pas du tout. » Hugh prit une profonde inspiration et se lança. « Je crois n'avoir pas de projets très définis pour ce matin. En tout état de cause, je pourrais certainement les modifier.

— Les projets indéfinis sont les plus difficiles à réviser, remarqua-t-elle en souriant au-dessus de sa tasse de thé.

— Ce que je veux dire, c'est que peut-être... m'autoriseriez-vous à vous accompagner pour faire un petit tour de la ville avant de vous conduire à votre logement où vous pourriez retrouver ma tante à une heure convenue ? »

La proposition énoncée, aussi contournée fût-elle, il ne restait plus à Hugh qu'à attendre en s'efforçant de ne pas rougir.

« J'en serais ravie, répondit Beatrice. Il fait un temps absolument superbe et une vraie promenade me ferait le plus grand bien. Puis-je compter sur vous pour marcher d'un bon pas, monsieur Grange ?

— Oh, appelez-moi Hugh, je vous en prie, dit-il, sentant son aisance revenir. Vous aimez donc marcher, mademoiselle Nash ?

— Quand nous étions en vacances, mon père et moi, nous adorions les randonnées. » Elle ne l'invita pas à l'appeler par son prénom. « Êtes-vous déjà allé dans les Alpes, monsieur Grange ?

— J'ai eu ce plaisir, confirma Hugh. Je ne connais rien de plus beau que les montagnes coiffées de neige ni de plus agréable qu'un dîner rustique dans une ferme suisse.

— Je dois dire que les paysages de l'Ouest américain sont sans doute plus puissants, remarqua Beatrice. Mais je vous accorde que rien ne vaut une bonne chope de bière brune brassée à la maison à la fin d'une journée d'escalade des cols alpins.

— C'est certain, acquiesça Hugh, espérant qu'elle n'avait pas l'intention d'emporter un sac à dos et d'enfiler des brodequins cloutés pour se rendre en ville. Je suis donc en droit de supposer que quelques ronces ne vous feront pas peur et que nous pouvons passer à travers champs plutôt que de suivre la route ?

— Ce serait parfait, confirma Beatrice. Un peu d'air frais et en avant marche, allons-y, monsieur Grange. »

Le petit déjeuner terminé, Beatrice suivit Hugh et descendit d'un pas vif un sentier de campagne boueux pour rejoindre la ville, avant de gravir des rues pavées aussi escarpées que celles de n'importe quel village suisse. Arrivée dans la grand-rue, Beatrice s'arrêta, essayant de ne pas montrer qu'elle était hors d'haleine et s'appuyant contre un poteau pour profiter d'un instant de répit bienvenu. Elle n'avait pas pris un pas de retard sur Hugh, mais devant rejoindre Tante Agatha chez sa logeuse, elle avait été obligée de porter ses bottines de ville à talons et de serrer son corset davantage que ne le recommandait pareil exercice. Elle avait le visage en feu et malgré sa robe de coton léger, elle sentait un filet de transpiration ruisseler le long de sa colonne vertébrale.

« Tout va bien ? demanda Hugh. Vous avez l'air un peu essoufflée.

— Non, non, pas du tout, merci.

— Peut-être ne me suis-je pas conduit en parfait gentleman en vous prenant au mot à propos de notre allure ?

— C'est seulement ma tenue qui a un peu de mal à vous suivre », expliqua-t-elle. Elle plongea la main dans une de ses poches dont elle sortit un grand mouchoir uni de son père et s'en éventa le visage tout en regardant autour d'elle. « Arrêtons-nous juste un moment pour que je puisse me faire une idée des lieux, si vous voulez bien ? »

La rue principale faisait l'effet d'une collection plaisamment disparate de vitrines Tudor et géorgiennes protégées par des stores aux couleurs vives. De nombreux chalands, dont certains, fidèles à la prudence des ruraux du monde entier, étaient vêtus trop chaudement pour une aussi belle journée, soufflaient et s'essuyaient le front à l'intérieur des boutiques et sur les trottoirs. Une charrette passait, aspergeant d'eau fraîche les pavés brûlants de la chaussée. Une grosse voiture la suivait impatiemment, expectorant l'odeur âcre d'émanations mécaniques qui se mêlaient aux fragrances humides des chevaux, des paniers de fleurs et des tourtes à la viande refroidissant sur un étal.

Quand Beatrice eut repris son souffle, ils s'engagèrent dans les ruelles plus étroites qui cernaient le cimetière, passant devant de vieilles maisons élisabéthaines à colombages noirs, avec de minuscules fenêtres à petits carreaux, des lignes de toiture arrondies et des briques patinées par de longs siècles de douce pluie anglaise ; ils se retrouvèrent ensuite sur la vaste pelouse verdoyante entourant une antique tour de pierre, qui se dressait très haut au-dessus de la plaine environnante.

« On dirait un tableau, s'extasia Beatrice alors qu'ils admiraient l'enchevêtrement de toits descendant de la colline escarpée et la vaste étendue des marais conduisant vers la Manche lointaine et scintillante. On a l'impression, poursuivit-elle, que la mer devrait être juste au-dessous de nous. »

Une brise vint sécher leurs fronts humides et elle retira son chapeau de paille pour repousser ses cheveux en arrière.

« Elle l'était effectivement, il y a de longs siècles de cela, confirma Hugh. Mais nous sommes à présent échoués au milieu des marais et les bateaux passent leur temps à s'envaser. »

Sur leur gauche, une voile unique et immense semblait flotter dans un champ de moutons, sa coque invisible derrière la digue herbeuse.

« C'est le canal militaire royal, expliqua-t-il, construit pour tenir Napoléon à distance.

— On a du mal à imaginer qu'une voie d'eau aussi étroite puisse empêcher une invasion. Jusqu'où va ce canal ?

— Il parcourt quarante-cinq kilomètres, de Hastings à Folkestone, dit-il, constatant avec satisfaction qu'elle ne paraissait pas contrariée par ce que Lucy Ramsey avait gentiment raillé comme son besoin typiquement masculin de gâcher toutes les vues charmantes par des informations assommantes. Maintenir les Français à distance a été un passe-temps national pendant des siècles. Ce château, là-bas, au loin, est la contribution d'Henry VIII à cette noble mission.

— Qu'allons-nous en faire, maintenant que nous sommes en pleine "entente cordiale" avec Paris ?

— Nous nous en servirons comme d'un immense tampon nous préservant de tout ce que le reste de l'Europe peut contenir de déplaisant. Et nous embaucherons des chefs français pour nos grands dîners.

— Excellente idée ! Encore que je n'entrevoie guère de chef français dans mon avenir immédiat.

— Vous avez sans doute raison. À en juger par mon expérience, les logeuses éprouvent une certaine prédilection pour les côtelettes de mouton et le biscuit de Savoie aux groseilles à maquereau.

— Vous en avez une ?

— De logeuse ? Oui, une certaine Mme Rogers. Une très brave femme, mais le seul moyen qu'elle ait trouvé pour s'assurer que les trois autres étudiants en médecine et moi-même n'ayons jamais faim est de fourrer autant d'aliments que possible dans un pudding ou une pâte feuilletée. Je ne dois qu'à des exercices assidus d'avoir provisoirement échappé à l'embonpoint.

— Vous voulez devenir médecin ?

— Chirurgien, au grand dam de mes parents. Je viens de terminer une année d'internat dans le service de Sir Alex Ramsey, et il semblerait que les recherches que j'effectue l'intéressent, puisqu'il m'a demandé de rester. »

Une pointe de fierté transparaissait dans sa voix, car ce n'était pas un mince exploit que d'avoir attiré l'attention du plus éminent chirurgien de Londres.

« Et votre famille désapprouve ce choix ? » demanda-t-elle.

Hugh releva son regard désabusé, comme si elle avait elle-même dû essuyer pareille réprobation.

« Mon père a fait une longue et brillante carrière dans la banque, répondit-il. Je pense que mes parents prévoyaient que j'apporterais une nouvelle contribution à l'honneur de la famille par une activité plus distinguée et moins sanglante que la médecine.

— Qu'envisageaient-ils au juste ? Que vous épousiez une veuve fortunée ?

— Même laides, les riches veuves ont tendance à se faire rares.

— Qu'allez-vous faire ?

— Mon patron possède un titre de chevalier et un cabinet dans la partie la plus courue de Harley Street, deux raisons pour lesquelles mes parents sont devenus, ces derniers mois, plus réceptifs à mes projets de carrière. Ils préféreraient tout de même me voir mener une vie de rentier.

— Vous êtes un homme d'action ? demanda-t-elle.

— Nous construisons des machines volantes et nous nous parlons le long de fils téléphoniques de cuivre ;

quant à la médecine, elle évolue si rapidement qu'il faut réviser les manuels tous les deux ans. » Il s'interrompit et sourit comme s'il s'était laissé une fois de plus emporter par la passion. «Je me vois mal rester à ne rien faire, à jouer au golf, à fréquenter mon club et à passer mon temps en mondanités.

— Je trouve cela merveilleux, s'enthousiasma Beatrice. Sur quoi portent vos recherches ?

— Je me suis intéressé aux effets du choc que produit une opération sur les patients. Si vous saviez combien d'entre eux surmontent sans problème une opération du cerveau, pour mourir ensuite, comme ça, dans leur lit d'hôpital. » Craignant que le thème ne fût trop macabre, il changea de sujet et ajouta : « Mais je suis en congé pour l'été, bien sûr. Mon patron et sa fille sont partis dans la région des lacs italiens.

— Les progrès d'un siècle nouveau devront donc attendre pendant que nous nous adonnons aux cures et aux bains de mer, observa Beatrice. La fille de votre éminent chirurgien est-elle impressionnée par votre dur labeur ?

— Lucy ? » lâcha-t-il avant de regretter de ne pas l'avoir appelée Mlle Ramsey. Redoutant de rougir, il bégaya : « Elle est très jeune et beaucoup trop sensible pour supporter de connaître les détails de notre travail. Son père et moi faisons tout notre possible pour la protéger.

— La délicatesse ne m'a jamais attirée. Je préférais être au côté de mon père.

— Lucy apporte une précieuse aide au sien en se chargeant de sa correspondance. C'est également une hôtesse accomplie, précisa Hugh. Je vais prendre le thé chez eux plusieurs fois par semaine.

— Vous devez vous sentir bien seul sans elle. »

Beatrice souriait et il comprit qu'elle le taquinait.

«Je suis très occupé cet été», répondit-il, troublé par ses provocations amicales.

Lucy se montrait elle aussi souvent espiègle avec lui, mais sans jamais se départir d'une déférence charmante et il lui passait ses impertinences, conscient de l'avantage que lui conférait la supériorité de son âge et de son savoir.

«J'accompagne le vieux docteur Lawton dans sa tournée quelques après-midi par semaine, ajouta-t-il. On observe de nombreux cas intéressants dans les cottages les plus modestes.

— Je suppose que ce médecin de campagne est très honoré de votre présence ?

— Pas le moins du monde, admit Hugh. Il me connaît depuis que je suis tout petit et estime que je suis resté le parfait imbécile que j'étais du temps où je m'écorchais les genoux dans les vergers avec mon cousin. Mais il a oublié plus de notions de médecine que je ne peux imaginer en acquérir un jour et essayer de lui être utile m'inspire une certaine humilité.

— Si l'on ne peut pas changer son âge, peut-être suffit-il d'être utile», remarqua Beatrice. Elle soupira, renonçant à son ton taquin pour ajouter avec sincérité : «J'aspire moi-même à être d'une utilité quelconque.

— J'espère que vous pourrez être heureuse autant que simplement utile. Cette ville a toujours été pour moi un refuge remarquablement paisible, mais vous la trouverez peut-être un peu calme après tous vos voyages.

— Je me contenterai très bien d'une existence d'ermite, dit-elle, et il remarqua que ses yeux avaient perdu un peu de leur éclat. Après l'année que je viens de vivre, je ne souhaite qu'une chose : qu'on me laisse faire mon travail et qu'on m'accorde un peu de repos, loin des inepties de la société. Je serai comme la Lucy Snowe de Charlotte Brontë, parfaitement satisfaite de m'occuper de ma petite école pour les enfants des classes marchandes.

— J'ai bien peur qu'il n'y ait dans la ville un certain nombre de sociétés de bienfaisance et de comités de dames, observa Hugh. Je serais surpris qu'elles vous laissent tranquille bien longtemps. Ma tante a déjà menacé de laisser une batte de cricket dans le vestibule pour les chasser.

— Merci de m'avertir, répondit Beatrice avec un sourire. Je donnerai instruction à ma logeuse de faire savoir que je ne suis jamais chez moi. »

Beatrice regrettait d'avoir laissé Hugh Grange dans la grand-rue et d'avoir refusé avec désinvolture, à son arrivée devant le cottage à double façade, d'attendre Agatha Kent avant d'entrer par la plus grande des deux portes. Elle avait l'habitude d'inspecter les logements avant de s'y installer et avait à maintes reprises, parfois même en langue étrangère, négocié pied à pied les conditions et dispositions à la place de son père. Mais si les exigences très particulières d'un homme de lettres réputé avaient toujours été accueillies avec respect, sinon par une approbation immédiate, par des logeurs de différents pays, les requêtes fort modestes pourtant d'une célibataire méticuleuse ne furent pas reçues avec une patience ni une courtoisie de même nature. Le visage joufflu et bien nourri de Mme Turber avait exprimé de l'étonnement, une bonne dose de méfiance et finalement une amorce de colère quand Beatrice l'avait interrogée sur ses méthodes de ménage, les horaires des repas et les menus, l'approvisionnement en charbon et en eau chaude, et l'aération idoine du linge de lit. Elle reconnaissait de bonne grâce qu'elle aurait probablement dû s'abstenir de son commentaire sur la vitre sale. Le visage de Mme Turber s'était empourpré au point que Beatrice lui avait demandé si elle se sentait bien et avait proposé d'aller visiter l'étage toute seule pendant que

Mme Turber irait s'asseoir quelques instants dans ses appartements personnels.

Dans la minuscule chambre à coucher, elle appuya la tête contre le plâtre froid et grossier du mur et s'abandonna au silence hébété d'un chagrin rempli de lassitude. Elle était tout près de s'emporter contre son père qui l'avait abandonnée aussi cruellement. Cela l'aurait amusé – il aurait parcouru du regard ce cottage sordide, le sourcil relevé, en lui faisant gentiment remarquer que ce n'était pas lui qui avait décidé de mourir ; qu'il avait, en réalité, été rappelé avant d'avoir achevé plusieurs travaux majeurs. Elle imaginait qu'il aurait eu quelques mots à dire sur sa fuite impétueuse dans le Sussex et sur sa volonté, qui ne répondait à aucune nécessité, de s'immerger dans l'univers sinistre d'un emploi salarié. Les yeux fermés, elle sentit la commissure de ses lèvres frémir en songeant à sa propre sottise. La fille de Joseph Nash, se morigéna-t-elle, ne s'apitoyait pas sur elle-même. Sa lassitude reflua et elle entrouvrit un œil pour jeter un regard en coin à la chambre.

Celle-ci présentait un aspect curieusement voûté qui la faisait ressembler à la cabine d'un vieux galion. Les murs paraissaient s'incliner l'un vers l'autre au-dessus du plancher affaissé et le plafond était légèrement convexe, comme le dessous d'une grande assiette blanche. La fenêtre, bien que sale, était munie d'une jolie vitre ancienne en verre moucheté avec des croisillons de plomb et un large rebord. Le mobilier était à pleurer. Les montants du lit étaient grêles et criblés de trous de vers. La commode avait perdu la moitié de sa couche de vernis et deux de ses poignées en laiton noirci. L'assise de paille de l'unique chaise faisait écho à la courbure du plancher. Beatrice se redressa et souleva un angle du tapis en lirette du bout de sa bottine. Il était recouvert de poussière grasse et il s'en dégageait une odeur évoquant la lotion capillaire pour homme. Cela lui rappela que d'autres s'étaient dévêtus dans cette chambre, avaient transpiré sur le matelas dur et utilisé le pot de chambre en porcelaine disposé dans un coffret en bois sous le lit. Beatrice éprouva un pincement de regret en songeant à la magnificence carrelée de blanc des cabinets de la maison d'Agatha Kent.

Debout, elle fit rebondir le sol sous ses pieds. Au moins, il ne s'enfonçait pas. Elle s'approcha de la fenêtre et inspecta le large rebord extérieur, où elle pourrait disposer un ou deux pots de réséda odorant. La vue donnait sur la rue pavée et sur la façade des maisons d'en face. Une jolie porte géorgienne flanquée de colonnes blanches côtoyait une porte Tudor basse en chêne clouté, noircie par l'âge, qui tranchait sur les murs couverts d'un enduit blanc tout neuf. Une jardinière de lis blancs et un laurier en pot devant la maison géorgienne et une auge en plomb remplie de géraniums écarlates devant la Tudor donnaient à la rue un petit air pimpant évoquant les vacances. Les reflets du soleil sur les murs de brique rouge et sur les toits de tuiles en terre cuite réchauffaient la rue ombragée, projetant un éclat jusque dans la chambre. Sur le palier, un petit recoin abritait une fenêtre donnant sur la cour arrière. Beatrice songea que ce serait un emplacement idéal pour son secrétaire, mais qu'il faudrait faire quelque chose pour cacher la vue sur les toilettes extérieures communes aux deux moitiés des cottages mitoyens et sur les draps miteux de Mme Turber qui voltigeaient sur une corde à linge.

Elle entendit des voix s'élever du rez-de-chaussée et en descendant l'escalier grinçant, flanqué d'une rampe poisseuse, elle reconnut le ton pressant d'Agatha qui parlait tout bas à Mme Turber, laquelle lui répondait par des glapissements d'indignation suffoquée. Leur dialogue parvenait jusqu'aux petites pièces du cottage de Beatrice par une porte de communication donnant sur l'appartement plus vaste de Mme Turber, juste à côté.

« Tout ce que je dis, c'est qu'ici, c'est une maison honnête, madame. M. Puddlecombe ne m'a jamais fait de tracasseries à cause de l'eau chaude. Quant à ouvrir toutes les fenêtres pour laisser entrer la poussière du dehors, merci bien...

— Je vous assure que Mlle Nash est tout aussi respectable que moi, Mme Turber, et je suis certaine qu'elle acceptera de discuter avec vous des services que vous pouvez assurer.

— Un peu trop respectable pour être honnête, si vous voulez savoir ce que je pense. Les gens vont se demander ce qu'une fille aussi jeune fait comme ça, toute seule dans la vie.

— Je sais qu'elle peut compter sur vous pour lui servir de chaperon, ce qui la mettra à l'abri de toutes les mauvaises langues, Mme Turber. Jamais personne n'aurait l'idée de mêler votre nom à des ragots, bien sûr.

— Peut-être bien, admit Mme Turber en se rengorgeant.

— Qui d'entre nous irait refuser à une jeune femme le droit de gagner sa vie, alors que le décès de son père, un homme estimé de tous, l'a laissée seule au monde ? ajouta Agatha d'une voix brisée par l'émotion. Soyez sûre que Lady Emily et moi-même apprécions à sa juste valeur le refuge que vous offrez à cette pauvre enfant, Mme Turber. »

Beatrice estima qu'elle allait un peu loin, mais le bruit tonitruant de Mme Turber qui se mouchait lui donna à penser qu'elle lui avait arraché un soupçon de compassion. Agatha Kent, se dit-elle, était une redoutable politicienne.

« Tout de même, on ne peut pas me demander de monter de l'eau chaude plus d'une fois par semaine, reprit Mme Turber. Orpheline ou non, j'ai beaucoup à faire et mes pauvres jambes ne supporteront pas de porter des brocs pleins toute la journée. M. Puddlecombe ne faisait jamais sa toilette plus d'une fois la quinzaine.

— Nous trouverons une solution, Mme Turber, fit Agatha. Lady Emily, vous et moi, à nous trois, nous trouverons une solution. »

Beatrice souriait dans son salon quand Agatha Kent surgit dans l'encadrement de la porte arrière restée ouverte, éclairée à contrejour par un soleil radieux. Beatrice s'avança dans la petite cuisine pour l'accueillir.

« Ah, vous voilà ! s'écria Agatha. Si vous avez l'intention de rester ici, tâchez de ne pas prendre Mme Turber trop à rebrousse-poil. » Baissant la voix, elle ajouta : « Ce n'est pas la pire commère de la ville, mais elle doit arriver en deuxième ou troisième position. Vous comprendrez qu'il vaut mieux rester dans ses bonnes grâces.

— Je peux faire chauffer l'eau de ma toilette moi-même au besoin, suggéra Beatrice. Je ne me doutais pas que j'étais trop exigeante.

— J'ai demandé à Mme Smith, la femme de notre chauffeur, de venir faire un grand ménage, poursuivit Agatha en l'ignorant. C'est le genre de défi qu'elle adore. Avez-vous des meubles ? Je crains que notre ancien et regretté maître de latin, M. Puddlecombe, n'ait pas été très soucieux de son confort.

— J'ai un petit secrétaire qui appartenait à ma mère ainsi que le fauteuil que mon père tenait à emporter partout où nous allions. Il faudra que je les fasse chercher.

— Rien d'autre ?

— Nous louions généralement des garnis, expliqua Beatrice. Mon père était très souvent invité à venir donner des cours dans des universités ou à collaborer à de nouvelles revues. »

Elle se sentit rougir. Curieusement, elle n'avait encore jamais eu le sentiment qu'habiter en meublé était un signe de pauvreté. Elle s'était toujours contentée de déballer et de ranger les livres de son père et de débarrasser les manteaux de cheminées et les tables d'appoint de l'excédent de babioles et de napperons de mauvais goût. Ils avaient principalement vécu à Paris, dans une succession de logements au voisinage de la Sorbonne, mais ces derniers temps, ils avaient également fait un long séjour à Heidelberg, passé deux ans dans la décadence romantique d'une haute demeure de marchand à Venise avant de s'installer dans l'immense maison de bois d'un professeur absent, sur le campus d'une université californienne. Elle n'ignorait pas que leur vie d'errance était parfois dictée par les limites des modestes revenus personnels de son père et relevait peut-être en partie de l'impatience intérieure de l'exilé, mais elle s'était toujours sentie riche de la compagnie de son père et de la vie intellectuelle opiniâtre qu'ils menaient. Lui absent, tout prenait un aspect étriqué.

« Nous avons une petite réserve de vieilleries dans l'écurie, dit alors Agatha. J'ai averti Mme Turber que je vous ferai porter quelques meubles. Il faudra venir choisir ce que vous voulez, et s'il manque encore quelque chose, je suis certaine que Lady Emily ne demandera qu'à jeter un coup d'œil dans son grenier.

— Oh, je ne voudrais surtout pas déranger Lady Emily », protesta Beatrice.

Agatha se raidit devant le ton manifestement angoissé de la jeune fille. Après un bref instant de réflexion, celle-ci décida de lui avouer la vérité.

« J'ai rencontré le fils de Lady Emily dans le train.

— Un jeune imbécile odieux. Moitié moins adulte que mon Daniel ou que Hugh, mais deux fois plus de revenus et de perspectives. Il donne de terribles soucis à sa pauvre mère.

— Vous comprendrez que je ne tiens pas à devoir quoi que ce soit à sa famille. »

Agatha soupira et retira son chapeau.

« Ma chère enfant, je crains que nous ne soyons tous les esclaves de la société. Il n'y a pas moyen d'y échapper. S'agissant de vous, c'est parce que Lady Emily a approuvé votre embauche que les administrateurs de l'école se sont laissé convaincre alors que moi, qui suis également membre titulaire de ce conseil, j'avais été incapable de l'emporter. J'ai bien peur que votre indépendance aussi bien que mes tentatives pour faire évoluer les choses ne dépendent de notre amie titrée et des petits cartons d'invitation ornés de son chiffre qu'elle nous fait l'honneur de nous adresser.

— Je vous en sais gré à toutes les deux.

— Et nous vous savons gré d'être ici, ma chère enfant, répliqua Agatha. Vous allez prouver que nous avons eu raison et relever le niveau d'instruction de Rye grâce à la supériorité de votre éducation. Et nous nous enorgueillirons de vos connaissances, tandis que votre présence sera un petit pas en avant vers l'instauration d'une société fondée sur le mérite et l'honneur.

— Grands dieux, c'est beaucoup attendre en échange de trente shillings par semaine, s'écria Beatrice.

— Faites de votre mieux. Montrez-leur qu'ils peuvent obtenir bien davantage d'une femme – et à moindre charge pour leur budget annuel. Ah, j'entends une charrette dans la rue. Ce sont probablement vos affaires. »

Elle se précipita à l'extérieur, laissant à Beatrice un moment d'intimité pour songer que, malgré les longues discussions qu'elle avait eues avec son père à propos des principes abstraits sur lesquels reposait la tarification du travail, il lui avait fallu attendre cet instant pour découvrir avec un vif déplaisir que le simple fait d'être une femme lui valait d'être moins payée que M. Puddlecombe aux planchers poisseux et à la lotion capillaire bon marché.

Sur les instructions d'Agatha, la malle de Beatrice fut hissée et manœuvrée jusqu'à ce qu'elle ait franchi l'étroite porte d'entrée et, après quelques pourparlers, elle fut déposée au milieu du petit salon, sur le tapis de lirette graisseux, car elle était trop large pour passer dans l'étroite cage d'escalier. Ses cartons et ses caisses d'ouvrages furent empilés à côté, et Beatrice dut réprimer un frisson d'angoisse à l'idée de devoir vivre, pour la première fois, dans un lieu dépourvu de la moindre étagère à livres. Sa bicyclette arriva en dernier, et tandis qu'elle tenait la porte à l'homme qui la faisait rouler jusqu'au jardin de derrière, ils entendirent tous un grognement étouffé révélant que Mme Turber n'était pas une adepte enthousiaste des sports cyclistes. Agatha reconduisit les deux hommes jusqu'à la porte puis s'arrêta, comme si elle hésitait à laisser Beatrice seule dans son cottage.

« Merci, dit celle-ci. Vous avez vraiment été très aimable de m'accompagner. J'arriverai à me débrouiller maintenant.

— Je vous enverrai Mme Smith cet après-midi, et je ne veux pas de discussion à ce sujet. Et puis venez dîner à la maison ce soir. Il n'y aura que la famille. Rien de guindé.

— Ne vous croyez pas...

— Vous n'en direz plus autant quand vous aurez goûté la nourriture plutôt sommaire de Mme Turber, chuchota Agatha. Venez de bonne heure. Cela vous permettra de faire la connaissance des garçons auxquels Hugh sert de répétiteur. Je crois qu'ils doivent venir à quatre heures.

— Je me réjouis de les rencontrer. »

Agatha jeta un dernier regard indécis au petit salon miteux.

« Cela m'ennuie de vous laisser ici. Quand vous viendrez dîner ce soir, vous me direz si, après mûre réflexion, vous ne préféreriez pas qu'on vous trouve une chambre dans une gentille famille.

— Je vous remercie», dit Beatrice. Elle observa les deux bergères à l'assise bosselée, la table en bois blanc, l'écran de cheminée en laiton terni qui ne faisaient pas grand-chose pour égayer la pièce vide. «Je suis sûre que je m'en sortirai, mais je dois avouer que tel qu'il est actuellement, ce cottage aurait presque de quoi vous pousser à renoncer au célibat.»

4.

Alors que la chaleur du jour déclinait, Beatrice trouva Agatha Kent qui flânait au milieu des massifs de fleurs densément plantés de son jardin d'agrément, coupant des tiges d'hortensias qu'elle jetait distraitement dans une corbeille. Elle portait une robe d'après-midi ample et un chapeau de paille.

« Oh mon Dieu, est-il déjà aussi tard ? demanda-t-elle en faisant signe à Beatrice qui franchissait le portail. Je n'ai pas dû entendre la cloche et je ne me suis pas encore changée.

— Je suis venue de bonne heure pour faire la connaissance de mes élèves, la rassura Beatrice, savourant l'agréable fraîcheur du jardin d'Agatha après l'ascension du promontoire escarpé.

— Mais oui, c'est vrai, j'avais complètement oublié ! » s'écria Agatha en soulevant sa corbeille et en laissant tomber plusieurs hortensias sur le gravier. Beatrice se pencha pour l'aider à les ramasser. « L'après-midi a été un peu mouvementé. Pour commencer, Lady Emily m'a téléphoné et m'a fait clairement savoir qu'elle souhaitait que je l'invite à faire votre connaissance au plus vite. Ensuite, notre homme de lettres, M. Tillingham – je ne sais même pas comment il en a été informé – ; toujours est-il qu'il tient à être là, lui aussi, et comme je suis incapable d'éconduire les gens, nous allons être plus nombreux que prévu à table. Notre cuisinière fait face de bonne grâce à cet imprévu, mais je n'avais pas assez de fleurs, il faut ajouter une rallonge à la table, et je ne suis pas arrivée à mettre la main sur Smith et...

— Vous ne parlez pas de M. Tillingham, le grand écrivain, j'imagine ? » demanda Beatrice.

L'auteur américain que l'on s'accordait à présenter comme l'un des plus illustres noms littéraires de l'époque ne pouvait évidemment pas venir dîner chez Agatha Kent !

« C'est probablement ainsi qu'il se qualifierait, en effet, confirma Agatha. J'espère que sa présence ne vous incitera pas à minauder et à vous répandre en compliments comme tant de nos dames ? Nous nous efforçons de le traiter comme n'importe lequel de nos voisins.

— Non, non, je ne ferai rien de tel », se récria Beatrice, cherchant vainement à réprimer son enthousiasme.

Elle allait rencontrer le maître dont elle avait étudié l'œuvre, et qu'elle était allée jusqu'à imiter fut un temps dans ses propres tentatives maladroites pour écrire un roman. Son père lui-même, qui méprisait la forme romanesque au point qu'elle lui avait soigneusement dissimulé ses projets d'écriture, avait à contrecœur reconnu les mérites de Tillingham dans ses meilleures années. Cette perspective soudaine lui faisait tourner la tête.

« Puis-je vous aider ? demanda-t-elle à Agatha. Je sais arranger les fleurs.

— Ma foi, si vous voulez bien m'excuser, vous pourriez peut-être vous passer de moi pour trouver l'écurie. Hugh doit y être – sa salle d'étude est à l'étage.

— Je me débrouillerai, répondit Beatrice qui apercevait le bâtiment des écuries derrière une grande haie, sur un des côtés de la cour.

— Quand vous aurez vu les garçons, allez donc farfouiller dans le débarras pour y trouver quelques meubles.

Il se trouve derrière l'endroit où nous rangeons la voiture. La clé doit être accrochée sous l'escalier. Hugh sait où elle est. Et si vous pouviez lui rappeler discrètement que nous avons du monde ce soir, et qu'il serait bon qu'il se change en conséquence. »

Tête pendante au-dessus des portes de stalles branlantes, deux chevaux jetèrent un regard indifférent à Beatrice. Depuis l'intérieur frais et sombre de l'écurie, un escalier, sur la droite, menait à l'étage. Elle hésita, consciente qu'il était ridicule de se laisser intimider par une machine, mais réticente à contourner la grosse motocyclette. L'étage paraissait plus ensoleillé, toutefois elle avait des scrupules à monter sans y avoir été invitée.

« Hou hou ! Il y a quelqu'un ? héla-t-elle, le pied sur la première marche.

— Qui est là ? demanda une voix masculine et Hugh surgit au sommet de l'escalier, brandissant dans une main un petit morceau de verre carré.

— C'est votre tante qui m'envoie. Pour rencontrer vos élèves.

— Nous sommes en train de préparer des lames de microscope », expliqua Hugh. Une bouffée de formol envahit la cage d'escalier. « Vous m'avez bien dit que vous n'étiez pas délicate ?

— Oh, je serais ravie de voir ça, s'écria Beatrice, laissant son enthousiasme l'emporter sur sa résolution de prouver sa bonne éducation. Il m'est arrivé de préparer des lames avec mon père. J'ai toute une collection d'ailes d'insectes.

— Disséquer des têtes de poulet risque d'être un peu plus salissant.

— Je vous assure qu'il en faut plus pour me dégoûter, insista Beatrice, réprimant tout de même un léger haut-le-cœur.

— Vous montez ici à vos risques et périls, lança Hugh. Si vous vous évanouissez, il nous sera impossible de vous rattraper sans étaler de la cervelle de poulet sur votre robe. »

La pièce située au sommet de l'escalier avait été aménagée sous de lourds chevrons et se glorifiait d'un bow-window donnant sur le potager. Elle était meublée d'une grande table de travail et de plusieurs fauteuils aux ressorts fatigués et aux tapisseries dépareillées et défraîchies. Le soleil de la fin d'après-midi entrait à flots par la fenêtre et deux des trois élèves de Hugh étaient inclinés sur la table, armés de couteaux pointus, au-dessus de lambeaux de chair sanguinolente, tandis que le troisième, pelotonné dans un fauteuil, mâchonnait un crayon tout en feuilletant un gros livre, non sans jeter des regards furtifs en direction du carreau ouvert. Ils se levèrent à son arrivée et la regardèrent avec une curiosité non dissimulée. Elle sourit pour masquer son émotion ; ils étaient bien moins engageants qu'elle ne l'avait pensé, avec ce côté dégingandé et noueux des jeunes garçons qui ne sont plus des enfants mais n'ont pas encore acquis leur robustesse d'hommes. Ils avaient beau être de tailles et de physionomies différentes, ils se ressemblaient par la laideur de leurs grandes oreilles, de leurs tignasses mal coupées et de leurs chaussettes tire-bouchonnées. Et bien que, de toute évidence, ils eussent fait un effort de toilette pour venir à leur leçon, il émanait d'eux l'odeur parfaitement identifiable de très jeunes gens, contre laquelle un bain hebdomadaire et sommaire ne pouvait guère lutter. Beatrice trembla un instant à l'idée de devoir bientôt affronter toute une classe d'élèves d'une curiosité aussi fruste et se demanda comment Agatha Kent avait bien pu discerner la moindre promesse dans trois spécimens humains aussi répugnants.

« Quelle belle salle, dit Beatrice d'une voix indécise.

— On m'a exilé ici quand j'étais petit au moment où mes expériences de chimie ont commencé à se révéler malodorantes, expliqua Hugh. Accordez-moi juste un instant pour terminer cela, et je vous présente à mes écoliers. »

Soucieuse de se donner une contenance devant ses nouveaux élèves, elle longea le mur, inspectant les bibliothèques vitrées et les étagères supplémentaires, soutenues par des briques, qui abritaient des livres, des boîtes et une collection de spécimens de sciences naturelles qu'il avait sans doute fallu toute une vie pour constituer. Des crânes, des roches, des fossiles, des plumes, une chauve-souris plus ou moins desséchée et un faisan empaillé et mité évoquaient d'un trésor perdu. Beatrice éprouva un douloureux pincement de jalousie en songeant que dans cette demeure, une pièce plus grande que l'intégralité de son nouveau logement avait été réservée aux passe-temps d'un jeune neveu en visite. Elle effleura du bout des doigts la surface fraîche et ridée d'un œuf d'autruche et se pencha pour examiner un aquarium abritant deux grenouilles. L'une d'elles nageait énergiquement le long de la paroi et Beatrice ne put s'empêcher de s'arrêter un instant, admirant ses puissants efforts pour franchir la vitre et retrouver la liberté.

« C'est Samuel et Samuel, mam'zelle », dit le garçon au livre.

C'était le plus grand des trois et il portait des chaussures d'une taille gigantesque.

« Nous avions envisagé de les appeler Johnson et Pepys, mais Daniel trouvait que ça faisait penser à une enseigne d'épicier, intervint Hugh, détachant soigneusement un fragment finement découpé d'une coupelle de formol et le transférant avec des pinces sur une plaque qu'il approcha de son visage. Le garçon suffisamment impertinent pour s'adresser à une dame sans y avoir été invité s'appelle Jack Heathly.

— Pardon, monsieur, murmura Jack, rouge jusqu'aux oreilles. Pardon, mademoiselle.

— Le père de Jack est un de nos bergers les plus respectés, poursuivit Hugh. Et le grand frère de Jack est un champion de la tonte des moutons.

— Il est parti jusqu'en Australie, reprit Jack, d'un air à la fois fier et mélancolique. Je garde les timbres de toutes ses lettres.

— J'ai l'impression que ce découpage de cervelles perturbe Samuel, remarqua Beatrice en souriant à Jack. M. Grange a-t-il tranché la tête de tous ses frères et sœurs ?

— Uniquement s'ils sont morts de mort naturelle, précisa Hugh. Je ne suis pas très fort pour tuer les créatures de tout près. Notre cuisinière se charge de l'exécution des poulets.

— Je veux bien tuer des trucs pour vous, moi, monsieur Hugh, dit le plus petit, s'asseyant devant la table.

— Merci, Snout. Ce jeune garçon, charmant malgré sa petite taille, est Snout. Son père tient la forge près du Strand.

— Enchanté, mademoiselle », fit Snout sans relever les yeux.

Il continua à découper une tête de poulet avec une lente précision, son visage mince plissé de concentration et un petit bout de langue saillant entre ses lèvres pincées.

« Et notre troisième larron est Arty Pike, mademoiselle Nash. Vous êtes certainement passée devant la quincaillerie des frères Pike, dans la grand-rue ?

— Quincaillerie et mercerie, précisa le garçon aux oreilles en forme d'anses, se mettant au garde-à-vous. "Tout ce qu'il vous faut sans dépenser trop" – c'est notre devise, mademoiselle.

— Je n'omettrai pas d'y ouvrir un compte, monsieur Pike. »

Sa magnanimité fut accueillie par un petit sourire narquois qui suggérait que son interlocuteur avait déjà pris la mesure de cette modeste cliente.

« Terminez ce que vous faites les garçons, pour que je vous présente correctement à Mlle Nash qui sera votre répétitrice jusqu'à la fin de l'été. »

Ils avaient dû être prévenus, songea Beatrice, parce qu'ils réussirent à réduire leurs grommellements à un simple murmure. Ils n'étaient manifestement pas plus ravis de recevoir son enseignement qu'elle ne l'était de le leur dispenser.

« Je peux arrêter aussi ? demanda le garçon au livre.

— Seulement si tu as fini ta traduction », répondit Hugh. Il leva les yeux vers Beatrice pour ajouter : « Nous avons décidé d'un commun accord que les devoirs de latin devraient être faits chaque semaine s'ils veulent participer aux expériences scientifiques. »

Il lui adressa un sourire laissant entendre qu'il aurait eu bien d'autres choses à lui dire sur ses élèves s'ils n'avaient pas été là. Elle lui rendit son sourire, admirant l'habileté avec laquelle il déguisait la recherche scientifique en récompense.

« Et puis d'abord, pourquoi qu'on apprend le latin ? » demanda Jack en mâchonnant toujours son crayon.

Il étudia avec un désespoir morose trois lignes que Hugh avait griffonnées sur une grande feuille de papier brun de boucherie avant de se replonger dans son manuel.

« Jack, il apprend le latin et aussi à faire des courbettes et tout le tralala pour devenir un gentleman, lança Arty. Ils lui fileront un haut-de-forme quand il ira tondre les moutons.

— Mon père, il dit qu'un ouvrier vaut mieux qu'un ivrogne », rétorqua Jack qui reposa le livre sur un rayonnage comme s'il était parfaitement admis qu'il avait terminé son devoir de latin.

Le visage d'Arty s'assombrit sous l'insulte flagrante, et Hugh intervint.

« Allons, allons, les garçons. Tâchons de nous conduire en gentlemen en présence de Mlle Nash.

— J'ai pas envie d'être un gentleman et ça m'étonnerait que trois mots de latin suffisent pour que ces gens-là, ils nous acceptent, ronchonna Jack.

— Moi, si, j'aimerais bien être un gentleman, riposta Snout, maniant son scalpel avec l'aisance due à l'expérience pour découper sa dernière tête en tranches fines comme du papier. Au moins, on se moque pas de vous parce que vous lisez des livres, on n'est pas obligé de laisser entrer n'importe qui sur ses terres, et en plus, on peut tuer tous les lapins qu'on veut sans que personne il appelle les gendarmes.

— C'est parce qu'il braconne, expliqua Jack.

— Répète un peu ça, et tu vas voir, grogna Snout en serrant les poings tandis que ses traits se crispaient dans une grimace qui permit à Beatrice de mieux comprendre l'origine de son surnom[1].

— Allons, Snout, ne prends pas la mouche comme ça, dit Hugh. Et toi, Jack, tu ferais peut-être mieux de passer moins de temps à insulter Snout et d'en consacrer davantage à prendre exemple sur lui et sur ses connaissances supérieures en latin. »

Aucun des deux garçons ne sembla apprécier la tirade. Ils jetèrent à Hugh un regard noir et Beatrice se félicita d'avoir bénéficié de cours particuliers et d'avoir ainsi échappé aux salles de classe où, songea-t-elle alors, le talent pouvait vous valoir autant de railleries que de respect.

« Le latin n'est pas seulement la langue des Césars. C'est aussi celle de la science, remarqua-t-elle. On en a

1. *Snout* signifie groin, museau. (*N.d.T.*)

besoin pour étudier la médecine, le droit et même la religion. C'est la clé de nombreux domaines. »

Elle s'interrompit devant leurs regards méfiants. Sa vocation d'enseignante lui avait été partiellement inspirée par les idées de son père, lequel estimait que l'instruction en général et l'apprentissage du latin en particulier ne devaient pas être réservés à un petit nombre, qu'on avait tort de diviser le monde en catégories et de laisser une petite élite se réserver tout le succès et tout le prestige. Mais peut-être le penchant de son père pour ces idées nouvelles et son désir d'étendre l'éducation classique au peuple ne seraient-ils pas très appréciés dans le cadre rural de Rye, songea-t-elle.

« Vous entendez ? demanda Hugh. Mlle Nash a l'intention de vous rendre aussi savants et aussi riches que les Anciens.

— Puis-je voir ce que vous avez sous le microscope ? coupa Beatrice, dissimulant son embarras en changeant de sujet. Je suppose que c'est de la matière cérébrale ?

— Vous voyez, les garçons, Mlle Nash n'est vraiment pas délicate, approuva Hugh et son propre stoïcisme inspira à Beatrice une certaine satisfaction. Venez voir. C'est une coupe transversale du bulbe rachidien.

— On l'appelle aussi *medulla oblongata*, un mot latin qui signifie moelle allongée, dit Snout. Le colorant noir montre les trajets par lesquels le cerveau envoie les messages pour qu'on respire et tout ça. » Il semblait avoir oublié sa timidité et son regard, levé vers elle, reflétait une vive intelligence. « Chromate d'argent, ça s'appelle. Très toxique, mais le poulet était déjà mort, mademoiselle.

— Excellente explication, merci », fit Beatrice, à qui cette manifestation sincère d'intérêt de la part d'un de ses futurs élèves rendit un peu d'optimisme.

S'inclinant sur l'objectif du gros microscope noir, elle jeta un coup d'œil à un lambeau de chair jaune aussi translucide qu'une pelure d'oignon, parcouru de complexes volutes de lignes noires, évoquant une subtile calligraphie.

« C'est magnifique, ajouta-t-elle.

— Où avez-vous acquis pareille force d'âme ? » demanda Hugh, après avoir demandé aux trois garçons de désinfecter la table de travail à l'aide d'un savon jaune qui dégageait une puissante odeur.

« Bien qu'avoir le cœur bien accroché ne passe peut-être pas pour une vertu typiquement féminine, mon père s'est pris de passion pour l'histoire des pionniers pendant notre séjour en Amérique. Il s'est persuadé que l'éducation ne devait pas être coupée des compétences fondamentales et que c'était une faiblesse des classes instruites que de feindre une sensibilité d'une excessive délicatesse.

— Je préfère ne pas savoir comment on démontre une telle chose, murmura Hugh.

— Je pourrais vous parler d'une visite très éprouvante du poulailler de l'université, où je me suis couverte de honte en m'enfuyant avec le poulet dont j'étais censée tordre le cou », avoua-t-elle. Levant les yeux du microscope, elle ajouta : « Ce passe-temps n'est-il pas plus macabre que l'observation des ailes d'insectes ?

— Ce n'est pas un passe-temps. Cela fait partie de mes recherches. Les cervelles de poulet ont beaucoup de choses à nous apprendre.

— Uniquement, bien sûr, pour ceux qui ont l'intention de se spécialiser dans les cervelles d'ecclésiastiques et de politiciens, lança une voix annonçant l'arrivée de son cousin, Daniel, qui entra alors dans la salle d'un pas nonchalant. As-tu l'intention de venir dîner en empestant, une fois de plus, comme une boutique d'apothicaire ?

— J'ai largement le temps, répliqua Hugh.

— Vu le négligé de ton style vestimentaire habituel, je n'en doute pas. Grands dieux, tu n'y arriveras jamais.

Je constate que les lieux sont encore littéralement infestés de populace. »

Les trois garçons, qui se savonnaient les mains à un lavabo de zinc installé dans un angle de la pièce, se retournèrent, leurs visages sombres suggérant qu'un certain nombre de réponses bien senties n'étaient réprimées qu'à grand-peine, par respect pour leurs supérieurs.

« Si tu as l'intention d'être grossier, Daniel, réserve cela à ton bureau personnel, rétorqua Hugh. Les garçons, vous pouvez y aller. Je vous rappelle que vos pages doivent être retraduites en latin pour la prochaine fois. »

On entendit trois gémissements, abrégés par l'impatience des garçons à s'échapper d'une pièce abritant une femme bizarre et un poète désagréable, au vocabulaire extravagant.

« Je serai ravie de vous accueillir chez moi pour votre prochaine leçon, intervint Beatrice, d'une voix qu'elle espérait chargée de plus d'autorité qu'elle n'en éprouvait. Pas de poulets morts, je le regrette, mais beaucoup d'histoires passionnantes et de discussions.

— Oui, mademoiselle. Merci, mademoiselle. »

Après avoir marmonné des réponses accompagnées de hochements de tête aussi brefs que possible, ils s'éclipsèrent, dévalant l'escalier pour rejoindre le soleil de l'allée.

« J'ai mis M. Grange en retard, dit Beatrice. Pardonnez-moi. J'étais captivée par les garçons et les cervelles de poulet. Je ne suis pas sûre de pouvoir trouver une tâche moitié aussi fascinante pour retenir leur attention. »

Malgré son inquiétude, elle était impatiente de commencer. Réussir à faire apprécier le latin à de tels garçons honorerait la mémoire de son père. Elle était par ailleurs disposée à éprouver ses talents auprès des plus sales et des plus rétifs, en se disant que si elle parvenait à dompter ces trois-là, la perspective de devoir affronter toute une salle de classe la terrifierait beaucoup moins.

« Oh, n'écoutez pas Daniel ! la rassura Hugh. Il n'est jamais à l'heure quand nous avons du monde à dîner et quand il l'est, c'est à peine s'il se montre poli. Il vaut mieux l'ignorer – dans la plupart des cas.

— Quelle vilenie ! s'écria Daniel, se tenant la poitrine à deux mains. Mais je sais que ta colère ne cherche qu'à détourner mon attention du fait que tu es enfin parvenu à attirer une jeune fille dans ta tanière.

— Ne dis pas de bêtises, Daniel, protesta Hugh. Mlle Nash est une protégée de Tante Agatha et je ne veux pas que tu la mettes mal à l'aise. Tu ferais mieux de l'emmener visiter le jardin pendant que je mets un peu d'ordre ici.

— En fait, votre tante m'a suggéré d'aller voir si je trouvais quelques meubles dans le débarras, intervint Beatrice. Si vous pouviez simplement m'indiquer où est la clé, j'aurais de quoi m'occuper jusqu'à l'heure du dîner.

— Il me semble que les reliques hideuses que contient le débarras exigent un guide averti, reprit Daniel, si vous ne voulez pas que l'édifice immense du passé des Kent ne choie sur votre tête. » Se laissant tomber dans un fauteuil, il sortit de sa poche un cigare et un mince volume qui ressemblait à une revue de poésie. « Si vous vouliez être Dante, je serais volontiers votre Virgile, mademoiselle Nash, mais je crains de n'être pas suffisamment expert pour vous tenir à l'écart de tous les meubles dont Hugh a pu se servir au fil des ans pour disséquer ou stocker ses lambeaux d'animaux.

— Je t'en prie, il ne s'agissait que d'un secrétaire, et un seul bocal a fui, riposta Hugh. Mais je vous en prie, accordez-moi simplement le temps de me laver les mains et je vous montrerai tout cela, mademoiselle Nash. Je sais qu'il y a une paire de bibliothèques géorgiennes que

Tante Agatha a fort raisonnablement refusé de me céder alors que je voulais les transformer en clapiers.

— Quant à moi, je resterai ici et profiterai de cet instant de répit pour lire et fumer en paix, fit Daniel. Tante Agatha m'a même expulsé de la terrasse. »

Il sortit des allumettes de sa poche et Beatrice se demanda un instant s'il avait l'intention d'allumer son cigare sous son nez. Mais il se contenta de faire tourner l'étui entre ses doigts jusqu'à ce que Hugh, s'étant savonné les mains au lavabo et les ayant essuyées à une serviette rugueuse suspendue à un clou, fût prêt à la raccompagner en bas. Tandis qu'ils s'éloignaient, Daniel ajouta, sans lever les yeux de son livre :

« Si je n'entends pas les invités arriver, viens me chercher, Hugh – mais pas avant que la soupière ne soit posée sur la table. »

Beatrice avait redouté d'être couverte de poussière et de toiles d'araignées à l'issue de la visite du débarras, mais les talents ménagers de l'épouse de Smith ne s'étaient pas démentis et c'était dans un local d'une propreté irréprochable qu'elle avait choisi un lit vert très sobre avec un secrétaire assorti, une petite table à thé accompagnée de chaises, ainsi que les bibliothèques dont avait parlé Hugh qu'elle jugeait beaucoup trop précieuses mais qui étaient, insista le jeune homme, exactement ce qu'il lui fallait.

« J'ai beaucoup de compréhension pour les attachements sentimentaux, dit-il, mais une fois qu'un objet a été relégué dans un débarras, c'est une question de culpabilité, pas d'amour. »

Tout en se précipitant à l'étage pour se laver les mains et déposer son chapeau dans la chambre de troisième choix, vers laquelle Jenny la conduisit comme si elle était destinée à être définitivement la sienne, Beatrice sourit en songeant que sous ses dehors de scientifique austère,

Hugh Grange possédait un sens de l'humour caustique. Il était plus posé que son étourdissant cousin, mais son esprit n'était manifestement pas moins vif.

Beatrice redescendit pour gagner le salon qui bruissait de voix et de tintements de verres. Elle hésita sur le seuil, sachant qu'elle aurait dû avoir hâte de faire la connaissance de sa protectrice, Lady Emily, alors qu'en réalité elle parcourait la salle du regard, toute palpitante d'impatience à l'idée de rencontrer le grand M. Tillingham. Tout le temps qu'elle avait passé dans le débarras, pendant qu'elle parlait de ses élèves à Hugh et riait devant les ottomanes dodues et les sellettes à plantes vertes dont il cherchait à lui faire l'article, elle avait senti monter sa nervosité. Rencontrer l'homme dont elle admirait le plus les écrits l'emplissait de joie, mais elle craignait de paraître trop empressée. Elle était presque soulagée qu'Agatha lui eût interdit d'évoquer son désir d'être écrivain ; autrement, elle aurait très bien pu laisser échapper quelque déclaration maladroite en présence du grand homme.

Elle remarqua que Daniel avait fait un effort de courtoisie et était déjà là. Il se leva brièvement à son entrée. Agatha, en robe vert pâle ornée d'une broche d'argent et de plumes de paon, les pieds chaussés de pantoufles arabes aux pointes rebiquées, s'avança, un verre de madère à la main, pour l'accueillir.

« Mademoiselle Nash, permettez-moi de vous présenter à la plus grande protectrice de notre petite école. Lady Emily, puis-je vous présenter Mlle Beatrice Nash ? »

Malgré la chaleur de la soirée, Lady Emily était vêtue d'une robe de soie noire austère à col montant. Elle était tout en angles, les membres repliés soigneusement dans le fauteuil le moins confortable de la pièce, le menton relevé comme si on était sur le point de faire son portrait. En concession à ce dîner informel, auquel elle s'était elle-même invitée à la dernière minute, elle ne portait qu'un collier de grosses perles.

« Bienvenue dans notre petite ville, dit-elle. Agatha nous affirme que nous avons bien de la chance d'avoir attiré une enseignante aussi compétente que vous, et Lady Marbely s'est évidemment portée garante de votre moralité.

— Je vous remercie infiniment, Lady Emily, ainsi que Mme Kent », répondit Beatrice.

Elle savait combien il avait dû en coûter à sa tante de rédiger quelques lignes d'éloge pour se débarrasser d'elle, et éprouva une certaine satisfaction à ne pas répéter son nom, bien que les lèvres pincées de Lady Emily aient suggéré qu'elle s'attendait à un discours un peu plus développé. Beatrice se contenta de lui adresser son sourire le plus fade et le plus modeste.

« Et puis-je à présent vous présenter à M. Tillingham ? reprit Agatha, dont le bras dodu esquissa un ample arc de cercle vers un homme d'un certain âge aux bajoues pendantes, qui s'efforçait de s'extraire d'un profond fauteuil. Bien qu'il ne soit certainement pas nécessaire de présenter notre éminent voisin littéraire. »

Enfin, le grand homme fut devant elle. Prenant appui sur ses accoudoirs, il se hissa, vacillant légèrement tandis que son torse massif reprenait son équilibre au-dessus de deux jambes courtes et d'une paire de pieds délicats. Il examina Beatrice de ses yeux aux paupières tombantes sous un vaste front qui se poursuivait par un crâne largement dégarni jusqu'à la nuque. Elle pensa immédiatement à un gros hibou.

« En effet », bredouilla-t-elle.

Il était moins impressionnant en chair et en os que sur les photographies qu'elle avait vues de lui dans les journaux, ce qui ne l'empêcha pas de rougir comme une écolière quand il lui serra la main.

« Enchanté », dit-il.

Elle s'efforça de trouver une réponse intelligente et d'éviter de laisser échapper un fatras dithyrambique de compliments stupides sur la beauté de sa langue, ou sur la construction elliptique de ses phrases.

« Mon père, Joseph Nash, se décida-t-elle enfin à dire, admirait beaucoup votre œuvre. »

Au moins, le nom de son père lui révélerait-il qu'elle n'était pas simplement le dernier caprice des velléités pédagogiques de ces dames, à peine digne d'attirer des regards ébahis pendant le dîner.

« Joseph Nash ? Joseph Nash ? demanda M. Tillingham, son visage figé dans une politesse inexpressive tandis qu'il fouillait dans sa mémoire.

— *Une brève histoire d'Euripide* ? précisa Beatrice. Vous avez eu la bonté d'écrire quelques mots à son sujet. »

C'était, de toute la modeste production de son père, l'ouvrage qui avait eu le plus de retentissement, et lui-même l'avait considéré comme ce qu'il avait fait de mieux, ne fût-ce que parce qu'il avait été à l'origine d'une correspondance avec M. Tillingham. Ce dernier lui avait écrit pour lui en faire compliment, son père avait répondu sur le même ton. Tillingham avait récidivé pour lui suggérer de se concentrer exclusivement sur la biographie historique et regretter que tant de gens dilapident leur talent dans le journalisme bon marché et la vile critique. Son père avait ri, et écrit pour remercier Tillingham de ses conseils. Ils n'avaient mentionné ni l'un ni l'autre la revue dans laquelle son père publiait et où il avait vertement critiqué l'une des premières pièces de Tillingham. Beatrice avait conservé les lettres originales de l'écrivain, avec les copies qu'elle avait faites des réponses de son père. Cette correspondance, emballée dans de la toile cirée assujettie par un mince lacet de cuir, était soigneusement rangée dans une boîte métallique contenant les papiers de son père, boîte qu'elle était parvenue à grand-peine à faire sortir en tapinois de la demeure des Marbely. Son anxiété grandit lorsqu'elle vit toute la compagnie plisser le front comme à la recherche d'un souvenir collectif.

« Assurément, M. Tillingham a plusieurs dizaines de correspondants, fit remarquer Agatha.

— De quelle couleur est la couverture ? demanda Tillingham. J'ai une excellente mémoire des couleurs.

— Verte, répondit Beatrice. Un ouvrage assez mince, avec un titre crème.

— Ah oui, cela me revient. Un ouvrage historique peu commun qui respectait sa propre promesse de brièveté ; avec un ou deux instants de clarté surprenante au fil des pages. Il me semble qu'il ne m'a pas laissé indifférent.

— Merci, souffla Beatrice.

— Je chercherai dans ma bibliothèque. Cela me remettra certainement à l'esprit mes échanges épistolaires avec votre père. »

La tension se relâcha légèrement dans la pièce, comme si les réminiscences de M. Tillingham concernant le livre de son père avaient livré un mot de passe.

« Asseyez-vous donc, mademoiselle Nash, fit Agatha en lui désignant une place à côté d'elle sur un confortable canapé. Vous devez être encore fatiguée de votre voyage d'hier.

— Un peu, en effet. Il faisait très chaud dans les gares de Londres et elles étaient noires de monde. »

Hugh s'introduisit furtivement dans la pièce, son nœud papillon de travers et ses cheveux humides trahissant la hâte qu'il avait mise à se changer à la dernière minute. Personne ne sembla le remarquer et Beatrice avait une conscience aiguë qu'ils étaient tous trop occupés à l'examiner même s'ils feignaient de regarder ailleurs.

« Je ne prends jamais le train, lança Lady Emily, rompant un silence embarrassé. Toute cette suie et tous ces spécimens d'humanité vulgaire.

— Il est vrai que l'on ne peut pas toujours échapper aux compagnons de voyage déplaisants», acquiesça Beatrice.

Elle conserva un visage impassible et évita de regarder Hugh, mais s'amusa de l'entendre reposer une carafe un peu brutalement.

«Un peu plus de sherry pour quelqu'un?» demanda-t-il.

Jenny, la domestique, se tenait près des carafes avec un petit plateau d'argent pour apporter les verres.

«Tu pourrais poser la question plus aimablement, mon garçon, observa sa tante. Sers donc un petit verre de sherry à Mlle Nash.

— Chère Lady Emily, si vous ne prenez jamais le train, comment vous rendez-vous en Écosse? demanda Daniel, se prélassant dans son fauteuil avec un abandon d'enfant.

— Je réserve évidemment un wagon-lit privé pour l'Écosse, répondit-elle. Et je prends soin d'envoyer deux de mes servantes faire un grand nettoyage avant que je monte à bord.

— On préfère emporter ses propres draps, cela va de soi», lança M. Tillingham en inclinant la tête sur le côté et en esquissant une moue. Beatrice se demanda s'il prenait des notes pour un futur roman. «Et peut-être un ou deux paniers garnis.

— Bien sûr, approuva Lady Emily. Ainsi que des coussins spéciaux pour les bébés. Faute de quoi, ils ont tendance à rouler par terre, ce qui est extrêmement inconfortable pour eux.»

Cette image fit perdre à Beatrice le fil de la conversation et elle fut incapable de réprimer un haussement de sourcils.

«Lady Emily possède les teckels les plus adorables que vous puissiez imaginer, expliqua Agatha.

— Je les emmène partout, renchérit Lady Emily. Sauf ici, quand vous êtes là, affreux garçons.»

Elle agita son éventail en direction de Daniel qui éclata de rire, et de Hugh qui prit l'air consterné.

« Voyons, Lady Emily, c'était il y a si longtemps ! Je vous donne ma parole que vos minuscules amis canins n'auraient rien à craindre de nous.

— Diable ! Qu'avez-vous donc fait de vilain, jeunes polissons, aux teckels de Lady Emily ? demanda M. Tillingham en se penchant vers Daniel d'un air de conspirateur.

— Un jour, nous avons monté un spectacle de cirque et nous les avons utilisés comme clowns, avoua Daniel dans un chuchotement théâtral. Et une autre fois, Hugh a eu l'idée de les emmener à la chasse aux rats dans les bois et un des fauves de Lady Emily a capturé un campagnol de belle taille.

— Sans doute est-il inutile que tu révèles publiquement nos actes de délinquance juvénile, Daniel », protesta Hugh.

Beatrice fut ravie de constater, à son visage empourpré, que Hugh Grange n'avait pas toujours été parfaitement raisonnable. Elle ne l'en trouva que plus sympathique.

« Je vous ai pardonné depuis longtemps, reprit Lady Emily. Mais j'ai été navrée de devoir me défaire de ce chien.

— Vous ne l'avez pas gardé ? s'offusqua Daniel. Le roi des ratiers ?

— J'en ai eu le cœur brisé, mais je ne supportais plus de voir ses petites dents grignoter du bacon dans mon assiette au petit déjeuner. Il faut être tellement prudent avec les maladies.

— Tout à fait compréhensible », approuva Daniel.

Tandis qu'il luttait pour dissimuler son amusement, Beatrice remarqua que son cousin Hugh avait l'air chagrin.

« Le colonel Wheaton aime à se plaindre que nous employions un demi-valet de pied simplement pour nous débarrasser des poils, poursuivit Lady Emily. Mais je le trouve ensuite en train de lire le journal dans son cabinet de travail, un chien sous chaque bras. Il faut des jours pour débarrasser leur pelage de l'odeur de cigare.

— Je songe souvent que je devrais prendre un petit chien, dit M. Tillingham. Un terrier agressif peut-être, pour maintenir à distance tous les visiteurs importuns qui interrompent mon travail.

— Je ne supporte pas les gens qui n'aiment pas les chiens, ajouta Lady Emily. Et je me méfie surtout de ceux qui préfèrent les chats. » Elle jeta à Beatrice un regard scrutateur, comme si elle la soupçonnait d'un tel crime. « Il y a en eux quelque chose de trop onctueux, ne trouvez-vous pas ?

— Il me semble que l'épouse de notre maire, Mme Fothergill, possède deux siamois à poils longs, plutôt élégants, remarqua Daniel.

— Une femme qui a un peu trop tendance à se hausser du col, désapprouva Lady Emily. Mais soyez tranquilles, je tiendrai ma langue demain, afin de ne pas compromettre l'emploi de Mlle Nash.

— Votre embauche ne risque pas d'être remise en cause, rassurez-vous, précisa Agatha. Mais Lady Emily donne un thé annuel en présence des administrateurs de l'école, du directeur et du personnel enseignant, ainsi que d'un certain nombre d'autres notables de la ville. Nous nous sommes dit que ce dimanche après-midi conviendrait à merveille pour que notre petite communauté vous souhaite la bienvenue.

— Évidemment, nous ne nous attendions pas à ce que vous soyez aussi jeune », observa Lady Emily.

Beatrice sentit ses joues et son cou s'empourprer, tandis que la question de son âge, qu'il n'était évidemment pas question de poser directement, demeurait en suspens.

« J'ai vingt-trois ans, dit-elle enfin en regardant Lady Emily bien en face. J'espère que ma vie de célibat est suffisamment avancée pour vous convenir ?

— Je suis certaine qu'il n'y a aucun problème sur ce point, fit Agatha.

— Carrément chenue, lança Daniel. N'est-ce pas Hugh ?

— Ce n'est absolument pas ce que je voulais dire, protesta Agatha.

— Un visage plus ridé et quelques cheveux gris auraient été un atout, renchérit Hugh. Mais je suis persuadé qu'après avoir fréquenté nos écoliers pendant quelques semaines, vous présenterez l'aspect recherché.

— À mon avis, le vrai problème est que Lady Emily et Mme Kent arborent des silhouettes tellement juvéniles que toute personne de votre âge ne peut que passer pour une enfant, suggéra M. Tillingham.

— Sornettes, cher ami, protesta Lady Emily, dont le visage avait pourtant légèrement rosi.

— M. Tillingham se comporte en écrivain, rappela Daniel. Tous les écrivains sont tenus de rendre hommage à la vraie beauté.

— Et les poètes sont manifestement tenus de produire des avalanches d'hyperboles, ajouta Hugh. Je suppose que les écrivains se contentent de légères exagérations ? »

Daniel rit et Beatrice vit le visage de M. Tillingham frémir de contrariété avant qu'il n'émette un léger gloussement.

« Et c'est ainsi qu'avec une scie émoussée, nous nous trouvons brutalement et cruellement disséqués par l'homme de médecine, remarqua-t-il.

— Ma foi, quel que soit son âge, je suis convaincue que Mlle Nash se conduira en femme modeste et digne et nous prouvera que nous avons fait le bon choix, conclut Agatha.

— Je prendrai soin de porter la plus laide de mes robes, souffla Beatrice.

— Simple suffira, répondit Lady Emily d'un ton sévère. Nous n'avons nul besoin de quelqu'un qui se donne en spectacle comme notre maîtresse de français avec ses robes de soie grotesques.

— Pour être juste, il convient de préciser que Mlle Clauvert n'est pas anglaise, objecta Agatha. Nous avons beaucoup de chance d'avoir une authentique Française.

— C'est exact, convint Lady Emily. Mais je suis fort heureuse que la famille de Mlle Nash soit d'une lignée britannique irréprochable.

— En réalité, ma mère était américaine », dit Beatrice avant d'avoir eu le temps de réfléchir.

Elle se mordit la langue pour résister à l'envie d'ajouter que son père avait été renié par les Marbely et les avait lui-même reniés en retour aussi longtemps que possible.

« Américaine ? s'écria Lady Emily sur un ton de surprise horrifiée.

— Comme c'est charmant, répliqua Daniel. Lady Emily est une grande admiratrice de tout ce qui nous vient d'Amérique, n'est-ce pas, M. Tillingham ?

— Vous avez raison », acquiesça M. Tillingham, qui n'avait pas l'air particulièrement heureux de se voir rappeler sa propre nationalité.

Beatrice comprit alors que son articulation appliquée était destinée à masquer toute trace d'accent.

« Mon père était anglais, reprit-elle. Mais après la disparition de ma mère, je crois qu'il n'a plus jamais trouvé le bonheur dans ce pays.

— Ah, les mystères de l'âme humaine », murmura M. Tillingham.

Il leva la main, comme s'il s'apprêtait à diriger un orchestre invisible, et tout le monde se tut, ainsi qu'il le souhaitait probablement, songea Beatrice, dans l'attente d'un bon mot du grand esprit.

« Voici bien longtemps que j'ai trouvé un foyer et un havre sûr dans ce petit coin d'Angleterre et c'est le seul lieu, me semble-t-il, qui m'apporte la félicité.

— Vous êtes à présent l'un des nôtres, indéniablement, M. Tillingham, confirma Lady Emily. Je puis vous assurer que je ne vous considère plus jamais comme un Américain.

— Les maîtresses de maison locales s'arrachent M. Tillingham, fit Agatha en se tournant vers Beatrice. Il est littéralement noyé sous les invitations.

— Je suis obligé de les décliner impitoyablement, faute de quoi je ne dînerais jamais devant ma confortable cheminée, ajouta M. Tillingham. S'il est évidemment satisfaisant de voir le public reconnaître la qualité de vos productions littéraires, le fardeau de la réputation est parfois bien lourd.

— Félicite-toi que ta poésie ne t'impose pas pareille charge, lança Hugh à Daniel. Je prierai pour que tu restes inédit.

— J'ai le dos suffisamment large, rétorqua Daniel, pour supporter la gloire et les lauriers.

— Vous pouvez rire, mes garçons, fit M. Tillingham. Mais attendez qu'un autre notable local se penche vers vous par-dessus la table du dîner pour vous demander à haute et intelligible voix s'il pourrait possiblement avoir lu quelque chose que vous avez écrit.

— Je comprends ce que vous voulez dire, intervint Beatrice. On demandait souvent à mon père d'expliquer qui il était et quel genre de choses il écrivait. Il faisait toujours preuve d'une grande patience. »

Un silence poli l'accueillit et Beatrice se pétrifia, prenant conscience avec horreur qu'ils y voyaient une allusion à l'impuissance antérieure de M. Tillingham à se rappeler le nom de son père.

« Hélas, je ne suis sans doute pas aussi patient que votre père, reconnut M. Tillingham en lui adressant un sourire qui effaça toute gêne (Beatrice l'aurait volontiers embrassé pour cette amabilité inattendue). Je réponds volontiers que n'écrivant pas pour *L'Almanach du fermier*, je ne puis oser espérer que ce gentleman ait lu la moindre ligne de mon œuvre modeste.

— Il est bien plus poli d'admettre qu'on ne lit pas, remarqua Lady Emily. Qui en a le temps ? Cela ne nous empêche évidemment pas d'avoir tous les ouvrages de M. Tillingham dans notre bibliothèque. J'accorde toujours à votre dernière publication une place d'honneur à côté de mon fauteuil de salon, M. Tillingham. J'ai un marque-page spécial avec un gland de soie de chez Fortuny.

— J'en suis infiniment touché, remercia M. Tillingham.

— Puisque M. Tillingham semble préférer dîner chez lui, nous devrions faire l'effort de l'inviter moins souvent, ma tante, observa Hugh. Nous nous en voudrions de l'importuner. »

Malgré le sourire qui accompagnait ces propos, Beatrice sentit que Hugh ne plaisantait pas réellement et se demanda pourquoi il n'appréciait pas le grand homme.

« M. Tillingham sait très bien qu'il peut venir dîner quand cela lui chante et qu'il a toute liberté de décliner nos invitations, répliqua Agatha. Nous ne faisons pas de cérémonie avec ceux que nous considérons comme de la famille. » Se tournant vers Beatrice, elle ajouta : « M. Tillingham m'écrit souvent pour prendre des nouvelles des garçons et manifeste un intérêt fort aimable pour la poésie de Daniel.

— Aider la jeune génération d'écrivains et de poètes est un devoir qui me paraît à la fois sacré et plaisant, observa M. Tillingham. J'espère, Daniel, que vous viendrez dîner et que vous m'apporterez quelques autres poèmes à lire ? »

Il haussa un épais sourcil et adressa au jeune homme un sourire de connivence.

« J'ai grand peur qu'ils ne soient pas en état d'être montrés, répondit Daniel en conservant un air d'indifférence languide. Mais j'essaie d'insuffler un peu de vie dans une ou deux petites choses.

— Je crois avoir compris que Mlle Nash écrit, elle aussi, dit Hugh.

— Oh non, protesta Beatrice, prise en tenaille entre le désir pressant de voir le grand auteur lui adresser un sourire d'intérêt et celui de respecter l'injonction d'Agatha Kent. En réalité, j'ai passé cette dernière année à mettre de l'ordre dans la correspondance personnelle de mon père dans l'espoir d'en publier un petit recueil. »

Elle se tourna vers M. Tillingham dont les traits exprimaient un certain soulagement.

« Rassembler et trier ce genre de documents est une entreprise louable pour une fille, approuva-t-il. Je suis certain que ce volume intéressera vivement les amis et la famille de votre père ; au moins, il s'agit là d'un projet sérieux et non des fadaises romanesques propres à la frivolité féminine.

— Peut-être Mlle Nash envisage-t-elle aussi d'écrire un roman ? suggéra Hugh.

— Mlle Nash sera pleinement occupée par ses activités d'enseignement et n'éprouvera certainement aucun intérêt pour des occupations aussi futiles », intervint Lady Emily.

Agatha Kent regarda Beatrice avec un sourcil relevé dans une supplication muette.

« Mes tâches de professeur seront mon seul souci », confirma Beatrice, amèrement déçue mais résignée à se montrer pragmatique.

« Dieu merci ! s'écria M. Tillingham. Il est du dernier chic d'encourager les jeunes femmes, surtout les Américaines, à s'imaginer qu'elles sont capables d'écrire, et j'ai reçu plusieurs requêtes vaguement hystériques me priant de bien vouloir lire ce genre de charmants manuscrits.

— L'avez-vous fait ? demanda Daniel.

— Grands dieux, non ! Je préférerais encore me trancher la main droite ! J'ai laissé le soin à ma secrétaire de rédiger des réponses diplomatiques d'usage, et de livrer les pages incriminées au fourneau de la cuisine.

— J'avais cru comprendre que vous étiez très lié à cette Américaine qui s'obstine à écrire, alors que sa position et sa fortune rendent cette activité entièrement superflue, s'étonna Lady Emily.

— La dame dont vous parlez constitue à elle seule une catégorie bien à part. Elle pose effectivement un œil très aiguisé sur l'étroit milieu auquel elle consacre ses écrits, et je ne peux ni contester son talent, ni désapprouver son immense succès.

— De plus, il paraît qu'elle est très généreuse, ajouta Daniel. Ne vous emmène-t-elle pas faire un tour dans son énorme automobile chaque fois qu'elle vient vous voir ?

— Daniel ! » protesta sa tante.

M. Tillingham leva la main pour faire comprendre qu'il ne le prenait pas mal.

« Je vous assure, mon cher garçon, que je suis parfaitement capable d'accepter la générosité de mes amis, sans que cela m'empêche de leur dire très exactement ce que je pense de leur art. Je préférerais, il est vrai, qu'il en soit autrement, car ce que certains ont appelé ma franchise brutale m'a fait perdre quelques amitiés et a découragé, dans ma jeunesse, un ou deux grands amours. »

À la grande surprise de Beatrice, il sortit sa vaste pochette de soie et s'épongea les yeux, qui s'emplissaient de larmes.

« Loin de moi l'idée de vous accuser de brutalité, dit Daniel, qui se tourna vers les autres convives pour ajouter : Mais la dernière série de poèmes que j'ai présentée à M. Tillingham a été si minutieusement et si précisément démantibulée qu'il ne m'en est resté qu'un distique.

— C'est une malédiction, que voulez-vous, je n'ai jamais su dire autre chose que la vérité s'agissant du mot écrit, regretta M. Tillingham. Je crois que votre père était comme moi, ma chère.

— Vous vous souvenez donc de lui ? s'étonna Beatrice.

— Cela me revient, en effet. Est-il possible qu'il ait été l'auteur d'une critique absolument cinglante de ma toute première pièce ?

— Il me semble qu'il en a effectivement fait le compte rendu, convint Beatrice, rougissante.

— Ma foi, il n'a pas été le seul à m'éreinter, c'est certain. Mais je me rappelle que son analyse était suffisamment fine pour m'interdire de lui répondre, comme je le fais d'ordinaire, par une réfutation longue et détaillée.

— Merci.

— Je chercherai son livre dès que je serai rentré chez moi, ajouta Tillingham. Et il faut absolument que vous veniez prendre le thé à la maison et que vous me montriez l'une ou l'autre des lettres les plus intéressantes de votre père. »

Beatrice sentit ses yeux s'humecter et elle enfonça ses ongles dans ses paumes pour éviter de trahir sa reconnaissance éperdue. M. Tillingham lui tapota la main, et la stupéfaction de Lady Emily n'échappa pas à la jeune fille.

« Merveilleux ! s'écria Agatha. Rappelez-moi de veiller à ce que notre directeur d'école et notre pasteur vous invitent, eux aussi.

— La courtoisie veut que nous nous relayons tous pour soulager la solitude des dames célibataires de notre paroisse, ajouta Lady Emily. Chaque mardi, quand je suis chez moi, j'ai deux sœurs d'un certain âge qui viennent jouer au bridge. Peut-être jouez-vous, mademoiselle Nash ? »

Beatrice chercha désespérément une échappatoire recevable, bien qu'elle fût plutôt fière de ses talents de bridgeuse.

« Nous avons prévu que le mardi, Mlle Nash donnerait des cours particuliers à certains élèves, intervint habilement Agatha. Je ne voudrais pas abuser, Lady Emily, mais une invitation au thé de votre part, présentée publiquement au cours de votre garden-party, serait le meilleur moyen de rendre notre projet inattaquable et de mettre fin aux intrigues de Mme Fothergill.

— Ma foi, si vous pensez que cela peut être utile, répondit Lady Emily, apparemment apaisée. Je serais prête à endurer les pires épreuves pour remettre Mme Fothergill à sa place. »

Tandis que résonnait le gong du dîner, Beatrice surprit Hugh et Daniel qui échangeaient discrètement une grimace. Elle réprima elle-même un sourire, songeant qu'elle était toute prête à s'entendre qualifier d'épreuve, pourvu qu'elle n'eût pas à rejoindre la cohorte de vieilles filles de Lady Emily.

5.

La très jeune fille qui frappa à la porte de la chambre de Beatrice le lendemain matin paraissait trop grêle pour le plateau qu'elle portait, alourdi encore par une tasse de thé en porcelaine à l'ornementation chargée et un broc d'eau chaude pour sa table de toilette. Elle avait les joues creuses, les épaules étroites, les cheveux impitoyablement tirés en arrière en une unique tresse. Sa robe et son tablier pendaient sur son corps fluet et ses chaussures semblaient ridiculement grandes, lacées sur ses chevilles maigrichonnes.

« Votre thé, mademoiselle. Et Mme Turber vous fait dire que votre petit déjeuner vous attend au chaud en bas parce qu'elle est allée à l'église à huit heures et qu'elle espère que vous ne vous imaginez pas qu'elle va négliger Dieu pour ceux qui profitent du jour du Seigneur pour faire la grasse matinée.

— Pourquoi ne m'as-tu pas réveillée ? demanda Beatrice.

— J'ai essayé, mademoiselle, mais comme vous ne bougiez pas d'un pouce, j'ai remporté le thé froid. »

Posant le plateau par terre, elle hissa le broc sur la table de toilette et apporta le thé, les lèvres serrées de concentration pour éviter que la tasse ne tremble sur sa soucoupe dorée. Même quand Beatrice lui prit la tasse des mains, elle ne leva pas les yeux vers elle et se détourna pour ramasser le plateau.

«Je n'ai jamais eu de mal à me réveiller, remarqua Beatrice avant d'avaler une longue gorgée de thé brûlant. Je devais être encore épuisée du voyage.»

Elle était habituée aux heures pâles de l'aube, où elle pensait à son père en ouvrant les yeux au son léger du chœur des oiseaux. Curieusement, elle ne se sentait pas coupable d'avoir dormi jusqu'à une heure aussi avancée de cette chaude matinée. Et si elle était fatiguée par le voyage et par les impressions nouvelles qui affluaient de toutes parts, au moins était-ce un épuisement différent de celui qu'elle avait éprouvé toute l'année écoulée : une salutaire fatigue physique plus que la lassitude débilitante qui accompagne le désespoir.

«M. Puddlecombe ne se levait jamais avant midi le dimanche», reprit la fille.

Elle frotta ses souliers trop grands sur le plancher, et ses joues s'embrasèrent d'une rougeur peu flatteuse.

«Comment t'appelles-tu?» demanda Beatrice.

La servante lui jeta un regard oblique et parut rassembler tout son courage pour reprendre la parole.

«Je vous demande pardon, mademoiselle. La prochaine fois, je vous appellerai plus fort si vous voulez. Mais si vous vous levez de bonne heure, Mme Turber, elle m'obligera à aller à l'église avec elle et après, je n'aurai pas le temps de faire toute l'argenterie avant midi et j'ai mon dimanche après-midi, mais seulement si j'ai fini mon travail et ma maman est souffrante et elle a besoin de moi et... je m'appelle Abigail.

— Quel âge as-tu, Abigail?

— Treize ans, mademoiselle. Enfin presque, mais je suis forte pour mon âge.

— Tu sais, Abigail, de toute façon, je préfère aller à l'office plus tard. De plus, je n'irai pas aujourd'hui parce que je dois être présentée à tout le monde à une garden-party cet après-midi et que je préfère ne pas me montrer avant.

— Je peux vous monter votre petit déjeuner si vous voulez. Il y a un œuf dur et des toasts, du bacon froid et des tomates.

— Si tu pouvais m'emballer tout ça dans un torchon, ce serait vraiment gentil. Je crois que je vais aller faire un tour à bicyclette et prendre mon petit déjeuner sur la plage. »

Abigail sembla trop surprise pour répondre et apparemment, le grand sourire de Beatrice contribua encore à l'alarmer.

« Va vite m'emballer tout ça, ajouta Beatrice. Comme ça, tu ne m'auras pas dans les jambes et tu pourras passer toute la matinée à astiquer l'argenterie.

— Une bicyclette, mademoiselle, murmura Abigail. Ça doit être épatant, ça. »

Le déjeuner dominical, servi juste après l'office religieux de midi, était le seul repas de la semaine à être pris dans la salle à manger personnelle de Mme Turber.

« Je ne serai pas là pour le thé, Mme Turber », annonça Beatrice en repoussant les nerfs d'une tranche de bœuf filandreuse sous une feuille de chou avant de poser soigneusement sa fourchette et son couteau sur son assiette.

Sa chaise était coincée entre la lourde table de chêne et un gros buffet en bois sombre couvert d'un napperon au crochet : on retrouvait les mêmes napperons sur les dossiers de chaises, la petite vitrine de bibelots et sur plusieurs sellettes à plantes où étaient posées des fougères opulentes et des plantes bulbeuses, caoutchouteuses, dont Beatrice ignorait le nom. La table était, elle aussi, revêtue d'une nappe blanche au crochet posée au-dessus d'un carré de feutre vert, lequel protégeait lui-même une lourde nappe damassée rouge que l'on ne retirait jamais. Le mobilier était encore abrité par de lourdes guirlandes de chintz tandis qu'un rideau de mousseline plissée masquait l'unique fenêtre, fort étroite. Pas un souffle d'air ne pénétrait dans la pièce. Beatrice but une petite gorgée d'eau et chercha à prendre patience tandis que, sur le manteau de la cheminée, une pendule égrenait les minutes avec une lenteur désespérante.

« Heureusement que je n'ai pas fait de génoise ce matin, remarqua Mme Turber. Elle aurait été gâchée.

— Je croyais que Mme Kent vous avait prévenue que Lady Emily souhaitait me voir, répondit Beatrice.

— Je rends grâce au Seigneur de n'avoir jamais été du genre à me donner de grands airs. Il y a des gens dans cette ville... Enfin, je ne reproche pas à Lady Emily de s'y laisser prendre. »

Elle se renfrogna, serrant les lèvres sur une litanie d'affronts intimes, et agita sa clochette de cristal pour qu'Abigail vienne débarrasser. La fille entra, chargée d'une grande jatte contenant un pudding à la confiture encore fumant.

« La demeure du colonel Wheaton est-elle très imposante ? » demanda Beatrice, craignant de s'évanouir devant cet ajout de vapeur à une pièce déjà privée d'oxygène.

Mme Turber se leva laborieusement et se dirigea vers le buffet pour découper deux grosses tranches de pudding.

« Je n'y suis allée qu'une fois, quand ce pauvre capitaine était encore parmi nous, répondit Mme Turber. Une réunion du conseil municipal. C'était charmant et Lady Emily a beaucoup admiré mon chapeau. » Elle poussa un soupir. « Bien sûr, personne ne souhaite inviter une pauvre veuve.

— Je crois qu'il y aura essentiellement les administrateurs de l'école, précisa Beatrice.

— Oui, oui, il n'y a jamais que les administrateurs de l'école, ou bien les conseillers municipaux, ou bien les membres du club de la chasse au lièvre et leurs épouses. Comme je l'ai dit à M. Puddlecombe, il y a de quoi vous faire envisager de vous remarier, ne serait-ce que pour les obliger à trouver des excuses plus convaincantes. »

Beatrice baissa les yeux vers la nappe et ferma les paupières pour lutter contre l'image de Mme Turber faisant pareille suggestion à l'ancien professeur de latin.

« Je ne me réjouis pas d'y aller, avoua Beatrice. Tous les yeux seront rivés sur moi, ce sera terriblement embarrassant.

— Ma foi, c'est par une décente humilité que l'on montre sa reconnaissance, observa Mme Turber. J'espère que vous avez fini, car je m'en voudrais de priver la petite de son après-midi de congé. »

Dans la chaleur de l'après-midi, Beatrice reprit la route qui sortait du bourg pour gravir le coteau en direction de la maison d'Agatha Kent, songeant que ce trajet lui était vite devenu familier et qu'elle se sentait déjà tout à fait à l'aise dans la petite ville. C'était, sans nul doute, un effet du soleil et de la brise, qui transportait toujours un parfum d'herbe venu des prés salés. Elle avait confié à Mme Turber qu'elle redoutait l'attention qu'elle ne manquerait pas d'attirer, mais à présent, marchant d'un pas vif, l'idée de faire ses premiers pas dans sa nouvelle vie et son nouveau métier lui inspirait une telle énergie qu'elle se réjouissait d'assister à cette réception. À son arrivée, Mme Kent et ses deux neveux l'attendaient dans la fraîcheur du vestibule.

« Nous allons laisser passer une ou deux voitures, puis nous nous mettrons en route tranquillement », proposa Agatha en redressant son chapeau dans le miroir.

D'une luxueuse paille sombre et brillante, il était neuf mais d'une discrétion de bon aloi, d'une circonférence modérée, la coiffe ornée d'un large ruban en gros-grain marine et blanc rehaussé d'une jolie rosette à une extrémité.

« Lady Emily nous a priés de venir de bonne heure, mais il n'est pas question d'être trop en avance. »

Elle donna un dernier coup de brosse à son tailleur qui n'était pas tout à fait aussi neuf que son chapeau, au regard de Beatrice, mais était confectionné dans un lin épais, soigneusement repassé. Les poignets de la veste avaient été récemment agrémentés de bandes de rubans assortis à ceux du nouveau chapeau. C'était le genre de tailleur destiné à servir de longues années – la jupe pouvant être rétrécie ou élargie selon les besoins, les ornements de passementerie cousus ou décousus soigneusement en fonction de l'évolution de la mode – et à être rangé chaque automne dans une malle avec un sachet de pelures d'oranges séchées, de lavande et de clous de girofle pour tenir les mites à distance. Sa propre robe de coton paraissait trop légère et enfantine par comparaison.

« Un chapiteau étouffant et de la citronnade poisseuse... Ce n'est pas franchement la meilleure manière de passer un après-midi aussi radieux, ronchonna Daniel. J'espère que nous arriverons à nous esquiver rapidement.

— Si tu cherches à filer, je serai obligée de dire à ton oncle John qu'en son absence, tu as proposé de jouer à pile ou face pour savoir qui de vous deux nous escorterait, lança Agatha en enfilant des gants de dentelle blancs.

— Mais, Tante Agatha, c'est à cela que vous sert Hugh, protesta Daniel. Vous savez bien qu'il a de meilleures manières que moi.

— Quel gamin tu fais ! s'écria Hugh. Tu ronchonnes toujours à l'idée d'y aller, et ensuite, on n'arrive plus à vous faire sortir, Harry Wheaton et toi, de la tente où l'on sert le champagne.

— Je vous assure, mademoiselle Nash, que la garden-party de Lady Emily est toujours charmante et qu'on la considère comme un des grands événements de l'été, reprit Agatha. Quant au jardin, malgré son style à la française, il offre des vues superbes sur la côte.

— J'espère, mademoiselle Nash, que ma tante a prévu un peu de temps pour la visite du parc et pour un verre de citronnade, ajouta Hugh. Mais je crains fort que Lady Emily et elle n'aient l'intention de vous tenir occupée par une interminable série de présentations.

— Je vous demanderai à tous les deux de ne pas nous quitter du regard, fit leur tante. Quand je hausserai le sourcil, cela voudra dire que vous devez venir libérer au plus vite cette pauvre Mlle Nash.

— J'adore les garden-parties, remarqua Beatrice. Les gens sont généralement si agréables en plein air. »

Les deux jeunes gens parurent trouver la réflexion amusante et Agatha Kent elle-même lui sourit.

« Les notables du Kent sont effectivement bien plus supportables à l'extérieur – ne serait-ce que parce qu'on a plus d'espace pour les éviter, acquiesça Daniel. Si j'étais vous, je ne perdrais pas la grille de vue et je serais prête à prendre mes jambes à mon cou à tout moment.

— Bien, maintenant que tu as détruit tout espoir de Mlle Nash de passer un plaisant après-midi, peut-être pourrions-nous y aller ? demanda Hugh. Me permettez-vous ? »

Il offrit son bras à Beatrice et suivit Daniel et Agatha, quittant la fraîcheur du vestibule pour se plonger dans les éclaboussures de soleil de l'après-midi.

La demeure du colonel Wheaton et de Lady Emily n'avait rien de la maison de campagne patinée par le temps à laquelle Beatrice s'attendait. Après avoir franchi une grille de fer forgée tarabiscotée, elle découvrit une construction de brique rouge d'une raideur abrupte :

une haute bâtisse dont les arêtes et les principaux détails étaient soulignés de fioritures de maçonnerie blanche, évoquant du sucre glace. Deux valets de pied en gilets boutonnés et deux petites bonnes affublées de coiffes impeccables et de tabliers empesés étaient de faction dans une avant-cour de gravier soigneusement ratissée, bordée de massifs de buis symétriques taillés avec une perfection géométrique irréprochable et tapissés de vivaces dessinant des motifs multicolores. Des tilleuls sévèrement étêtés se dressaient en rangs sur toute la périphérie de la propriété.

« Que pensez-vous de la chaumière des Wheaton ? demanda Hugh.

— C'est très imposant, répondit Beatrice, préférant rester évasive.

— Le colonel possède d'importants intérêts dans le négoce du cognac français, expliqua Agatha. Toute la maison est conçue dans le plus pur style français.

— Que la clémence du ciel épargne aux lignes de sa pure beauté d'être amollies et brouillées par la violence des pluies anglaises ou par les ardeurs de la fécondité herbacée, déclama Daniel.

— Il n'y a pas de quoi rire, Daniel, rétorqua sa tante. Tout le monde a le droit d'avoir ses préférences, Lady Emily comme les autres. »

Mais à son petit sourire, Beatrice soupçonna Agatha Kent de savourer une satisfaction indigne à l'idée que la fortune et le titre de Lady Emily ne lui conféraient pas l'avantage du bon goût.

Le parc des Wheaton avait tout d'un décor paradisiaque : le vert émeraude de la pelouse, le chapiteau blanc soigneusement dressé auquel des guirlandes de fanions bleu pâle donnaient un air de fête, les chapeaux qui se balançaient comme autant de fleurs d'été au-dessus des robes de lin et de cotonnade. Les domestiques en uniforme – petit équipage du navire –, allaient et venaient, chargés de plateaux de canapés et de seaux de glace à travers un océan de verdure, tandis que toute la scène, clairement dessinée par le soleil de l'après-midi, se froissait par moments sous l'effet d'une douce brise taquine. Une bouffée de bonheur envahit Beatrice, dont la mâchoire crispée se détendit dans un sourire.

Quelques couples se promenaient dans le périmètre de la pelouse clos par un muret, mais un certain nombre d'invités s'étaient rassemblés sous la chaleur légèrement embuée du chapiteau. Un instinct – Beatrice l'avait souvent relevé – poussait les êtres humains à se précipiter sous n'importe quel toit, à l'abri de n'importe quel mur protecteur même quand le temps était radieux et qu'aucun danger ne les menaçait.

« Vous voilà enfin ! Nous nous apprêtions à envoyer une équipe de secours, s'écria Lady Emily qui agitait son ombrelle depuis son poste d'observation à l'entrée du chapiteau. Tout le monde est impatient de faire la connaissance de Mlle Nash. »

À ces mots, Beatrice se sentit exposée à la curiosité de dizaines de paires d'yeux, toutes braquées sur elle. Le bourdonnement des conversations baissa d'un ton avant de s'intensifier, et elle se concentra pour essayer de conserver ce sentiment fugace de légèreté, de respirer plus lentement, plus profondément, et de surmonter une légère vague de panique qui menaçait de la faire vaciller. Une main lui prit le coude, et Hugh Grange, les sourcils froncés, la fit discrètement passer derrière Agatha et Daniel de façon qu'ils puissent traverser l'étendue d'herbe entre la terrasse et la tente sous la couverture protectrice du large dos d'Agatha et de sa vaste et sobre ombrelle.

« Ils ne sont pas méchants, vous savez, la rassura Hugh. Je pense que vous apprécierez le directeur. Il me prêtait toujours des livres de sa bibliothèque l'été. Il comprend très bien les jeunes garçons, et collectionne les papillons de nuit.

— Merci, murmura Beatrice, la gorge sèche.

— Les habituelles personnalités en vue, ajouta-t-il. Méfiez-vous, si vous leur accordez le moindre encouragement, certains peuvent être intarissables avec leurs vieilles histoires de famille.

— Hugh, nous devrions parier à qui réussira à étaler devant Mlle Nash ses parentés antiques les plus éblouissantes, lança Daniel par-dessus son épaule.

— Daniel, tiens-toi bien, je t'en prie, le semonça Agatha Kent tout en s'avançant pour s'efforcer de donner l'accolade à Lady Emily sans déranger leurs chapeaux. C'est vraiment charmant à vous de nous inviter, ma chère Emily.

— Bettina Fothergill mijote quelque chose, répondit Lady Emily avec sa brusquerie habituelle. Je ne sais pas encore ce que c'est, mais elle roucoule comme une colombe. »

Elle jeta un regard noir vers l'autre extrémité du chapiteau, et Beatrice chercha à repérer aussi discrètement que possible de qui elle parlait.

Il n'était pas difficile d'identifier la silhouette corpulente du maire de la ville, qui avait cru bon de porter sa chaîne, insigne de sa fonction, sur un pantalon de flanelle. Beatrice supposa que la femme mince qui s'accrochait à son bras devait être la fameuse Mme Fothergill. Elle était vêtue d'un tailleur de lin ajusté jaune moutarde et employait sa main libre à maintenir en place un immense chapeau de paille vert couvert de cerises de velours rouge. Quand son regard croisa ceux de Lady Emily et d'Agatha Kent, elle lâcha momentanément son couvre-chef pour leur adresser un sourire et un signe de la main qui ressemblait davantage à un frétillement des doigts.

« Mon Dieu, s'écria Agatha en lui rendant son salut. Elle s'est déguisée en arbre.

— Oh, je crois qu'elle aurait volontiers jeté son dévolu sur tout le verger, murmura Daniel.

— Elle est venue avec un neveu, ou le neveu d'une cousine », ajouta Lady Emily.

Ils contemplèrent tous le personnage en étroite veste rayée qui se penchait pour écouter parler le maire, une précaution qui semblait superflue eu égard aux dimensions prodigieuses des oreilles du jeune homme.

« Je crois qu'il est clerc, ou quelque chose de ce genre, mais je dois avouer que je n'ai pas fait très attention.

— C'est souvent la plus sage des politiques, approuva Agatha. Ignorons-la aussi longtemps que possible. Il y a une ou deux personnes à qui je tiens absolument à présenter Mlle Nash.

— Voici justement notre cher directeur, s'exclama Lady Emily. Il se hâte de venir vérifier si vous êtes parfaitement conforme à la commande. »

Un homme au visage débonnaire en costume de lin beige froissé se frayait avec détermination un passage entre les invités.

« Ou peut-être vient-il simplement te réclamer le livre illustré de planches en couleurs que tu as omis de lui rendre l'été dernier, suggéra Daniel en enfonçant son coude dans les côtes de Hugh.

— Seigneur, tu as raison ! J'ai complètement oublié.

— Si ces dames veulent bien m'excuser, il serait sans doute préférable que je mette mon cousin à l'abri de tout danger et que je vous laisse à vos présentations.

— Cher directeur, quel plaisir de vous voir en tenue de vacances », s'écria Agatha.

Le directeur portait un chapeau de paille légèrement enfoncé et une cravate glissée dans sa chemise. Il avait exactement l'air, songea Beatrice, d'un directeur d'école faisant la tournée estivale des sites archéologiques d'Europe. Il roula les épaules comme s'il sentait le poids fantôme de sa toge universitaire absente.

« Puis-je vous présenter Mlle Nash ?

— Quelle amabilité de la part de Lady Emily d'avoir organisé notre rencontre dans des conditions aussi détendues, mademoiselle Nash, dit-il en serrant la main de Beatrice. On est tellement plus à l'aise hors du cadre officiel.

— Je vous remercie de m'accorder cette chance, répondit Beatrice. J'espère justifier pleinement la confiance que vous me témoignez.

— Avez-vous déjà rencontré nos autres enseignants ? » demanda le directeur.

Il adressa un signe de la main à un petit groupe qui musardait en marge de la foule. Une jeune femme tenant une ombrelle de dentelle et portant une robe de soie à volants faite de panneaux rose et vert bavardait avec une dame d'un âge indéfini coiffée d'un chapeau sombre et étroit, qui avait ajouté un col et des manchettes blanches amidonnées à un corsage foncé. Un homme plus âgé en veste noire poussiéreuse dissertait avec un moustachu cordial en costume de flanelle rayé, un peu étriqué aux épaules en raison de sa constitution musculeuse.

« M. Dobster, le plus ancien de nos maîtres, se charge des mathématiques, expliqua le directeur en désignant les professeurs du doigt. M. Dimbly enseigne la gymnastique et les sciences, Mlle Clauvert le français, et Mlle Devon l'anglais, l'histoire et la couture.

— J'ai hâte de faire leur connaissance et de visiter l'école, dit Beatrice.

— Nous allons essayer d'organiser quelque chose », acquiesça le directeur sans pourtant faire mine de la conduire vers les autres pour la présenter.

Beatrice dut admettre qu'elle n'était pas si pressée que cela de rejoindre ses collègues, eux-mêmes mal à l'aise.

« Il est vrai que pour le moment, nous sommes en pleine fumigation annuelle, ajouta-t-il.

— Une excellente excuse en toutes circonstances, remarqua Agatha. Monsieur le directeur, quel homme d'esprit vous faites, cet après-midi. »

Sous la tente, Beatrice sentit une migraine lui enserrer les tempes comme un bandeau de fer. Elle avait été présentée à tant de gens qu'ils se mélangeaient tous dans son esprit. Elle venait d'interroger un domestique sur les mérites relatifs de la citronnade et du punch aux fruits, espérant bénéficier d'un bref moment de répit où personne ne lui poserait d'autres questions inquisitrices sur sa famille ou ses qualifications.

« Je vous recommande la citronnade, dit une voix, et elle se retourna pour découvrir Hugh Grange à son côté. Vous devez en avoir assez de toutes ces présentations, non ? ajouta-t-il.

— Tout le monde s'est montré très gentil. Mais il y a tellement de noms à retenir.

— Comment avez-vous trouvé le directeur ?

— Nous avons parlé d'extermination de la vermine, répondit Beatrice. Il m'a expliqué qu'ils entreprennent une fumigation générale de l'école à la fin de chaque trimestre pour maintenir les infestations à un niveau tolérable.

— Voilà qui a dû vous rassurer.

— Pas vraiment. Il m'a également annoncé que Mlle Devon m'apprendrait à coudre de petits sacs de soufre à glisser dans mes ourlets pour éviter les poux.

— Ah ! Les réalités de l'éducation moderne, soupira Hugh.

— Quant à la place des histoires familiales dans cette ville, votre cousin avait raison, reprit Beatrice. Certains de vos voisins ont réussi à me révéler plusieurs siècles d'exploits familiaux.

— Avez-vous fait la connaissance de Mme Fothergill ?

— Je ne suis pas près de l'oublier. Je me suis trouvée prise sous un feu nourri de citations latines et elle a eu l'air fort surprise que je lui réponde. Elle devait croire que j'avais été engagée pour enseigner une langue que je ne connaissais pas.

— Si j'ai bien compris, après le départ soudain de M. Puddlecombe, le maître de latin des grandes classes, le professeur de gymnastique, M. Dimbly, a dû le remplacer au pied levé, et s'il est hors pair au football et au grimper de corde, je crains qu'il n'ait pas été capable d'écrire un seul mot de latin. Il sera certainement très soulagé d'être débarrassé des cours de lettres classiques.

— Le neveu de Mme Fothergill, un certain M. Poot, parle latin, lui aussi, mais au moins, il a eu la décence de ne pas en faire étalage, remarqua-t-elle. Mme Fothergill s'est donné beaucoup de mal pour faire remarquer à Lady Emily quelle chance immense son neveu et Harry Wheaton avaient de bénéficier enfin, l'un comme l'autre, d'une compagnie décente dans le voisinage.

— J'ai hâte d'annoncer ça à Daniel. Il sera ravi d'apprendre que Bettina Fothergill nous considère comme des délinquants.

— C'est vraiment la femme la plus antipathique que j'aie rencontré aujourd'hui, convint Beatrice. Malgré le sourire qui ne quitte pas son visage un instant.

— Avez-vous fait la connaissance de la fille de Lady Emily, Eleanor ? »

Hugh désigna discrètement l'endroit où une jeune femme au visage ovale, très pâle, et aux macarons de cheveux blonds brillants s'était retirée dans un fauteuil en osier à l'ombre d'un grand arbre. Elle était vêtue avec recherche d'un ensemble de batiste d'un blanc éclatant et d'un chapeau recouvert de tulle, large comme une roue de charrette. Derrière elle, dans la fraîcheur apparente de l'ombre profonde, une nourrice en tenue austère berçait une voiture d'enfant si grande que Beatrice n'aurait pas été surprise d'apprendre qu'il fallait un petit cheval pour la tirer.

« Elle a épousé un baron allemand, précisa Hugh.

— Peut-être pourriez-vous nous présenter, suggéra Beatrice. Mais c'est un tel chef-d'œuvre que je crains de manquer d'assurance. Est-elle aussi imposante qu'elle est belle ?

— Si elle en fait mine, vous n'aurez qu'à lui rappeler le jour où Daniel et moi avons dû la repêcher dans le canal, quand elle était petite. C'était une sacrée polissonne et je vous assure qu'elle n'a pas intérêt à jouer à la baronne avec nous. »

L'après-midi se déroulait exactement comme prévu, mais Agatha Kent commençait à lorgner avec convoitise un des gros éclairs disposés sur un ravissant présentoir à trois étages au milieu d'une table immaculée où trônaient des plateaux d'argent chargés de friandises. Les yeux d'Agatha se posèrent sur un glaçage au chocolat lustré, comme embué d'une rosée suggérant la crème glacée qu'elle recouvrait et sur des feuilletés rebondis à peine roussis par leur bref séjour au four – pourrait-elle s'en autoriser un, un seul, pour célébrer le déroulement sans incident des présentations de Mlle Nash ? Il était satisfaisant pour l'épouse d'un haut fonctionnaire du gouvernement de prouver son subtil pouvoir d'influence. D'humeur aimable à l'issue de cette victoire, elle regarda autour d'elle, cherchant un siège libre à l'une des nombreuses petites tables en fer forgé et, n'en apercevant qu'un, elle rassembla ses jupes d'une main et se dirigea vers l'endroit où Bettina Fothergill était assise en compagnie de son neveu.

« Puis-je me joindre à vous, ma chère Bettina ? J'ai grand besoin d'une tasse de thé. »

Mme Fothergill, qui avait devant elle trois petits canapés, deux aspics de poulet et une assiette contenant une grosse tranche de cake aux fruits, lui sourit tout en se tamponnant les lèvres avec une serviette. Le neveu se leva lentement pour tirer une chaise.

« Mais bien sûr ! Vous avez en effet l'air épuisée, s'écria Bettina. Je vous présente le fils de ma sœur, Charles Poot. Charles, voyons, file pour que Mme Kent et moi puissions profiter pleinement de cet agréable tête-à-tête.

— Tout de suite », obéit-il en ramassant son assiette et en esquissant une courbette, son gilet effleurant son sandwich à l'œuf.

Agatha éprouva une aversion immédiate à son endroit, moins à cause de ses oreilles que de sa complaisance mielleuse. Elle imaginait mal Daniel ou Hugh recevoir un ordre aussi péremptoire de sa part sans y réagir par une réflexion légitimement acerbe.

« Une tasse de thé et du pain avec du beurre sans rien d'autre », demanda Agatha au valet de pied. L'éclair, décida-t-elle avec un soupir, serait sacrifié, car en déguster un en présence de Bettina Fothergill serait une faiblesse. Or Bettina avait le chic pour bondir sur la moindre faille comme une fouine sur une grenouille.

« Votre Mlle Nash semble être une jeune fille tout à fait agréable, dit l'épouse du maire avant d'ajouter : Peut-être n'a-t-elle ni l'âge ni l'expérience que certains administrateurs attendaient. Et légèrement trop qualifiée, dirais-je, pour nos modestes efforts pédagogiques ? »

Agatha trouvait sa suffisance presque aussi écœurante que son chapeau de paille vert.

« Elle est remarquablement qualifiée, en effet, et nous avons bien de la chance de l'avoir trouvée, répondit-elle fermement. Le directeur est extrêmement satisfait de sa nouvelle nomination.

— Je n'en doute pas un instant, confirma Bettina avec un soupir. Les éventuels murmures de mécontentement ne sont que ce qu'ils sont – des murmures.

— Je suis convaincue que le directeur a pris une excellente décision, insista Agatha.

— Bien sûr, tout le monde ne peut que vouloir défendre notre directeur bec et ongles, acquiesça Bettina avec un regard attendri à son canapé au concombre. Mais vous n'avez certainement pas oublié qu'en principe, les administrateurs se réservent le droit d'approuver les nominations.

— On me l'a rappelé à plusieurs reprises cet après-midi, merci. »

Agatha s'efforça de respirer silencieusement malgré les contraintes de son corset. Le valet lui apporta son thé, et pour une fois, elle accueillit ces cérémonies avec satisfaction : le soin avec lequel il posa l'élégante tasse de porcelaine sur sa soucoupe, la méticulosité avec laquelle il aligna la petite assiette de pain et de beurre.

« Y aurait-il quelque chose que vous cherchez à me faire comprendre, Bettina ?

— Je n'aurais pas cette prétention, répondit l'épouse du maire. Contrairement à cette chère Lady Emily et à vous-même, je ne fais pas partie du conseil d'établissement. »

Le conseil scolaire était légalement tenu de nommer deux femmes parmi ses membres. Grâce à un admirable tour de passe-passe, le colonel Wheaton, qui en était président, avait suggéré qu'il ne serait pas bon que mari et femme siègent ensemble, si bien qu'après la nomination d'Agatha, il s'était élégamment démis en faveur de sa femme, laissant le maire Fothergill affronter le courroux de sa propre épouse.

« Peut-être devriez-vous demander à Mlle Nash d'assister au conseil des administrateurs, dans l'éventualité où ils souhaiteraient réexaminer votre choix de plus près », ajouta-t-elle.

Puis, rassemblant ses jupes et abandonnant son assiette encore pleine au profit du frisson de la victoire, elle souhaita une bonne journée à Agatha et s'éloigna d'une démarche instable à travers l'étendue de pelouse piétinée.

La peau d'Eleanor Wheaton était aussi blanche que si la jeune femme venait de quitter le sanatorium et sa robe, vue de près, était d'une qualité et d'un éclat subtils qui suggéraient qu'elle avait coûté très cher. Ses cheveux étaient enroulés en boucles complexes, mais son port de tête était d'un grand naturel. Elle n'aurait pas déparé une réception royale, songea Beatrice, et sa tenue était presque plus élégante que la splendeur de sa demeure familiale elle-même ne pouvait le supporter.

« Eleanor, puis-je vous présenter Mlle Nash ? demanda Hugh. Vous avez certainement déjà entendu parler d'elle.

— Je suis ravie de faire votre connaissance, répondit Eleanor avec une inclinaison de la tête avant de se tourner vers Hugh pour ajouter : Votre cousin n'est pas encore venu me voir. Harry et lui boivent tout le champagne et, comme vous pouvez le constater, ils n'ont, ni l'un ni l'autre, songé à m'en apporter. Fräulein et moi-même sommes totalement déshydratées, n'est-ce pas, Fräulein ? »

Elle se pencha vers la nounou et reprit, en haussant le ton comme les Anglais se croient invariablement obligés de le faire pour parler aux étrangers dans toutes les régions du monde :

« *Wir sind* assoiffées, *nicht wahr*?

— Mon Dieu, votre allemand est consternant, observa Hugh. Qu'avez-vous fait pendant toute cette année ?

— Je vous le dirais si je ne risquais pas de défaillir à chaque instant. Apportez-nous, à Fräulein et moi, des rafraîchissements, je vous en supplie.

— Je reviens tout de suite », acquiesça Hugh, partant au pas de course vers le chapiteau.

Beatrice regretta de ne pas lui avoir demandé un autre verre de citronnade, mais se refusa à le rappeler.

« Mademoiselle Nash, je vous présente Fräulein Gerta – Gerta, *das ist Mlle Nash,* dit Eleanor de l'air las de ceux qui ont l'habitude des mondanités insignifiantes et onctueuses.

— *Freut mich, Sie kennenzulernen* », dit Beatrice.

La nourrice hocha la tête et son visage aux joues rebondies s'épanouit dans un sourire qui la transforma de statue de pierre en incarnation de la jeunesse.

« *Ganz meinerseits,* répondit-elle.

— Vous parlez allemand ? » s'étonna Eleanor.

Ses yeux bleus étincelèrent immédiatement d'intérêt et elle abandonna son air de profond ennui pour adresser un immense sourire à Beatrice.

« Oh, mon Dieu, c'est la Providence qui vous envoie. Je me suis donné un mal de chien, mais Fräulein ne parle pas un mot d'anglais, et je suis littéralement épuisée de devoir perpétuellement chercher à combler cet abîme d'incompréhension.

— Sans doute votre mari parle-t-il couramment les deux langues ?

— En effet, qu'il aille au diable, et de toute évidence, il s'imagine qu'il doit être facile pour moi d'en faire autant. Venez vous asseoir à côté de moi et dites-moi si vous trouvez raisonnable de sa part d'avoir répondu à une convocation en Allemagne et de m'avoir laissée au milieu de domestiques allemands qui ne parlent pas anglais ?

— J'ai souvent constaté que la nécessité est un excellent moyen d'acquérir plus rapidement les rudiments d'une langue étrangère, observa Beatrice en s'enfonçant précautionneusement dans une chaise longue de toile. Il m'est arrivé de devoir louer un appartement au Caire...

— Oui, oui, acquiesça Eleanor en rejetant la tête en arrière au risque de déloger son chapeau. Mais n'aurait-il pas au moins pu engager une nounou ou une femme de chambre bilingue ? Mais non, évidemment, Fräulein Gerta et Liesl, la femme de chambre, sont issues de familles qui sont au service de la sienne depuis des siècles, et il n'est pas question que la famille du baron change la moindre de ses habitudes. »

En disant ces mots, elle prit une voix légèrement plus grave et agita un index comminatoire dans sa propre direction tout en louchant. Beatrice ne put s'empêcher de rire.

« J'ai cru comprendre que votre mari est jeune et séduisant et que vous êtes très amoureux l'un de l'autre, reprit Beatrice qui avait entendu plusieurs dames échanger cette information en chuchotant au cours de l'après-midi.

— Oh, oui, il est fou de moi, c'est vrai, et je le mène par le bout du nez. Mais sur ce sujet-là, il est intraitable. Figurez-vous que sa mère prétend que je ne saurais être présentée à la Cour si je ne sais pas suffisamment d'allemand pour répondre à Leurs Majestés s'il leur prenait la fantaisie de m'adresser la parole. » Elle se débarrassa en soupirant de ses chaussures blanches à talons qu'elle envoya bouler dans l'herbe. « Avec deux mille personnes défilant pour former la procession la plus compliquée que vous puissiez imaginer, je pourrai m'estimer heureuse si un valet de pied me demande mon châle.

— Oh, mon Dieu, fit Beatrice en réprimant un sourire.

— J'en suis donc réduite à m'exprimer par signes et à désigner les choses comme une aveugle », se plaignit Eleanor, en s'inclinant pour masser ses orteils enfermés dans des bas de soie blancs.

L'analogie ne parut pas très pertinente à Beatrice, mais elle perdit le fil de ses pensées en voyant Hugh traverser la pelouse, accompagné non seulement de Daniel mais aussi de Harry Wheaton et d'un valet chargé d'un plateau à pied sur lequel étaient disposés plusieurs verres.

« Comme nous ne savions pas ce que chacun voulait, nous avons tout apporté », annonça Harry Wheaton, la mine aussi innocente et sincère qu'un bébé cocker.

Tandis que le valet déposait le plateau à côté du fauteuil d'Eleanor, Beatrice se leva pour se retirer précipitamment, mais Wheaton la devança.

« Sais-tu, Eleanor, que je me suis conduit comme un butor l'autre jour en manquant de respect à Mlle Nash. Je te supplie de m'aider à lui présenter toutes mes excuses.

— Vraiment, Harry? demanda sa sœur. Dans ce cas, tu ferais peut-être mieux de partir immédiatement, car si Mlle Nash n'est pas d'humeur à te pardonner, j'ai bien peur d'être obligée de te sacrifier pour prendre son parti. Figure-toi qu'elle va me donner des cours d'allemand.

— Franchement, ce n'était rien, intervint Beatrice. Mais il faut que j'aille retrouver Mme Kent. Si vous voulez bien m'excuser...

— Il n'en est pas question, protesta Eleanor. Nous allons demander à quelques valets de bien vouloir nous débarrasser de mon malotru de frère. Passez-moi donc un peu de champagne, Daniel.

— Mademoiselle Nash, je vous prie, très sincèrement, d'accepter mes excuses, reprit Wheaton. Restez avec nous et acceptez une coupe de champagne – ou un verre de citronnade. J'ai moi-même l'intention d'en prendre un. »

Il saisit un verre de citronnade, provoquant ainsi les éclats de rire de sa sœur et de Daniel.

«Je vous pardonne, monsieur Wheaton, dit Beatrice, ne serait-ce que par amour pour votre mère, qui s'est montrée si bonne pour moi, et pour votre sœur, qui est si charmante.

— Elles m'ont déjà valu bien des indulgences. Je boirai la citronnade en leur honneur et ferai serment de m'amender.

— Très bien, approuva Eleanor. Beatrice peut donc se rasseoir et nous allons tous nous installer confortablement pour écouter Daniel nous lire quelques poèmes. »

Le valet proposa citronnade et champagne. Beatrice prit de la citronnade, se promettant que ce serait la dernière fois.

« Je fais partie des invités, non des divertissements, protesta Daniel. Je ne présente mes poèmes que dans les circonstances les plus sérieuses.

— Autrefois, vous me les montriez contre un penny, lui rappela Eleanor. J'ai tout un coffret de chansonnettes nouées par un ruban écossais qui datent de mes douze ans.

— J'étais moins sélectif, à l'époque, répondit Daniel. Être sélectif est un luxe qu'on a plus de mal à se permettre quand on n'est qu'un petit garçon sans argent de poche. »

La conversation battant son plein, Hugh approcha une chaise longue et Daniel s'allongea dans l'herbe sans égards pour son pantalon de flanelle clair. Harry Wheaton se percha au bout du siège de sa sœur et il fut question de l'organisation d'un pique-nique dans les houblonnières et des nouvelles cabines de plage à roulettes de Camber Sands, où Eleanor exprima le désir que Beatrice l'accompagne pour se baigner, parce que ni Fräulein ni la bonne n'appréciaient l'eau et qu'elles avaient fait des histoires à n'en plus finir la dernière fois. Beatrice, calme et détendue, heureuse de faire partie de ce cercle de jeunes gens enjoués tandis que les ombres s'allongeaient sur la pelouse, se sentit libérée un instant de tout souci et se répéta qu'elle avait bien fait de venir à Rye.

Quand vint le moment de partir, Agatha Kent parut distraite. Elle regardait encore autour d'elle alors que ses neveux, Beatrice et elle-même avaient déjà pris congé de Lady Emily. « Ah, le voici », s'écria Agatha en agitant son ombrelle presque impoliment en direction du directeur, qui faisait mine de s'esquiver par un petit sentier.

Le directeur fit demi-tour pour venir lui dire au revoir.

« Quel charmant après-midi, remarqua-t-il.

— Nous vous avons cherché partout, se plaignit Agatha. Vous étiez absolument insaisissable.

— Je vous ai cherchée aussi, répliqua le directeur. Mission quasiment impossible, avec cette bousculade, évidemment. »

Il ne semblait pas à Beatrice que le petit groupe d'invités encore présents sur la vaste pelouse se bousculât, et la moue d'Agatha suggérait qu'elle partageait son point de vue.

« Mme Fothergill semble s'être fourré dans la tête l'idée abracadabrante qu'il fallait que Mlle Nash se présente demain à la réunion des administrateurs, reprit Agatha. Je suis certaine qu'elle ne cherchait pas à faire affront à votre indépendance ni à votre sûreté de jugement, monsieur le directeur, mais je me suis permis de lui faire comprendre que suggérer de mettre votre décision en débat sur ce genre de sujets serait la dernière des impolitesses.

— J'apprécie votre soutien, Mme Kent », remercia le directeur. Il tira sur son col, qui avait l'air de le serrer. « J'espère, Mlle Nash, que la lettre que je vous ai adressée vous a fait clairement comprendre que l'approbation finale de notre conseil d'établissement était une démarche habituelle.

— Et généralement acquise d'avance, observa Agatha.

— En effet, approuva le directeur. Et je suis certain que Mlle Nash n'a pas grand-chose à craindre de notre candidat de dernière minute.

— Il y a donc un autre candidat ? s'étonna Agatha.

— Aussi soudain qu'inattendu, confirma le directeur. Je vous assure que je n'ai ni proposé ni soutenu le jeune homme en question, mais on m'a fait savoir de façon fort convaincante qu'en refusant au conseil la possibilité d'entendre tous les postulants, nous nous exposerions à des critiques ultérieures.

— L'œuvre de Bettina Fothergill, murmura Agatha.

— S'agirait-il de son neveu à face de fouine ? demanda Daniel. Il a eu le toupet de me demander où j'avais acheté ma cravate, et je n'ai pas le sentiment qu'il cherchait à m'en faire compliment.

— En effet, c'est lui, confirma Agatha. Te voilà bien perspicace pour une fois, Daniel.

— Suggérez-vous que je suis habituellement borné ?

— Bien sûr, dans l'éventualité où, chose surprenante, la décision du conseil nous serait défavorable, reprit le directeur, refusant prudemment de répondre à la question, j'assumerai personnellement l'entière responsabilité de rendre Mlle Nash à sa famille sans qu'elle ait à supporter les moindres frais de voyage. Vous n'avez donc aucun souci à vous faire, mon enfant. »

Il adressa un grand sourire à Beatrice et lui tapota le bras. Elle résista vaillamment à l'envie de le flanquer par terre.

Agatha la prit par l'autre bras et le serra fermement, avant de s'adresser au directeur :

« Nous vous verrons donc à la réunion de demain et nous comptons sur votre soutien indéfectible. Je vais de ce pas adresser quelques messages à d'autres administrateurs et vous pouvez être assuré que Lady Emily en fera autant.

— Cela va de soi, approuva Lady Emily. Il n'est pas question de tolérer ces manigances sournoises.

— À moins d'en être nous-mêmes les instigateurs, chuchota Daniel à Hugh. Il faut faire quelque chose pour aider Tante Agatha, Hugh. »

Surprenant ces propos, Beatrice ne put qu'admirer la loyauté familiale, et le ton pressant du jeune homme lui rappela cruellement qu'elle n'avait elle-même aucun proche pour la soutenir.

« Il ne s'agit que d'une formalité, j'en suis certain, disait le directeur. Mais il n'était pas en mon pouvoir de refuser.

— Je crois que j'aimerais rentrer chez moi à présent, murmura Beatrice d'une petite voix, sentant tous les plaisirs et tous les rêves de l'après-midi qu'elle venait de vivre s'envoler comme des cendres emportées par le vent. Je vous remercie infiniment de m'avoir invitée, Lady Emily. »

Pendant que Hugh la raccompagnait, elle rassembla quelques images des moments les plus charmants de la garden-party et les rangea soigneusement au fond de sa mémoire pour les y retrouver le jour où elle aurait à se rappeler que les heures les plus plaisantes ne résistent pas à la fraîcheur du crépuscule.

6.

La tristesse avait le chic pour rendre le thé infect. Beatrice en avait déjà fait l'expérience et était consciente que le salon réservé aux dames dans la meilleure auberge de la grand-rue n'était probablement pas aussi sinistre qu'elle en avait l'impression en cet instant. Le lambrissage blanc semblait immaculé et des fleurs fraîches ornaient une table basse devant la cheminée, mais la tapisserie florale des sièges lui faisait tourner la tête et le soleil, qui dardait ses rayons à travers les hautes fenêtres donnant sur la cour, lui faisait mal aux yeux.

Une nuit d'insomnie à compter et recompter ses maigres économies l'avait laissée profondément abattue. Aucun effort d'imagination, aucune planification budgétaire draconienne ne pourraient lui permettre de vivre indépendamment avec la maigre rente dont elle pouvait disposer librement. Peut-être aurait-elle pu réussir à subsister à l'étranger, dans une petite ville de France par exemple, mais jamais la famille de son père ne lui avancerait les fonds nécessaires pour s'établir et elle refusait de s'humilier en quémandant. Dans le noir, elle avait envisagé de relancer les amis américains de son père à qui elle avait déjà écrit pour les remercier de leurs condoléances. Ils lui avaient fait part de leur préoccupation et de leur soutien, et peut-être les informations qu'elle leur avait données avaient-elles été trop elliptiques.

Mais aux petites heures de l'aube, elle se rappela leur avoir expliqué clairement qu'elle souhaitait accomplir un travail utile et mener une existence productive. Elle ne leur avait en aucun cas demandé de lui trouver un emploi. Deux d'entre eux seulement avaient jugé bon de lui répondre, pour lui chanter, en des termes soigneusement formulés, les vertus du foyer et lui rappeler que son père mourant avait exprimé le vœu de la savoir en sécurité dans le giron de la famille Nash.

Elle avait décliné une autre proposition de poste d'enseignante en faveur de Rye. Une ville industrielle du nord de l'Angleterre lui avait offert la possibilité de gagner sa vie, comme elle le souhaitait, au service de la communauté, mais l'image de rues noires de suie et d'interminables rangées de petites maisons s'étirant sur les collines l'avait découragée. Elle n'avait pu que rire de sa propre hypocrisie lorsqu'elle avait préféré le Sussex et ses plages à l'influence pédagogique certainement supérieure qu'elle aurait pu exercer sur des enfants d'ouvriers. Elle se demanda alors s'il était encore temps de leur faire savoir qu'elle avait changé d'avis. Dans le cas contraire, elle pourrait sans doute vivoter quelques semaines chez une amie près de Brighton, mais ses chances de trouver rapidement un autre emploi étaient plus que minces. Elle ne se faisait aucune illusion romanesque sur la vie de femme de chambre ou d'actrice, et n'avait jamais eu la moindre indulgence pour ces héroïnes plus romantiques qui réglaient tous leurs problèmes à l'aide d'un poignard ou d'un train entrant en gare. À un moment ou à un autre, il faudrait bien qu'elle se résolve à écrire à Marbely Hall pour demander à revenir.

« Excusez-moi, mademoiselle, dit une serveuse en passant la tête par la porte. On vous attend dans la salle verte des banquets.

— Merci », répondit Beatrice en se levant à contrecœur.

Elle secoua ses jupes et passa la main sur ses cheveux pour les lisser en se regardant dans le miroir au-dessus de la cheminée. Elle affronterait les administrateurs avec son plus beau sourire et leur présenterait sans détour ses compétences et ses qualifications. Elle ne leur montrerait pas qu'elle savait pertinemment que leur décision était déjà prise. Ils choisiraient l'homme, évidemment, mais elle veillerait à ce qu'ils sachent, au fond d'eux-mêmes, qu'elle était la meilleure candidate.

Hugh et Daniel rôdaient devant l'auberge, dont l'auguste façade géorgienne donnait sur la grand-rue et servait de cadre à de nombreuses réunions et festivités municipales. Ou plus exactement Hugh, comme il l'admit, rôdait avec une inquiétude flagrante, tandis que Daniel, adossé au mur de l'établissement, fumait un petit cigare et levait les yeux au ciel avec l'expression exaspérante qu'il adoptait quand quelque disposition heureuse de mots lui traversait soudain l'esprit. Hugh ne pouvait qu'espérer qu'il n'allait pas sortir son carnet et son crayon à un moment où le temps était aussi précieux.

« Il a promis de venir, fit remarquer Daniel, toujours songeur. J'aimerais bien que tu cesses de t'agiter comme ça.

— Parce que Harry Wheaton est évidemment l'homme le plus digne de confiance que nous connaissions.

— Indéniablement, quand il s'agit de jouer un tour à quelqu'un ou de courtiser une fille. Le projet d'escamotage de M. Poot a eu l'air de beaucoup le divertir.

— En attendant, ledit Poot est assis dans le couloir et Mlle Nash affronte les administrateurs, observa Hugh. Nous ferions mieux d'aller lui parler nous-mêmes.

— À Poot ? Que veux-tu lui dire ? Pourriez-vous, cher monsieur, avoir l'amabilité de vous retirer pour assurer la victoire de notre tante sur la vôtre ?

— Il faut faire quelque chose », s'impatienta Hugh.

Si Daniel et Harry étaient parfaitement d'accord pour refuser absolument de laisser les manigances de Bettina Fothergill avoir raison à la fois de Tante Agatha et de Lady Emily, Hugh était conscient que la déloyauté de ce M. Poot, prêt à rafler un poste sous le nez d'une jeune fille de grand mérite, lui inspirait une indignation d'une ardeur qui ne lui ressemblait guère. Glissant un nouveau regard par la porte ouverte de l'auberge et apercevant M. Poot, assis droit comme un piquet sur un banc de bois, il se rassura sur ses motifs : la simple galanterie exigeait une intervention et sa révolte tenait davantage au fait que Mlle Nash était seule au monde qu'à son joli visage ou à l'intelligence qui brillait dans ses yeux.

« Bon sang, cesse donc, il va nous voir, lança Daniel. La plus grande discrétion est de rigueur, l'aurais-tu oublié ? »

À cet instant précis, une corne d'automobile retentit dans la rue et une grosse automobile noire s'arrêta. Wheaton, affublé d'un volumineux manteau de toile et de grosses lunettes, était au volant, tandis que le chauffeur était assis à côté de lui, lèvres serrées, cramponné à la portière.

« Je suis à l'heure, j'espère ? » s'écria Wheaton.

Il retira ses lunettes, s'essuya le visage avec son écharpe et sortit de la voiture d'un bond. Le chauffeur se glissa à sa place pour prendre le volant.

« Nous avons déposé ma mère un peu plus tôt et j'ai pris le vieux tacot pour faire un tour. Il faut attraper le coup, c'est tout. Quand on prend un virage, on a un peu l'impression de diriger une vache.

— Tu as monté beaucoup de vaches ? demanda Daniel.

— Quelques-unes. Enfin, c'est ce qu'on m'a dit. Je t'avouerai que je n'en garde pas un souvenir très précis.

— Nous sommes en retard, coupa Hugh. Mlle Nash est déjà sur la sellette et ils risquent de faire appeler Poot d'une minute à l'autre.

— Dans ce cas, allons-y, dit Wheaton. Nous attirerons Poot dans la salle, Daniel et moi, pendant que tu glisseras un billet à ta tante pour lui demander de gagner le plus de temps possible. »

Hugh les laissa entrer dans le vestibule de l'auberge avant de les suivre et de demander à un portier de lui apporter un stylo et du papier. Il s'installa à une petite table discrète, à proximité d'une fenêtre, et entreprit de feuilleter un vieux numéro du *Journal des courses*. Tout en faisant mine d'être plongé dans les tableaux de résultats des courses du début du printemps et dans les annonces de saillies et les réclames de vermifuges, il ne perdait pas une miette de la conversation de Wheaton.

« Je disais à l'instant à mon ami Daniel que vous voyez ici que cette ville manque cruellement de garçons sympathiques sur lesquels on puisse compter pour deviser plaisamment.

— J'essaie de lui faire comprendre qu'il est trop difficile dans le choix des lieux qu'il fréquente, dit Daniel en serrant la main de Poot.

— Je n'aime pas me frotter à tout le monde, confirma Wheaton. Je préfère une salle tranquille et un patron qui connaît sa clientèle. N'êtes-vous pas de mon avis, mon cher Pooty ?

— Poot, si vous voulez bien, objecta Poot.

— Avez-vous fait la connaissance du vieux Jones, le patron de cette auberge ? » demanda Wheaton, en enfonçant ses gants de conduite dans la poche de son ample manteau avant de se défaire de celui-ci.

Un employé de l'hôtel s'empressa de l'en débarrasser. Wheaton était connu dans la moitié des pubs de la ville et si la plupart des tenanciers avaient déjà eu l'occasion de le raccompagner à la sortie pour quelque action extravagante due à l'ivresse, ils ne manquaient jamais de l'accueillir avec une déférence optimiste.

«Je n'ai pas eu l'occasion...», commença Poot.

Il semblait s'apprêter à nier tout désir de fréquenter des débits de boissons, quand Wheaton l'interrompit.

«Quelle chance! Nous passions justement, Daniel et moi, demander à Jones d'organiser un petit souper pour quelques camarades. Accompagnez-nous, je vous présenterai.

— Non, non, ce n'est pas possible, je dois rencontrer les administrateurs de l'école dans un instant, refusa Poot, mais Hugh le vit ciller en direction de la salle.

— Connaissant ma mère, ils en ont pour des heures, insista Wheaton en assénant une claque cordiale dans le dos de Poot. Venez avec nous! Nous demanderons au vieux Jones de nous prévenir quand ils auront besoin de vous à l'étage.»

Dès qu'ils disparurent dans la salle, Hugh regarda autour de lui, cherchant à qui confier son billet. Il lui fallut quelques instants pour trouver un homme et lui donner ses instructions en même temps qu'une pièce de six pence pour prix de ses services. Une fois le billet en bonnes mains, Hugh passa lentement devant la porte de la salle, y jetant un coup d'œil à la dérobée. Il aperçut M. Jones, le patron, porter un toast au roi, tandis qu'un M. Poot nerveux, les lobes d'oreille cramoisis, vidait son verre d'un trait. Ses yeux se fermèrent comme s'il priait, mais son visage ne frémit ni ne se plissa comme cela se produit d'ordinaire chez un homme inaccoutumé aux alcools forts. Sur les quatre hommes massés autour du bar, seul Daniel s'étrangla en vidant son godet. Sur un signe de Wheaton, le patron resservit une tournée, remplissant le verre de Poot à ras bord et souhaitant bruyamment la bienvenue au nouveau jeune ami de M. Wheaton. Hugh s'éloigna rassuré, se demandant simplement comment expliquer à Tante Agatha l'absence de Daniel au déjeuner et la nécessité qu'il passe tout l'après-midi allongé.

Dans la salle verte des banquets, Agatha Kent observait avec désespoir Beatrice Nash se livrer à un exposé circonstancié de ses qualifications, de ses longs voyages et de son expérience devant une assemblée d'hommes qui, pour la plupart, ne s'y intéressaient aucunement. Le directeur avait la bonne grâce de paraître mal à l'aise, prenant d'abondantes notes sur une feuille de papier et tripotant son col. Le pasteur feignait une piété sincère, mais ses paupières étaient lourdes et de toute évidence, ce n'était pas à Mlle Nash que s'adressait son sourire béat, mais à la perspective de son déjeuner à venir. En cet instant précis, Emily Wheaton foudroyait du regard M. Satchell, l'armateur, qui bavardait tout bas avec le fermier Bowen. Ce dernier, propriétaire de nombreux hectares, depuis des pacages à moutons dans les prés salés jusqu'à des houblonnières au voisinage de la limite du Kent, portait son meilleur costume de laine et des souliers cirés et, comme d'ordinaire en cette période de l'année, il assistait à cette réunion pour s'assurer que l'école resterait fermée pendant toute la période de la cueillette du houblon. Pour le reste, il voterait comme le maire le lui recommanderait. M. Satchell s'intéressait de près aux efforts pédagogiques de l'école, laquelle lui offrait une pépinière de jeunes employés de bureaux pour ses entrepôts maritimes. Il était généralement possible de le convaincre de soutenir les idées et les entreprises novatrices. En revanche, il était imperméable aux ambitions d'avancées sociales d'Emily Wheaton, ce qui rendait difficile de prévoir son attitude envers Beatrice.

M. Arnold Pike était l'oncle d'Arty Pike. C'était un homme avare, méfiant à l'égard de tout changement, apparemment convaincu que la moindre évolution risquait de compromettre sa position dans le monde. Agatha se demandait si ce n'était pas la conséquence d'une conscience chargée. Il avait en effet profité du fait que son frère aîné, Cedric, ait été déshérité, leur père, membre de l'Église non conformiste, n'approuvant pas le penchant occasionnel de ce dernier pour la bouteille. Cedric travaillait désormais à la quincaillerie pour un salaire de vendeur et n'avait même pas de quoi s'acquitter régulièrement des frais de scolarité de son fils. Les modestes bourses accordées par Agatha et John étaient censées être confidentielles, mais il lui semblait par moments qu'Arnold Pike lui jetait des regards encore plus soupçonneux que d'ordinaire.

« Si j'ai bien compris, Mlle Nash n'est pas seulement parfaitement qualifiée pour enseigner le latin, mais a également publié certaines traductions du latin ? » intervint Agatha, cherchant à réveiller un peu l'assemblée.

Elle venait de recevoir un billet de Hugh lui demandant de faire durer l'entretien le plus longtemps possible, mais les froncements de sourcils qui se multipliaient autour de la table ne lui inspiraient pas confiance.

« Il ne s'agissait que de quelques brefs passages d'Hérodote qui ont été publiés dans une revue littéraire en Californie, précisa Beatrice. J'ai également composé un poème dans un style comparable en guise de commentaire du texte original, dans l'intention de mettre en évidence ses liens avec des événements de notre propre temps, ajouta-t-elle.

— Comment peut-on avoir l'idée d'ajouter des textes en latin à tous ceux qui existent déjà ? remarqua M. Satchell d'un air comiquement alarmé. On m'a fait entrer suffisamment de cette satanée langue dans la tête à coups de canne pour que je ne souhaite pas qu'on en écrive davantage. »

Il donna un coup de coude au fermier Bowen, et les deux hommes s'esclaffèrent.

«Je suis certain que Mlle Nash n'ignore rien des efforts à déployer pour convaincre ces galopins d'apprendre par cœur les extraits au programme, intervint le directeur. Nous avons eu des résultats catastrophiques aux examens de bourses l'année dernière et n'allons certainement pas gaspiller un instant pour nous livrer à des expériences excessivement novatrices à la rentrée prochaine.

— *Repetitio est mater studiorum*, déclama le pasteur, qui ne résistait jamais à l'envie de parler latin en adoptant le timbre grave qu'il employait pour projeter ses sermons dans les recoins les plus reculés de l'église Sainte-Marie.

— Je suis parfaitement d'accord avec vous : la répétition est la mère de toutes les études, approuva Beatrice Nash d'un ton ferme. Mais il me semble que plus on trouve de manières de varier l'indispensable étude, mieux on permet aux élèves de retenir non seulement le texte, mais aussi l'histoire et le sens.

— Ce qu'il nous faut, c'est un maître qui ne lésine pas sur la baguette, lança M. Pike. Il faut que ces garnements oublient les enfantillages et les jeux et apprennent à plier l'échine et à travailler sérieusement s'ils veulent exercer un jour un métier respectable.

— Bien dit, M. Pike, approuva le maire.

— Je suis certaine que Mlle Nash est parfaitement capable de manier une canne pour obtenir l'effet souhaité, commenta Lady Emily. Jouez-vous au tennis, mademoiselle Nash?

— Au tennis?» demanda Beatrice.

Elle eut l'air désarçonnée et Agatha soupira. Elle était habituée à la logique pour le moins singulière que suivaient les pensées des autres membres du conseil, mais prit conscience que pour un observateur extérieur, cet entretien devait ressembler à un chapitre d'*Alice au pays des merveilles.*

« Tout est dans le poignet, expliqua Lady Emily.

— S'il faut vraiment sévir, je pourrai m'en charger, proposa le directeur. Obliger l'élève incriminé à faire tout le chemin jusqu'à mon bureau donne, me semble-t-il, plus de poids à la sanction. Lorsqu'ils arrivent devant moi, ils sont généralement dûment intimidés.

— J'ai cru comprendre que vous souhaitiez également les faire progresser en géométrie euclidienne ? reprit Beatrice. J'ai suivi des études avancées en géométrie avec une initiation approfondie aux toutes nouvelles théories algébriques. »

À voir la tête des administrateurs, on aurait pu croire qu'elle leur avait proposé un numéro de cracheur de feu. Agatha eut l'impression que Beatrice renonçait à lutter. Ses épaules semblèrent s'affaisser, et elle croisa les mains sur ses genoux.

« Toutes vos compétences nous enchantent, dit Agatha. Il me semble que nous pouvons rendre sa liberté à Mlle Nash à présent ? »

Tous approuvèrent et pendant que Beatrice quittait la pièce, Agatha tourna les yeux vers Emily Wheaton. Figée de colère, celle-ci lui adressa néanmoins un petit signe de la main. Agatha craignit qu'elles n'aient perdu le combat.

« Si ma femme s'y entendait un peu en mathématiques, elle tiendrait peut-être mieux les comptes et cesserait de me réclamer chaque année de l'argent pour des vêtements, remarqua M. Pike.

— Dieu m'en préserve, lança M. Satchell. Je préférerais encore montrer mes livres à l'agent du fisc. »

M. Poot était assis, très raide, sur la chaise à dossier droit et gardait les yeux rivés, avec quelque peine semblait-il, sur les lèvres du maire qui avait pris la parole.

« Ce n'est pas parce qu'il est mon neveu, bien sûr », concluait celui-ci au terme d'un compte rendu aussi long qu'élogieux de la carrière de M. Poot.

À en croire le maire, ce jeune homme était une sorte de légende vivante, songea Agatha.

« Mais nous bénéficierions également de son expérience de juriste, et je suis convaincu qu'il donnerait un excellent exemple à nos garçons.

— Je vous rappelle que nous avons également des filles parmi nos élèves, M. Fothergill, fit remarquer Agatha.

— Une ou deux, mais elles ne comptent pas en ce qui nous concerne, rétorqua le maire. Elles ne peuvent aspirer à faire carrière dans le droit, alors que nous avons peut-être plusieurs futurs greffiers parmi nos garçons.

— M. Poot, pouvez-vous nous faire connaître plus en détail les raisons qui vous poussent à vouloir renoncer au droit au profit de l'enseignement ? demanda Lady Emily. Qu'est-ce qui vous attire vers le monde des études ? »

Le cou du jeune homme pivota en direction de la voix qui frappait ses oreilles et il ouvrit la bouche pour répondre, mais sa tête parut poursuivre sa course et, lentement, comme dans un rêve, M. Poot bascula de sa chaise et s'effondra pour former un tas inerte sur le tapis.

« Ma foi, j'imagine que cet état n'y a pas été étranger », observa Agatha.

N'ayant ni le courage d'espérer, ni l'énergie de refaire immédiatement ses bagages, Beatrice Nash était assise, un livre ouvert sur les genoux. Elle avait toutefois complètement oublié sa lecture et était entièrement absorbée dans la contemplation d'une petite araignée brune qui construisait une toile de travers dans l'angle inférieur de la fenêtre du cottage. L'araignée semblait perdre pied fréquemment et se laissait choir, suspendue à son fil de soie et emmêlant ceux qu'elle avait déjà tendus, comme une vieille dame perdant des mailles de son tricot. Beatrice se demanda jusqu'où s'étendait le vaste monde pour cette minuscule créature. Disposait-elle d'un coin bien chaud au jardin pour prendre le soleil, ou sa vie était-elle entièrement circonscrite par le cadre de fenêtre de chêne grossier et par un petit trou sombre dans l'appui peint ? Si elle tombait accidentellement dans une malle et qu'un bateau la transportait jusqu'aux contrées les plus reculées de l'Amérique du Sud, s'en rendrait-elle compte ou se contenterait-elle de trouver un autre appui de fenêtre, un autre trou, la langue dardée d'un lézard prédateur ne l'inquiétant pas davantage que le balai d'Abigail ? Désireuse d'élargir les perspectives de l'araignée, elle fit glisser un morceau de toile en même temps que la bestiole sur le bord de son livre et débloqua le loquet de fer de la fenêtre pour la faire tomber dans la rue.

Entendant des cris et un martellement de sabots sur les pavés, elle se pencha pour regarder vers le bas de la côte. Une charrette gravissait la rue étroite, le cheval peinant malgré les encouragements non seulement du fermier qui tenait les rênes mais d'un petit garçon qui marchait près de la tête de l'amiral, tandis que d'autres poussaient par-derrière. La charrette contenait une masse d'objets emballés et maintenus par des cordes jusqu'à une hauteur tellement vertigineuse qu'on aurait dit une étrange roulotte de cirque. Au sommet du tas, elle reconnut Daniel, debout tel un aurige, sifflant gaiement une petite mélodie martiale en faisant tournoyer un large chapeau de paille.

« On ne peut pas dire que tu nous aides beaucoup », lui reprocha une voix, amplifiée et renvoyée en direction de Beatrice par les maisons aux façades étroites.

Elle aperçut alors Hugh qui poussait derrière la roue arrière gauche.

«Je conduis l'approche triomphale, rétorqua Daniel. Encore une bonne poussée au milieu par ici, monsieur.»

Le fouet du fermier claqua et la charrette fit une embardée en avant, sa cargaison bringuebalant dangereusement vers l'arrière et sur la gauche. Daniel poussa un hurlement mais réussit à se retenir à une corde tandis que le garçon qui se tenait à la tête du cheval s'écartait lestement pour ne pas être heurté par la brusque avancée des brancards.

«Attention, recommanda Hugh. Je vous avais bien dit qu'il valait mieux faire deux voyages.

— Où aurait été le triomphe? s'écria Daniel. Ça, au moins, c'est une arrivée!

— Un vrai spectacle», renchérit Hugh en soulevant son chapeau devant trois dames effarouchées qui s'étaient réfugiées sur un seuil.

Le spectacle fut encore rehaussé par le mugissement d'une corne d'automobile saluant l'arrivée de la voiture d'Agatha, qui prit le virage au sommet de la rue et descendit droit sur le cottage. Le cheval émit un puissant hennissement et recula légèrement avant d'être immobilisé. La voiture s'arrêta juste sous la fenêtre de Beatrice qui découvrit Agatha Kent, assise au milieu d'un monceau de paquets enveloppés de papier brun et d'un bouquet de roses; Jenny, la domestique, était coincée sur le strapontin, cramponnée à une panoplie de balais et de serpillières. Un petit commis en tablier perché sur le marchepied sauta dans la rue avant d'extraire un énorme panier du siège avant. Agatha fit un signe de la main et Smith contourna la voiture en courant pour lui ouvrir la portière. Comprenant que tout ce monde se dirigeait vers sa porte, Beatrice éprouva l'envie fugace de claquer sa fenêtre et de s'enfuir par la ruelle arrière.

«Nous vous apportons les dépouilles de la victoire!»

lui cria Agatha en l'apercevant au carreau. Elle fit signe à Jenny et au petit commis de s'approcher de la porte d'entrée en ajoutant : « Entrons vite, avant d'avoir dérangé tous les voisins.

— Je ne comprends pas, murmura Beatrice.

— Le poste est à vous, lui annonça Agatha.

— Mais je pensais..., commença Beatrice.

— Simple formalité, comme je vous le disais. Hugh, rappelle-leur de faire très attention à ces bibliothèques. Elles me viennent de ma mère. »

Beatrice ne put que reculer, médusée, lorsque l'étrange cortège s'engagea dans son minuscule salon : en tête venait Abigail, portant un panier à provisions, suivie de Jenny et de ses balais, du fermier et de son fils chargés d'une bibliothèque, tandis qu'Agatha, baissant la tête pour faire passer son chapeau sous le chambranle, remplissait la pièce d'un parfum de roses.

« Comment est-ce possible ? s'étonna Beatrice. J'étais certaine qu'ils choisiraient M. Poot.

— M. Poot a prouvé qu'il était un candidat... instable, dirons-nous, expliqua Daniel, qui entra dans l'espace surpeuplé en apportant un fauteuil à dossier raide.

— Non, nous ne le dirons pas, objecta Agatha d'un ton de reproche. Passez à la cuisine, Jenny, et rangez ces quelques objets. Les bibliothèques, de part et d'autre de la cheminée, me semble-t-il, n'est-ce pas, mademoiselle Nash ? Oh, et ces fleurs sont pour vous, elles viennent du jardin. Avez-vous un vase ? »

7.

Les roues de sa bicyclette semblaient tourner sans effort à l'allure qu'elle avait atteinte. La route de terre fredonnait à son passage et la brise produite par la vitesse lui rafraîchissait le visage et l'empêchait d'avoir trop chaud, alors qu'elle poussait vigoureusement sur ses jambes, ses bottines fermement posées sur les pédales de caoutchouc. Ici, dans le marais littoral, elle aurait pu se croire seule au monde. Les seuls signes de vie étaient les papillons blancs qui voltigeaient parmi les reines des prés dodelinant de la tête et les hautes graminées qui bordaient les fossés verdoyants envahis de mauvaises herbes. La journée elle-même semblait danser en elle, et Beatrice Nash, remontant légèrement sa jupe de serge bleue, poussa un cri de joie, enchantée d'avoir toute la journée pour elle.

Cela faisait désormais une semaine qu'elle était installée dans un cottage d'une propreté immaculée, qu'elle était assurée d'un emploi rémunéré et s'était fait des relations à sa convenance sans avoir à obéir aux ordres de quiconque. Quelle chance, se disait-elle. Même quand la rentrée viendrait, elle aurait la satisfaction d'exercer un noble métier en même temps que le plaisir de disposer de toutes ses soirées pour lire et écrire. Aujourd'hui, de plus, elle était un vrai écrivain. Son livre était en route pour le bureau de M. Caraway, l'éditeur de son père, et elle sortait de la ville avec toute l'assurance d'un auteur qui a emballé un ouvrage achevé dans plusieurs feuilles de solide papier brun, a assujetti son colis à l'aide d'une bonne ficelle et de cire à cacheter rouge et l'a remis à l'employé de la poste.

Par une aussi belle journée que ce premier lundi d'août, un jour férié, Beatrice avait tendance à se montrer magnanime même envers l'ombre lugubre de Mme Turber. Ce matin-là, elle avait dû négocier pied à pied pour obtenir le sandwich au bœuf qui se trouvait désormais dans le panier de sa bicyclette. Mme Turber avait l'habitude, apparemment très appréciée de son précédent locataire, de fournir un déjeuner substantiel et de se contenter d'un souper froid. Elle ne préparait de vrai dîner que le samedi soir, le servait dans sa meilleure porcelaine, accompagné d'un verre de vin. Il n'était guère convenable, avait-elle expliqué à Beatrice, d'attendre d'elle qu'elle fournisse des casse-croûte à emporter, et jamais une dame du rang de Mme Turber n'aurait risqué de se faire surprendre en train de manger son déjeuner seule, au bord d'une route publique. Beatrice avait fait valoir le temps estival radieux, et avait demandé qu'on ne lui serve le soir qu'un plat réchauffé sur un plateau. C'est en maugréant que Mme Turber avait commandé le sandwich à Abigail et ses narines pincées avaient continué à marquer sa contrariété, une infime lueur dans son regard trahissant pourtant une éventuelle satisfaction à l'idée que cet arrangement puisse en toute légitimité rapporter quelques sous de plus à une malheureuse veuve. Respirant l'air frais des champs et savourant le soleil, Beatrice rit tout haut et se jura de traiter ladite veuve avec un respect si imperturbable et si aimable que sa logeuse finirait par renoncer à son air hargneux de martyre.

Elle suivit les rubans de routes de campagne à travers d'immenses champs de blé et de seigle, longeant des boqueteaux et descendant les petites rues de hameaux regroupant quelques maisons à toits de chaume. Elle perdit toute notion du temps, et le soleil était déjà derrière son épaule quand elle songea à faire le point. Laissant sa bicyclette poursuivre son chemin en roue libre avant de s'arrêter à une intersection, elle regarda autour d'elle en quête de repères. N'eût été le cliquetis du vélo, le monde aurait semblé abîmé dans le silence. Le calme était tel qu'elle entendait le léger frémissement des tiges sèches de blé dans les champs et le lourd bourdonnement d'une grosse abeille quelque part, de l'autre côté d'une haie épineuse. Aucune voix, aucun bruit d'activité humaine ne troublait la nature assoupie. Elle était allée plus loin qu'elle ne l'avait prévu, mais en grimpant sur les barreaux inférieurs d'une clôture, elle eut la satisfaction de reconnaître, au-delà du marais, le sommet de la colline de Rye, le clocher de l'église et quelques toits qui surgissaient, isolés, au-dessus de la plaine. La côte se trouvait au sud, et le promontoire incurvé des Sussex Downs formait un mur continu en direction du nord. Au-dessus de sa tête, le ciel était sans nuage et semblait recouvrir le marais d'une jatte bleue protectrice. Il était, songea-t-elle, impossible de se perdre. Elle allait savourer son pique-nique avant de rentrer chez elle par le chemin des écoliers, en se dirigeant toujours vers l'ouest, jusqu'à ce qu'elle ait retrouvé des sentiers familiers.

Tout en mangeant et en buvant à une bouteille de verre remplie d'eau encore froide au toucher, Beatrice se fit la réflexion que le déjeuner de Mme Turber était peut-être frugal mais que, comme tous les aliments, le consommer en plein air l'améliorait considérablement. Des images éphémères d'autres repas champêtres lui revinrent à l'esprit et elle les retint dans leur immobilité vacillante, attendant l'élancement, fulgurant comme une rage de dents, qui accompagnait si souvent les souvenirs ayant trait à son père. Ne ressentant aucune douleur, elle s'autorisa, hésitante, à se rappeler un poisson fraîchement pêché cuit sur le gril de baguettes d'un grand feu de bois, sur une plage de Californie; son père et deux autres professeurs, poussant le poisson du bout de leurs couteaux en échangeant des histoires comme s'ils étaient de rudes hommes des bois et non des universitaires aux mains soignées, occupant des maisons entourées d'élégantes vérandas sur un campus arboré. Leurs épouses avaient déballé des tourtes soigneusement rangées dans des corbeilles doublées de torchons et fait passer à la ronde de grandes bouteilles de bière de bouleau et de citronnade, tandis qu'elle-même, adossée contre un rocher chaud à côté de son père, avait suivi les conversations, détournant de temps en temps le visage de la chaleur du feu vers le fracas sombre et immuable du ressac de l'océan.

Le souvenir d'un autre pique-nique, plus modeste, lui revint alors. Ils étaient seuls tous les deux, ayant échappé à l'odeur musquée de sa chambre de malade pour une courte promenade; ils avaient gravi une allée herbeuse bordée d'ormes géants qui formaient comme la voûte d'une cathédrale verte pour rejoindre un échalier surplombant une vallée de champs entourés de haies soigneusement entretenues. Elle avait demandé à la cuisine de leur préparer deux petits pains frais et du bouillon de poulet chaud dans une des nouvelles bouteilles Thermos ultramodernes de Lord Marbely, et s'était glissée dans le bureau pour remplir la flasque paternelle de brandy. Elle se rappelait son envie enfantine et pressante de faire quitter cette maison à son père, de l'arracher aux griffes de son infirmière austère. Leur promenade avait été d'une lenteur déchirante, son père ayant le souffle terriblement court; sa propre impatience avait cédé le pas à l'exaspération. Elle se rappelait avoir éprouvé un soudain sentiment de colère contre lui, comme s'il était responsable de l'impuissance du soleil et de la brise à le ragaillardir, et aussi sa honte immédiate, lorsqu'elle avait pris conscience de son propre désir égoïste de ne pas avoir à endurer son déclin.

Ils s'étaient installés au sommet de l'échalier et son père avait siroté du bouillon, corsé au brandy, dans une tasse de métal qu'il tenait de ses mains tremblantes. Il avait prétendu que c'était un nectar, mais n'avait pu en boire plus d'une demi-tasse, alors elle l'avait finie pendant qu'il contemplait le vallon en contrebas, d'un regard aussi fixe que celui d'une statue. Effrayée, elle avait posé une main sur la sienne pour attirer son attention.

« Père ? » Il avait réagi avec un sourire hésitant et avait levé le bras avec difficulté pour désigner la vue tout en déclamant :

Happy the man, whose wish and care
A few paternal acres bound,
Content to breathe his native air,
In his own ground[1].

Depuis sa plus tendre enfance, c'était un de leurs divertissements et de leurs jeux de société préférés : il déclamait inopinément des vers et lui en réclamait la référence. Elle gardait en mémoire de nombreuses soirées mondaines où elle avait été ainsi soudainement mise en demeure d'exhiber ses connaissances, et où les dames avaient fait grand cas de ses talents de jeune singe savant.

« Alexander Pope, “Ode à la Solitude” », avait-elle dit tout bas.

Elle savait qu'ils avaient l'un comme l'autre le poème en tête. Et ils s'abstinrent tous deux de citer ce passage de la dernière strophe : *thus unlamented let me die*[2]...

1. Heureux celui dont tous les soucis sont attachés à quelques arpents ancestraux, et qui se contente de respirer l'air natal, sur son propre domaine. (*N.d.T.*)

2. Laissez-moi mourir sans qu'on me pleure. (*N.d.T.*)

« Évidemment, cette idée est largement empruntée à ce bon vieil Horace », avait ajouté son père et c'était à cet instant qu'elle était tombée à genoux et avait caché son visage baigné de larmes dans son giron.

Si son père avait été catholique, elle était presque sûre qu'il aurait critiqué le prêtre venu lui administrer les derniers sacrements. Il avait confié à ses notaires une liste de cantiques et de lectures pour ses funérailles. Celle-ci ne comprenait cependant que des vers obscurs tirés de chaque texte, une note indiquant qu'il fallait « demander à Beatrice ». Elle sourit en se rappelant la fureur croissante de Tante Marbely lorsqu'elle lui avait révélé, un à un, les choix de poèmes de son père, tous plus inappropriés les uns que les autres. Elle se leva et secoua sa serviette, bien décidée à ne pas laisser des larmes de colère gâcher une aussi belle journée. Reprenant sa bicyclette, elle songea soudain que le récit des dernières instructions de son père divertirait certainement Agatha et ses neveux. L'idée qu'elle, Beatrice Nash, pût avoir des amis avec qui partager ce genre d'anecdotes amusantes était tellement inattendue qu'elle rit tout haut, effrayant un lapin qui détala de la haie.

Un peu plus d'une heure après, elle se retrouva au même croisement. Elle avait tourné en rond. Elle reconnaissait la clôture et l'herbe foulée à l'endroit où elle s'était assise pour déjeuner. Elle était fatiguée à présent, et le bœuf salé de Mme Turber lui avait donné soif. Le marais, plat et ouvert sur l'horizon, s'était transformé en un dédale impénétrable de chemins tortueux et de digues sans ponts. Dans les prés, des moutons tondaient l'herbe de leurs lèvres noires, la regardant de leurs yeux narquois. Elle comprenait mieux à présent comment, au milieu de ce paysage si simple en apparence, les contrebandiers des siècles passés avaient pu échapper aux douaniers. Inspirant profondément pour refréner une bouffée d'angoisse, Beatrice décida de ne pas chercher à tout prix à passer par l'ouest et de prendre plutôt vers le nord, en direction des falaises où, se rappelait-elle, le canal et sa route, construits pour repousser Napoléon, la reconduiraient à Rye. Hugh lui avait parlé de ce canal et l'évocation de son visage si raisonnable lui redonna courage et lui permit de repartir avec une détermination nouvelle.

La peur est un aiguillon efficace et quand Beatrice ralentit enfin l'allure, elle avait parcouru plusieurs kilomètres ; le canal et la route principale se trouvaient juste devant elle, et elle accueillit avec joie la ligne sombre des arbres et de la falaise, après la chaleur de l'étendue plate des marais. Malheureusement, ses membres épuisés furent pris de tremblements au moment où elle réduisit sa vitesse. Juste avant l'intersection où son chemin franchissait un petit pont pour rejoindre la route principale, sa bicyclette commença à osciller dangereusement d'un côté puis de l'autre et, lorsque la roue avant toucha la surface sèche et défoncée, elle se renversa, faisant basculer Beatrice dans un fossé rempli de ronces. En tombant sur elle, la bicyclette heurta violemment sa cheville droite.

Beatrice resta immobile, songeant que par bonheur, le fossé paraissait sec. Les parfums herbeux de la végétation écrasée et l'odeur boisée des mûres chaudes étaient entêtants sous la lumière du soleil agréablement fracturée et pommelée par le feuillage d'un arbre. Frottant un mince filet de sang sur sa nuque égratignée par les ronces, elle enfonça la main dans sa poche, soulagée, une fois de plus, d'avoir emporté un des grands mouchoirs solides de son père au lieu des fins carrés de batiste généralement prisés des jeunes filles. Une palombe, occupant comme toujours le pupitre des violoncelles dans l'orchestre des chants d'oiseaux, émit son double roucoulement grave dans l'ombre. À part la palpitation, puissante comme le battement d'un grand tambour, qui commençait à vibrer dans sa cheville droite, elle se dit qu'il aurait été très agréable de rester allongée là, paisiblement.

Hugh savait qu'il lui fallait maintenir le cheval et le cabriolet à bonne allure s'ils voulaient, sa tante et lui, rendre leur dernière visite et être de retour à l'heure pour le thé. En même temps, sa tante redoutait de briser les œufs frais que contenait leur panier au fond doublé de flanelle et de transformer la crème anglaise et la gelée de bœuf en une bouillie infecte dans leurs jattes. Aussi prenait-il grand soin de choisir les endroits les moins accidentés de la route de terre et de conserver une allure régulière par une pression ferme mais douce sur les rênes. Le trajet aurait été plus facile et plus rapide en voiture, mais sa tante estimait que l'ostentation n'était pas de mise lorsqu'on visitait des malades et ne souhaitait pas non plus rappeler à ses voisins pauvres mais fiers leur statut d'assistés en arrivant chez eux dans une automobile rutilante et dans ses plus beaux atours. Elle avait enfilé au contraire une robe très simple et un léger manteau de lin beige, et son chapeau, réservé à ces occasions, était en paille unie et de dimensions aussi modestes que le couvre-chef du dimanche de sa cuisinière. Hugh portait un costume plus habillé, comme il convenait à un membre de la profession médicale. Il avait déjà fait sa tournée quotidienne avec le docteur Lawton qui l'avait chargé de vérifier de façon informelle si tout allait bien lorsqu'il accompagnerait sa tante dans ses visites. Alors qu'ils prenaient au trot un des rares petits virages de la route du canal militaire, son regard se posa sur une femme qui, assise sur un banc au bord de la chaussée, agitait un grand mouchoir. Il s'apprêtait à lui répondre d'un signe de la main quand la voix de sa tante le fit sursauter.

« Arrête-toi, Hugh, arrête-toi », s'écria-t-elle en lui tirant le bras de telle façon qu'il exerça une pression sur la bouche du cheval qui fit un écart vers le fossé tout proche.

Retenant les rênes, Hugh chercha à arrêter le cabriolet sans que le cheval s'emballe ou se cabre.

« C'est Beatrice Nash, s'exclama sa tante. Il me semble qu'elle est en difficulté. »

Hugh lui tendit les rênes et bondit sur la route, sans se soucier de la poussière. En se précipitant vers le banc, il pria que Beatrice n'eût pas été victime d'une agression. Elle était échevelée et égratignée, elle avait du sang sur le cou et une grosse ecchymose au bras. Des ronces s'étaient prises dans ses cheveux, et sa jupe, remarqua-t-il en s'approchant, était maculée de taches sombres et déchirée à l'ourlet.

« Mademoiselle Nash ? »

Toute autre question refusa de franchir ses lèvres.

« Je suis tombée de bicyclette, expliqua-t-elle. Une vilaine chute dans un fossé. »

Hugh prit soin de dissimuler son soulagement.

« Êtes-vous blessée ? » demanda-t-il.

Les os rompus et le sang répandu, voilà qui était de son ressort.

« Ma cheville, répondit-elle. Je ne crois pas qu'elle soit cassée, mais elle a pris un coup. Je n'ai pas voulu retirer ma bottine, de crainte de ne plus pouvoir la remettre. »

Elle sourit, mais sa pâleur inspira à Hugh la soudaine envie de la ramasser précautionneusement comme un oiseau à l'aile brisée.

« Je vais vous porter jusqu'au cabriolet, proposa-t-il. Dès que vous serez installée, il faudra retirer ce soulier.

— Je devrais pouvoir le rejoindre à cloche-pied, répliqua-t-elle, visiblement alarmée par sa suggestion.

— Il serait préférable d'éviter tout mouvement tant que cette cheville n'a pas été examinée. »

S'il n'avait aucun mal à s'exprimer dans les chaumières des ouvriers agricoles, les mots lui venaient moins aisément sous le regard indécis de la jeune femme.

« Soyez raisonnable », insista-t-il.

Tandis qu'il hésitait, se demandant comment glisser un bras sous ses jambes et un autre autour de sa taille le plus efficacement, elle enroula étroitement ses jupes pour en réduire le volume et toussota.

« Je ne suis pas particulièrement menue, vous savez, reprit-elle.

— Et moi, pas particulièrement costaud. Mais je devrais arriver à vous porter sur quelques mètres sans m'écrouler. »

Sur ces mots, il ploya les genoux et la souleva. Les baleines de son corset s'enfonçaient dans sa chair et il sentait la chaleur de son dos contre son bras. Elle n'était pas lourde, pourvu qu'il la tînt assez serré. La jeune fille avait passé les bras autour de son cou, et il perçut un léger parfum de savon sous l'odeur plus pénétrante de la poussière et des fleurs des champs. Il résista à une étrange envie d'enfoncer la tête dans ses cheveux.

« Mon Dieu, que vous est-il arrivé ? demanda sa tante en les voyant approcher du cabriolet.

— Une cheville meurtrie », expliqua Hugh.

Sa tante lui jeta un regard acéré et il aurait peut-être rougi s'il n'avait pas eu l'esprit entièrement occupé à imaginer comment transférer Beatrice sur le banc arrière du cabriolet. Celui-ci ne lui avait jamais paru aussi éloigné du sol. Il allait devoir hisser la jeune femme à près d'un mètre de haut à bout de bras.

« Voulez-vous bien retenir le cheval, ma tante ?

— Comment allons-nous faire ? demanda Beatrice. Je crois que vous feriez mieux de me poser à terre.

— Non, non. Tenez-vous simplement prête avec votre pied gauche. Je vais m'approcher et vous projeter en l'air, si je puis dire. »

Il contempla avec pessimisme la petite marche de fer lisse, pas plus grande qu'un pied d'enfant, qui saillait à l'arrière du cabriolet et chercha à ne pas penser à ce qui se passerait s'ils tombaient tous les deux violemment sur la route, pour peu que le cheval fasse un mouvement malencontreux.

« C'est dans ce genre de circonstances que l'on regrette de ne pas posséder de landau, remarqua Agatha. Fais attention, Hugh.

— Oui, faites attention, Hugh », répéta Beatrice et elle éclata de rire.

Hugh fut tellement ravi de l'entendre l'appeler par son prénom qu'il faillit perdre l'équilibre en sautant pour la hisser à bord. Dans un frémissement de jupons et un petit cri de douleur, Beatrice atterrit sur l'assise dure du banc et se cramponna à la rambarde tandis que Hugh retombait à côté du cabriolet et parvenait à se réceptionner sans se tordre lui-même la cheville.

« Nous ferions peut-être bien de pousser jusqu'à Little Hollow pour mettre un peu d'eau de source sur ce pied, suggéra Agatha en se retournant depuis le siège avant. Est-ce très douloureux ?

— Je ne suis pas sûr que ce soit une excellente idée, objecta Hugh pendant qu'il attachait la bicyclette à l'arrière du cabriolet avec une longe de réserve. Ils ne font pas toujours bon accueil aux étrangers.

— Détrompe-toi, Hugh, protesta sa tante. Je suis certaine que si nous allions leur demander de l'aide, ils y verraient une marque de confiance. C'est une excellente occasion de montrer à Maria Stokes que nous apprécions son savoir.

— Souhaitez-vous réellement imposer pareille rencontre à Mlle Nash ? insista Hugh.

— Mlle Nash a beaucoup voyagé, elle a le cœur vaillant et n'est pas du genre à faire une crise d'hystérie pour quelques bohémiens, affirma sa tante, mais Hugh, remontant sur le siège du cocher pour prendre les rênes, remarqua qu'elle dévisageait attentivement Beatrice en quête de la moindre manifestation de prévention.

— Cela va sans dire », approuva Beatrice.

Elle avait l'air vaguement inquiète, moins tout de même qu'il ne l'aurait cru. Il fallait que ce fût une jeune femme exceptionnelle, ou qu'elle eût entièrement foi dans le jugement de sa tante.

« Je fais mes visites aux malades le mercredi, expliqua Agatha lorsque le cabriolet se remit en mouvement. Le docteur Lawton apprécie que j'aille passer un petit moment auprès de certains de ses patients les plus délicats ou les plus difficiles.

— Il leur évite ainsi la visite de l'association des dames patronnesses, reprit Hugh. Il me l'a dit clairement.

— Il est vrai que certains de ces malades sont trop fragiles pour recevoir toute cette délégation de dames, renchérit Agatha. Mais elles font du bon travail, et tu ne devrais pas te moquer d'elles, Hugh.

— L'été dernier, Mme Fothergill a administré sa célèbre confiture de pruneaux à un patient atteint de dysenterie et elle a bien failli l'achever, ajouta Hugh en riant.

— Le coupable était peut-être la lecture de chevet plus que la confiture, ajouta Agatha d'un ton égal. Mais sans ces visites, bien des enfants malades devraient se passer de bouillon et de flan au lait.

— Ma tante est une diplomate-née. Quand elle vous connaîtra mieux, elle vous racontera des histoires à vous faire dresser les cheveux sur la tête.

— Cela fait plusieurs années que le docteur Lawton rend visite à Maria Stokes, reprit Agatha. Les bohémiens de la région la considèrent comme une guérisseuse et le docteur Lawton me demande parfois de lui apporter quelques fournitures. Ils se méfient de la plupart des gens.

— Le docteur Lawton est le seul médecin à des kilomètres à la ronde à accepter de venir les voir, ajouta Hugh. Et aucune de ces dames patronnesses ne s'abaisserait à leur rendre visite. »

Le petit clan de tsiganes arrivait régulièrement tous les étés pour installer son campement à Little Hollow et participer aux récoltes, commençant par les fraises pour finir par le houblon. Ils repartaient aussi discrètement qu'ils étaient arrivés, et Hugh s'était souvent demandé pourquoi personne ne semblait savoir quels chemins ils empruntaient ni dans quelles contrées lointaines ils se rendaient.

« Les fermiers ne pourraient pas se passer de leur aide, observa Agatha. Ce qui n'empêche pas la plupart des habitants du bourg de les traiter comme des voleurs et des vagabonds.

— Vous ne les considérez pas comme des voleurs ? demanda Beatrice.

— Le docteur Lawton dit en plaisantant que l'arrivée annuelle des Stokes marque le début de la saison du braconnage pour les gens du coin, répondit Hugh. Selon lui, quand ils commencent à accuser un bohémien, vous pouvez être certain qu'ils ont un lapin glissé dans chacune des jambes de leur pantalon.

— Hugh ! protesta Agatha. Rien ne t'oblige à être grossier.

— Pardon, ma tante.

— À vrai dire, je ne laisserais pas traîner mon argenterie quand un étranger, quel qu'il soit, vient vendre de la bruyère à la porte de service. Mais ils ne sont pas moins chrétiens que Bettina Fothergill, et Maria Stokes est une femme remarquable. Si elle n'était pas bohémienne, elle aurait fait une excellente infirmière de district. »

Little Hollow était dissimulé aux regards depuis la route par un léger repli des falaises à partir duquel la route s'écartait. Beatrice remarqua que Hugh avait un peu de mal à repérer l'étroit sentier de terre et à guider le cheval entre les arbres et le sous-bois touffus. Dans une petite clairière, deux chiens efflanqués couchés sous une roulotte de bois sombre au toit recouvert de toile goudronnée se précipitèrent vers eux en aboyant. Un cheval hirsute attaché à une longue corde les regardait en biais d'un œil, sans prendre la peine de relever la tête des hautes herbes qu'il broutait. La vieille femme assise sur les marches de la roulotte était flétrie comme une pomme séchée et, malgré la chaleur de la journée, était enveloppée dans plusieurs châles. Pourtant, ses mains détachaient prestement des boutons de lavande de leurs tiges et les laissaient tomber dans son tablier tandis que ses yeux perçants, plissés pour éviter la fumée de sa pipe noire, croisaient ceux de Beatrice. Près d'elle, une marmite de fer était posée sur un trépied au-dessus d'un petit feu qui fumait, et un jeune enfant dormait sur une paillasse sous une rudimentaire tente de toile étendue au-dessus de branches d'arbres ployées. Plus loin, au bout du sentier, un autre toit de roulotte et la fumée d'un deuxième feu révélaient la proximité d'autres membres du groupe.

Rappelant les chiens au pied d'un mot étrange, la vieille femme secoua soigneusement le contenu de son tablier dans sa corbeille et s'avança pour les accueillir tandis que Hugh aidait sa tante à descendre du cabriolet.

« Bonjour, madame Stokes, dit Agatha. Comment va ce pauvre petit ?

— Pas trop mal, répondit Mme Stokes en tournant les yeux ostensiblement vers Beatrice.

— Tant mieux, reprit Agatha. Je vous ai apporté un peu du meilleur lait caillé de ma cuisinière et de la gelée de bœuf. »

Mme Stokes ne répondit rien, continuant à dévisager Beatrice en silence.

« Nous avons secouru notre jeune amie, Mlle Nash, en chemin », expliqua Agatha. Beatrice crut déceler un soupçon d'incertitude dans la voix d'Agatha, comme si elle avait conscience que la conduire en ce lieu risquait de compromettre une relation précaire. « Elle est tombée de bicyclette et s'est fait très mal à la cheville.

— Nous serions heureux que vous acceptiez de nous aider, intervint Hugh. J'aimerais faire diminuer l'enflure, et nous sommes encore loin de chez nous.

— Vous feriez mieux de la faire descendre, alors », fit Mme Stokes.

Elle désigna un tronc couché à côté de la roulotte. Il était recouvert d'un épais tapis de lirette de coton aux couleurs délavées.

« Je vais demander au garçon de s'occuper de votre cheval. »

Sur ces mots, elle repartit vers sa roulotte sans se retourner, laissant Agatha porter elle-même les paniers de victuailles. Beatrice dut se résigner à subir une nouvelle indignité et à se laisser hisser hors du cabriolet et porter par Hugh jusqu'au tronc.

Les élancements de sa cheville avaient laissé place à une douleur continue et Beatrice avait l'impression que sa bottine lui serrait la jambe comme un étau. Elle s'assit et se pencha pour défaire les longues rangées de lacets, mais sa cheville était tellement enflée que la pression de ses doigts sur le nœud serré la fit tressaillir.

« Ça fait très mal, chuchota-t-elle.

— Il faut retirer ce soulier, dit Hugh. Tante Agatha, si vous vouliez bien lui offrir votre épaule, je m'en chargerais. »

Agatha s'assit sur le tronc à côté de Beatrice et la prit dans ses bras.

« Je vous tiens », annonça-t-elle.

Lorsque Beatrice blottit son visage, comme une enfant, contre la généreuse poitrine d'Agatha, elle ne put retenir un soudain accès de larmes. Elle espéra que tout le monde l'attribuerait à la douleur et non à la sensation, délicieuse et presque oubliée, de la douceur d'une telle étreinte. Tant de temps avait passé depuis le dernier geste de tendresse de son père, réduit à une caresse hésitante de ses mains parcheminées et veinées de bleu posée sur ses cheveux. Au cours des mois qui s'étaient écoulés depuis sa mort, songea-t-elle, elle avait dû renoncer à tout contact humain de ce genre et se contenter d'une occasionnelle poignée de main gantée.

Agatha la soutint pendant que Hugh, sans égard pour ses propres vêtements, s'asseyait en tailleur sur le sol et posait délicatement son pied sur ses genoux, retirant ses gants de conduite pour faire passer les lacets de cuir rétifs à travers leurs minuscules œillets de laiton. Beatrice sentit une vive douleur et puis, centimètre par centimètre, la bottine relâcha son emprise sur sa chair.

«Je vais manipuler votre pied pour m'assurer qu'il n'y a pas de fracture», lui annonça Hugh.

Sa voix était grave et pleine de bonté. Elle sentait la chaleur de ses doigts à travers ses fins bas de fil, appuyant délicatement tandis qu'il faisait tourner son pied lentement dans tous les sens.

«Je ne pense pas que ce soit cassé, conclut-il.

— Il va falloir retirer ce bas», déclara Maria Stokes qui réapparut, accompagnée d'un jeune garçon qui portait deux gros seaux d'eau sur une palanche comme s'ils ne pesaient rien.

Les chiens maigres lui firent un accueil bruyant et Beatrice se rendit compte, stupéfaite, que c'était Snout, son futur élève. Il n'eut pas l'air content du tout de la voir et posa ses seaux si brutalement que l'eau déborda.

«Je tiens à examiner cette ecchymose avant que nous la bandions, dit Hugh.

— Je n'en doute pas, acquiesça Maria Stokes d'un ton qui fit sourire le jeune Snout et rougir Hugh Grange jusqu'aux oreilles.

— Bien, si Snout accepte de s'occuper du cheval, je vais voir comment se porte le petit», reprit Hugh.

Il tendit une pièce à Snout, qui siffla les chiens avant de se diriger vers le cabriolet avec un des seaux.

Beatrice plongea le pied dans l'eau de source glacée et but du thé fort et brûlant dans une tasse de porcelaine posée sur une soucoupe. Malgré un motif chargé, la vaisselle était ornée d'un épais liseré doré et était visiblement coûteuse. Maria Stokes préférait boire dans un gros gobelet de fer-blanc attaché à sa ceinture. Le thé fini, la tsigane prit la cheville de Beatrice entre ses mains calleuses avant de diagnostiquer une sérieuse contusion, mais rien de plus grave.

«J'ai un onguent pour ça si ça vous dit, ajouta-t-elle.

— Oh, c'est-à-dire...

— Ce serait vraiment gentil de votre part, coupa Hugh, revenant vers eux et jetant un coup d'œil à la cheville tout en restant à distance. Mme Stokes est célèbre pour ses remèdes.»

Maria Stokes se dirigea vers sa roulotte et en rapporta un petit pot scellé à la cire contenant une épaisse pommade à l'odeur de pin. Elle l'étala généreusement sur l'ecchymose de Beatrice qui s'assombrissait rapidement, et la recouvrit soigneusement d'un bandage de lin grossier.

«C'est une odeur très forte, remarqua Hugh qui, les sourcils froncés, examinait avec un intérêt tout professionnel les soins que prodiguait Maria. Il y a du romarin dedans?

— Ça se peut, répondit la vieille femme. Veillez à l'appliquer au lever et au coucher du soleil, ajouta-t-elle à l'adresse de Beatrice.

— Pendant combien de temps ?

— Quand le pot sera vide, vous pourrez arrêter. Me retourner le pot avec quelque chose dedans vous portera bonheur.

— Merci, acquiesça Beatrice.

— Comment trouvez-vous le p'tiot ? demanda Maria à Hugh.

— Beaucoup mieux. Les poumons sont parfaitement dégagés maintenant. Je pense qu'avec du repos et un régime correct, il sera sur pied dans une semaine.

— Merci. Y a rien qui m'effraie autant que la fièvre des poumons chez les enfants. Je me fais tellement de souci que j'en perds la tête. Dites au docteur que je le remercie beaucoup d'être passé nous voir.

— Je n'y manquerai pas.

— Et merci, madame, d'être venue, dit-elle en serrant les mains d'Agatha. Y a pas beaucoup de dames qui se donneraient de la peine pour un de nos petits, et nous, on n'oublie jamais.

— C'est à nous de vous remercier d'avoir aidé notre amie, fit Agatha.

— Le garçon peut rentrer avec vous et déposer la bécane chez son père si vous voulez, mademoiselle, ajouta encore la bohémienne.

— Oh, inutile de vous donner tout ce mal, protesta Beatrice, avec une précipitation dont elle espéra qu'elle ne trahirait pas sa réticence.

— C'est pas compliqué, intervint Snout. Il va falloir redresser un peu le cadre et remplacer la chaîne, c'est tout.

— Ça lui évitera une longue marche si ça vous fait rien d'avoir mon arrière-petit-fils sur votre marchepied, ajouta Mme Stokes.

— Dans ce cas, l'affaire est entendue, approuva Agatha d'une voix douce. M. Sidley n'a pas son égal pour toutes les réparations mécaniques. »

Les toits de Rye se dressaient devant eux, le soleil bas révélait que l'après-midi touchait à sa fin et la tête de Beatrice dodelinait de fatigue lorsque Hugh arrêta le cabriolet dans un petit virage juste avant la rivière. Snout sauta de son perchoir précaire sur le marchepied arrière et détacha la bicyclette.

« Je vous la rapporterai quand je viendrai pour ma leçon, mademoiselle, annonça-t-il, s'interrompant un instant avant de reprendre : Pas la peine qu'Arty et Jack en sachent quelque chose, je pense.

— *Silentium est aureum* », confirma-t-elle.

Il fut trop surpris pour réprimer un sourire, et elle sut qu'il avait compris qu'elle lui promettait le secret. Tirant sur sa casquette, il s'éloigna en poussant la bicyclette.

Lorsque Hugh fit repartir le cheval d'un claquement de langue, Agatha se tourna vers Beatrice et la prit par le bras.

« Vous feriez mieux de venir chez nous, lui dit-elle. Nous avons toute l'eau chaude nécessaire à un bain et Jenny pourra vous aider. Il serait préférable de badigeonner d'iode toutes ces égratignures et écorchures.

— Ça va aller, je vous remercie. Je suis sûre que Mme Turber ne me refusera pas une bouilloire d'eau chaude.

— Je crois que vous ne connaissez pas encore très bien ma tante, intervint Hugh en riant. Elle n'avait pas l'intention de vous laisser le choix. »

Beatrice faillit réitérer ses protestations, mais la vision de la baignoire blanche immaculée d'Agatha, du lit moelleux dans la chambre bleue et d'un savoureux dîner chaud lui parut irrésistible après une journée épuisante et elle finit par accepter, en se répandant en remerciements.

Ils s'engagèrent dans l'allée, riant de l'odeur envahissante de l'onguent de Mme Stokes et de ce qu'affirmait

Hugh à son propos : selon lui, elle concoctait également des philtres d'amour et prétendait pouvoir empoisonner un cochon sans gâcher sa viande, tout en jurant ses grands dieux qu'elle ne le ferait jamais. Devant la porte d'entrée dont le battant ouvert semblait les accueillir, un homme séduisant en manches de chemise et cravate admirait le jardin de manière quelque peu incongrue, tout en fumant une cigarette.

« John ! Vous êtes donc rentré ? » s'exclama Agatha.

Lorsque le cheval s'immobilisa, il s'approcha pour l'aider à descendre du cabriolet et ils se tinrent enlacés comme de jeunes amoureux, tandis qu'il la soulevait de terre, cramponnée à son chapeau.

« Reposez-moi, vous n'avez pas honte ! dit-elle. Vous allez encore vous faire mal au dos.

— Cela en vaut largement la peine, comme toujours. Mais j'accepterai de me contenter d'un baiser. »

Elle l'embrassa sur ses favoris grisonnants, il lui rendit son baiser puis serra la main de Hugh.

« Et voici Beatrice, que vous avez rencontrée à Londres. Elle a fait une chute de bicyclette, annonça Agatha, et John Kent serra cordialement la main de la jeune fille.

— Veux-tu un coup de main pour la faire descendre, mon garçon ? demanda John à Hugh, qui déclina l'offre.

— Je crois que notre technique est tout à fait au point », expliqua-t-il, et Beatrice se laissa une fois de plus soulever du cabriolet.

Hugh la porta jusque dans le vestibule.

« Quelle joie d'être à la maison et de n'avoir que des sujets de préoccupation concrets, tels que la cheville blessée d'une charmante jeune fille et la mauvaise humeur de la cuisinière qui n'a pas été prévenue que je serais là pour le dîner, remarqua John Kent en les suivant à l'intérieur. Voilà qui renforce la confiance dans la pérennité de l'Angleterre. »

Il souriait mais se massa les tempes comme un homme exténué.

« Eh bien John, ces envolées lyriques en plein après-midi ne vous ressemblent guère, remarqua Agatha en retirant son chapeau qu'elle suspendit à une patère. Que vous arrive-t-il ?

— Je suis simplement ravi d'être à la maison, répondit John Kent, attrapant sa femme par la taille et l'embrassant à nouveau vigoureusement sur la joue. Vous ne pouvez pas savoir à quel point. »

Hugh déposa lentement Beatrice à terre et lui tint le bras tandis qu'elle s'efforçait de faire peser le moins de poids possible sur son pied blessé. Elle le remercia intérieurement, une fois de plus, de son appui tandis que John Kent regardait son épouse d'un œil grave.

« Ce qu'Oncle John cherche à vous dire, c'est que la maison et l'Angleterre ne seront peut-être pas éternelles, intervint Daniel, qui s'appuya contre le chambranle de la porte du salon, un grand verre à la main et arborant une cravate irrémissiblement de travers. Voilà pourquoi nous trinquons à leur santé.

— N'est-il pas un peu tôt pour boire du whisky, Daniel ? s'étonna Agatha.

— Les nouvelles de Londres seraient-elles mauvaises ? demanda Hugh.

— J'en ai peur », confirma son oncle. Prenant les deux mains d'Agatha entre les siennes, il les approcha de ses lèvres. « L'Allemagne a envahi la Belgique, annonça-t-il. Nous serons en guerre demain. »

Agatha Kent glissa une mèche de cheveux dans le rouleau dont elle s'était échappée et hésita à appeler Jenny pour lui demander de la recoiffer. Mais elle avait fait savoir qu'ils ne se changeraient pas pour le dîner. John était épuisé, et si un billet avait été adressé à Mme Turber lui demandant de faire porter des vêtements propres à Beatrice, Agatha avait préféré ne pas réclamer de tenue de soirée. Elle ajouta une petite épingle à cheveux ornée d'une tortue d'émeraude pour discipliner la mèche rebelle et lissa le corsage propre qu'elle avait enfilé, soulagée de ne pas avoir à retirer sa gaine légère pour s'emprisonner dans un corset de soirée. Elle avait toujours apprécié la demi-heure paisible précédant le gong du dîner et, devant sa coiffeuse, tandis que la lumière du soir s'immisçait par la fenêtre, il était facile de s'imaginer, l'espace d'un instant, avec les bruits familiers de John qui changeait de chemise dans son dressing juste à côté, que cette soirée n'était pas différente des autres, que John n'était pas rentré pour un séjour aussi bref ni pour leur faire part d'une nouvelle aussi inquiétante.

« Pourriez-vous me donner un coup de main avec ce satané bouton de manchette ? » demanda-t-il en entrant dans la chambre, pans de chemise sortis, les pieds enfoncés dans ses pantoufles marocaines préférées.

Il s'assit confortablement au pied du lit et tendit le bras. Agatha pivota sur son tabouret pour l'aider, et pendant qu'elle se débattait avec le poignet amidonné, John poussa un profond soupir et inclina la tête en avant, la posant sur l'épaule de sa femme et pressant sa joue contre son cou. En refermant le bouton de manchette, Agatha mit la main sur le dos de son époux, et ils restèrent assis un instant dans une étreinte silencieuse de réconfort mutuel qui était, songeait-elle souvent, la récompense des couples durables.

« Nous pensions que le Kaiser obligerait l'Autriche à faire preuve de retenue à l'est, expliqua-t-il. Mais voilà qu'ils attaquent la France. Ils sont déjà au Luxembourg et demain, la neutralité belge sera en miettes.

— Vous avez fait tout votre possible, j'en suis certaine.

— Nous nous sommes laissé surprendre par Berlin, reprit-il, redressant la tête et passant la main dans ses cheveux dans un geste d'exaspération et de lassitude. Et comme ce que nous redoutons plus que tout est de passer pour des imbéciles aux yeux de l'opinion publique, j'ai bien peur que nous n'ayons plus aucune chance de nous tenir à l'écart du conflit.

— J'ai peine à imaginer que nous soyons ennemis. Que va faire la fille d'Emily Wheaton ? Son mari est un jeune homme absolument charmant.

— Si elle a envie de le rejoindre, elle ferait bien de partir au plus vite, remarqua John, en s'approchant du miroir de la coiffeuse d'Agatha pour nouer son nœud papillon à pois bleus. Il sera bientôt impossible de voyager. L'ensemble du réseau ferroviaire sera réquisitionné pour les transports de troupes, et personne ne peut être assuré que ses traites bancaires seront honorées à l'étranger.

— Mais elle est anglaise, tout de même ! Comment imaginer qu'elle puisse se rendre en Allemagne en un moment pareil ? » s'offusqua Agatha.

Elle tendit le bras pour ajuster le nœud d'une main experte.

« Légalement, elle est désormais allemande par son mariage. La situation risque de ne pas être très confortable pour elle si la guerre est déclarée.

— Cela prouve bien combien toute cette histoire est absurde. En plus, ils ont un bébé.

— Dès mon retour à Londres, je veillerai à transmettre votre opinion à qui de droit, fit John. Mais avant cela, serait-il envisageable de me laisser profiter pleinement d'un dîner en famille à ma propre table et d'une promenade dans ma roseraie avec ma jolie épouse ? »

Il se pencha pour écarter une mèche du visage d'Agatha.

« Bien sûr. Mais ne vous figurez pas qu'une crise internationale suffise à vous donner toute latitude pour descendre dîner dans cette affreuse veste à rayures, répondit Agatha. Nous avons une invitée. »

Sa vieille veste d'aviron de l'université était élimée aux coudes, ses rayures passées et estompées par l'âge, et Agatha menait une guerre discrète mais apparemment de longue haleine contre l'empressement avec lequel il la ressortait dès qu'elle suggérait le moindre relâchement des règles de décorum. Elle parvenait généralement à le convaincre et pourtant, les deux fois où elle avait cherché à se débarrasser de la veste incriminée en la reléguant dans le sac à chiffons, John s'était mis sérieusement en colère et s'était rendu jusqu'à la lingerie pour la récupérer *manu militari*. Aucun des domestiques n'osait plus y toucher, et elle était suspendue dans la penderie, attirant les mites et frottant ses manches râpées contre ses vêtements plus récents.

« Mais elle va si bien avec ce nœud, protesta John. Et vous avez dit qu'il était inutile de s'habiller.

— J'ai dit que c'était une soirée informelle. Je n'ai pas dit excentrique. Bien. Je vais aller voir ce que devient notre jeune invitée. Mais je vous en prie, ne descendez pas à la salle à manger habillé comme un bonimenteur de foire.

— J'imagine que les pantoufles ne sont pas tolérées non plus ? »

Il ne fut pas question de la crise au dîner.

« Nous ne voulons pas inquiéter le personnel et préférons éviter que des rumeurs ne dévalent la colline pour envahir la ville, expliqua tout bas Agatha à Beatrice en l'aidant à descendre l'escalier. Dans la position de mon mari, la discrétion est indispensable. »

Ils parlèrent donc du temps, du potager qui prospérait et des impressions de Beatrice sur leur petit bourg. John Kent voulait tout savoir de son arrivée et de son installation, et aucun membre du conseil d'établissement, ni même Mme Turber, ne fut épargné dans la narration de son épouse et de ses neveux.

« Me croirez-vous si je vous dis que le neveu de Mme Fothergill s'est présenté à son entretien en état d'ébriété ? demanda Agatha.

— Nous avons tous été profondément scandalisés, renchérit Daniel. Les Fothergill sont habituellement des gens tellement irréprochables ! »

Beatrice surprit le petit sourire entendu qu'échangeaient les deux cousins et Daniel, interceptant son regard, écarquilla les yeux dans une feinte innocence qui lui fit comprendre encore plus clairement qu'ils n'étaient pas étrangers à cette affaire.

« Ma foi, ce que je sais, c'est que la meilleure candidate l'a emporté, dit John Kent en levant son verre à la santé de Beatrice. Votre charmante présence est un enrichissement pour notre ville, et pour notre salle à manger, ma chère.

— Merci », répondit Beatrice.

Elle avait été très sensible au fait que John Kent prenne personnellement le temps de lui faire traverser Londres pour l'accompagner à son train, mais se rendit compte qu'elle avait été trop tendue sur le moment pour l'observer attentivement. C'était un homme svelte de taille moyenne et au maintien réservé, résultat sans doute inévitable d'une longue carrière dans la fonction publique. Elle retrouva pourtant dans ses yeux le même pétillement espiègle que dans ceux de sa femme. C'étaient des gens qui en savaient plus qu'ils n'en disaient et comprenaient les choses bien plus vite que beaucoup de ceux qui parlaient davantage. Ils n'avaient pas besoin de mots pour communiquer et pendant qu'ils riaient et bavardaient, il arriva à Beatrice de surprendre un sourcil haussé, une légère inclination de la tête ou un léger mouvement de doigt qui constituaient le vocabulaire de leur langage secret. Elle avait elle-même appris à déchiffrer certaines expressions de son père et à anticiper ses désirs, mais Agatha et John Kent semblaient unis par une compréhension plus profonde, plus réciproque aussi. Beatrice sentit un léger frisson de solitude l'envahir en songeant que son indépendance lui interdirait à jamais de connaître pareil lien avec autrui.

« Comment va ta poésie, Daniel ? demanda son oncle, changeant de sujet.

— J'ai été publié dans deux ou trois revues. J'en ai apporté des exemplaires à Tante Agatha.

— Certaines de ces publications frôlent la vulgarité, répliqua Agatha. Je ne suis pas certaine que ton oncle les apprécie.

— Ce ne serait pas de l'art si ça ne scandalisait pas les gens du commun, remarqua Daniel.

— Nous voilà fermement remis à notre place, ma chère, dit John à sa femme.

— Je ne pensais pas à vous, évidemment, protesta Daniel. M. Tillingham a trouvé mes poèmes modérément prometteurs.

— Te remettant ainsi, toi aussi, à ta place, remarqua Oncle John.

— En effet, acquiesça Daniel. Il m'a demandé de lui présenter mes derniers vers pour m'éviter de commettre, prétend-il, le genre d'erreurs juvéniles qui défigurent ceux qui ont déjà été publiés.

— C'est certainement un remarquable éloge dans la bouche du grand homme, observa Hugh.

— Mademoiselle Nash, il me semble vous avoir entendu dire que vous écrivez, vous aussi ? demanda John en lui adressant un sourire bienveillant.

— Une impossibilité absolue, à en croire M. Tillingham. Ma féminité m'exclut d'emblée.

— J'aurais tendance à penser que ce sont les opinions de M. Tillingham qui sont souvent impossibles, réagit John Kent. Ce qui n'empêche pas la société de s'obstiner à s'extasier devant les propos des grands hommes et à les juger indiscutables.

— Si M. Tillingham apprécie mon dernier travail, j'espère qu'il acceptera de rédiger une brève préface pour un recueil de poèmes, reprit alors Daniel. Je connais un petit éditeur à Paris qui pourrait être intéressé.

— Les éditeurs parisiens risquent d'avoir des soucis plus pressants ces prochains mois, remarqua John. Si j'étais toi, je ne placerais pas trop d'espoir en eux.

— Oh, mais tout sera fini dans quelques semaines, non ? interrogea Daniel. Les difficultés ne vont tout de même pas toucher Paris ? »

Jenny fit alors son apparition avec un énorme diplomate au sherry, tandis que Smith la suivait avec un compotier. La famille s'interrompit et un silence embarrassé accompagna le service du dessert – Jenny heurta la grosse cuiller d'argent contre le saladier en cristal, le gâteau resta obstinément collé à la cuiller, tandis que Smith présentait les fruits dans un chuchotement grinçant comme une lime métallique.

Les domestiques quittèrent finalement la pièce et après un instant de pause, John reprit doucement :

« Vous entendrez de nombreuses déclarations au cours des semaines à venir, dont la plupart seront destinées à faire bonne figure malgré la situation et à exprimer un patriotisme opportun. » Il s'interrompit, soucieux de choisir soigneusement ses mots. « Je ne vous en dirai guère davantage, mais je pense que tout voyage sur le continent est exclu dans un avenir prévisible.

— Mais je m'installe à Paris le mois prochain, protesta Daniel dont le visage blêmit. Nous y lançons une revue, Craigmore et moi. »

Beatrice comprit, aux oreilles empourprées de Hugh, qu'il était dans le secret de ce projet mais que la surprise était entière pour Agatha et John.

«Je te rappelle que je t'ai obtenu une place..., commença son oncle.

— Oh, je suis vraiment navrée, mon chéri», dit sa tante en même temps.

Le silence retomba, et Daniel parut congestionné sous l'effet de la colère conjuguée à l'incrédulité.

«C'est impossible, lança-t-il d'un ton sec. Tout est déjà organisé.

— La guerre a la fâcheuse habitude d'interférer avec les désirs les plus chers des individus, fit remarquer son oncle, et Beatrice décela une nuance d'impatience dans sa voix.

— J'irai à Paris, quoi qu'il advienne, coupa Daniel. Si vous voulez bien m'excuser.»

Il se leva brusquement, laissant tomber sa serviette au sol sans s'en apercevoir, et quitta la pièce.

«Je suis confus que nous ne nous soyons pas mieux tenus en présence d'une invitée, dit John en se tournant vers Beatrice. J'espère que vous pardonnerez à mon neveu.

— Daniel est incapable de maîtriser sa nature impétueuse, renchérit Agatha. C'est son côté artiste.

— Un mélange d'artiste et d'enfant gâté, ajouta John sans hausser le ton. Les proportions de l'un et de l'autre n'ont pas encore été précisément définies.

— Tu étais informé de ce projet, Hugh? demanda Agatha.

— C'est généralement le moment où je me fais sermonner bien plus sévèrement que Daniel, simplement parce que j'étais informé de quelque action abominable pour laquelle il vient de se faire prendre», expliqua Hugh à Beatrice. Il mangea sa dernière cuillerée de diplomate et agita sa cuiller. «Je jette l'éponge, ma tante. Daniel est adulte et je ne suis plus responsable de ses genoux couronnés et de sa nature rétive.

— Son père n'approuverait certainement pas un tel projet, reprit Agatha. Évidemment, il est sans doute de bon ton que les jeunes gens fassent l'expérience de la *vie boulevardière**.

— Les jeunes gens dotés de plus de moyens que de cervelle, peut-être, ajouta John. Les temps qui viennent exigeront des hommes d'une autre trempe.

— Je ne puis qu'espérer que vous vous trompez. »

Jenny vint annoncer que le thé était prêt au salon, et Agatha ajouta :

« Oh, je vous en prie, servez-le ici. Les dames ne se retireront pas de bonne heure ce soir. »

Le thé venait d'être versé et les portes de se refermer sur les oreilles du personnel quand Daniel réapparut.

« Veuillez excuser mon départ précipité. J'ai eu besoin d'un moment pour me remettre de mon désarroi à l'idée que Paris et tous ses trésors puissent être menacés.

— Veux-tu un peu de brandy ? suggéra son oncle.

— Je suis sûr que Hugh approuvera, ne fût-ce que pour des raisons médicales, répondit Daniel. Auriez-vous d'autres nouvelles consternantes à nous communiquer ?

— Je ne peux vraiment pas vous en dire davantage », regretta John en remplissant des verres de brandy pour Hugh, Daniel et lui-même. Il inclina la bouteille vers sa femme, qui secoua la tête. « Il nous reste peut-être quelques jours pour essayer de convaincre l'Allemagne de revoir sa position, mais comme vous pouvez vous en douter, l'action militaire se laisse facilement emporter par son élan. » Il soupira et se dirigea vers la porte-fenêtre ouverte, inhalant profondément l'air embaumé du soir. « Avec la Russie en marche, j'ai bien peur que tout ce que nous pourrons entreprendre ne soit pas plus efficace que de prétendre arrêter un train fou en tendant la main.

---

* Les mots en italique et suivis d'un astérique sont en français dans le texte.

— N'étions-nous pas tenus par l'honneur de garantir la sécurité de cette pauvre Belgique ? s'étonna Beatrice.

— L'honneur n'existe pas en diplomatie, mademoiselle Nash, intervint Daniel. Lorsqu'on se répand en protestations contre les atteintes qui lui sont portées, c'est généralement dans l'espoir d'en tirer quelque avantage.

— Daniel ! protesta ta tante.

— Il n'a peut-être pas tort, approuva son oncle. Bien que j'aie passé de longues années à lutter pour sa cause, je crains bien que l'âge de l'honneur entre nations civilisées ne touche à son terme.

— Nous ne défendrons donc pas la Belgique ! » s'alarma Beatrice. Attristée et déconcertée, elle était convaincue que la nécessité de faire la guerre dans de telles conditions aurait dû être une évidence pour tous. « Mais nous avons signé un traité !

— Oh, nous la défendrons, la rassura John. Si l'Allemagne devait vaincre la France et s'emparer de ses ports du Nord, ils menaceraient notre navigation dans la Manche ainsi que notre suprématie maritime en général.

— Nous les combattrions donc dans notre propre intérêt? demanda Beatrice. La nécessité de sauver la Belgique n'est qu'un conte à destination du commun des mortels ?

— Ne croyez pas cela, protesta John. La nécessité de sauver l'innocente Belgique est un conte que nous racontons au Parlement et à tous les gens importants qui doivent accepter de nous donner des troupes et de l'argent pour nous battre. En politique, on n'obtient rien si l'on n'a pas une jolie histoire à raconter aux responsables politiques.

— Va-t-on mobiliser ?

— Je ne pense pas que nous en arrivions là. Pour le moment, notre Force expéditionnaire se rassemble. Ce sont des hommes aguerris et expérimentés. Nous allons faire appel à des volontaires. À mon avis, les premiers à répondre en masse seront tous les rustres inexpérimentés mais qui ont des relations, à la recherche d'une planque d'où suivre le déroulement des événements en toute sécurité. Mon propre bureau croule déjà sous les lettres de recommandation et les demandes de brevets d'officier.

— Puisque Paris n'est plus à l'ordre du jour, j'espère que tu considéreras que le moment est idéal pour entrer au Foreign Office avec ton oncle, Daniel, dit Agatha. Je sais que ton père le souhaite.

— Je n'ai aucune envie de croupir à Whitehall à apprendre à commander des chaussettes de laine par boisseaux, répliqua Daniel. Puisque c'est comme ça, Craigmore et moi lancerons notre revue à Londres et nous contribuerons à la défense de la patrie par l'art.

— Je suis sûre qu'une revue contenant des vers émouvants et des dessins patriotiques serait une entreprise bienvenue et fructueuse », releva sa tante.

Ayant remarqué la sécheresse de son ton, Beatrice ne fut pas surprise que Daniel s'en offusque violemment.

« Grand Dieu, c'est la pire idée qu'on puisse avoir. Nous serions certainement pris sous une avalanche de propositions larmoyantes regorgeant de sentimentalité à trois sous et de creuses rodomontades. Nul soupçon de patriotisme ne doit jamais être autorisé à corrompre l'art. La cause de la poésie, s'il faut qu'elle en ait une, ne peut être que la paix.

— Vous risquez de ne pas trouver de nombreux abonnés en temps de guerre, remarqua Hugh. Les poètes doivent pourtant manger, eux aussi, et payer leur loyer.

— Au besoin, nous nous occuperons de la revue ici, rétorqua Daniel. Nous nous installerons dans ton garage, Hugh, voilà tout.

— Ce n'est donc pas une muse qui se tient derrière chaque poète, mais une tante nantie, pourvue d'une confortable maison de campagne ? lança Hugh qui continua à boire impassiblement son thé tandis que Beatrice dissimulait un sourire.

— En effet, approuva Daniel. Que ferais-je sans vous, Tante Agatha ?

— À votre avis, monsieur Kent, que devrions-nous faire, nous autres ? demanda Beatrice. Chacun doit accomplir son devoir.

— Poursuivre vos activités habituelles et refuser de manifester la moindre agitation, répondit John. Il est important que nous donnions le bon exemple, car les nouvelles de ce genre ont tendance à faire perdre son sang-froid à la population.

— Je serai sans doute bien avisée de faire quelques réserves, avança Agatha. Vous savez que je n'aime pas être prise au dépourvu.

— L'accaparement sera très mal vu en haut lieu, remarqua son mari. Il est source de pénuries et de hausse des prix.

— Dans ce cas, je ferai preuve de prudence en ville. Mais je vous demanderai de faire un saut chez Fortnum and Mason sur le chemin de votre bureau et d'y déposer une commande raisonnablement modeste à faire livrer immédiatement.

— Il faudra que je prenne deux ou trois choses pour la ville, moi aussi, approuva John. Les dîners du club sont déjà fort médiocres en temps de paix. Une modeste provision de Gentleman's Relish[1] et de conserves d'huîtres devraient me permettre de survivre à quelques mois d'hostilités. »

1. Sorte de pâte d'anchois. (*N.d.T.*)

8.

En réfléchissant à la situation au cours des jours qui suivirent, Hugh dut convenir que la presse avait rendu compte des nuages menaçants qui s'accumulaient au-dessus de l'Europe mais que, comme tant d'autres, il n'avait pas pris garde aux événements qui se déroulaient sur le continent.

«J'évite soigneusement les journaux, affirma Daniel. Je suis persuadé que les guerres seraient plus courtes si nous n'étions pas aussi impatients de lire des articles les concernant.

— Qu'allons-nous faire à présent? Comment, assis ici, ne pas être dévorés d'angoisse?»

Ils étaient au jardin, Daniel allongé dans un hamac et Hugh affalé dans une vieille chaise longue de toile.

«Mon cher cousin, rester paisiblement assis : voilà ce que tu peux faire de mieux, répondit Daniel. N'as-tu pas entendu Oncle John dire qu'il fallait continuer à vivre normalement et refuser de manifester la moindre inquiétude?

— Comment peux-tu prétendre vivre normalement quand des soldats sont en faction devant la gare et qu'on ne peut plus changer un billet de cinq livres où que ce soit?

— J'aimerais bien avoir la chance d'être en possession d'un billet de cinq livres», soupira Daniel. Laissant son livre tomber dans l'herbe, il croisa les mains derrière sa nuque. « Cette odeur de guerre ajoute un peu de piquant aux contours du jour, ajouta-t-il. J'ai cru déceler une détermination nouvelle dans l'allure du cheval du laitier ce matin.

— Oh, sois un peu sérieux, Daniel, protesta Hugh. Entre toi qui joues au dandy et le colonel Wheaton qui enrôle tous les ivrognes devant l'hôtel de ville, on dirait que le monde entier marche sur la tête.

— J'ai vu Mlle Finch photographier une séduisante jeune recrue drapée dans l'Union Jack pendant que sa mère et ses trois petites sœurs sanglotaient dans des bouquets de marguerites. » Daniel soupira. « J'ai failli m'enrôler moi-même, juste pour pouvoir me pâmer, moi aussi, sous le drapeau et envoyer la photo à Craigmore afin de lui tirer des larmes.

— D'après le docteur Lawton, les recrues sont en mauvaise santé et mal nourries et risquent fort de succomber à un refroidissement dès la première marche d'entraînement.

— As-tu l'intention de l'aider à engraisser la jeunesse du Sussex pour l'envoyer au front ? demanda Daniel.

— J'ai écrit à mon patron pour lui demander conseil. Je ne me sens pas capable de rester oisif si je peux être d'une quelconque utilité. J'espère être appelé à Londres d'un jour à l'autre.

— La fille de ton patron sera-t-elle prête à te sacrifier à l'effort de guerre ou se cramponnera-t-elle à toi en cette heure de péril ? »

Hugh fronça les sourcils car il était certain de ne pas avoir parlé d'elle à Daniel. Ce dernier était donc allé fouiner dans son bureau une fois de plus, lui volant certainement ses meilleures plumes et se moquant des nombreux brouillons qu'il lui fallait pour rédiger un message décemment désinvolte destiné à une jeune fille.

« Mlle Ramsey est entourée de bien trop de galants pour me remarquer », répliqua Hugh.

Il espérait que Daniel ne chercherait pas à en savoir plus long, car il n'avait pas l'intention de se confier à son cousin pour en être récompensé par de sempiternelles railleries.

« Tu devrais peut-être entrer dans la cavalerie, suggéra Daniel. Les femmes adorent les hommes en uniforme.

— Et toi, tu resteras en pantalon de flanelle et tu joueras au cricket jusqu'à ce que les Boches débarquent sur nos plages ?

— Je te ferai savoir que j'ai écrit à Craigmore pour lui proposer que nous lancions immédiatement notre revue à Londres. Nous accorderons ainsi à la fleur des jeunes artistes et poètes l'avantage et la supériorité d'une tribune d'où ils pourront défendre notre nation par l'art et le langage.

— Je croyais t'avoir entendu dire que l'art considérait le patriotisme comme une abomination ?

— J'ai décidé qu'à l'image de l'argent, mieux vaut y voir le nécessaire auxiliaire de notre cause, répliqua Daniel. Bien sûr, je relèguerai tous les sujets patriotiques dans les dernières pages de la revue et les enfouirai sous des bordures illustrées pour que personne ne les lise vraiment.

— Tu es d'humeur pragmatique, à ce que je vois, remarqua Hugh. La guerre exerce un effet dégrisant sur tout le monde.

— Avec des résultats concrets, reprit Daniel. Craigmore m'écrit pour m'annoncer sa visite et celle de ses parents. » Il chercha son carnet et en retira quelques feuillets sur papier pelure glissés au milieu des pages. « Dans le cadre d'une espèce de commission chargée d'évaluer les dispositifs locaux de défense.

— Dit-il que son père approuve votre projet ?

— Pas explicitement. Mais nous le convaincrons. Je suis convaincu que nous réussirons, Craigmore et moi, à trouver des arguments irréfutables qui le persuaderont que l'art et la poésie font partie de nos armes de défense nationale. »

Hugh reçut par le dernier courrier du soir une lettre le rappelant à Londres et après avoir dû un peu batailler à la gare de Rye où l'employé du guichet des billets manquait de monnaie et où le chef de gare finit par l'autoriser aimablement à signer un reçu, il partit pour Londres le lendemain matin.

Le domicile londonien de Sir Alex Ramsey était une haute bâtisse de brique d'un rouge chaud située dans Harley Street, joliment ornée de pierre et dotée de grandes fenêtres à petits carreaux dont les jardinières regorgeaient de fleurs de fin de saison. Seule une discrète plaque de laiton révélait que cet immeuble abritait le cabinet de consultation du chirurgien, un petit appartement sur lequel ouvrait la porte d'entrée. Derrière sa façade gracieuse, la demeure contenait de nombreuses pièces spacieuses à haut plafond, desservies par de larges couloirs. Hugh avait déjà été admis dans les salons de l'étage et du rez-de-chaussée, dans la bibliothèque et dans le bureau privé du chirurgien. Il aimait tout particulièrement le salon donnant sur l'arrière de la maison, en bas, qui était le domaine de Lucy. Elle y avait arrangé avec beaucoup de goût un jardin d'hiver qui ouvrait sur une charmante pelouse agrémentée d'un petit bassin à carpes et bordée de murs de brique sur lesquels poussaient des pêchers et des pommiers en espaliers. Pendant qu'il attendait sur le perron, Hugh se laissa aller un instant à s'imaginer propriétaire d'une telle maison, et, peut-être, d'un grand cabinet médical prospère, jouissant d'une aussi bonne réputation que celui de son patron. Il lui faudrait de longues années pour atteindre un tel renom par son talent et son labeur, mais l'effort ne lui faisait pas peur. Il espérait vaguement, et ne se le cachait pas, que les sentiments de Lucy Ramsey pourraient lui aplanir la voie, tout en se sachant innocent de tout calcul. S'ils devaient se marier, songeait-il, une éventuelle promotion sociale ne serait que la cerise sur le gâteau de leur amour.

« Venez, mon garçon, entrez, dit le chirurgien en lui faisant signe alors que le majordome le conduisait dans le cabinet de consultation rempli de livres, où seule la simplicité du tapis et une très faible odeur de phénol trahissaient une utilisation professionnelle. Lucy a du monde pour le thé, comme toujours, mais elle a insisté pour que je vous réserve quelques instants de tête-à-tête, Grange.

— J'en suis très honoré, répondit Hugh, s'asseyant dans un fauteuil confortablement rembourré devant le bureau d'acajou ciré. Avez-vous passé un agréable séjour dans les lacs ? »

Ils échangèrent de menus propos sur la fatigue de la tournée de conférences, sur la foule de Bellagio et les plaisirs incomparablement supérieurs des petites bourgades paisibles de la rive occidentale du lac de Côme.

« Je crois que Lucy a apprécié le calme, poursuivit le chirurgien. Un baronnet équipé d'un phaéton et de deux chevaux blancs parfaitement assortis la saluait tous les jours dans les jardins, mais rien ne saurait faire tourner sa jolie petite tête. C'est une fille raisonnable, décidément.

— Avez-vous rencontré quelques difficultés pour rentrer ? J'ai entendu dire que les banques européennes avaient cessé d'honorer nos traites ?

— Nous sommes partis juste à temps. Le patron de notre hôtel a encaissé un chèque en souverains-or et nous avons attrapé un des derniers trains qui ont traversé Paris avant la fermeture définitive des frontières. Une ou deux personnes en ont été expulsées, mais par bonheur, Lucy n'a pas été témoin d'actes déplaisants. »

Il se caressa la barbe et ajouta : « On les avait prévenus qu'ils ne devaient pas prendre les armes, ces Belges, mais apparemment certains ont refusé d'obéir aux ordres. Je partage l'indignation générale, bien sûr, et je suis fermement décidé à mobiliser toutes mes connaissances et mes ressources au service de mon pays et de mon roi.

— À ce propos, je voulais vous demander comment je pourrais me montrer utile dans cette entreprise, expliqua Hugh. Il n'est évidemment pas question de ne pas vous consacrer toute mon attention dans mon travail d'assistant, mais peut-être pourrais-je, sur mon temps de congé, proposer mon aide pour faire quelques heures de bénévolat dans un des hôpitaux ?

— Voilà précisément ce dont je voulais m'entretenir avec vous, mon cher garçon. » Sir Alex fourragea des papiers sur son bureau et tendit à Hugh ce qui était apparemment une liste de matériel et de personnel nécessaires à la création d'un hôpital au grand complet, comprenant plusieurs salles d'opération. « Cette guerre nous offre une occasion rêvée de faire progresser notre domaine à une vitesse à laquelle il ne faudrait pas songer en temps de paix. » Il se frotta les mains. « Imaginez cela : un nouvel hôpital spécialisé et une réserve illimitée de blessés nous donnant la possibilité d'établir la typologie de tous les genres et degrés de gravité des blessures cérébrales ! J'imagine une batterie de ces nouvelles machines à rayons X, un équipement à la pointe de la modernité, depuis les scies chirurgicales jusqu'aux produits pharmaceutiques et, bien sûr, nos médecins les plus brillants pour m'assister dans cette entreprise herculéenne.

— Cela permettrait certainement de faire des progrès considérables dans ce champ de recherche, approuva Hugh. Où cet hôpital se trouvera-t-il, docteur ? J'ai entendu dire que les autorités avaient réquisitionné un asile de Chelsea.

— Non, non, mon garçon, nous allons partir là-bas ! Aussi près des lignes que possible pour travailler sur les cas les plus frais. Les blessures à la tête ne voyagent pas bien, vous le savez. Je préférerais un emplacement en bord de mer...

— En France ? »

Hugh prit conscience que son cœur battait plus fort dans sa poitrine. Ce n'était pas de la peur, se dit-il, mais une simple réaction naturelle à l'idée d'être physiquement engagé dans le conflit.

« Le War Office a tendance à se méfier des projets civils – trop de dames du royaume projettent d'équiper une camionnette d'épicier et de la baptiser ambulance. S'ajoute la question du financement.

— Des obstacles non négligeables, reconnut Hugh.

— On m'a donc proposé d'intégrer mon hôpital dans une structure militaire, d'en faire un élément du service de santé de l'armée britannique. Cela m'a un peu inquiété, j'en conviens – l'administration militaire, et tout ça – mais on m'a offert un brevet d'officier.

— Félicitations, docteur.

— Un simple rang de colonel pour commencer, me semble-t-il. » Il glissa la main dans sa veste et se redressa tout en parlant. Son expression satisfaite donnait à penser qu'il envisageait peut-être d'autres honneurs. « En attendant, je suis chargé de recruter. Il me faut les meilleurs et les plus brillants, ce qui vous inclut, évidemment, mon garçon.

— Je vous remercie du compliment, dit Hugh en éludant toute réponse directe.

— Vous, bien sûr, ainsi que Carruthers, et peut-être Michaels, bien qu'il soit asthmatique pour tout vous dire ; ils ne le prendront sans doute pas. Certains d'entre vous seront obligés d'aller servir pendant un certain temps là où l'armée aura besoin de vous, en attendant que nous soyons installés.

— Le problème est qu'il ne me reste que quelques mois à faire pour achever ma formation, expliqua Hugh. Je pensais que ma place était plutôt ici. »

Il s'était réjoui à l'idée d'assister aux opérations, de faire des tournées de malades au côté de l'éminent chirurgien, de travailler dans les laboratoires immaculés et carrelés et de rédiger un ou deux articles universitaires. Il avait prévu de continuer à vivre simplement mais d'acheter peut-être, de temps en temps, des billets d'opéra et d'inviter Lucy à passer un ou deux après-midi au British Museum. Et il avait envisagé de faire du bénévolat en soirée – une opération supplémentaire par-ci par-là pour sauver un membre, ou un œil – sans attendre d'autre reconnaissance que l'admiration de Lucy pour son infatigable dévouement.

« Mon garçon, un mois au front vaudra largement dix ans dans les salles d'opération londoniennes, répliqua le chirurgien. Songez à toutes les expériences que vous pourrez faire, aux articles passionnants que vous pourrez publier et à votre contribution aux progrès de nos connaissances scientifiques. »

Hugh aurait pu ajouter à cette liste d'avantages un certain nombre de vies sauvées, mais il comprenait que l'esprit d'un aussi grand homme fût tout entier tourné vers la science.

« Avec votre permission, j'aimerais pouvoir consulter mon oncle sur ce point, dit-il. Et il faut que j'écrive à mon père, qui est actuellement à l'étranger.

— Vous avez largement le temps de vous décider avant le trimestre d'automne. J'espère que votre oncle et votre père vous donneront leur bénédiction. Les notes que vous avez compilées pour moi sur les effets d'un milieu chaud sur les patients à la suite d'une opération ont été bien reçues cet été. Je m'étais dit que nous pourrions envisager de consacrer un article à ce sujet...

— Merci », dit Hugh.

Bien qu'il sût que le nom d'un modeste assistant n'apparaîtrait sur aucune publication d'un grand patron, l'idée que ses réflexions pourraient être discutées par d'influents chirurgiens européens était loin de le laisser indifférent.

« Je regretterais de vous perdre, ajouta le chirurgien avec un regard dur. Et je sais que Lucy serait désolée que vous nous quittiez. »

L'euphorie de Hugh retomba brutalement. Il ne savait pas très bien comment réagir, car il venait de comprendre que Sir Alex n'avait pas l'intention de continuer à diriger les travaux de ses étudiants qui n'accepteraient pas de se rendre en France. Avoir été choisi pour travailler aux côtés de l'éminent chirurgien avait été une des plus grandes fiertés de la vie de Hugh et il en était venu à se croire en sécurité sous son aile. Il sentit alors, comme un coup à la poitrine, que ce qu'il avait pris pour une sincère affection n'était peut-être qu'une amabilité de façade.

« Et si nous passions au salon pour demander une tasse de thé à Lucy ? reprit le chirurgien avec douceur. Je sais qu'elle vous attend avec impatience. »

Faire son entrée dans un salon rempli de collègues et d'amis, le bras du grand chirurgien posé sur ses épaules, attirerait une telle attention, lui vaudrait un tel prestige accompagné d'une certaine envie que Hugh ne put qu'en être réconforté. L'opportunisme du chirurgien n'empêchait pas une réelle bienveillance, songea-t-il, et il se réjouit en songeant que tous sauraient qu'il venait d'avoir un entretien privé avec le grand homme.

« Notre vedette nous apporte des récits de son expérience de médecin de campagne, annonça Sir Alex.

J'espère que vous lui avez laissé quelques biscuits, Michaels ? »

Hugh serra la main de ses collègues et fut présenté une nouvelle fois à plusieurs amies de Lucy, visiblement ravies de prendre le thé avec les jeunes médecins avant de se répandre en commentaires sur tous les jeunes gens qu'elles connaissaient dans les plus hautes sphères de la société. Tout le monde rejoignit alors le jardin d'hiver, où d'autres jeunes gens s'étaient déjà installés parmi les bacs contenant des fougères et les urnes italiennes vernissées débordantes d'aspidistras et de caoutchoucs. Sous les branches grêles de deux tilleuls en pot qui ombrageaient la verrière, il aperçut Lucy sur un canapé d'osier, près d'une table basse sur laquelle étaient posés la théière et un grand plat de biscuits. Deux de ses amies étaient assises à ses côtés, faisant leur devoir patriotique en tricotant des chaussettes vertes pour les soldats. Son rival le plus acharné à lui disputer les faveurs de la fille comme du père, Carruthers, avait obtenu une place de choix sur le canapé lui-même, où il tenait un écheveau de laine qu'enroulait Lucy. Tandis que Hugh s'arrêtait pour admirer la robe de dentelle blanche de la jeune fille avec ses rubans roses très juvéniles sur un corset ajusté et ses bottines françaises bleu pâle posées sur un tabouret bas dans une attitude séduisante, elle releva de sa pelote son visage en forme de cœur et lui adressa son sourire le plus radieux.

« Il va falloir céder votre place, M. Carruthers, annonça-t-elle d'un ton charmant mais sans réplique. Vous avez eu le monopole assez longtemps et j'ai promis à notre ami M. Grange une vraie conversation. »

Tandis que M. Carruthers se levait pour serrer la main de Hugh et prendre congé avec une certaine mauvaise humeur, les deux tricoteuses se retirèrent également en murmurant des excuses à Lucy qui inclina ses boucles pâles vers elles et abaissa ses cils sur ses yeux bleus en les écoutant. Hugh eut la nette impression que toutes les jeunes filles étaient parfaitement informées des projets du père de Lucy et se demanda combien d'autres élèves du grand chirurgien s'étaient laissé convaincre par de la brioche et un tête-à-tête dans le jardin d'hiver.

« Dites-moi, Hugh, vous me paraissez encore plus sombre que d'ordinaire, remarqua Lucy en versant du thé dans une tasse de porcelaine. Vous êtes sans doute le plus sérieux et le moins charmant de tous les assistants de mon père, mais curieusement, je dois avouer que je ne vous en apprécie que davantage.

— J'en suis très honoré », répondit-il en s'asseyant à côté d'elle et en acceptant une tasse de thé et une tranche de brioche beurrée de sa main pâle et effilée.

Son pouls s'accéléra au contact de ses doigts élégants, et sentant le souffle de la jeune fille sur sa joue et la légère chaleur de son corps contrastant avec la fraîcheur des fleurs, il eut honte de sa maussaderie.

« Tous les autres jeunes gens sont si prompts à vous flatter et à vous accabler de niaiseries, reprit-elle en lissant sa jupe sur ses genoux. Ils finissent par en perdre tout intérêt.

— Je serais navré de vous paraître bougon. Me seraisje montré grossier ?

— Pas du tout ! Mais comme à chacune de nos rencontres, je ne cesse de me demander comment vous arracher un sourire.

— Les mondanités ne sont pas mon fort, admit Hugh. Comment étaient les lacs ? »

Elle parla longuement de leur voyage et Hugh découvrit qu'elle avait accordé au baronnet et à ses chevaux blancs plus d'attention que son père ne l'avait supposé. Mais elle affirma avec une charmante insistance que ses conversations avec Hugh lui avaient manqué et quand elle posa sa main pâle sur son bras, tous les tendres sentiments qu'il avait sentis naître en son absence l'envahirent de plus belle.

« Mais c'en est assez de mes sottes vacances, reprit Lucy. Les temps que nous vivons font perdre beaucoup de leur charme aux propos légers et je sais que vous préféreriez vous entretenir de sujets plus sérieux.

— C'est exact, acquiesça Hugh, se demandant comment introduire une déclaration, fût-elle voilée, de ses intentions.

— Mon père est décidé à se rendre en France, poursuivit Lucy avec un visage plus grave qu'il ne lui en avait jamais vu. Je sais qu'il vous a demandé de l'accompagner.

— En effet », approuva Hugh. Ce n'était pas l'amorce qu'il avait souhaitée, mais puisqu'elle avait abordé la question, il ne pouvait que la suivre sur ce terrain. « Savez-vous quand il a l'intention de partir ?

— Mon père voudrait m'envoyer chez ma tante, au pays de Galles. Ce n'est pas une maison plaisante, ni une ville très animée. Je lui ai donc demandé de m'autoriser à rester à Londres, où nous avons l'intention, mes amies et moi, d'apporter une contribution bien plus importante à l'effort de guerre. » Elle s'interrompit et poussa un soupir charmant. « Je sais bien que je ne devrais pas tracasser mon pauvre papa qui s'apprête à faire un aussi grand sacrifice.

— Je suis sûr qu'il ne risquera rien. Il ne sera pas sur le front, vous savez.

— J'espère vraiment que vous l'accompagnerez. Sans vouloir vous flatter, je serais tellement plus rassurée de vous savoir auprès de lui. »

Elle le regarda droit dans les yeux et Hugh sentit passer entre eux un frémissement qui l'enhardit.

« Vous m'avez tellement manqué cet été que l'idée de partir ne me tente guère.

— Oh, Hugh, vous m'avez manqué aussi. Les lacs étaient d'un tel ennui avec toutes ces vieilles personnes corpulentes, que je pensais à vous avec une tendresse grandissante. »

Il crut à une taquinerie, mais son visage ne révélait pas la moindre trace d'ironie. L'innocence avec laquelle il lui arrivait de tenir des propos involontairement comiques contrastait avec l'esprit acéré de femmes comme sa tante, ou comme la nouvelle maîtresse de latin, Beatrice Nash, mais il y voyait une marque attendrissante de sa jeunesse.

« J'ai craint que l'intérêt que je porte à mon travail n'ait fait de moi un compagnon fort ennuyeux également, remarqua-t-il. Vous êtes entourée de médecins.

— Ils croient en savoir bien plus que ce n'est le cas et ne peuvent s'empêcher de me faire des sermons comme si j'étais une enfant. Ce que j'apprécie chez vous, c'est que vous me parlez toujours sans détours. »

Elle jeta un coup d'œil vers le salon et suivant son regard, il remarqua que Carruthers buvait son thé tout les observant, sourcils froncés. Il n'était pas le seul à avoir les yeux rivés sur eux, et Hugh dut convenir que se trouver au côté de Lucy attirait l'attention de tous. Son affection pour la jeune fille et pour son père s'épanouit dans son cœur. Il n'ignorait pas que la grande demeure de brique et le cabinet de consultation réputé pourraient lui revenir un jour. Et que Lucy, à qui son éducation avait appris à être attentive aux exigences d'un médecin, lui offrirait sa charmante fraîcheur et ne demanderait qu'à mûrir sous sa conduite.

Le moment resta en suspens, seul le clapotis d'une petite fontaine dans sa vasque moussue troublant le silence tandis qu'une légère brise, passant sur le sol carrelé, faisait trembler les têtes des fleurs. Hugh reposa enfin sa tasse, sa grosse tranche de brioche beurrée en équilibre sur la soucoupe. Après s'être prestement essuyé les doigts sur sa serviette, il prit la main de Lucy.

« Ma très chère Lucy, commença-t-il et, regardant dans ses yeux, il n'éprouva aucune hésitation à lui ouvrir son cœur. Voici un certain temps déjà que j'espère avoir l'occasion de vous parler...

— Pardonnez-moi, mais je dois vous prier de ne pas poursuivre plus avant », coupa-t-elle. Elle ne retira pas sa main, mais détourna ses jolis yeux avant de poursuivre : « Vous savez que je vous tiens en très haute estime, Hugh.

— Dans ce cas, pourquoi m'interdire de parler? demanda-t-il en lui pressant la main. Quelques mots seulement, que nul n'a besoin d'entendre ?

— Je crains que vous n'ayez l'intention de me faire une sorte de déclaration, reprit-elle en abaissant ses longs cils sur ses joues. Mais comme je le disais encore à M. Carruthers la semaine dernière, aucune Anglaise ne saurait encourager la moindre déclaration de ce genre de la part d'un homme qui n'est pas sous l'uniforme.

— Je ne vous suis pas.

— Nous avons fait serment, mes amies et moi-même, de n'accepter aucune déclaration, aussi séduisant que soit le jeune homme ou aussi avantageuse que puisse être l'union qu'il propose, tant qu'il ne se sera pas engagé dans l'armée », expliqua-t-elle.

Tandis qu'elle retirait ses doigts pour croiser les mains sur ses genoux, il la vit esquisser un infime signe de tête en direction d'une grosse potée d'aspidistras. Les deux jeunes tricoteuses hochèrent la tête en retour.

« Vous comprendrez sans doute que l'amour se révolte contre une épreuve aussi arbitraire ? » Il avait du mal à réfréner son exaspération devant ce qui lui paraissait un ridicule stratagème. « Nous ne sommes pas dans je ne sais quel conte de fées où le héros doit combattre des dragons et cueillir des pommes d'or pour conquérir sa princesse.

— M. Carruthers a juré de renoncer à ses vacances d'août pour se rendre directement au bureau de recrutement, rétorqua-t-elle en faisant la moue, les joues légèrement empourprées.

— Je vous souhaite beaucoup de bonheur avec M. Carruthers, dit-il avec une feinte sévérité.

— Je dois avouer que s'agissant de lui, j'avais espéré qu'il refuserait et que je m'en trouverais ainsi débarrassée, admit-elle. Mais vous, Hugh, vous avez certainement l'intention de vous enrôler et de partir avec mon père ? Il affirme que cette expérience sera d'une valeur inestimable pour tous ceux qui le suivront.

— Je suis certain que votre père fait passer son devoir avant pareilles expériences. Je puis vous assurer que je ne vois rien à redire à votre patriotisme et ne doute pas de l'importance des projets de votre père, mais sachez que je ne suivrai pas les têtes brûlées qui se précipitent sans réfléchir chez l'agent recruteur.

— Je ne saurais en attendre moins de mon ami si posé, lança-t-elle, ayant retrouvé le sourire. Je ne devrais pas vous le dire, mais si vous décidez de nous rejoindre, vous seriez bien avisé de le faire savoir à mon père avant la première semaine de septembre.

— Je lui ai demandé un délai pour consulter ma famille.

— Mon père a l'intention d'organiser une grande séance d'enrôlement général à l'occasion de son premier cours, à l'hôpital, insista-t-elle. Vous êtes censé y assister et il serait certainement bien vu que vous manifestiez votre engagement en vous déclarant avant les autres.

— Un recrutement général de médecins ?

— D'après ce que j'ai compris, le service de l'armée est loin de posséder les effectifs nécessaires, expliqua-t-elle en reprenant son tricot. Mon père s'est engagé à recruter une centaine d'hommes et j'ai accepté d'assister à tous les rassemblements pour remettre à toute nouvelle recrue un petit drapeau peint à la main à épingler à son revers.

— Une charmante incitation, remarqua Hugh, soulagé de pouvoir en revenir à des badinages. Peut-être devrais-je différer ma décision, dans l'espoir de recevoir ce gage des douces mains de ma dame ?

— Je dois aussi vous prévenir que mes amies et moi avons décidé de remettre la plume blanche des lâches à tous ceux qui auront l'audace de quitter la salle sans s'être enrôlés, ajouta-t-elle, et bien qu'elle inclinât coquettement la tête et lui sourît avec son charme juvénile coutumier, il perçut dans son regard une résolution d'acier jusqu'alors inconnue. J'ai sacrifié toute une aile de cygne pour cela, et elle venait de Paris, figurez-vous ! »

9.

Debout dans la grand-rue, son panier au bras et son chapeau de paille abritant ses yeux du radieux soleil d'août, Beatrice observait les stores rayés des boutiques ornés de ribambelles de fanions de l'Union Jack sortis en toute hâte, les jardinières municipales arborant de petits drapeaux de papier rigides plantés sur des baguettes, et tous les murs et poteaux disponibles recouverts d'affichettes invitant la population à venir assister à la soirée publique consacrée à l'effort de guerre. Pourtant, la petite ville semblait vaquer à ses activités comme à l'ordinaire. Une carriole de livraison déchargeait des caisses chez le quincailler, une femme balayait le trottoir devant l'atelier de la modiste, le commis du poissonnier s'éloignait, courant gauchement, un paquet emballé dans du papier sous un bras et un gros seau de crabes vivants dans l'autre main. Au moment où le garçon trébucha sur un pavé irrégulier et faillit laisser tomber une demi-douzaine de crabes de son seau, l'Angleterre donnait l'impression d'être aussi paisible et pastorale que jamais.

La corbeille de Beatrice contenait un sachet en papier de brisures de biscuits, trois petits pains aux raisins et du cordial à la fleur de sureau. Elle attendait ses élèves dans l'après-midi pour leur cours particulier et bien qu'elle n'eût pas l'intention de les gâter, leurs visages moroses et accablés d'ennui lors des deux premières leçons l'avaient incitée à faire l'essai de ces modestes récompenses. Les étagères de la boulangerie et de l'épicerie étaient peu garnies. Les grosses miches étaient généralement toutes vendues en début d'après-midi mais ce jour-là, il n'y avait plus du tout de pain, pas plus que de gâteaux fantaisie, dont il ne restait pas même l'odeur d'amandes. Il n'y avait plus que des petits pains, qui avaient l'air moins gros que d'habitude. Chez l'épicier, tous les produits frais étaient épuisés et les ménagères en étaient réduites à se disputer des boîtes de viande en conserve et des fruits secs relégués sur les étagères les plus hautes. Comme il n'y avait plus ni miel ni sucre, elles se rabattaient sur la mélasse et même sur du malt de bière.

« Je voudrais passer une commande renouvelable d'un quart de livre de sucre et d'une livre de farine », annonça la dame qui précédait Beatrice. Elle tenait à la main une longue liste de papier et était accompagnée d'un jeune garçon robuste chargé d'un panier en osier gigantesque.

« Désolé, madame, nous ne prenons plus de commandes renouvelables, répondit l'épicier, l'air crispé et nerveux, peut-être à force de passer son temps à annoncer de mauvaises nouvelles à sa clientèle. Je suis déjà obligé de réduire mes commandes en cours et ne serai probablement pas en mesure de les satisfaire toutes.

— Vous attendez une nouvelle livraison de sucre ? demanda la dame en notant par écrit le jour qu'il lui indiqua. Je serai là à l'ouverture et j'espère bien que vous m'en aurez mis de côté.

— Je ferai de mon mieux, madame. Mais je n'accepte que du liquide, seulement des petites coupures, et rien à crédit. »

Il essuya son front dégarni tandis que la dame sortait d'un pas énergique, avec dans son sillage le solide garçon portant son panier rempli.

« Une bouteille de cordial aux fleurs de sureau, s'il vous plaît, demanda Beatrice. Et une livre de biscuits en vrac.

— Je n'ai plus de biscuits, ma petite dame », répondit l'épicier en tendant le bras pour attraper la dernière bouteille de cordial, légèrement poussiéreuse, sur ses étagères. Beatrice se dit qu'il avait dû aller la chercher tout au fond de son cellier. « Il ne m'en reste qu'en morceaux.

— Une livre de brisures, dans ce cas », se résigna-t-elle à contrecœur.

Des biscuits du commerce pouvaient être un compromis acceptable pour les locataires de meublés, mais elle n'aurait jamais servi de brisures de bon gré, même à des domestiques. Des garçons affamés ne feraient peut-être pas la fine bouche, et elle avait besoin, elle aussi, de quelque chose à grignoter entre les repas frugaux de Mme Turber. L'épicier enfourna des biscuits brisés en vrac dans un sac et lui en demanda le prix qu'elle était certaine d'avoir payé quelques jours plus tôt pour des entiers.

« Tout est tellement cher en ce moment, observa-t-elle en comptant ses pièces.

— Du coup, tout le monde se plaint et m'accuse d'empocher un joli profit. Personne ne me demande quel prix mes fournisseurs me réclament.

— Je ne voulais pas dire...

— Ni comment je suis censé approvisionner mon magasin et gagner ma vie alors qu'on ne me livre plus rien, ajouta-t-il en secouant la tête. Si ça continue, je n'aurai plus qu'à fermer boutique.

— Ce n'est sûrement pas facile, compatit Beatrice non sans remarquer que sa femme, qui tricotait des chaussettes vertes dans un coin du magasin, avait l'air fort bien nourrie et qu'une grosse tranche de cake était posée à côté d'elle. Je regrette que vous ayez tous ces tracas, ajouta-t-elle en se tournant vers elle.

— Passez demain – ça se pourrait bien qu'on rentre une caisse de sardines en boîte et même du savon français, lança la femme de l'épicier d'un ton enjoué.

— C'est vrai », confirma son mari. Il posa un doigt sur ses lèvres pour lui faire comprendre que l'arrivage de sardines était un secret. « Mais vous avez intérêt à venir de bonne heure. Les prix auront doublé avant l'après-midi. »

Beatrice évita la boucherie, dont la plaque de marbre de la vitrine était vide, à l'exception d'une sorte de saucisse sèche et d'une grosse tranche de foie grisâtre. La mercerie, en revanche, était très animée, comme si les habitants redoutaient réellement une pénurie de croquet et de mousseline suisse à pois au mètre. Beatrice acheta les deux derniers métrages de ruban en gros-grain gris tourterelle pour égayer une robe de deuil noire qu'elle pouvait encore très bien porter. Seule la minuscule librairie semblait regorger de marchandises, et le libraire se tenait sur son seuil à observer les passants affairés. Beatrice aurait de tout cœur souhaité entrer acheter un livre, ne fût-ce que pour remonter le moral du commerçant, mais l'absence d'argent liquide dans les boutiques et dans les banques l'incitait à la prudence. Son porte-monnaie n'avait déjà que trop tendance à se vider. Elle se contenta de lui adresser un sourire en passant, et il leva son chapeau pour la saluer.

Chez M. Samuels, fournisseur de vins fins et d'alcools en tout genre, un vendeur retirait les deux dernières bouteilles de sherry de la vitrine. Par la porte ouverte, Beatrice aperçut Harry Wheaton, dans l'uniforme du régiment de réserve de son père. Il s'appuyait nonchalamment au comptoir, son calot de travers et son col déboutonné, comme s'il s'apprêtait à aller canoter. Pendant que le vendeur emballait les bouteilles, elle l'entendit demander : «Je suppose que, malgré la crise, vous continuez à honorer le compte ouvert par mon père ?

— Oui, monsieur, sur les stocks dont nous disposons, répondit le vendeur. Mais si vous pouvez payer d'avance, en souverains-or, monsieur, M. Samuels devrait être en mesure de vous procurer du bordeaux et même du cognac.

— Renseignez-vous je vous prie et faites-moi passer un message si c'est effectivement le cas», approuva Wheaton.

Beatrice poursuivit sa route pour ne pas avoir à le rencontrer, mais elle n'avait pas encore atteint l'intersection suivante qu'il la héla à grands cris. Tout en rougissant jusqu'aux oreilles de se faire aborder aussi bruyamment dans la rue, elle s'arrêta et fit demi-tour pour le saluer.

«Mademoiselle Nash, vous êtes l'image même de la félicité domestique avec votre petit panier, dit-il en redressant son calot et en singeant une courbette cérémonieuse. J'espère que vous avez eu plus de succès que moi dans nos pauvres boutiques ?

— Les gens qui en ont les moyens donnent l'impression de prendre plaisir à se ruer dans les boutiques pour remplir leurs caves et leurs garde-manger en attendant la fin du monde, remarqua-t-elle. Mais je crains que les magasins vides et les prix élevés du pain et de la viande n'imposent de rudes épreuves à beaucoup.

— Parlez-moi d'épreuves ! Il n'est plus possible de trouver une bouteille de vin correct dans ce pays. J'ai pris deux bouteilles de sherry, et je me demande bien pourquoi. Hors de prix ! En plus, je ne bois jamais de ce machin-là.»

Beatrice rit, moqueuse.

«Si vous n'en buvez pas, vous l'avez payé trop cher, monsieur Wheaton.

— Vous avez raison, mademoiselle Nash, acquiesça-t-il en grimaçant. Mais si je l'offre, pareil présent en des temps aussi difficiles ne vaudra-t-il pas davantage que son prix ?

— Vous avez raison.

— Dans ce cas, permettez-moi de déposer une de ces bouteilles dans votre panier. Je sais que les dames ne dédaignent pas un petit verre de sherry de temps en temps. »

Il s'apprêta à ranger une bouteille à côté du sachet de biscuits.

« Je ne peux pas accepter », protesta Beatrice.

Mais en sauvant les biscuits d'un écrasement imminent, elle dégagea juste l'espace dont Harry Wheaton avait besoin pour glisser la bouteille. Il recula en riant.

« Voilà, mademoiselle Nash, et maintenant, je demanderai à ma sœur d'accepter que je l'accompagne quand elle viendra prendre le thé chez vous, et vous pourrez nous offrir du sherry avec nos scones.

— Que vous refuserez, je suppose ?

— Par les temps qui courent, on ne devrait offrir à manger et à boire qu'aux invités dont on est sûr qu'ils refuseront. Ma propre mère sert actuellement à tous nos visiteurs sa confiture de groseilles à maquereau en espérant bien qu'ils repartiront affamés.

— Dans la mesure où refuser votre présent ne manquerait pas de provoquer un tapage public supplémentaire dans la rue, remarqua Beatrice, il ne me reste qu'à accepter avec tous les remerciements qui s'imposent.

— Parfait, approuva-t-il. Je dirai à ma sœur que j'ai vraiment réparé tous mes torts. Elle ne tarit pas d'éloges sur votre petit cottage. Il semblerait qu'elle adore jouer les bergères, comme Marie-Antoinette.

— Ses visites m'honorent beaucoup. Votre sœur s'est montrée extrêmement généreuse. »

Non contente de l'inviter à déjeuner et à jouer au tennis avec elle, Eleanor était venue prendre le thé chez elle à deux reprises, lui apportant chaque fois des cadeaux utiles, parmi lesquels un épais châle de lin brodé de roses cent-feuilles à la laine à tapisserie, quelques métrages de tulle français qui lui restaient de la confection d'une robe et une chocolatière en argent.

« C'est ma vieille nounou qui m'a fait ce châle, lui avait expliqué Eleanor. Je n'ai jamais trouvé d'excuse valable pour m'en défaire, mais je suis sûre qu'il est beaucoup trop rustique pour la famille de mon mari. »

Beatrice s'était contentée de sourire et de la remercier, prise en étau entre une reconnaissance sincère pour la gentille attention d'Eleanor et un léger pincement d'humiliation à l'idée d'être considérée, aussi aimablement que ce fût, comme un objet de charité.

« Si j'offre l'autre bouteille à la nounou allemande, elle me pardonnera peut-être d'avoir fait tomber le bébé sur le gazon hier, reprit Harry Wheaton en caressant une barbe imaginaire. D'un autre côté, je suis en train de poursuivre de mes assiduités une ravissante jeune fille dont la mère veuve tiendrait certainement en haute estime le gentleman qui lui apporterait un tel présent.

— Vous devriez avoir honte de vous, monsieur Wheaton, lui reprocha fermement Beatrice.

— À moins que quelque parangon féminin de respectabilité n'entreprenne de me réformer, je crains bien d'être incorrigible, soupira-t-il. Accepteriez-vous de me sauver, mademoiselle Nash ?

— Certainement pas. Je vous souhaite une bonne journée, monsieur Wheaton. »

Il souleva son calot et partit en riant. Regardant autour d'elle, Beatrice aperçut deux vieilles dames qui, sourcils froncés, chuchotaient à son propos sous une porte cochère. Elle se redressa et s'éloigna d'un pas digne, résistant à l'envie de prendre ses jambes à son cou.

Beatrice avait disposé des feuilles de papier blanc et des crayons taillés sur la table de son salon et hésitait entre différents extraits de Virgile et d'Horace dans une anthologie scolaire de latin toute cornée, quand un violent coup porté contre la porte de derrière lui annonça l'arrivée habituelle de ses élèves par la ruelle. Quittant la partie de la maison réservée à Mme Turber, Abigail se précipita pour les faire entrer, et Beatrice eut l'impression qu'une discussion animée se déroulait dans l'arrière-cuisine, avant que Snout ne franchisse le seuil en traînant les pieds, seul, casquette à la main. Comme toujours, il avait manifestement subi une inspection maternelle méticuleuse, car il était briqué à en être écarlate derrière les oreilles tandis que ses cheveux mouillés étaient soigneusement lissés sur son crâne. Ses vêtements, bien qu'élimés, avaient été brossés et repassés et, appréciant cette marque de respect, Beatrice se reprocha d'avoir failli mettre Abigail en garde contre le jeune bohémien. Celui-ci avait retiré ses souliers dans l'arrière-cuisine et sautillait d'un pied sur l'autre dans le salon, tordant ses chaussettes de son mieux pour dissimuler plusieurs trous. Elle faillit lui sourire, mais l'absence de ses camarades lui interdisait toute indulgence et l'obligea à lui adresser son regard le plus sévère.

« Arty et Jack sont affreusement malades, mademoiselle », commença Snout. Il la regarda droit dans les yeux en proférant ce mensonge, tout son visage crispé dans une expression d'inquiétude presque convaincante. « C'est peut-être de nouveau la bronchite, mademoiselle. Ils en ont eu une mauvaise tous les deux l'hiver dernier. »

La bronchite était un fléau récurrent des hivers britanniques humides, et la famille de son père avait beaucoup polémiqué à ce propos, comme si c'était cette maladie qui risquait de l'emporter et non le cancer. Elle n'appréciait guère que Snout brandisse pareil spectre comme excuse, ni qu'il la pense suffisamment naïve pour croire à une bronchite en plein été, l'un des plus ensoleillés et des plus chauds de mémoire d'homme. Mais elle savait aussi qu'il était le bouc émissaire, le messager de garçons qui faisaient certainement partie des dizaines de gamins rassemblés sur le pont de chemin de fer pour agiter la main au passage des convois de troupes, ou venus observer les réservistes du colonel Wheaton qui faisaient l'exercice dans leur camp installé dans les champs.

«J'espère qu'ils n'ont pas l'intention de mourir juste pour échapper à mes leçons», dit-elle.

La morosité manifeste avec laquelle les trois garçons avaient accueilli la chance d'avoir une répétitrice de latin pour l'été était presque comique. Elle n'était pas surprise qu'ils cherchent à l'éviter.

«J'imagine que tu ne présentes pas des symptômes aussi funestes, jeune homme.

— Ça me pique un peu dans la gorge, mademoiselle, répondit Snout. Peut-être que je ferais mieux de rentrer chez moi et de me mettre au lit, au cas où.

— Quel dommage ! Si tu étais resté, tu aurais pu manger tous les petits pains et les biscuits, soupira Beatrice au moment où Abigail entrait avec une cruche de cordial aux fleurs de sureau et une assiette sur laquelle elle avait disposé les petits pains et des morceaux de biscuits. J'avais pensé que vous vous régaleriez. J'ai bien peur qu'ils ne se gâtent si vous êtes tous absents.

— Je peux rester si ça vous fait rien, mademoiselle, se reprit Snout, les yeux écarquillés. J'ai fait mes devoirs et j'ai apporté les leurs aussi.»

Il fouilla dans une sacoche de cuir éculée et en sortit les cahiers sales et tachés d'encre dans lesquels ses camarades et lui s'efforçaient de traduire les passages de Cicéron ou de César qu'elle leur donnait.

«Je serais ravie que tu restes. J'avais l'intention de te montrer un livre que j'aime beaucoup.» S'approchant de la bibliothèque la plus proche, elle en sortit le mince volume relié cuir de l'*Énéide* de Virgile dans lequel son père lui avait appris la poésie latine. « Tu pourrais peut-être y jeter un coup d'œil pendant que je corrige ton travail. Commence où tu veux. »

Pendant qu'elle notait ses corrections, elle vit Snout mastiquer ses biscuits tout en buvant son cordial. Il semblait tellement absorbé dans sa lecture qu'il tendait la main vers les biscuits ou vers sa tasse sans regarder, et Beatrice se mordit les lèvres, essayant d'ignorer les possibles éclaboussures et miettes qui risquaient d'abîmer les pages du précieux ouvrage de son père. En corrigeant son devoir, elle constata avec étonnement que Snout continuait à manifester une compréhension élémentaire mais juste de la traduction, et que son écriture, bien qu'épouvantable, révélait des efforts laborieux. Arty et Jack faisaient moins de pâtés, mais ils se jetaient tête baissée dans les pièges de traduction les plus grossiers. Jack semblait avoir pour politique de ne jamais revenir en arrière, de sorte que la fin de ses paragraphes était toujours joyeusement incompréhensible. Quand elle eut fini, elle rejoignit Snout à la table près de la fenêtre. Il releva la tête de son livre, le visage poisseux de petit pain, et lui adressa un sourire inattendu.

« C'est une histoire épatante, cette *Énéide*, pas vrai, mademoiselle ? dit-il, les yeux brillants d'intérêt. On sent l'odeur de Troie qui brûle, et on croit qu'Énée va mourir, mais voilà-t-y pas qu'il sort des flammes, avec son père sur son dos.

— C'est un fils vertueux », approuva Beatrice doucement.

Elle ne pouvait plus lire ces passages de l'épopée sans avoir les larmes aux yeux en pensant à son père, si léger à la fin qu'elle l'aurait volontiers porté sur son dos pour le mettre hors d'atteinte de la mort.

« Il lui reste rien, mais il renonce pas, hein ? reprit Snout. Et ses hommes... "Un jour, vous repenserez à vos problèmes comme si c'était rien", qu'il leur dit. *Forsan et haec olim meminisse jubavit.*

— Peut-être un jour le souvenir du passé vous aidera-t-il, ajouta Beatrice.

— Si vous mourez pas avant, bien sûr, précisa Snout. Il a perdu la moitié de ses bateaux rien que pour aller en Italie.

— J'ai toujours trouvé que l'*Énéide* de Virgile était le plus passionnant des textes latins, renchérit Beatrice. Aimerais-tu que nous le lisions tous ensemble ?

— J'suis pas sûr que ça plairait aux autres, remarqua Snout en fronçant le nez de doute. D'habitude, on lit simplement un passage ou deux et on se sert du dictionnaire pour écrire la traduction. »

Bien qu'il s'efforçât d'avoir l'air indifférent, elle remarqua qu'il retirait précautionneusement quelques miettes tombées sur le livre de son père et le refermait avec une délicatesse inattendue.

« Tu ne trouves pas que des traductions écrites représentent trop de travail en période de vacances, Snout ? demanda-t-elle, amusée de voir l'intérêt le disputer à la méfiance sur son visage. Il est bien plus amusant de lire toute l'histoire et d'en discuter.

— J'suis pas sûr qu'Arty et Jack trouveront ça plus facile, mademoiselle. Il faut quand même essayer de comprendre ce que ça raconte ; comme ça, on sait qui est vivant et qui est couché par terre, la tête tranchée en plein milieu, avec les joues tombant d'un côté et la cervelle dégoulinant sur les épaules.

— Je dois avouer que ce livre regorge d'atrocités sanglantes, reconnut Beatrice.

— Le passage où la reine de Carthage, elle grimpe sur le bûcher funèbre et se transperce avec une épée, mademoiselle ; ça c'est horrible, ajouta-t-il.

— Ce serait sans doute trop affreux pour vous, tu as raison. »

Tandis que Snout se hâtait de la rassurer et de la convaincre qu'ils pouvaient endurer sans peine toutes les horreurs des combats antiques, Beatrice sourit et, dissimulant sa surprise, constata que le jeune garçon avait de toute évidence déjà lu l'intégralité de l'épopée auparavant.

« Et si nous jouions ce texte comme une pièce de théâtre ? » suggéra-t-elle.

Le vague projet de stimuler et d'amuser ses élèves de latin en montant un spectacle collectif commença à se former dans sa tête.

« Nous pourrions trouver des épées et ces boucliers ronds...

— Et nous flanquer des coups sur la tête pendant qu'on récite ? fit Snout. Ça, ça me plairait, oui.

— Très bien, l'affaire est entendue. Nous allons donc passer l'été à nous replonger dans l'*Énéide*; et à l'automne, vous m'aiderez tous les trois à transmettre à toute la classe de latin la passion d'Énée et de ses aventures.

— J'suis pas sûr que ça plaira à Arty et Jack, reprit Snout, en plissant à nouveau le nez. Ils vont sûrement se débrouiller pour que ça me retombe sur le dos, je sais pas trop comment. »

Beatrice poussa un soupir exaspéré.

« M. Grange me disait que tu avais de bonnes chances de réussir le concours annuel d'attribution de bourses de latin pourvu que tu travailles dur. Mais si tu passes ton temps à t'inquiéter de ce que les autres diront, j'ai bien peur que tu ne finisses par gâcher ton avenir, jeune homme.

— Moi? Me présenter pour une bourse? demanda Snout en grognant. Ils en donnent jamais aux gens comme moi, mademoiselle.

— Elles sont accordées strictement au mérite, Snout. Personne n'ira compter les trous de tes chaussettes.

— Pardon, mademoiselle. »

Il rougit et Beatrice regretta sa brusquerie. Ses camarades devaient certainement lui en faire voir de toutes les couleurs.

« Nous pourrons reparler de cette histoire de bourse au début du trimestre, poursuivit-elle. En attendant, je te suggère de ronchonner à n'en plus finir quand tu parleras à Arty et Jack de mes projets épouvantables, mais d'insister lourdement sur le cordial et les petits pains. »

Cette entreprise de corruption ne serait peut-être pas financièrement viable ni moralement défendable pour l'ensemble de sa classe de latin du trimestre d'automne, mais elle sourit en songeant que pour l'été, elle avait deux élèves qu'elle pouvait certainement acheter et un troisième qui, sous les dehors du plus ombrageux et du moins avenant des garçons, avait l'étoffe d'un authentique humaniste.

Coiffée d'un chapeau qui avait tout du chou, Mme Turber était coincée au dernier rang de la salle du conseil de l'hôtel de ville au milieu d'une masse de couvre-chefs identiques, tandis que M. Tillingham trônait devant, portant son costume de tweed brun comme un uniforme de général. Toutes les petites fenêtres de la salle voûtée avaient été ouvertes pour laisser pénétrer l'air vespéral, malheureusement accompagné de la poussière de la rue et du vacarme de la fanfare municipale qui jouait sur les pavés, plus bas. Déchirée entre le devoir moral d'assister à cette réunion et la crainte légitime de se faire accaparer par une multitude de dames à la mine autoritaire, Beatrice avait presque décidé de s'esquiver quand Agatha Kent lui fit signe, lui indiquant un siège libre.

« S'il suffisait d'arborer une cocarde à son chapeau pour gagner la guerre, remarqua Beatrice en s'asseyant derrière une dame qui en donnait une illustration particulièrement volumineuse et festonnée, elle serait peut-être déjà terminée. »

Elle songea que son père aurait été consterné par l'abondance d'ornements frivoles qui détournaient l'attention de la gravité du moment.

« J'imagine que les braves gens des bourgades allemandes sont, en ce moment même, en train s'assister à des réunions dans des salles tout aussi étouffantes et surpeuplées, dit Agatha en s'éventant énergiquement avec un exemplaire du programme imprimé. On pourrait croire que notre objectif est de créer plus de comités et de titres officiels que l'ennemi.

— Êtes-vous seule ? » demanda Beatrice.

Elle ne pouvait pas interroger directement Agatha sur ses neveux, mais cela faisait quelques jours qu'elle ne les avait pas vus et bien qu'elle se fût certainement refusée à le reconnaître publiquement, son esprit indépendant ne l'empêchait pas d'éprouver un vif intérêt pour ces jeunes gens.

« Hugh aide le docteur Lawton au campement, ce qui l'occupe beaucoup, et Daniel est parti se promener dans les Downs avec des amis poètes d'aspect fort peu recommandable, répondit Agatha. Je suis donc seule, en effet.

— Et Lady Emily ? Je pensais vous trouver ensemble.

— Emily Wheaton est fort affairée à transformer une aile de sa maison en hôpital d'officiers, expliqua Agatha.

— Quel admirable patriotisme !

— Si j'ai bien compris, elle espère dissuader ainsi l'armée de réquisitionner l'intégralité de sa demeure et de laisser des hommes de tous rangs saccager ses massifs, précisa Agatha.

— Patriotique et pragmatique, donc.

— Je ne vous le fais pas dire », approuva Agatha.

Sur l'estrade, le maire en grande tenue abattit son marteau sur la table pour rétablir l'ordre. Le colonel Wheaton, dont la troupe territoriale locale, disait la rumeur, était sur le point d'obtenir le statut officiel de régiment dans la nouvelle armée de volontaires de Kitchener, était assis à sa gauche. À sa droite, Mme Fothergill arborait l'uniforme du Détachement des auxiliaires volontaires de la Croix-Rouge, complété d'une écharpe de satin bleu et blanc sur lequel elle avait épinglé des roses rouges.

L'approche de la guerre avait conféré une importance nouvelle à tous ceux qui jouissaient d'un rang officiel et qui portaient l'uniforme, de sorte que les premières rangées de la salle étaient occupées par ceux qui avaient réussi à se procurer un insigne quelconque. En cet instant précis, ils se livraient à l'occupation fastidieuse de se lever à tour de rôle pour ajouter leurs déclarations cérémonieuses d'appui à la séance de l'après-midi.

« L'Association des chiens de loisir et de travail tient à faire état de son soutien inconditionnel au gouvernement de Sa Majesté », déclara le fermier Bowen, qui arborait l'écharpe verte de Grand Maréchal de ladite association.

Les boy-scouts, les pompiers et l'Association des commerçants suivirent son exemple. Beatrice chercha à oublier le filet de sueur qui commençait à se former le long de sa colonne vertébrale tandis qu'Agatha continuait à s'éventer énergiquement et que toute la salle acclamait et applaudissait à tout rompre, faisant rougir de contentement chaque intervenant. Lorsque le flot d'orateurs se tarit, Mme Forthergill se leva dans un grand bruissement de lin amidonné et attendit, le visage de marbre, que le silence se fasse.

« Le Détachement des dames auxiliaires volontaires de l'East Sussex, section de Rye, offre ses couleurs à notre souverain », déclama-t-elle.

À ces mots, toute une rangée de dames vêtues à l'identique se dressa et s'avança le long de l'allée centrale, portant une panoplie de béquilles, de caisses de fournitures médicales et de drapeaux de la nation et de l'association, attachés aux montants de brancards. Le fermier Bowen eut soudain l'air très contrarié, comme s'il regrettait de n'avoir pas pensé à faire venir des chiens parés de cocardes.

« Avons-nous terminé ? » demanda le maire, tandis que les dames regagnaient leurs sièges.

Une grande femme vêtue d'un sévère tailleur de lin noir et d'un petit chapeau se leva de sa chaise. Elle arborait pour toute décoration un macaron à sa boutonnière et portait une liasse de journaux.

« Qui est-ce ? demanda Beatrice.

— Alice Finch, une amie de Minnie Buttles, la fille du pasteur, chuchota Agatha. Elles sont arrivées récemment de Londres et ont ouvert un petit studio de photographie dans une ancienne écurie tout en bas de la grand-rue. » Observant attentivement Mlle Finch, elle ajouta : « Je dois avouer que prendre la parole à une réunion publique est un peu effronté pour quelqu'un qui est arrivé d'aussi fraîche date. »

Beatrice constata avec amusement qu'Agatha Kent n'était pas entièrement à l'abri de la méfiance provinciale à l'égard des étrangers. Plus la ville était petite, plus il fallait de décennies pour qu'on ne soit plus considéré comme venu d'ailleurs ; encore que dans un bourg comme Rye, un nouvel arrivant valait déjà un peu mieux qu'un estivant, lesquels faisaient l'objet d'un mépris général.

« L'Union nationale pour le droit de vote des femmes, section de l'East Sussex, se fait l'écho de la déclaration officielle de son siège national pour suspendre toute campagne en faveur du droit de vote. Elle déclare que son devoir sacré et son intention sont de soutenir l'ensemble des efforts de guerre de la nation », déclara Mlle Finch. Elle avait la voix rauque, comme si elle se remettait d'un mauvais rhume. « Des informations sont à la disposition de tous ceux qui souhaitent un exemplaire de nos directives nationales. »

La femme assise à côté d'elle et qui, avec ses boucles vaporeuses et son corsage à jabot, ressemblait étrangement à une poule ébouriffée par le vent, se leva à son tour avec un sourire hésitant et agita des brochures. Beatrice supposa qu'il s'agissait de Minnie Buttles. Les applaudissements furent nettement moins sonores et se mêlèrent à des gloussements et à des chuchotements. La femme au visage sévère prit l'air pincé tandis que sa compagne rougissait.

« Des suffragettes ! murmura Agatha comme si elle livrait à Beatrice un vrai sujet de scandale. Je suis sûre que dans toute la salle, des invitations à venir prendre le thé sont en train d'être discrètement annulées. »

Beatrice, qui éprouvait un certain intérêt intellectuel pour la question de l'émancipation des femmes, n'avait jamais rencontré de suffragettes en chair et en os. Elle chercha à masquer sa curiosité, n'ignorant pas que toute manifestation d'enthousiasme eût été mal vue.

Le maire abattit son marteau.

« La ville remercie ces dames pour cette réaction raisonnable, dit-il. Je suis certain que mon épouse, Mme Fothergill, serait heureuse d'obtenir le concours de vos membres pour sa campagne de tricotage de chaussettes. »

Cette perspective inspira à Mme Fothergill ainsi qu'à la dame au visage sévère une inquiétude manifeste, et Beatrice remarqua qu'Agatha dissimulait un sourire derrière son programme imprimé.

« J'ai l'intention de proposer nos services à l'armée territoriale sous forme d'une escouade d'estafettes à bicyclette et à motocyclette, répondit Mlle Finch, d'un ton aussi raide que son allure.

— Parfait, approuva le maire. Tous les projets seront présentés pendant le thé. Les associations féminines s'adresseront à Mme Fothergill à la table où l'on sert le thé tandis que les messieurs viendront nous voir, le colonel Wheaton et moi-même, au bureau, ici à droite. »

Le maire se laissa ensuite convaincre par le colonel Wheaton d'accepter la présidence du Comité des secours de guerre et entreprit de donner lecture de la liste des autres candidats audit comité : le boucher local, M. DeVere, administrerait le ravitaillement, tandis que M. Satchell, l'armateur, se chargerait de coordonner la sécurité maritime, le pasteur s'occupant des questions de morale et de pastorale et le docteur Lawton organisant les services et les programmes médicaux.

« C'est un vrai coup d'État, protesta Beatrice tout bas. N'allez-vous pas vous y opposer ? Ne souhaitiez-vous pas être nommée ?

— Je n'aurai pas l'audace de m'immiscer dans la sphère de ces messieurs, répondit Agatha, croisant ses mains sur ses genoux, le visage impassible. J'attendrai avec une patience toute féminine qu'on me dise en quoi je puis être utile.

— Vraiment ? s'étonna Beatrice.

— Non, bien sûr que non. Mais il est toujours plus facile de travailler par l'intermédiaire d'un homme idoine. Voyez-vous, j'ai déjà le docteur Lawton en place, et il s'y entend comme personne pour faire intervenir Mme Fothergill et ses volontaires exactement à ma convenance. Il ne reste plus à régler que la question des Belges.

— Comme vous le savez tous, reprit le maire, le fléau de l'armée allemande en marche a envahi cette pauvre petite Belgique et l'a ravagée avec une férocité que l'Europe n'avait pas connue au cours de tous ses longs siècles d'existence.

— Si l'on fait exception des Turcs, ma foi, objecta le colonel Wheaton.

— En effet, approuva le maire. Pareille sauvagerie n'a pas sa place dans les pays civilisés d'Europe ni dans une guerre civilisée, et on nous a priés d'apporter soulagement et secours aux dizaines de milliers de nos malheureux frères belges innocents qui fuient ces atrocités.

— Combien sont-ils? demanda le fermier Bowen, alarmé.

— Nous envisagions d'accueillir peut-être dix ou douze réfugiés à notre goût pour commencer, suggéra Mme Fothergill. Nos illustres voisins, dans la ville de Bexhill-on-Sea, prétendent en avoir déjà vingt-six, ajouta-t-elle. Sans vouloir, bien sûr, les accuser de se vanter de leur générosité.

— Mon épouse, comme vous pouvez le constater, a déjà consacré un certain temps à étudier la question.

— Moins que vous ne croyez, chuchota Agatha Kent en se levant et en agitant la main.

— Madame Kent? demanda le maire.

— Si cette salle veut bien avoir l'indulgence de prêter l'oreille aux dames inquiètes de Rye, je souhaiterais simplement applaudir ici cette chère Mme Forthergill, en notre nom à toutes, d'avoir pris l'initiative dans ce domaine. »

Elle s'interrompit pour laisser le public applaudir chaleureusement.

« Merci, ma chère madame Kent, susurra Mme Fothergill d'une voix suave.

— Nous sommes fort impatientes, Mme Fothergill et moi-même, de travailler main dans la main sur cette question, reprit Agatha, et il me semble que nous, dames de Rye, devrions profiter de la possibilité et de la chance qui s'offrent à nous de bénéficier des conseils d'un gentleman qui, non content d'avoir agi dans ce domaine à l'échelle locale, s'est déjà vu confier un rôle éminent sur la scène nationale.

— De qui parle-t-elle ? » demanda le maire à sa femme en s'efforçant vainement de chuchoter.

Ses lèvres pincées empêchèrent celle-ci de lui répondre. Son visage était devenu aussi pâle que sa robe.

« Pour le salut des Belges et afin de ne pas laisser passer l'occasion d'associer notre petite ville à la noble figure d'un porte-parole national en la matière, je ne doute pas un instant que cette chère Mme Fothergill et moi-même rejoindrons le colonel Wheaton et le docteur Lawton pour demander à la salle de nommer M. Tillingham par acclamation à la présidence de ce comité.

— Je suis certain que Mme Fothergill est tout à fait capable... »

La voix du maire fut noyée sous une tempête d'applaudissements et de hourras, qui prit encore de l'ampleur quand M. Tillingham se leva de son siège au premier rang, agitant son chapeau en tous sens et s'inclinant modestement sous les acclamations.

« Il me semble que nous avons à présent tous les responsables de comités », annonça le colonel Wheaton.

Si Lady Emily était intervenue pour qu'il agisse de concert avec Agatha Kent, il n'en montra rien. Le maire lui jeta un regard noir et sa femme s'assit brusquement, mais la salle était de toute évidence favorable à M. Tillingham, lequel feignit une légère réticence avant de monter sur l'estrade pour s'adresser au public.

« Ce petit coin de l'Angleterre éternelle a offert un foyer et un refuge au pauvre scribe errant que je suis, et je ne saurais donc vous dire toute la reconnaissance que m'inspire la confiance que vous me témoignez en me demandant de vous représenter dans cette cause importante », déclara M. Tillingham. Il posa son chapeau sur son cœur et leva les yeux au ciel comme en quête d'inspiration divine. « En un temps d'immense péril, il suffit de parcourir du regard ce bourg antique où ont vécu et vivent encore des générations d'Anglais et d'Anglaises généreux et intrépides pour savoir que nos voisins belges ne peuvent espérer asile plus bienveillant, ni plus accueillant.

— En fait, les braves gens de notre ville constituent une communauté plus parcimonieuse et plus méfiante que je n'en ai jamais rencontré, et ils détestent cordialement tous les étrangers, chuchota Agatha à Beatrice. Mais croisons les doigts. »

Comme la réunion s'achevait, Beatrice regarda autour d'elle pour essayer de trouver le moyen d'échapper aux dames, telles que Bettina Fothergill, qui jaugeait à présent toutes les femmes en fonction de leurs possibilités de consacrer l'intégralité de leur temps à l'effort de guerre. Agatha, qui s'était levée et s'apprêtait à se diriger prestement vers le couloir, prit le temps de s'arrêter et de tapoter la main de Beatrice.

« Si quelqu'un vous demande quelque chose, vous vous êtes engagée à plein temps pour les Secours aux Belges, ma chère, lui dit-elle. S'ils veulent plus d'informations, envoyez-les-moi.

— Merci », répondit Beatrice, admirant une fois de plus la perspicacité d'Agatha.

En s'esquivant hors de la salle, elle sourit en la voyant serrer la main de Mlle Finch et de sa compagne et les diriger délibérément vers la table à thé où, supposait Beatrice, Agatha comptait bien que leur enthousiasme finirait de gâcher la journée de Mme Fothergill.

Snout était à la chasse au lapin. Il avait tendu des pièges de fil de fer sous deux des nombreux trous du talus, déposant un petit tas de pelures de pomme à quelques centimètres. Il savait que l'odeur fraîche et sucrée s'insinuait à l'intérieur du terrier, emplissant les tunnels obscurs et engageant les lapins à remuer leurs oreilles ensommeillées et à froncer le museau. Allongé contre le talus de la route de terre, le dos enfoncé aussi profondément que possible dans un champ de hautes orties duveteuses, il sentait l'odeur amère de la sève laiteuse des tiges écrasées. Les fleurs roses d'un plant de mauve tremblaient au-dessus de sa tête, et la fragrance chaude de sa propre transpiration parvenait à ses narines, mêlée à l'acidité des pommes tombées dans le verger, au-dessus du versant.

Pendant qu'il attendait, il sortit de sa sacoche une traduction cornée de l'*Énéide* de Virgile. Il l'avait empruntée pour l'été, s'introduisant subrepticement dans la bibliothèque déserte et jetant le livre par la fenêtre au milieu d'un massif d'ifs pour éviter Mlle Devon, qui semblait persuadée que l'exercice de son métier de professeur d'anglais incluait la nécessité de protéger les livres scolaires des petits garçons crasseux. Ses camarades de classe auraient mis au pilori n'importe quel élève coupable de lire une page de plus que le professeur ne l'exigeait, mais il avait passé un certain nombre d'heures de retenue à la bibliothèque en suivant, le souffle court, Énée le Troyen dans l'expédition qui conduirait à la fondation de l'Empire romain. À la fin de l'année scolaire, à mi-chemin de sa troisième relecture, il n'avait pu supporter de laisser Énée à la porte de la caverne pestilentielle conduisant au royaume des morts, tandis que les chiens des Enfers aboyaient, annonçant l'approche de la redoutable Sibylle. Il avait résisté à l'envie de montrer ce livre à Mlle Nash. Les professeurs avaient tendance à exercer avec un malin plaisir leur pouvoir quasi divin de s'amuser de lui et de le punir à leur guise, et il n'avait déjà manifesté que trop d'enthousiasme pour Virgile. Pourtant, il éprouvait la singulière impression qu'elle l'aurait compris.

Tout en attendant et en lisant, il gardait l'œil sur ses collets et l'oreille à l'affût du moindre bruit trahissant l'approche du fermier – souliers cloutés, roulement de charrette, bêlements d'un troupeau de brebis formant une masse de laine chaude et huileuse, qu'un colley mordillait aux jarrets. Ce n'était pas l'heure où le fermier passait habituellement sur ce chemin, il moissonnait probablement le blé dans les champs du haut, mais il était toujours plus prudent d'être sur ses gardes. Le fermier se moquait pas mal que ce fût une voie publique et n'hésitait pas à gifler les garçons qui piégeaient les lapins et à les menacer de les dénoncer au gendarme pour braconnage. Snout sentait encore le coup qu'il avait reçu un jour du fermier qui l'avait tenu par le col, presque à l'étrangler, jusqu'à ce que le gendarme ait été appelé. Celui-ci lui avait demandé son nom complet, celui sous lequel il avait été baptisé et le fermier avait hurlé qu'il n'était qu'un sale romanichel et ne méritait pas les bienfaits de l'Église.

« Richard Edmund Sidley », avait-il répondu, un nom presque incongru à ses oreilles.

C'est que tout le monde l'appelait Snout, sauf sa mère qui l'appelait Dickie chéri (ce qui était bien pire que Snout si les autres garçons l'apprenaient un jour), et son père, qui l'appelait Fiston.

« Curieux nom pour un sale petit braconnier », avait répliqué le fermier, et le gendarme l'avait arrêté et fait monter dans sa charrette anglaise, emportant avec lui un des deux lapins morts.

Près de la ville, le gendarme lui avait donné une taloche peu convaincue, bien moins brutale que celles que sa sœur ou sa mère pouvaient lui asséner, et lui avait donné l'ordre de filer chez lui.

« Tu as de la chance qu'on ne pende plus les braconniers, lui avait-il dit.

— Vous voulez bien me rendre mon lapin ? avait demandé Snout.

— Évidemment, je pourrais t'envoyer en maison de correction », avait rétorqué le gendarme.

Snout avait alors pris ses jambes à son cou pendant que le gendarme lui criait :

« Passe le bonjour d'Arnie Sprigs à ta mère. »

Sa mère avait été une beauté en son temps, et bien des hommes de Rye secouaient encore la tête d'incompréhension à l'idée qu'elle ait préféré épouser son père.

Une feuille trembla à l'entrée du trou le plus proche. Un petit museau gris frétilla et renifla. Snout retint son souffle et chercha à apaiser les battements de son cœur. Un oiseau siffla une note pure à la cime des arbres, la ramure des haies frissonna et un lapin gris-brun se précipita tout droit dans le collet de fil de fer avant de tomber, pris de convulsions, sur le chemin de terre, du sang jaillissant de son cou. Snout enveloppa de son mieux le petit corps dans de grandes feuilles d'oseille et le fourra dans son sac. Il posa Virgile par-dessus, espérant que le sang du lapin ne le tacherait pas.

DEUXIÈME PARTIE

La guerre est déclarée : et voilà que l'hiver du monde approche
Projetant une immense ombre glaciale. [...]
Après le printemps qui fleurit dans la Grèce antique,
L'été qui jeta ses dernières flammes glorieuses avec Rome,
L'automne est venu dans la douceur, récoltes rentrées,
Un grand âge plein de lenteur, riche de tous ses fruits.
Mais voici que s'abat sur nous le farouche hiver, il faut semer
Pour un nouveau printemps, et notre semence est le sang.

Wilfried Owen, « 1914 »

10.

Les réfugiés arrivèrent par un soir de la fin du mois d'août. Le soleil couchant décochait une flèche d'ambre le long de la grand-rue, en contrebas, peignant les faîtes et les tuyaux de cheminées d'une dernière lueur colorée, tandis que les maisons de la rue pavée de Mme Turber étaient déjà profondément plongées dans leurs propres ombres. Beatrice avait été appelée à sa porte par le sifflement du train et attendait sur son seuil, comme les autres habitants. Mme Turber se tenait deux maisons plus bas avec sa voisine, serrant un châle autour de ses épaules, comme si l'arrivée des réfugiés avait fait tomber le froid de la guerre sur cette chaude soirée. Au-dessus d'elles, M. Tillingham, qu'une attaque soudaine de goutte avait empêché d'aller au débarcadère, se tenait à la fenêtre ouverte de son pavillon de jardin, fumant le cigare.

Le petit groupe conduit par le docteur Lawton et par le maire remontait lentement la rue pavée. Malgré l'âge du médecin et l'embonpoint du maire, ils se tenaient très droits, éclatants de vigueur à côté des réfugiés qui gravissaient la pente, accablés de lassitude, tête basse, épaules voûtées sous des châles ou sous les couvertures grises qu'on leur avait données. Au lieu des enfants aux bonnes joues rouges qu'avaient espéré accueillir les dames qui les attendaient à l'hôtel de ville, c'étaient surtout des familles, les parents et les grands-parents prenant appui les uns sur les autres, l'un tendant une main, l'autre offrant une épaule. Trois vieilles religieuses qui formaient l'arrière-garde constituaient comme une petite famille à part entière, habits fripés et souillés, doigts égrenant les perles de leur chapelet. Ils ne portaient tous que de petits balluchons informes, comme s'ils n'avaient pas eu le temps de rassembler leurs effets ou avaient été obligés de s'en défaire en chemin.

Beatrice ne s'était pas attendue à ce silence. Elle n'entendait que le frottement des sabots de bois et le sifflement des respirations, le tapotement de la canne du médecin et la toux rauque de quelqu'un, à l'arrière. C'était la même impression accablante de solennité que celle d'un cortège funèbre, et elle en eut le cœur serré. Un sanglot rompit le silence, un sanglot grave et plaintif, celui d'une très jeune femme qui tenait un petit enfant dans les bras et qui leva alors le visage vers la clarté, au-dessus des toits. Son châle glissa de sa tête, révélant une masse de cheveux blond pâle et un visage ovale, dont la blancheur était encore accentuée par les cernes bleuâtres qui soulignaient ses yeux. Sa robe était sale et déchirée à l'ourlet, mais Beatrice remarqua que son corsage était décoré d'une épaisse dentelle et que ses souliers, abîmés par la boue, étaient de cuir souple, avec d'élégants talons incurvés. L'enfant qu'elle portait était vêtu d'un grossier sarrau de paysan et de sabots. Ses joues rubicondes trahissaient qu'il n'appartenait pas à la jeune fille qui s'en occupait, mais à la grande famille qui la précédait immédiatement et dont la mère tenait déjà un bébé, tandis que le père avait glissé le bras autour du dos d'une vieille femme, ployée sous le poids des années et de la souffrance. Hugh Grange fermait la marche, soutenant les pas traînants d'un homme âgé qui protégeait ses yeux de la main, comme s'il en avait déjà trop vu et ne supportait plus de regarder autour de lui.

Tandis qu'ils passaient, les voisins prirent conscience de leurs propres regards posés sur eux et commencèrent à leur souhaiter la bienvenue d'une voix sourde. Les réfugiés, épuisés et trébuchants, ne firent que se recroqueviller davantage sous leurs couvertures et hâtèrent le pas vers le sommet de la colline. Hugh se tourna vers Beatrice en passant, et son visage sembla s'éclairer, comme s'il était heureux de la voir. Il lui adressa un petit signe de tête.

Beatrice avait décidé de ne pas aller à l'hôtel de ville. Bien qu'elle fût résolue à consacrer tout son temps libre au comité d'Agatha Kent, il y avait bien plus de dames que nécessaire pour accueillir les arrivants et elle ne souhaitait pas se trouver au milieu des curieux à l'enthousiasme insistant. Pourtant, elle éprouva soudain le besoin pressant de suivre le cortège et d'aider comme elle le pourrait à trouver un logement sûr aux réfugiés.

À son arrivée, un certain émoi régnait dans la salle du conseil. Des discussions animées, presque des altercations, semblaient se dérouler en plusieurs lieux de la pièce, tandis que les réfugiés assis se faisaient assaillir de toutes parts par des dames dont les bras faisaient d'imprudents moulinets en brandissant des théières brûlantes et en fourrant d'immenses plateaux de canapés sous le nez de gens qui en avaient déjà entre les mains. La dame qui martelait allègrement des rengaines de music-hall sur le piano ne se rendait pas compte qu'elle ne faisait qu'ajouter au vacarme général. Pendant ce temps, une petite fille endimanchée, à la tête enrubannée et portant une corbeille de sablés, offrait ses friandises aux réfugiés avec la timidité tremblante de quelqu'un à qui on aurait demandé de passer de la viande crue par les barreaux d'une cage à lion.

Beatrice aperçut Hugh qui se tenait à l'écart, dévorant deux canapés au jambon à la fois. « Pardonnez ma grossièreté, mais je suis affamé », dit-il en guise de salutation.

Il paraissait exténué. « Une longue journée et pas de déjeuner.

— Que se passe-t-il ? demanda Beatrice. J'ai cru observer des débats un peu vifs.

— Nous avons un certain nombre de familles nombreuses qui ne veulent pas être séparées, ce qui peut se comprendre, expliqua Hugh. Or plusieurs dames bien intentionnées ont pris toutes les dispositions nécessaires pour loger un ou deux invités chacune. Il serait difficilement admissible que des familles qui sont restées soudées malgré les brutalités allemandes se trouvent séparées par la charité anglaise. »

M. Tillingham, dont le vaste front était plissé par la concentration, se dirigea vers eux, en grande conversation avec une Mme Fothergill fort agitée.

« On ne peut qu'être ému devant une tragédie de cette ampleur, disait-il en lui tapotant le bras d'une main. Si seulement je pouvais offrir davantage que la demeure au confort très limité d'un célibataire.

— Nous avions demandé qu'on nous envoie surtout des enfants, mais d'après mon mari, les responsables se sont montrés franchement désagréables sur ce point », se plaignait Mme Fothergill. Elle repéra alors Hugh. « Monsieur Grange, vous y étiez, vous. N'était-il vraiment pas possible d'avoir des enfants ?

— Nous en avons obtenu un ou deux, répondit Hugh. Mais comme vous pouvez le voir, ils sont venus accompagnés de parents et de grands-parents, qu'ils n'avaient aucune envie de quitter.

— On aurait également pu souhaiter des personnes plus distinguées », reprit Mme Fothergill. Elle fronça les sourcils en voyant un homme boire bruyamment une tasse de thé qu'il tenait à deux mains, et baissa la voix. « Bien sûr, nous aiderons tous ceux qui sont dans le besoin, mais il est absolument impensable de demander à nos dames d'accueillir sous leur propre toit d'authentiques paysans, aussi pittoresques que puissent être leurs sabots de bois.

— La situation au débarcadère était franchement désolante, vous savez, précisa Hugh. Les responsables nous ont simplement mis un groupe de côté, comme quand on sépare un troupeau de moutons au marché du mercredi, et votre mari n'a pas eu le cœur de refuser. Je crois que le maire de Bexhill était sur place pour recueillir le lot suivant. »

Ayant apparemment apaisé l'essentiel des querelles, Agatha Kent s'approcha d'eux, une liasse de papiers et un stylo plume à la main.

« La ferme de New Road prendra une famille. Ils ont un cottage disponible, annonça-t-elle. Le colonel Wheaton a offert un pavillon de garde-chasse pour en loger une autre, et les demoiselles Porter hébergeront les religieuses en attendant que leur ordre puisse leur prêter assistance. Quant au reste, il suffira de réaménager le foyer du bas de la rue pour y loger des familles au lieu d'en faire des dortoirs pour garçons et filles comme il avait été prévu.

— Les gens vont être terriblement déçus, soupira Mme Fothergill. Ils souhaitaient tellement ouvrir leur cœur et leur demeure aux malheureux !

— Peut-être pourriez-vous dans ce cas renoncer au comptable et à sa femme, suggéra Agatha, désignant un couple de réfugiés décharnés assis, blottis l'un contre l'autre, sur une valise brune éculée. Vous avez déjà tant d'obligations avec le Détachement des auxiliaires volontaires ! D'autres dames seraient ravies que l'on fasse appel à elles.

— Je préférerais m'écrouler d'épuisement plutôt que de ne pas faire mon devoir, protesta Mme Fothergill. Je n'envisage pas un instant de déposer les armes.

— Tout le monde a-t-il trouvé un abri ? demanda Hugh.

— Il me semble, répondit Agatha. Il reste peut-être une légère difficulté à régler à propos du professeur que vous avez proposé d'héberger, M. Tillingham.

— Ce n'est tout de même pas un charlatan, j'espère? Je l'ai choisi car il m'a paru être un homme d'une grande finesse intellectuelle.

— Le seul problème est qu'il est accompagné de sa fille», dit Agatha en désignant la jeune fille pâle que Beatrice avait remarquée dans la rue.

Elle était toujours assise avec la famille paysanne, tenant le bébé pendant que sa mère buvait son thé. Tandis que ses doigts jouaient avec la menotte du petit et que le bébé tendait la main vers ses cheveux clairs, Beatrice vit s'épanouir sur son pâle visage le même sourire léger que sur une Madone de Bellini. Beatrice avait toujours vu dans cette expression de la grâce la prescience d'événements à venir, mais elle l'interpréta alors plus simplement comme un moment fugace de réconfort paisible au milieu des pérégrinations imposées aux réfugiés.

«Je ne suis pas sûr que la maisonnée d'un célibataire convienne à une jeune femme», était en train de dire M. Tillingham.

Cette perspective avait l'air de le perturber profondément, comme si une jeune fille ne pouvait manquer de mettre ses bas à sécher au salon, de se promener en chemise et de semer des épingles à cheveux sur tous les tapis.

«Si vous préférez vous désister, d'autres ne demanderont qu'à vous remplacer, remarqua Agatha.

— Non, non, je suis appelé à jouer un rôle majeur dans cette affaire à l'échelle nationale, protesta M. Tillingham. Je dois avoir mon réfugié.

— Ma foi, je suis certaine que votre gouvernante saura occuper cette jeune personne, reprit Agatha. De plus, Mlle Nash habite juste un peu plus bas dans la rue.

Je ne doute pas qu'elle sera ravie d'être invitée chez vous pour divertir votre protégée. »

À cette suggestion, le visage de M. Tillingham s'éclaira.

« Il y aurait peut-être une autre solution. Cette demoiselle ne pourrait-elle pas loger chez Mlle Nash et le professeur chez moi ?

— Ils souhaitent rester ensemble, lui rappela Agatha.

— Mais nous sommes très proches voisins, insista M. Tillingham. Pourquoi ne pas considérer le logement de Mlle Nash comme une annexe de mon jardin ? Ces jeunes personnes seraient évidemment libres de traverser la pelouse à leur guise. »

D'un simple revers de la main, il balaya le mur de brique de plus de trois mètres de haut qui masquait toute vue sur son paysage bucolique depuis la rue.

« Je crains de n'être pas maîtresse de mon propre logement, observa Beatrice, partagée entre l'agacement que lui inspirait l'attitude péremptoire de M. Tillingham et l'enthousiasme à l'idée que les portes de son domicile pourraient enfin s'ouvrir devant elle.

— Je suis tout prêt à vous accorder, à vous et à cette jeune fille, le libre usage de ma modeste bibliothèque si vous le désirez », ajouta-t-il comme si cette idée lui était venue à l'esprit après-coup.

Elle n'ignorait pas qu'il lui faisait délibérément miroiter ce privilège, mais savait également qu'elle ne pourrait pas résister.

« Je serais honorée de pouvoir être utile, bien sûr, acquiesça-t-elle.

— Au besoin, je proposerai une compensation à Mme Turber sur mes propres deniers, ajouta M. Tillingham. Mais il me semble que des fonds très importants ont été collectés pour cette cause, ajouta-t-il, en se tournant vers Agatha avec un empressement à peine déguisé.

— Votre générosité sera un exemple pour tous, M. Tillingham, dit Agatha. Allons parler au professeur.

— Ce cher M. Tillingham a l'art de s'appesantir publiquement sur sa propre indigence, remarqua Hugh quand ils se furent éloignés. Je crois bien que ses soupirs lui valent trois ou quatre invitations à dîner par semaine.

— Sans doute les plus grands écrivains sont-ils par définition trop fidèles à leur muse pour s'enrichir autant que ceux qui écrivent des fadaises divertissantes, répondit Beatrice. Il me semble pourtant occuper l'une des plus belles maisons de la ville.

— Il ne se prive de rien, croyez-moi, poursuivit Hugh. Il est aussi grand amateur de bon bordeaux que n'importe qui. Ce n'est que lorsqu'il a des invités à dîner qu'il leur sert invariablement du mouton et du vin espagnol bon marché.

— Je me réjouis déjà, sourit Beatrice. J'ai la nette impression que Mme Turber et lui vont rivaliser pour mal nous nourrir. Je ferais peut-être bien de commencer à mettre mes croûtes de pain de côté.

— Si vous souffrez de malnutrition, je m'engage à vous escorter, vous et cette jeune personne, dans un salon de thé respectable pour vous bourrer de scones et de crème.

— Comme c'est aimable à vous ! J'imagine que l'invitation tiendrait même si la jeune personne en question n'était pas une beauté.

— Avouez qu'elle a tout de la damoiselle en détresse. Mon cousin Daniel va certainement se jeter à ses pieds, parchemin à la main. » Cette perspective sembla déprimer Hugh et Beatrice se moqua de lui. « Loin de moi l'idée de suggérer que vous ne soyez pas digne d'un ou deux poèmes, ajouta-t-il. Je ne voulais pas dire...

— Je suis bien au-dessus de ces niaiseries, et ne saurais donc m'en offusquer.

— Balivernes, rétorqua Hugh. Aucune dame n'est trop âgée pour apprécier un sonnet. C'est bien pour cela que Daniel continue à en écrire pour la cuisinière de Tante Agatha, ce qui lui vaut toujours la plus grosse part de biscuit de Savoie.

— Victoire ! s'exclama M. Tillingham qui revenait avec Agatha. Cet arrangement a rencontré l'entière approbation du professeur.

— Et la perspective d'être indemnisée de la présence d'une deuxième locataire n'a pas manqué de séduire Mme Turber, compléta Agatha. Le fardeau repose donc sur vous, mademoiselle Nash. Êtes-vous sûre que cela ne vous dérange pas ?

— Elle pourra s'installer dans le coin où j'écris. Mon secrétaire devrait pouvoir trouver place dans ma chambre.

— Je vous dois une reconnaissance éternelle, ma chère enfant, reprit M. Tillingham. Il faudra que vous accompagniez votre invitée demain pour rendre visite à son père. Pas trop tôt, bien sûr. Mes matinées sont consacrées au travail. Nous pourrions nous retrouver pour le thé et je prendrai des dispositions pour réserver le salon vert au père et à la fille afin qu'ils puissent se voir tranquillement à toute heure. » Il regarda sa montre et reprit : « Enfin, pas à toute heure. Mon travail passe avant tout. »

Sur ces mots, il s'éloigna pour conduire le professeur chez lui. Beatrice observa M. Tillingham, plein de sollicitude, et le professeur, un peu plus gai, faire de brefs adieux à sa fille. Celle-ci ne dit rien et se contenta de suivre son père des yeux, les mains le long du corps, le corps légèrement incliné, comme si un fil invisible l'entraînait vers lui ; tout éclat avait disparu de son visage.

Lorsque les premiers oiseaux annoncèrent l'aube, la jeune fille qui occupait la chambre à l'étage se mit à appeler son père. Beatrice se réveilla, la joue contre le plancher, les bras et les jambes ankylosées après avoir passé la nuit sur le tapis du salon. Elle avait offert à la jeune fille épuisée son propre lit, l'avait aidée à retirer ses souliers en piteux état puis à défaire simplement boutons et corset avant de tirer les draps et les couvertures propres sur sa robe crasseuse et de la border comme une infirme. Elle avait ensuite pris une courtepointe et s'était retirée au salon pour dormir par terre. Au petit matin, le cottage était glacial et sombre, et il faisait chaud sous sa courtepointe. Il était plus facile de ne pas bouger, mais un nouveau gémissement à l'étage l'obligea à se découvrir et à se dresser péniblement sur ses pieds. Elle rassembla la courtepointe autour de ses épaules comme un châle et monta à l'étage. La jeune fille dormait profondément, mais se tournait et se retournait dans ses draps, gémissant et triturant la couverture sans cesser de marmonner des mots en français. Abigail était accroupie à son chevet, lui caressant les cheveux et cherchant à maintenir le drap d'une main.

« Là, là, restez tranquille, répétait paisiblement la jeune servante. Vous êtes en sécurité à présent et votre papa aussi.

— Faut-il faire venir un médecin ? demanda Beatrice, traversant la pièce sans chaussures, sur la pointe des pieds.

— Ça va aller, mademoiselle, la rassura Abigail. Ma maman fait des mauvais rêves quelquefois. Faut juste leur parler comme ça, comme si qu'elles étaient réveillées, et ça a l'air de les calmer.

— Je ne crois pas qu'elle comprenne l'anglais, remarqua Beatrice.

— Ça fait rien, je crois, mademoiselle, dit Abigail en se penchant pour tapoter l'épaule de la jeune fille. Juste une voix gentille dans le noir, on n'a pas besoin d'autre chose, bien souvent. »

La jeune fille poussa un soupir et s'installa plus confortablement sur son oreiller, le visage détendu. Abigail lui tapota la main, et les doigts se détendirent.

« Vous avez vraiment un don, Abigail, chuchota Beatrice. Pouvez-vous rester avec elle un moment ?

— Un petit moment, mademoiselle. C'est qu'il faut que j'allume bientôt le poêle. Vous aurez sûrement besoin d'un bon feu sous la lessiveuse pour avoir de l'eau pour un bain, même si c'est pas le jour ?

— En effet. Dans ce cas, il vaudrait mieux que vous filiez pour mettre la lessiveuse à chauffer avant que Mme Turber se réveille. Cela nous évitera de perturber sa matinée par tout ce surcroît de générosité.

— Je vais vous apporter du thé, mademoiselle. Si la demoiselle recommence à crier, tenez-lui la main, c'est tout. »

Les mains de la jeune fille étaient posées sur la couverture comme des oisillons. Beatrice se rappelait comment celles de son père, tout aussi nues et veinées de bleu, s'étaient flétries entre les siennes et comment elle avait senti la chaleur s'en retirer avant même qu'il ne pousse son dernier soupir. Dans le demi-jour glacé de l'aube, Beatrice eut l'impression que cette fille gémissante était sortie du même lieu de mort, apportant avec elle son odeur et sa terreur. L'idée de la toucher la fit frémir. Elle se laissa tomber par terre, au pied du lit, serra la courtepointe autour d'elle et regarda fixement la fenêtre, comme si cela pouvait encourager le soleil à se lever plus vite.

Il était encore tôt quand Beatrice sortit dans la cour munie d'un grand peigne, d'une large écharpe de ruban en gros-grain blanc et de sa boîte à couture. Des oiseaux chantaient dans le jardin, de l'autre côté du mur. Un papillon blanc cherchait des laiterons. Elle entendait un cheval qui hennisait doucement devant la fenêtre et faisait tinter ses grelots en secouant la tête et elle sentait l'odeur poivrée des plants de tomates de Mme Turber qui se desséchaient contre la brique chauffée par le soleil. Entourée des sons et des effluves de cette chaude matinée d'été, la jeune fille était assise sur une chaise de bois dans la petite cour située derrière le cottage, tête baissée, laissant Abigail lui frictionner énergiquement les cheveux avec une serviette.

Après avoir été doucement lavée au savon de Marseille, elle était sortie du tub de cuivre bosselé de la cuisine aussi ingénument qu'une enfant baignée par sa nounou et avait laissé Abigail et Beatrice la sécher avec deux des serviettes de toilette en coton plutôt rugueuses de Mme Turber. Elle avait une ou deux grosses ecchymoses aux bras et une vilaine entaille à la cuisse, en voie de cicatrisation ; mais les bords de la plaie avaient pris une teinte rouge noirâtre. Beatrice avait envoyé Abigail chercher de l'iode et elles en avaient tamponné la blessure, la jeune fille ne poussant qu'un petit cri sous la brûlure de l'iode. Quand il n'était resté qu'une tache violette parfaitement sèche, elles lui avaient fait enfiler des sous-vêtements de Beatrice, ni les plus vieux ni les plus neufs qu'elle possédait, et une robe d'intérieur en coton de qualité moyenne, avec une paire de pantoufles de cuir brodées qui avait toujours été trop bonne pour être jetée mais trop fleurie au goût de Beatrice. Celle-ci avait regretté de voir cette robe d'intérieur disparaître de sa garde-robe correcte mais limitée, tout en ayant conscience que ce regret signifiait qu'elle avait bien choisi – elle avait fait un vrai cadeau au lieu d'accorder la charité méprisable consistant à donner quelque chose qui n'était bon qu'à être jeté. Elle avait également été un peu peinée de voir la robe flotter sur la jeune fille, et de constater que sa couleur bleuet, contrastant avec sa peau et ses cheveux pâles, créait une harmonie digne du pinceau d'un peintre, alors qu'avec sa chevelure brune, elle avait toujours eu l'air délavée.

Quand Beatrice approcha, la fille se leva et laissa Abigail resserrer le dos de la robe par quelques points sommaires avant de nouer l'écharpe pour dissimuler la retouche de fortune. Puis elle se rassit et ne pipa mot quand Abigail se mit à l'ouvrage avec le peigne, s'efforçant de venir à bout de plusieurs mèches terriblement emmêlées. Enfin, les cheveux retombèrent lisses et raides, et Beatrice prit le relais, enroulant et épinglant cette soie couleur froment pâle en un chignon simple et bas sur la nuque. Les cheveux relevés, leur protégée avait moins l'air d'une enfant effrayée que d'une jeune fille fraîche émoulue de l'école. Beatrice lui donna environ dix-sept ans.

« Mais que se passe-t-il ici ? demanda Mme Turber, faisant irruption dans la cour, le visage cramoisi. Il y a de l'eau partout et un feu de tous les diables comme si on était en novembre.

— Abigail m'aidait à donner un bain à notre invitée, Mme Turber, expliqua Beatrice.

— Ce n'est pas parce que je lui ai offert un toit que... » La jeune fille se tourna vers elle, et Mme Turber s'interrompit aussi brusquement qu'elle avait commencé. « Par ma foi, on dirait un ange ! » murmura-t-elle sans pouvoir ajouter un mot.

Beatrice expliqua en français à la jeune fille que la grande femme au visage rouge trouvait qu'elle ressemblait à un ange. La fille sourit timidement et se leva, s'avançant vers elle.

« *Non, non.* Vous *êtes un ange, madame**, dit-elle tout bas. Un ange ! »

Et sur ces mots, elle baisa la main rugueuse de Mme Turber.

« Par ma foi, elle cause anglais, s'extasia Mme Turber qui tapota la main de la petite en ajoutant : Vous êtes *très* bienvenue *dans ma maison, mam'selle**.

— Merci, *chère madame**, je m'appelle Céleste, je suis fille de professeur Fontaine, dit la petite avec un accent français délicieusement romantique.

— Eh bien Abigail, ne reste donc pas bouche bée comme ça, dit Mme Turber à la servante médusée. Emmène Mlle Céleste et sers-lui un solide petit déjeuner. Veille à lui donner un bol de bonne crème. Peut-être aimerait-elle un peu de hareng fumé et des œufs pochés ?

— Votre générosité est sans limite, Mme Turber », remarqua Beatrice tandis qu'Abigail accompagnait Céleste dans la maison.

Elle se demanda si elle allait, elle aussi, avoir droit au hareng et à la crème ou si on lui servirait son petit déjeuner habituel composé de porridge et d'un toast, avec occasionnellement un œuf à la coque trop cuit.

« Il faut qu'elle se remplume, remarqua Mme Turber en fronçant les sourcils comme pour reprocher son indifférence à Beatrice. Et il faudra tout de même lui trouver mieux que ce chiffon de robe, poursuivit-elle. J'ai conservé quelques vêtements de quand j'étais plus jeune. J'avais la taille fine comme un colibri, disait toujours mon mari...

— C'est ma deuxième meilleure robe d'intérieur, coupa Beatrice, un peu distraite parce qu'elle cherchait à imaginer à quoi pouvait ressembler le tour de taille d'un oiseau.

— Ma foi, sans doute que ça peut aller, reprit Mme Turber d'un air dubitatif. Mais Mlle Céleste est manifestement une demoiselle extrêmement raffinée. »

Elle laissa la suite de sa pensée en suspens et Beatrice éprouva l'envie indigne de lui clouer le bec en prononçant le nom de Tante Marbely. Cette idée la rendit hargneuse.

« Elle est très blonde et très charmante, c'est un fait. Mais si la pâleur était un critère de rang et de raffinement reconnu par tous, les membres de la famille royale seraient probablement tous albinos.

— Je faisais allusion à ses manières respectueuses. Certaines feraient certainement bien d'en prendre de la graine.

— Très juste, Mme Turber. Vous avez évidemment raison et je suis une harpie.

— La famille royale, franchement ! Je n'ai jamais été aussi choquée de ma vie.

— J'en suis doublement navrée, car je sais que vous êtes femme à vous choquer aisément, reprit Beatrice. Je suis ankylosée et de mauvaise humeur parce que j'ai dormi par terre et me suis réveillée trop tôt.

— Je suppose que vous allez vouloir récupérer le lit qui était dans votre chambre quand vous êtes arrivée ? » demanda Mme Turber.

Beatrice ne pouvait imaginer pire cauchemar. Le cadre vermoulu et le matelas défoncé n'avaient pu devenir que plus vermoulus et plus défoncés encore, et plus humides, à la suite de leur séjour dans la cave de Mme Turber où les souris avaient eu tout loisir de les ronger.

« Mme Kent m'a promis d'en faire envoyer un autre, répondit-elle. Mais si vous avez effectivement des vêtements et du linge de maison en trop, je suis sûre que Céleste vous sera très reconnaissante de vos largesses. »

Mme Turber s'épanouit visiblement à cette suggestion.

« Je les retoucherai pour elle de mes propres mains, cette chère petite. J'ai une robe ou deux et des jupons de flanelle rouge qui devraient avoir encore de belles années devant eux. Une dame comme il faut a toujours besoin de bons jupons solides.

— En toutes saisons et par tous les climats, Mme Turber », renchérit Beatrice, qui sourit en voyant sa logeuse se précipiter à l'intérieur de la maison.

Elle s'étonnait elle-même d'éprouver une telle ardeur à l'idée de participer à la grande entreprise en cours.

Accorder l'asile était une tradition ancestrale, et pourvu que la fierté ne se transforme pas en arrogance – elle ne devait surtout pas commencer à parler de « sa » réfugiée, comme Mme Fothergill –, elle reconnaissait qu'il était satisfaisant de jouer un rôle, même ténu, dans l'effort de guerre.

Mme Turber n'était pas la seule habitante de Rye à être tombée sous le charme de Céleste. Mme Saunders, qui s'occupait de la lessive et de la couture, fut convoquée après le petit déjeuner pour emporter sa robe abîmée. Dans le couloir, elle secoua la tête en expliquant à Beatrice qu'il était impossible de nettoyer cette belle soie, désormais irrécupérable, mais quand Beatrice la fit entrer au salon pour en faire part à Céleste – car elle se refusait à disposer de ce vêtement, même endommagé, sans la consulter –, Mme Saunders fondit en larmes lorsque la jeune fille haussa timidement les épaules d'un air compréhensif : elle lui promit, d'une voix entrecoupée de sanglots, d'accomplir les travaux d'Hercule pour sauver sa robe.

« Dites-lui que cela ne fait rien, chuchota Céleste à Beatrice. Je ne la porterai plus jamais.

— Bien sûr que si, vous pouvez avoir confiance dans le talent et les compétences de mes mains, protesta Mme Saunders. La dentelle sera comme neuve, aussi sûr que je suis une bonne Anglaise, car je la nettoierai avec le pain bénit du dimanche et mangerai des pommes de terre à la place. »

Mme Saunders s'était sûrement laissée aller à quelques confidences à propos de Céleste à la quincaillerie des frères Pike, parce que moins d'une heure plus tard, la mère d'Arty frappa à la porte pour déposer un petit nécessaire de couture et plusieurs longueurs de ruban à cheveux pour « cette pauvre demoiselle », tandis que juste avant le déjeuner, les demoiselles Porter arrivaient, flanquées d'une des religieuses, dans l'éventualité où la petite aurait besoin de conseils spirituels. Elles offrirent à Céleste un pot de leur propre confiture de groseilles à maquereau. Le déjeuner lui-même fut interrompu par l'arrivée du factotum d'Agatha Kent qui apportait un nouveau lit dans sa charrette, et Céleste jeta à Beatrice un regard épuisé lorsque Smith et le garçon de ferme hissèrent laborieusement le sommier dans la cage d'escalier et déplacèrent à grand bruit le secrétaire avant d'assembler les montants du lit avec des maillets de bois, tandis que le cheval s'ébrouait devant la fenêtre ouverte avant de plonger la tête dans les jardinières pour grignoter les géraniums de Mme Turber.

Beatrice avait envoyé Céleste se reposer dans sa petite alcôve équipée de rideaux neufs et envisageait de se retirer dans sa propre chambre quand un cri effroyable s'éleva du rez-de-chaussée ; Abigail l'appela, lui demandant de descendre prendre livraison d'un lapin fraîchement tué dont la vue avait donné des vapeurs à Mme Turber. Les trois jeunes élèves de Beatrice s'étaient introduits par la porte de derrière et étaient venus frapper à la cuisine chargés de ce présent, espérant que la princesse belge accepterait de leur faire signe depuis la fenêtre de l'étage. Il n'y avait pas à s'en faire, lui dit Abigail. Elle avait flanqué à Snout une bonne gifle pour le punir de son impertinence et les avait fait filer tous les trois. Beatrice lui fit remarquer qu'il n'était pas sans risque pour une fille aussi menue qu'elle de gifler des garçons.

« C'est mon grand frère, mademoiselle, expliqua Abigail. Il sait qu'il s'en prendra une autre s'il ne se tient pas correctement. »

Beatrice fut atterrée. Comment leur air de famille, l'expression commune de détermination de leurs visages minces avaient-ils pu lui échapper ? Elle avait été si près, à plusieurs reprises, de lâcher quelque remarque ou de mettre Abigail en garde contre la famille de Snout !

« Ce lapin est superbe, dit-elle alors, rouge de confusion. Remercie bien ton frère de ma part, veux-tu ?

— Vaudrait mieux pas. Il l'a sûrement braconné. Il va avoir des ennuis s'il fait pas attention.

— Ton frère est un excellent élève, reprit Beatrice, cherchant à se racheter, ne fût-ce que pour apaiser sa propre conscience.

— Si seulement il avait que l'école en tête au lieu de courir les bois comme il fait, répondit la jeune servante. J'espère que vous êtes sévère avec lui, mademoiselle. Il doit travailler dur.

— Et toi, tu aimais l'école ? » demanda Beatrice.

Si Abigail était aussi intelligente que son frère, il était vraiment dommage qu'elle consacre son existence à passer des grilles au noir et à vider des pots de chambre.

« Oh oui, mademoiselle, j'adorais ça. Seulement, pour une fille comme moi, trop d'instruction, c'est du gâchis. Je vais sûrement me marier, alors c'est mieux d'avoir travaillé quelques années comme domestique et d'avoir mis deux trois sous de côté pour pouvoir choisir, au lieu de devoir prendre ce qui se présente. Vous savez bien comment ça se passe.

— Ce n'est sûrement jamais du gâchis de se nourrir l'esprit, objecta Beatrice, émue mais impressionnée par le pragmatisme avec lequel la jeune fille analysait ses perspectives.

— Sans vouloir vous offenser, mademoiselle, c'est très bien pour une dame comme vous, mais moi, je suis la fille d'un maréchal-ferrant. Ça m'étonnerait que le mari que je trouverai un jour soit ravi d'avoir une femme qui se donne des airs à lire des livres et toutes ces fariboles.

— À mon avis, tu découvriras que la plupart des femmes en quête d'un mari ont intérêt à paraître moins instruites qu'elles ne le sont en réalité, commenta Beatrice. D'où la piètre opinion que j'en ai.

— Des femmes, mademoiselle ?

— Non, des maris.

— Peut-être que j'en aurai pas besoin si mon frère réussit bien dans la vie avec toute cette école, remarqua Abigail, mélancolique. Au moins, si je tenais son ménage, je saurais qui commande – et ce ne serait pas lui, vous pouvez me croire. »

11.

M. Tillingham et le professeur étaient installés sur la pelouse, deux silhouettes sombres autour d'une table de fer blanche, sous les branches étales d'un vieux mûrier, éclairé par le soleil. La théière n'avait pas encore été sortie, mais une assiette de petits gâteaux et un plateau d'argent couvert de fines tranches de pain beurré suggéraient son arrivée imminente. Seuls les frémissements de la nappe blanche déployée sur la desserte pliante animaient ce décor vert et silencieux. Hugh se demanda si la scène qu'il avait sous les yeux était une illusion ou si les images de la veille, cette foule de réfugiés harassés qui s'entassaient sur les quais de Folkestone, n'avait été qu'un songe. De toute évidence, ces visions étaient issues de deux mondes incompatibles.

Quand, dans la matinée, M. Tillingham avait envoyé un billet invitant Tante Agatha et ses neveux pour le thé, Hugh avait suggéré qu'il serait peut-être préférable d'accorder un peu de répit aux réfugiés épuisés recueillis par l'écrivain.

« C'est exactement pour cela que nous devons y aller, avait rétorqué sa tante. Si nous refusons, il n'y a pas moyen de savoir qui M. Tillingham invitera à notre place. »

« Bienvenue, messieurs, lança alors M. Tillingham en agitant sa canne. J'espère que ces dames sont en route ? » Se tournant vers le professeur, il ajouta : « Ce beau temps a tendance à dessécher le pain et il serait honteux actuellement de gaspiller du bon beurre. »

Le professeur se leva pour les saluer et Hugh, qui ne lui avait pas accordé grande attention pendant le long voyage depuis Folkestone, constata qu'il n'était pas aussi âgé qu'il l'avait cru. Vêtu de propre et rasé de près, il présentait une silhouette compacte mais parfaitement droite. Il portait une veste de tweed sombre sur une chemise blanche à col montant et une cravate d'un rouge terne, un pantalon de flanelle brun foncé serré à la taille et des chaussures de cuir souple. La chemise était trop grande, comme en témoignait le col un peu trop écarté du cou. Observant le regard approbateur de M. Tillingham, Hugh supposa qu'il avait personnellement fait don de cette tenue et n'était pas mécontent de l'aspect professoral qu'elle conférait à son protégé.

« Vous avez l'air en bien meilleure forme, professeur, remarqua Hugh. J'espère que vous avez passé une bonne nuit ?

— La demeure de M. Tillingham a été un havre pour mon corps et un baume pour mon esprit, répondit le professeur. Je lui disais à l'instant que j'ai l'impression de revenir à la civilisation après l'interminable traversée d'un continent infiniment plus obscur.

— Vous seriez bouleversés si je vous racontais les épreuves qu'a endurées le professeur, renchérit M. Tillingham. Mais je crains qu'elles ne dépassent ce que les dames pourront supporter.

— Tante Agatha et Mlle Nash vous en voudront certainement d'oser suggérer que leurs oreilles sont trop sensibles pour de tels récits, remarqua Daniel, subtilisant nonchalamment une tranche de pain sur la table à thé et s'installant dans un fauteuil pour la grignoter.

— Mais peut-être la fille du professeur n'appréciera-t-elle pas de revivre toutes ces tribulations ? intervint Hugh. Comment va-t-elle, monsieur ?

— Je ne l'ai pas encore vue aujourd'hui. Elle avait grand besoin de repos. En effet, bien que je l'aie épargnée autant qu'un père puisse le faire – ma pauvre enfant –, elle a vu *des horreurs**.

— Héroïque, lança M. Tillingham en se caressant le menton. L'homme de savoir s'opposant à la horde brutale. Un thème antique.

— Je suis passé au foyer aujourd'hui, reprit Hugh. Certains de vos compatriotes ont manifestement beaucoup de mal à dormir. Le docteur Lawton et moi-même avons dû prescrire des somnifères à plusieurs d'entre eux.

— Je ne suis pas surpris qu'ils soient brisés. » Le professeur soupira. « Pour des paysans, perdre leurs maigres possessions et être expulsés de chez eux – je suis certain que cela les affecte aussi profondément que les plus nantis. Toutefois, mes pertes elles-mêmes, qui ne sont pas négligeables, ne sont rien à côté de la destruction de la civilisation dont j'ai été le témoin.

— Les Allemands ont incendié la bibliothèque de l'université du professeur qui contenait des ouvrages très anciens, expliqua M. Tillingham. S'il nous fallait une nouvelle preuve qu'ils n'ont aucun respect pour la civilisation...

— J'ai réussi à persuader leur commandant de sauver quelques-uns des volumes les plus précieux, interrompit le professeur. Mais lui-même, un homme éduqué auprès de qui j'ai pu plaider la cause de la raison, a été incapable d'empêcher ses troupes de mettre le feu au bâtiment. »

Sortant un grand mouchoir de sa poche, il détourna le visage.

Hugh n'était pas convaincu que brûler des livres constituât un crime plus grave qu'expulser de chez elles des familles misérables à la pointe de la baïonnette. Et la douleur qu'il avait pu observer sur les quais de débarquement semblait toucher pareillement riches et pauvres. Il tint cependant sa langue, estimant que l'auditoire présent ne ferait certainement pas bon accueil à un débat sur de telles questions – car il ne doutait pas que les discussions animées fussent les premières victimes des conflits armés.

Pour Beatrice, voir s'ouvrir la porte d'entrée de M. Tillingham était voir s'ouvrir un temple. Marchant dans le sillage d'Agatha Kent et de Céleste, elle sentait déjà l'odeur des livres, qui dominait la fragrance des meubles cirés et le parfum de gâteaux frais émanant d'une cuisine invisible. Des livres à reliure de cuir, de vieux livres aux pages jaunies, des livres neufs dégageant l'odeur pénétrante de l'encre d'imprimerie et la promesse de pages crissantes, attendant encore le coupe-papier. Brochures et livrets de colportage dans des cartons, papier vierge tout prêt à accueillir la plume ou à être glissé dans une machine à écrire. Elle se trouvait en terrain familier et sentait s'éveiller l'infime espoir, encore vacillant, d'être la bienvenue dans ce vestibule carrelé, dans ces salons à haut plafond. M. Tillingham l'inviterait-il vraiment à faire usage de sa bibliothèque ? Et si sa secrétaire contractait soudain une maladie passagère, permettant ainsi à Beatrice de la remplacer et de jouer le rôle d'assistante qu'elle avait si souvent joué pour son père ? Le grand homme, dans sa gratitude, ne se prendrait-il pas d'un intérêt avunculaire pour ses écrits, comme pour ceux de Daniel ? L'espace d'un instant, Beatrice laissa son esprit se repaître de ces perspectives heureuses et sentit naître en elle un frémissement d'optimisme qu'elle n'avait pas éprouvé depuis la mort de son père.

Sa rêverie fut interrompue par Céleste, dont la main se crispa sur son bras. La jeune fille tremblait de tous ses membres et son visage était blême. Beatrice se rappela brutalement que le plaisir d'être enfin accueillie dans le saint des saints de M. Tillingham avait été acquis au prix de beaucoup de pertes et de malheurs, et qu'il était insensé de leur part d'obliger cette jeune fille à affronter un jardin rempli d'inconnus.

« *Courage, ma petite**, dit-elle en tapotant la main de Céleste. Nous allons voir votre papa. »

Pendant le thé, le professeur et M. Tillingham dissertèrent à n'en plus finir sur la situation en Belgique. Beatrice refusa poliment une seconde tasse et fut soulagée qu'Agatha lui chuchote qu'elle pouvait fort bien quitter la table pour aller admirer le jardin. Elle s'était arrêtée pour contempler une fleur de clématite violette tout ébouriffée qui étalait ses pétales de velours contre les vieilles briques du mur du jardin, quand Daniel, fumant un de ses cigarillos malodorants, arriva sur l'étroit sentier en compagnie de Hugh.

« Pourrait-on imaginer sujet plus sentimental pour un peintre ? » demanda Daniel en pointant du menton le professeur et sa fille à l'autre extrémité de la pelouse.

Le professeur occupait son fauteuil comme un trône d'osier et Céleste, assise à côté de lui sur un tabouret bas, également en osier, la main posée sur sa manche, le corps légèrement tourné vers son père et le visage relevé, avait tout d'une princesse suppliante. Le professeur, dont l'héroïsme était peut-être accentué par cet air d'adoration, continuait à pérorer tandis qu'Agatha Kent et M. Tillingham étaient figés dans des attitudes de vive attention.

« On pourrait peut-être l'intituler “Le répit après la tempête” ? Ou bien “Les réfugiés reconnaissants” ? poursuivit Daniel. Il faut avouer qu'il est difficile de résister à un tel plaidoyer en faveur d'un appel immédiat aux armes.

— Ne peux-tu vraiment jamais renoncer à tes railleries ? demanda Hugh, visiblement abattu. Ces gens ont perdu leur foyer, leur pays – tout. Le désespoir que nous avons observé au port dépasse tout ce que nous avions pu imaginer.

— Au moins, ils sont ensemble, remarqua Beatrice. Son père compte plus que tout pour elle. »

Sa propre voix fut prise, bien malgré elle, d'un léger tremblement.

« Quelles sombres pensées pour un après-midi aussi radieux, observa Hugh.

— Je ne prends pas leurs souffrances à la légère, se justifia Daniel. Il est dans la nature humaine d'avoir une plus grande envie de se battre lorsqu'il s'agit de secourir de ravissantes pucelles, voilà tout. Je suis prêt à courir au bureau de recrutement pourvu qu'elle veuille bien laisser tomber son mouchoir.

— Si elle le faisait, tu serais sûrement trop paresseux pour le ramasser, lança Hugh.

— Tu as raison, soupira Daniel. Mais je sens peut-être germer un poème.

— Mademoiselle Nash, vous avez été réellement très aimable d'accepter d'accueillir cette jeune fille chez vous, dit Hugh. Il me semble qu'on vous en demande beaucoup.

— Tante Agatha pourrait la prendre, remarqua Daniel. Cela nous permettrait de la voir tous les jours au petit déjeuner, Hugh.

— Veuillez excuser mon cousin. Il fait l'imbécile, c'est tout.

— Vraiment? demanda Beatrice. Il est si convaincant!

— L'outre de mon orgueil vient d'être percée par la pointe acérée de votre esprit, mademoiselle Nash, se lamenta Daniel. Permettez-moi d'aller me dégonfler dans un fauteuil opportun. »

Il s'éloigna à grandes enjambées pour lancer un deuxième assaut contre le plateau de gâteaux.

« Peu de personnes seraient prêtes à partager leur logement comme vous l'avez fait, poursuivit Hugh tandis qu'ils suivaient lentement Daniel vers la table. On ne peut que vous admirer. »

Beatrice se sentit rougir légèrement de plaisir devant un tel compliment de la part du sérieux Hugh, mais quand elle se tourna vers lui pour lui sourire, elle le vit profondément absorbé dans la contemplation de Céleste et fronçant les sourcils à l'adresse de Daniel qui avait tiré un siège pour engager la conversation avec la jeune fille. Son plaisir s'évanouit et elle dissimula ses sentiments blessés sous une réponse caustique.

« Pur égoïsme de ma part. Ne savez-vous pas qu'il est très à la mode d'héberger des réfugiés ?

— Personne n'irait jamais vous soupçonner de céder à la mode.

— On peut dire que vous savez parler aux femmes », soupira Beatrice.

Hugh s'arrêta net pour lui faire face, le visage soucieux.

« Je voulais simplement dire que personne... Je veux dire, je ne veux pas dire que... Oh, mon Dieu, mademoiselle Nash...

— Je vous taquinais, monsieur Grange, dit Beatrice satisfaite d'avoir obtenu toute son attention, mais navrée d'avoir succombé à sa propre vanité. Je vous remercie d'avoir une telle confiance dans mon altruisme. »

Elle était par ailleurs douloureusement consciente de n'avoir peut-être pas été d'un entier dévouement en accédant à la demande de M. Tillingham. Elle s'était cependant engagée corps et âme dans une entreprise à la fois sérieuse et d'une durée indéfinie qui, que cela lui plût ou non, tenait tout de même du sacerdoce.

« Appelez-moi Hugh, je vous en prie.

— Hugh, obtempéra Beatrice.

— Elle paraît calme, reprit le jeune homme, les yeux à nouveau posés sur Céleste. A-t-elle bien dormi ?

— Pas très, reconnut Beatrice. Mais sans doute ses cauchemars vont-ils s'apaiser maintenant qu'elle est en sécurité ?

— Ces gens ont assisté à des choses qu'aucun être civilisé ne s'attend à voir dans sa ville natale. Je crains que certains d'entre eux ne soient atteints de neurasthénie et que les cauchemars n'aient tendance à durer, même chez les plus solides d'entre eux.

— Que pouvons-nous faire ?

— L'observer attentivement, c'est tout. La traiter comme une convalescente. Beaucoup de thé fort et sucré ou de bouillon de bœuf, de l'air frais, du repos – et n'hésitez pas à faire venir le docteur Lawton si vous estimez qu'elle a besoin d'un somnifère.

— Merci. Viendrez-vous nous voir ? » Il la dévisagea un instant mais elle fut incapable de déchiffrer son expression. « N'avait-il pas été question de thé et de crème ? ajouta-t-elle en souriant.

— Je n'en ai pas encore parlé à ma tante ni à mon cousin, mais je risque de devoir abréger mon séjour dans le Sussex. » Il hésita avant d'ajouter en baissant la voix : « Je me rends à Londres demain pour m'engager.

— Vous ne parlez pas sérieusement ? » Beatrice se laissa tomber brutalement sur un petit banc rustique au pied du mur du jardin. « Enfin, c'est-à-dire... Je pensais que le métier des armes était réservé à Harry Wheaton et à ses semblables. Vous avez une œuvre tellement importante à accomplir.

— Je n'y renonce pas, répondit Hugh. La seule différence est que je l'accomplirai sous les auspices du Service de santé de l'armée britannique.

— Et votre patron ? Ne compte-t-il pas sur vous ?

— C'est lui qui mène la charge. Il m'a promis plus de patients et plus d'expérience sur le champ de bataille que dans son hôpital, en même temps que l'occasion de faire mon devoir tout en servant ma propre carrière. »

Sa lèvre supérieure se tordit dans une mimique de dégoût.

« Difficile de résister à pareille tentation, évidemment, observa Beatrice avec lenteur.

— Et pourtant, tout mon être s'est révolté à cette idée. » Hugh s'assit à côté d'elle. « Je ne peux m'empêcher de réprouver le fait de faire la guerre pour promouvoir sa carrière.

— Et la fille de votre patron ? Cette perspective a dû l'emplir d'effroi, sûrement ? »

Elle s'étonna du violent chagrin que lui inspirait la pensée qu'il pût être en danger et s'en voulut d'être une aussi tiède patriote et de souhaiter que les êtres qu'elle connaissait restent à l'abri des hostilités.

« Mlle Lucy recrute avec un tel enthousiasme que Lord Kitchener devrait placarder ses yeux implorants sur ses affiches, répondit Hugh. Par loyauté et par affection, je devrais sans doute l'autoriser à me revendiquer parmi ses recrues. » Son regard se porta à l'autre bout de la pelouse sur le professeur et sa fille. « En vérité, c'est ce que j'ai vu au port, hier, qui m'a décidé ; ces dizaines de réfugiés, les blessés, le chaos... »

Sa voix se perdit, et elle comprit à son regard que certaines scènes se rejouaient dans son esprit.

« J'imagine combien cela a dû être pénible », compatit Beatrice.

Mais au moment même où elle prononçait ces mots, elle songea qu'en fait, elle était incapable de l'imaginer. L'épuisement, les vêtements crasseux, l'odeur âcre des quelques réfugiés qui se pressaient dans l'hôtel de ville avaient déjà été suffisamment accablants.

« Des grands-mères aux pieds ensanglantés d'avoir marché pendant des jours en sabots de bois, reprit-il d'une voix brisée par l'émotion. Des bébés jetés dans les bras de parfaits étrangers simplement pour être conduits en lieu sûr, des femmes cherchant désespérément à avoir des nouvelles de leurs maris prisonniers et affichant leur signalement sur toutes les clôtures. » Il s'interrompit et secoua la tête comme pour chasser ces images de son esprit. « Toutes autres considérations se sont évanouies et j'ai compris que je devais aller là où, au moins, je pourrai être utile.

— Aucun de ceux qui vous connaissent ne saurait douter que le devoir occupe la première place dans votre esprit, commenta Beatrice. Ils seront tous fiers de vous.

— Merci de votre gentillesse. » Il lui tendit la main et elle lui donna la sienne à serrer. « Je sais que vous dites toujours ce que vous pensez, mademoiselle Nash, et vos bonnes paroles n'en ont que plus de valeur à mes yeux. J'espère ne pas vous avoir heurtée avec mes descriptions.

— J'apprécie votre franchise », dit-elle en portant le regard vers la table à thé où Agatha riait de quelque remarque de Daniel. Elle était consciente du chagrin que leur inspirerait la nouvelle que Hugh avait à leur annoncer. « Quand en parlerez-vous à votre tante ?

— Le plus tard possible. »

12.

Deux lettres étaient posées sur le plateau du petit déjeuner de Beatrice, l'une venant des notaires de Lady Marbely, l'autre de l'éditeur de son père, M. Caraway. Elle les mit de côté sur la petite table pendant qu'elle mangeait, pour prolonger ce plaisant sentiment d'expectative, l'espoir de pouvoir enfin oublier tous ses soucis, financiers et mondains. Une semaine environ après l'arrivée de Céleste, elle avait adressé à Tante Marbely une lettre courtoise, lui demandant d'être autorisée à prélever sur son héritage un montant mensuel légèrement supérieur à celui qui était prévu, car elle avait accepté de participer, modestement, aux efforts de guerre de la ville. Tout en mâchonnant nerveusement son stylo pour essayer d'associer habilement humilité et altruisme, elle avait parlé de la jeune réfugiée qu'elle avait récemment accueillie sous son toit ainsi que de tous les thés, comités et manifestations patriotiques auxquelles elle serait tenue d'assister, ce qui ne manquerait pas d'accroître ses dépenses ordinaires. Elle s'était étendue sans vergogne sur la gratitude du célèbre M. Tillingham, avait brodé sur l'indéfectible protection de Lady Emily et pris soin de mentionner sans s'appesantir que l'époux d'Agatha Kent entretenait d'étroites relations avec les plus hautes sphères du gouvernement. Décrivant une existence d'une simplicité quasi monacale mais dans laquelle l'augmentation de son allocation vestimentaire était indispensable pour préserver sa réputation, sa missive sous sa forme définitive était un tel chef-d'œuvre de manipulation qu'elle avait été obligée de négocier avec sa conscience et de se promettre de racheter ultérieurement ce comportement immoral.

Tout en mangeant son porridge et ses tranches de pomme verte, elle essaya de concentrer son impatience sur le pli de l'éditeur, trop mince pour contenir un manuscrit retourné et qui promettait donc une réponse favorable à ses ambitions littéraires. Elle se laissa pourtant distraire par l'enveloppe plus épaisse des notaires, qui contenait peut-être une traite bancaire. Écartant provisoirement la littérature, elle consacra un moment plaisant à faire le choix entre l'achat d'un chapeau de paille d'aussi bonne qualité que celui d'Agatha Kent et l'acquisition d'une série en trois volumes des œuvres de Jane Austen, reliée en marocain bleu nuit et doré à la main, qu'elle avait repérée dans la librairie locale. Tout en décachetant la lourde enveloppe, elle souriait, faussement contrite de savoir que les livres l'emporteraient évidemment sur la parure.

La lettre et le contrat qui l'accompagnait étaient bourrés de termes juridiques et tout en s'efforçant d'en décrypter précisément la teneur, elle en comprit suffisamment pour sentir ses joues s'empourprer de colère. Il apparaissait que, sur les conseils de Lady Marbely et en considération de son jeune âge, les exécuteurs testamentaires de son père jugeaient indispensable de continuer à la soumettre à une surveillance toute paternelle. Il était question des limites des aptitudes féminines à gérer les affaires financières, et de la nécessité de préserver l'honneur familial – l'aboutissement de toutes ces précautions oratoires semblant être qu'afin de pouvoir répondre à ses vœux et augmenter sa rente mensuelle, ils avaient l'intention de demander à un notaire local de contrôler ses finances. Elle était censée déposer son salaire chez lui, lui soumettre tous ses comptes et obtenir son approbation préalable pour toute dépense excédant ses nécessités hebdomadaires habituelles. Comble d'humiliation, tous les frais de vérification seraient prélevés sur son héritage. Le contrat joint à la lettre requérait sa signature – son accord pour payer ses propres geôliers – et la missive se concluait sur la promesse que dès qu'elle aurait signé et présenté ce document, le notaire local mettrait immédiatement à sa disposition une traite de dix livres.

L'idée qu'elle puisse se laisser acheter pour dix livres lui fit monter des larmes de honte aux yeux. Le petit salon si récemment nettoyé et meublé pour accueillir sa vie de jeune femme indépendante se brouilla sous ses yeux et perdit toute réalité. Elle cilla et, chiffonnant la lettre dans son poing, essaya désespérément de trouver amusant qu'une jeune fille qui avait administré les comptes du ménage de son père sur plusieurs continents doive désormais accepter que l'on supervise tous ses achats, hormis quelques rubans et biscuits pour le thé. Elle adressa un adieu silencieux aux livres qui la tentaient, l'enveloppe ne contenant aucune traite et la lettre précisant qu'elle recevrait prochainement des nouvelles du notaire local provisoirement engagé.

Posant les yeux sur la plus mince des deux enveloppes, elle regretta alors de n'avoir pas demandé d'avance et se demanda si M. Caraway aurait eu l'idée de lui en proposer une de son propre chef. Son père s'étant toujours plaint de son avarice, elle n'avait guère de raisons de l'espérer. En ouvrant la lettre, elle se rappela qu'il était plus important pour un écrivain d'avoir du travail que de l'argent.

La lettre de l'éditeur de son père était à peine moins décevante que la missive des notaires de sa tante Marbely. M. Caraway évoquait son souvenir avec plaisir et lui adressait ses plus chaleureuses pensées, en même temps qu'une anecdote amusante sur son père. Mais s'agissant du volume de correspondance dont elle lui avait parlé, il lui faisait savoir que les archives paternelles ayant été confiées en fiducie à la famille Marbely, cette dernière l'avait chargé de trouver un responsable de publication adéquat et d'éditer un recueil officiel.

J'espère que vous apprendrez avec satisfaction que sur le conseil de la famille de votre père, nous sommes en négociation avec un illustre écrivain qui jouit d'une réputation exceptionnelle afin qu'il se charge de la mise au point de cet ouvrage et de la rédaction d'une préface. Vous admettrez que la notoriété de votre père a tout à gagner à ce que nous nous attachions une collaboration d'un aussi haut niveau d'érudition, et que son héritage exige d'être confié à un auteur de renommée internationale. Comme il semble que vous soyez en possession de certaines lettres qui ne figurent pas dans les archives de votre père et que votre introduction contient un ou deux aperçus charmants, nous avons pris la liberté de transmettre à cet auteur votre manuscrit, qui constitue un précieux document de recherche. Lady Marbely nous assure que ce projet ne manquera pas de rencontrer votre approbation et que vous serez heureuse de nous adresser, par retour du courrier, toutes les lettres originales absentes des archives officielles.

Veuillez agréer...

La fureur de Beatrice lui faisait palpiter les tempes et elle sentait la vibration du sang jusqu'au bout de ses doigts. Son travail avait été son seul refuge et son unique réconfort pendant cette sombre année de deuil, et chaque idée nouvelle lui avait offert un instant de proximité avec son père. Ce petit volume n'aurait pas été seulement un premier ouvrage solide à partir duquel elle aurait pu commencer à bâtir une modeste réputation d'écrivain, mais aurait constitué un lien direct entre son père et son propre avenir. Bien qu'elle pût admettre l'intérêt, pour la mémoire de son père, d'un projet de plus vaste envergure, la désinvolture avec laquelle l'éditeur écartait son travail comme un simple document de recherche et l'accusation implicite qu'elle aurait pu soustraire des lettres aux archives paternelles la plongeaient dans le désespoir. Enfouissant la tête entre ses mains, elle se laissa aller à pousser un profond et unique gémissement, songeant à la fois à la disparition de son père et à l'irréalisme de ses propres ambitions.

Reprenant ses esprits en vidant la théière dans sa tasse, Beatrice s'efforça de considérer sa situation sous un jour plus objectif. C'était une stratégie que son père lui avait enseignée, enfant, quand elle était triste ou contrariée. Analyser le problème sous un angle plus large, plus empirique, disait-il toujours, présenterait le double avantage d'améliorer son humeur et de développer son intelligence. Tout en ayant pris conscience que c'était une solution parfaitement inappropriée pour consoler une enfant en larmes, elle se surprenait souvent à réorganiser ses problèmes comme si elle avait l'intention de les exposer dans un petit traité.

Elle n'avait jamais été préoccupée par l'argent et par la nécessité d'en gagner et pourtant, maintenant qu'elle en avait très peu et que ses rêves d'en obtenir grâce à une publication venaient d'être anéantis, elle prenait enfin conscience qu'ils avaient toujours vécu à l'abri du besoin. Son père avait été fier de ce qu'il considérait comme leur modeste train de vie et de leur aptitude à s'en sortir très correctement avec son revenu annuel personnel. Mais ils avaient été suffisamment à l'aise pour que, lorsqu'il lui venait une envie de perdrix ou le désir de faire livrer quelques caisses d'un bordeaux obscur mais excellent, il suffisait à Beatrice de passer commande et de payer la facture d'une signature et d'un sourire. Elle avait tenu pour une vertu de s'installer tous les mois devant son secrétaire pour veiller au règlement rapide de tous leurs comptes, mais comprenait maintenant que c'était en réalité une question d'orgueil – et que l'orgueil était un péché pour lequel elle était peut-être punie à présent.

Les notaires lui proposaient dix livres – elle sortit un carnet de comptes noir de la plus proche des charmantes bibliothèques géorgiennes d'Agatha Kent et l'ouvrit pour vérifier une fois de plus l'état de ses finances. Dans leur froide nudité, les chiffres lui révélaient qu'elle avait dépensé l'essentiel de sa petite réserve d'argent en frais de transport pour venir à Rye et en frais de logement et de nourriture pour les deux premiers mois qui avaient suivi son arrivée. Son emploi, quand il prendrait effet, lui permettrait de payer Mme Turber et ne lui laisserait pas grand-chose de plus – suffisamment tout de même pour assurer ses menues dépenses quotidiennes et une modeste obole à la quête du dimanche, tout en lui permettant de mettre de côté quelques shillings pour parer à un besoin inattendu. Il ne serait plus question d'acheter des livres en souscription et elle se demanda comment elle pourrait renouveler ses tenues vestimentaires. Si elle voulait écrire, il lui faudrait également acheter du papier et de l'encre, des plumes neuves et des timbres pour envoyer les manuscrits – tous ces petits frais lui avaient paru insignifiants par le passé, mais elle en serait réduite désormais à compter ses pièces à la papeterie et au bureau de poste, comme les vieilles veuves aux mains tremblantes et aux gants élimés.

Les gants posaient d'ailleurs un problème immédiat. Elle en avait offert deux paires à Céleste et il ne lui restait plus que trois paires de gants d'été en coton et deux paires de gants de soirée en soie. Elle ne s'était pas rappelé que l'une de ses paires en coton restantes avait une grosse tache d'encre au poignet et elle n'avait pas envie de se contenter des gants bon marché que les vendeuses portaient le dimanche. Pourtant, en acheter une autre paire de qualité coûterait une somme équivalente à sa rente hebdomadaire. Elle sourit intérieurement en rangeant son carnet de comptes. Elle comprenait mieux pourquoi certaines personnes – les gouvernantes, les intendantes, Mme Turber – avaient l'air excessivement prudentes et étriquées. Au fond d'elle-même, elle y avait vu un défaut méprisable, mais se rendait compte désormais avec une acuité contrite que c'était peut-être le fruit de la nécessité d'éviter tout comportement inconsidéré, risquant d'avoir pour conséquence des gants abîmés et des chaussures ruinées. Pour la première fois, alors que son thé refroidissait dans sa tasse et que son porridge se figeait dans son bol, elle comprit ce qu'avoir des revenus limités voulait dire. C'était une noble idée pour un sermon dominical ou pour les pages d'un roman moral, mais une perspective effrayante par une matinée ensoleillée dans le Sussex.

Céleste descendit prendre le petit déjeuner dans une robe de soie rose atroce, offerte par Mme Turber, qui engloutissait sa frêle silhouette et parait ses joues d'une rougeur artificielle. Beatrice ne put réprimer un léger sursaut.

« Je voudrais bien une aiguille et des ciseaux, dit Céleste en tripotant un gros amas de roses de lin à la taille. Si vous êtes *d'accord* pour faire *quelques changements** ?

— C'est un sécateur qu'il vous faudrait, pas des ciseaux, répliqua Beatrice. Prenez votre petit déjeuner et ensuite, nous vous aiderons à faire un peu d'élagage, Abigail et moi. »

Elle agita une petite cloche de laiton et Abigail, apportant un peu plus d'eau chaude et des toasts, contempla la robe, bouche bée, avant de déclarer qu'il fallait absolument faire venir Mme Saunders.

« Oh non, je ne peux pas accepter, protesta Céleste, qui rougit, renforçant encore le reflet de son corsage. Je dois faire mes propres réparations, alors je suis contente.

— Mme Saunders sera ravie de vous aider, la rassura Beatrice. Tout le monde est heureux d'apporter une petite contribution.

— J'ai déjà, comment dites-vous, accepté trop de pitié ? » Céleste serra les lèvres et ses doigts se posèrent sur la minuscule croix en or qu'elle portait au cou. « Cette gentille dame, elle a lavé ma dentelle et je ne peux pas la payer. Je ne veux pas exagérer en lui demandant de me faire une robe à la mode. »

Percevant l'orgueil désespéré de ses propos, Beatrice s'en voulut d'avoir, moins de dix minutes auparavant, étudié ses propres comptes avec toute la méticulosité d'une avare. Elle avait regretté d'avoir offert une simple paire de gants à une jeune fille qui ne possédait plus que les vêtements en piteux état qu'elle avait sur le dos. Elle n'avait pas réfléchi à ce que l'on pouvait éprouver quand on n'avait rien à soi, ni linge, ni chaussures, pas même un pain de savon ou un flacon de poudre dentifrice et que l'on devait accepter une charité que les jeunes personnes de son milieu avaient plus l'habitude d'accorder que de recevoir.

« Pardon, dit-elle. Nous allons nous débrouiller ensemble et faire quelques petites améliorations.

— J'aimerais l'arranger ce matin, reprit Céleste. Je suis attendue à côté cet après-midi.

— Il vaudrait mieux la couper en deux, intervint Abigail. On devrait pouvoir faire une jupe tout à fait correcte et une paire de rideaux rien qu'avec le bas. »

Beatrice renonça à ses projets d'écriture et Abigail à ses tâches matinales pour qu'elles puissent couper, assembler et coudre la robe toutes les trois dans l'espoir de la rendre plus seyante. Beatrice et Abigail s'attaquèrent aux longues coutures simples, tandis que Céleste, adroite et délicate à l'aiguille, fixait une partie du gros-grain gris de Beatrice à petits points pour former de jolies boucles sur le corsage et en disposait une autre longueur en ruban plat tout autour de l'ourlet. À midi, la soie rose avait été domestiquée en une robe d'après-midi gracieuse et discrète, et Mme Turber, venue s'indigner que personne ne préparait le déjeuner, s'apaisa si bien en voyant Céleste dans sa robe transformée qu'elle se contenta de protester que c'était une tenue trop élégante pour un simple après-midi consacré à l'aide aux réfugiés. Céleste lui serra la main avec effusion et lui dit, dans son anglais rudimentaire et charmant, qu'elle était vraiment trop bonne, obligeant ainsi Mme Turber à battre en retraite devant la barrière de la langue.

Beatrice se demanda soudain si Céleste ne comprenait pas plus d'anglais et ne le parlait plus couramment qu'elle ne le prétendait. Si tel était le cas, elle serait la dernière à lui reprocher de préférer se protéger derrière le masque de l'incompréhension linguistique. Beatrice en avait fait autant dans certaines situations délicates à l'étranger et même une fois, à sa grande honte, en Angleterre, lorsqu'elle avait repoussé les avances importunes d'un vieil ami de Lady Marbely lors d'un bal donné à la suite d'une partie de chasse ; elle avait regardé le pauvre homme droit dans les yeux et avait articulé très clairement : « Pardonnez-moi, je ne parle pas anglais », avant de se retirer au fond de la salle.

Après un déjeuner froid composé de pain et de fromage, Beatrice laissa Céleste chez M. Tillingham, qui avait mis son pavillon de jardin à la disposition des réfugiés belges pour leur servir de club, et se glissa dans la bibliothèque de l'écrivain, où elle ne s'attarda cependant pas, espérant assurer la pérennité de ses privilèges en demeurant invisible aux yeux du grand homme. Un nouveau livre à la main, elle prit la direction des sentiers gravillonnés du cimetière et du recoin abrité d'un contrefort de pierre qui était devenu un de ses refuges favoris pour lire paisiblement à l'ombre mouchetée de vieux arbres.

Les pierres tombales qui se dressaient, moussues et patinées au milieu de l'herbe fraîche, donnaient l'impression que personne n'avait été enterré ici depuis au moins un siècle. Songeant qu'elle pourrait peut-être noter de brèves réflexions sur l'incongruité de ces pierres tombales chargées de consigner la fugacité fragile de la vie, Beatrice entreprit de chercher un crayon et un carnet dans sa sacoche. Mais ce fut la lettre de M. Caraway qu'elle en sortit. Elle était en train de la relire comme si elle espérait que les mots écrits sur la page se métamorphoseraient sous ses yeux, quand une ombre obscurcit sa page. Levant les yeux, elle aperçut un jeune officier en tenue militaire parfaitement repassée. Il lui fallut un moment pour reconnaître Hugh Grange, car il paraissait plus mince, transformé par l'uniforme et par ses cheveux coupés court, mais agréablement familier en même temps, avec son menton arrondi et son sourire plein de franchise.

« Mademoiselle Beatrice, comment allez-vous ? » demanda-t-il en retirant son calot.

Elle était beaucoup plus heureuse de le voir qu'elle ne l'aurait cru et songea que l'étonnement de le découvrir en uniforme lui inspirait sans doute un sentiment d'empathie.

« Beatrice, c'est tout, dit-elle fermement. Les formalités, comme tant d'autres choses, paraissent si déplacées en des temps pareils.

— Je suis très honoré, répondit-il. J'espère que mon uniforme ne vous a pas effrayée ?

— On croise tant d'hommes en uniforme que je ne pensais pas qu'il me ferait un effet aussi étrange sur vous. Comment votre tante l'a-t-elle pris ?

— J'ai bien peur d'avoir été responsable du genre de palpitations qu'elle méprise tant chez les autres femmes, avoua Hugh. Mon arrivée hier a été très éprouvante pour nous deux et pourtant, mon oncle John avait préparé le terrain. Daniel n'a pas pu s'empêcher de faire quelques remarques d'un humour des plus douteux, et ma tante est restée muette. J'ai regretté que vous ne soyez pas là pour le dîner, simplement pour alléger l'atmosphère.

— Chacun aspire à être invité là où il peut se rendre utile », répliqua-t-elle tout en souriant pour atténuer la pique, car il était de toute évidence trop préoccupé pour surveiller ses propos et ne semblait même pas avoir conscience qu'il aurait probablement dû déplorer l'absence d'une autre jeune fille. Elle lui proposa de s'asseoir.

« J'ai passé le plus clair de mon temps terré dans ma salle d'étude, aujourd'hui, et j'ai fini par me sauver à travers une haie, mettant ainsi l'intégrité de mon uniforme en péril, pour aller me promener. »

Il inspecta ses manches, cherchant d'éventuelles traces de verdure, et passa la main dans ses cheveux. Une légère tension se lisait sur ses traits et Beatrice imagina le visage d'Agatha, pâle et crispé d'inquiétude.

« Je n'ai encore que quelques semaines d'entraînement derrière moi, reprit-il. Je suppose que plus on le porte, moins on se fait l'effet d'être un imposteur ? »

Beatrice regretta de ne pas trouver grand-chose à dire pour le réconforter.

« Votre tante est la femme la plus raisonnable que je connaisse, répondit-elle enfin. Son mécontentement est le signe d'une profonde affection et dissimule une grande fierté. Je suis sûre qu'elle se rangera plus rapidement à votre décision si vous cessez de vous cacher.

— Vous êtes la seconde femme la plus raisonnable que je connaisse. Puis-je vous demander pourquoi vous vous cachez vous-même au cimetière ?

— Je fais semblant de lire, mais en fait, je suis venue me lamenter sur mon sort parce que l'éditeur de mon père n'a que faire de mes talents. Votre arrivée relègue ce genre de préoccupations à la place insignifiante qui leur revient. » Elle lui tendit la lettre, encore chiffonnée dans sa main, et ajouta : « Au moins, la correspondance de mon père sera présentée au monde sous un jour digne de lui. »

Hugh lut la lettre, le visage grave.

« C'est lamentable, s'écria-t-il. Votre tante ne devrait pas trahir vos intérêts de la sorte !

— Je ne suis même pas sûre qu'elle l'ait fait exprès. Mais si c'est le cas, je devrais la remercier de rendre ce service à la postérité de mon père.

— C'est une trahison, insista-t-il.

— Peut-être est-ce moi qui m'apprêtais à trahir mon père. Mes efforts auraient sans doute limité l'ampleur de ce projet et par là même le rayonnement de ses écrits, à seule fin d'assurer mes propres débuts en littérature.

— N'importe qui peut torcher une préface, bougonna Hugh. En revanche, personne ne saurait égaler les aperçus intimes que vous pourriez y mettre.

— De toute façon, vous ne savez même pas si je suis capable d'écrire. » La contrariété qu'affichait Hugh lui mettait du baume au cœur. « Après tout, je ne suis qu'une femme.

— Je veux bien vous prendre au mot et admettre qu'une compétence élémentaire est accessible aux deux sexes.

— Cette généreuse hypothèse ne serait qu'hérésie pour beaucoup, observa Beatrice. Mais, comme je vous le disais, cela me paraît beaucoup moins important à présent dans le contexte actuel. Je ferai bien sûr mon possible pour appuyer cette entreprise, et la postérité de mon père sera assurée, je n'en doute pas.

— À qui pensez-vous qu'ils aient pu demander cette préface ? demanda Hugh, le front toujours plissé.

— Aucune idée. Ma tante ne lit que des sermons. Je crois savoir que le grand John Wesley est mort. Du coup, je ne vois vraiment pas quel autre homme de plume ils pourraient connaître. Figurez-vous que quand j'ai écrit à Tante Marbely, j'ai dû lui expliquer qui était M. Tillingham. »

À l'instant même où elle prononçait ce nom, une étreinte glaciale lui serra la gorge. Elle se tourna lentement vers Hugh et sentit ses yeux s'écarquiller sous l'effet d'une consternation qu'elle ne pouvait déguiser.

« Vous ne pensez pas..., dit-il.

— Pensez-vous...

— Tillingham vous aurait évidemment consultée si on lui avait fait pareille proposition, objecta Hugh.

— Pourquoi l'aurait-il fait ? demanda Beatrice d'une voix amère. Je suis invisible pour lui, surtout quand il s'agit d'écriture.

— Ne laissons pas notre imagination nous emporter. Il est impossible que M. Tillingham ait pu accepter un tel projet alors que manifestement, il ne conserve pour ainsi dire aucun souvenir de votre père.

— Vous avez raison. N'est-il pas singulier qu'une trop grande discrétion littéraire puisse ainsi devenir un atout ?

— M. Tillingham est aussi ambitieux qu'orgueilleux et votre père n'est pas à proprement parler le genre de célébrité littéraire dont il puisse espérer que la renommée rejaillira sur sa propre réputation. Indigne de son attention, selon moi.

— Il me semble que mon père jouit dans les milieux littéraires et historiques d'un respect qui pour n'être pas tapageur n'en est pas moins réel », dit-elle, cillant pour réprimer une larme brûlante et s'efforçant de rire.

Elle se dit que Hugh avait dû remarquer son émotion, parce qu'il toussa et reprit :

« Je ne suis pas le plus grand admirateur de notre cher M. Tillingham. Je ne fais allusion qu'à ses défauts, pas aux réalisations de votre père.

— Ce que vous dites est vrai. Mon père se satisfaisait de la modestie de ses contributions et de sa vie tranquille d'érudit.

— Je suis certain que cette vie et cette œuvre ont grandement bénéficié de vos propres efforts. Il n'est pas juste que vous soyez ainsi écartée. Nous devons réfléchir à ce que nous pouvons faire.

— Avoir des amis qui nourrissent de telles pensées est un vrai bonheur pour moi. Vous ne pouvez pas savoir quelle importance j'y attache. »

L'expression pleine de bonté des yeux gris du jeune homme lui inspira un sentiment de réconfort aussi puissant que s'il avait posé le bras autour de ses épaules.

« Je ne supporte pas l'injustice », dit-il en lui tapotant la main. Sa paume était chaude et lourde sur sa peau. « Et vous ne devez pas renoncer.

— Je ne renoncerai pas. »

Une chaleur soudaine l'envahit et, confuse, elle retira sa main. Elle se leva et reprit sa sacoche, se forçant à croiser son regard et à lui sourire.

« Mais pour le moment, il faut que je gagne ma vie en donnant des cours à quelques garçons dont le précédent répétiteur semble avoir consacré plus de temps aux expériences scientifiques qu'à la version latine.

— J'espère qu'ils ne vous rendent pas la vie trop dure ?

— Je ne m'attendais pas à ce que le jeune Snout éprouve une telle passion pour Virgile. Bien sûr, il préférerait mourir plutôt que de trahir cet intérêt en présence de ses camarades, si bien qu'ils passent tous les trois l'intégralité des cours à soupirer comme s'ils étaient des saints en train de subir le martyre.

— Nous en avons déjà parlé. Snout pourrait indéniablement faire quelque chose de sa vie s'il obtenait une bourse et adoptait une conduite plus satisfaisante. Mais j'ai constaté que l'intelligence ne suffit pas toujours pour surmonter une situation difficile, mademoiselle Beatrice. Seul un garçon exceptionnel aurait la trempe nécessaire pour réaliser des promesses aussi précoces.

— J'espère qu'un professeur déterminé peut infléchir le destin. Je ne puis que suivre l'exemple de mon père et leur transmettre les connaissances que je possède.

— Je vous accompagnerais volontiers, mais je crois qu'il faut que je rentre affronter Tante Agatha. Ma formation recommence lundi. Espérons que ma tante reprendra ses esprits dans le courant de la semaine prochaine, faute de quoi je risque de devoir passer mes prochains jours de congé à Londres.

— Vos amis en seraient navrés », dit-elle en soutenant son regard, bien que la rougeur de ses joues menaçât de la trahir.

Une chaleur d'enfer régnait dans la cuisine. La porte de derrière était maintenue ouverte par une chaise et toutes les fenêtres fixées au cran le plus large de leurs crochets de fer, et pourtant, le courant d'air était incapable de dissiper entièrement la vapeur qui s'échappait des grandes marmites de cuivre remplies de pêches et de prunes qui frémissaient sur la cuisinière et des bains d'eau bouillante dans lesquels bocaux et couvercles de verre bringuebalaient doucement. Des monceaux de haricots grimpants, gras comme des bébés anguilles étaient posés sur de la toile de jute dans l'arrière-cuisine, à côté de montagnes de carottes, de choux-fleurs et de petites betteraves précoces, aux racines épaissies de boue. Enveloppée dans un volumineux tablier blanc, les cheveux enfouis sous une vieille charlotte qui lui venait du trousseau de sa défunte mère, Agatha aidait la cuisinière à préparer autant de conserves de fruits et de légumes que possible en prévision de nouvelles pénuries alimentaires. Des bocaux supplémentaires avaient été réquisitionnés dans la salle d'étude de Hugh et différents coins de l'écurie, non sans susciter quelques récriminations quand les spécimens de laboratoire soigneusement conservés du jeune homme et la collection de vis et de clous de Smith s'étaient trouvés sommairement relégués dans des récipients moins adaptés.

Si la cuisinière s'étonna de ces efforts démesurés et de l'obstination de Mme Kent à s'occuper toute la journée à la cuisine, elle n'en dit rien et Agatha lui fut reconnaissante de cette discrétion inaccoutumée. Elle avait l'impression qu'un dur travail manuel était exactement ce dont elle avait besoin pour empêcher ses pensées de s'emballer et son cœur de palpiter devant l'image de Hugh en uniforme. Bien que John lui eût adressé un message l'informant des intentions du jeune homme, elle avait été bouleversée de le voir descendre du train en compagnie de son mari, parfaitement à l'aise dans sa tenue militaire et tenant de longs discours sur la chirurgie de champ de bataille.

« Que je sois accepté dans les services médicaux de l'armée a réduit à néant toutes les objections de mes parents à la poursuite de mes études, avait-il déclaré au dîner alors qu'il discutait avec John des projets de son patron qui souhaitait mettre en place des infrastructures spécialisées dans les blessures crâniennes.

— Je suppose que vous autres, dans les services médicaux, vous avez tous en poche une note signée du médecin dans l'éventualité où vous auriez besoin d'être rapatriés dare-dare, avait ajouté Daniel. Ça te dirait de t'amputer toi-même de la jambe s'il le fallait ? »

Agatha avait siroté son Earl Grey en réprimant une nausée. Elle avait considéré la guerre comme un devoir civique parmi d'autres et accepté de bon gré ses nombreuses obligations nouvelles. Elle pensait sincèrement que chacun devait servir au mieux de ses capacités, mais voir Hugh en uniforme et prendre conscience que ses compétences l'enverraient sur le champ de bataille avait porté un coup presque physique à son enthousiasme.

« Il va falloir nettoyer la cave correctement cette année, annonça-t-elle. Il me semble que nous avons pris la mauvaise habitude de passer inconsidérément commande dans les boutiques de la grand-rue.

— Dans ce cas, il va aussi falloir envoyer des caisses en ville remarqua la cuisinière. Je n'aimerais pas que M. Kent souffre de la faim. »

Elle éprouvait un solide mépris rural pour la ville et était convaincue que des pénuries mineures dans le Sussex se traduisaient forcément par une authentique famine à Londres.

« Je suppose que M. Kent pourra toujours aller dîner à son club, la rassura Agatha. Ça m'étonnerait que je passe beaucoup de temps en ville avec tout ce qu'il y a à faire ici.

— Nous allons consommer à peu près tout notre sucre et notre sel si nous voulons remplir tous ces bocaux.

— Quand Smith reviendra, nous lui demanderons de retourner à l'épicerie voir s'il est possible d'en obtenir d'autre. »

Smith avait été envoyé au moulin pour essayer d'y acheter des sacs de farine plus gros que ceux qui étaient disponibles dans les magasins de la ville et de tirer au clair les rumeurs selon lesquelles le gouvernement avait l'intention d'acheter les prochaines récoltes de blé pour l'armée. Agatha n'avait pas l'intention d'accaparer des marchandises, mais pour éviter de telles pratiques, mieux valait s'assurer de pouvoir continuer à se ravitailler correctement. Elle n'hésitait pas à partir elle-même à la recherche de renseignements pour compléter les assurances que lui prodiguait son mari.

« Nous pourrions peut-être élever un ou deux cochons en retournant un morceau de la pelouse », suggéra la cuisinière.

Le potager trop soigné d'Agatha n'était pas à son goût, et elle avait été consternée quand ses patrons s'étaient débarrassés du poulailler à cause de l'odeur et d'un coq détestable qui réveillait les invités. Elle n'éprouvait que mépris pour les vastes étendues de gazon tondues qui ne servaient qu'aux parties de croquet ou aux flâneries de ses maîtres.

«Je préférerais continuer à me fournir chez le boucher le plus longtemps possible, répondit Agatha. Le pauvre est désolé d'avoir aussi peu de marchandises en magasin.

— Hier, il n'avait que de la langue, renchérit la cuisinière. Il en avait même tant que j'ai eu la soudaine vision de tout un pré de vaches silencieuses. Ça m'a flanqué un coup.

— Je n'aurais jamais pensé que vous aviez une telle imagination », rétorqua Agatha. Levant les yeux après avoir enfoncé de force la dernière moitié d'une grosse pêche dans un bocal, elle constata que le visage de la cuisinière, d'ordinaire rubicond, avait perdu toute couleur. « Vous ne vous sentez pas bien ? ajouta-t-elle.

— Je vous demande pardon, madame, soupira la domestique en se laissant tomber sur une chaise, une grosse carotte oubliée dans chaque main. C'est que le mari de ma fille est parti à l'armée et qu'elle doit se débrouiller toute seule avec la petite.

— Il me semble que le gouvernement accorde des indemnités spéciales aux épouses et aux enfants de soldats, fit Agatha, rassurante.

— Oh, il dit qu'ils auront plus d'argent et puis que ça lui fera un peu d'aventure. Et s'il revient estropié ou mort? Et s'il se met à fréquenter une fille à soldats et ne revient pas du tout? » Elle secoua la tête et essuya une larme. « Il n'a jamais accepté d'avoir une fille infirme. »

Agatha ne savait pas quoi dire. Une préoccupation indigne lui traversa l'esprit : la cuisinière risquait de prendre des congés sans prévenir, de laisser brûler la sauce parce qu'elle était trop fatiguée, d'amener sa petite-fille qui lui traînerait constamment dans les jambes. Force lui fut de se demander si son intérêt compatissant pour les familles de son personnel n'était pas dicté par la volonté de paraître généreuse plus que par l'acceptation des inconvénients dus à leurs problèmes concrets.

« Je suis sûre que tout se passera bien, dit-elle, se crispant en songeant à sa propre faiblesse.

— Vous êtes très bonne, madame. C'est ce que je dis toujours à ma fille. Y a pas à Rye de meilleure dame que ma Mme Kent. »

On put entendre le téléphone sonner dans son petit cagibi sous l'escalier de l'entrée et Agatha fut heureuse de voir Jenny surgir pour lui annoncer que Lady Emily souhaitait lui parler.

« Lady Emily au téléphone? » s'étonna Agatha qui n'ignorait pas que l'épouse du colonel Wheaton trouvait cet instrument d'une vulgarité insupportable.

Elle en avait fait installer un, mais l'avait fourré dans la bibliothèque de son mari, caché dans un coffre de bois, si bien que les appels demeuraient souvent sans réponse car personne n'entendait la sonnerie.

« Je crois que c'est sa fille, madame, répondit Jenny. Mais elle a dit que c'était Lady Emily pour Mme Kent.

— Dites-lui que j'arrive tout de suite », fit Agatha, se lavant les mains couvertes de jus de pêche au grand évier de fer.

Tout en traversant le vestibule d'un pas rapide, elle retira sa charlotte. Elle avait beau savoir qu'on ne pouvait pas la voir au téléphone, ce n'était pas une raison suffisante à ses yeux pour déroger aux usages.

« Ici Agatha Kent, déclara-t-elle dans le lourd combiné noir, cherchant à ne pas hausser le ton comme le faisaient certains, qui semblaient croire que les câbles de cuivre transmettraient plus aisément leur voix s'ils hurlaient.

— Allô, ici Eleanor Wheaton, je suis avec ma mère », dit son interlocutrice. Agatha Kent entendit une conversation assourdie à l'arrière-plan. « Ma mère vous présente ses excuses si elle ne vient pas elle-même au téléphone, mais on ne saurait faire suffisamment attention aux microbes.

— Je sais qu'elle déteste le téléphone. En général, elle préfère envoyer un message.

— C'est ce qu'elle a fait, confirma Eleanor. Mais comme elle commençait à s'inquiéter avant même que le valet ne parte, je lui ai proposé de vous appeler pour vous faire savoir qu'elle tient absolument à vous avoir, M. Kent et vous, à dîner samedi. Le comte North nous fait l'honneur de sa visite.

— Le comte qui ?

— Cela va sans dire, poursuivit la voix.

— Pardon ? Qu'avez-vous dit ?

— Ah ! Je disais simplement à ma mère qu'il va sans dire que vous viendrez ensemble.

— Je ne suis pas sûre de pouvoir vous promettre que mon mari sera là, en raison de la situation actuelle, répondit Agatha. Vous savez qu'il est très occupé avec la guerre et tous les problèmes qu'elle occasionne. Je peux toujours demander à un des garçons de m'accompagner si cela vous convient ? »

La conversation assourdie reprit, Eleanor transmettant la suggestion à sa mère. Quelques cliquetis confirmèrent à Agatha que l'opératrice et un ou deux voisins qui avaient également décroché leur téléphone suivaient leur conversation sur la ligne collective.

« Ils sont absolument incapables d'organiser cette guerre sans lui », ajouta-t-elle, éprouvant un malin plaisir à insister sur l'importance de son mari comme elle n'aurait jamais osé le faire en présence de ces gens.

Elle entendit une toux étouffée sur la ligne et réprima un petit gloussement coupable. Tant d'individus s'employaient à faire étalage de leur propre prestige, alors que son mari préférait ne rien dire de son métier et souriait qu'on le prenne pour un fonctionnaire insignifiant. Cela n'amusait pas du tout Agatha, qui devait parfois se mordre la langue pour ne pas mentionner le Premier ministre, ou se vanter d'être informée d'une question d'importance nationale dans laquelle le travail de John avait joué un rôle primordial.

« Pardon, que disiez-vous ? demanda Eleanor.

— Rien, répondit Agatha.

— Bien, Mère est certaine que vous ne le prendrez pas mal si nous insistons sur le fait que la présence de votre mari est absolument indispensable. Lord North fait la tournée des défenses locales, et il nous faut des gens capables de parler de la guerre. Votre mari est essentiel aux projets de ma mère.

— Je comprends, et je ferai tout mon possible pour vous donner satisfaction.

— D'après ma mère, vous êtes tout simplement la seule personne de Rye capable de faire preuve d'une telle compréhension », reprit Eleanor. Un grognement étouffé révéla que ceux qui espionnaient la ligne n'appréciaient guère ce commentaire. « Nous ne voyons vraiment pas qui d'autre que M. Tillingham et vous Lord North pourrait avoir envie de rencontrer.

— Je suis ravie d'être jugée présentable.

— Il me semble que nous avons tout mis au point. Nous nous sommes longuement interrogées sur l'opportunité d'inviter les Belges de M. Tillingham. Le problème est que la jeune fille loge chez Mlle Nash. J'adore Mlle Nash, mais Mère a estimé qu'elle ne pouvait en aucun cas être invitée. De plus, le fils de Lord North est un ami de votre Daniel, et il y aurait eu vraiment trop de jeunes gens.

— Faire un plan de table est toujours un terrible casse-tête », renchérit Agatha.

Eleanor transmit le message à sa mère, et les murmures animés reprirent.

« Ma mère apprécie votre compréhension, dit Eleanor. Mais je crois que nous avons réglé la question au mieux pour tout le monde. Nous avons décidé, mon frère et moi, de recevoir tous les jeunes gens pour le dernier jour de la cueillette du houblon à la ferme de Long Meadow, et d'organiser un pique-nique champêtre avant d'assister à la fête qui se tiendra dans la soirée.

— Je suis certaine que les jeunes seront ravis d'échapper au dîner », approuva Agatha.

Elle aurait préféré, elle aussi, l'expédition à la houblonnière et avait même envisagé d'arranger une telle sortie. Et voilà qu'elle était condamnée à se serrer dans son corset le plus rigide et à occuper une place conforme à son rang dans la sinistre salle à manger de pierre des Wheaton, pendant que, sans elle, Daniel et Hugh donneraient un coup de main pour récolter le houblon, boiraient du cidre local dans des pichets de grès tièdes et accompagneraient les charrettes pleines en chantant sur une route de campagne éclairée par les étoiles. Ses souvenirs d'été préférés n'étaient pas les événements eux-mêmes, pique-niques, bains de mer, tournois de tennis et matchs de cricket, mais le spectacle du plaisir qu'y prenaient Hugh et Daniel et l'image, gravée dans sa mémoire, du ravissement qui illuminait leurs visages, accompagnée de l'écho de leurs rires. Ce serait la dernière cueillette du houblon pour Hugh avant son départ pour la France, songea-t-elle, et à cette idée, sa main se crispa sur le combiné.

« Dites à Hugh et Daniel que je compte sur eux, poursuivait Eleanor.

— Je crois que votre valet vient d'arriver, annonça Agatha en entendant la sonnette de la porte de derrière. Si cela vous est égal, je ne vais pas le faire attendre pendant que je rédige une réponse.

— Bien sûr, il paraît que vous êtes en pleines conserves. Mère me disait justement que vous faites une confiture de pêches absolument délicieuse.

— Merci », répondit Agatha sèchement.

Elle s'étonnait toujours de la rapidité avec laquelle les ragots circulaient de maison en maison. Sur une courte distance, il était plus rapide de dire un mot à la bonne servante que d'envoyer un télégramme.

« Nous avons aussi mis en bocaux les pickles à la moutarde de ma cuisinière. Voulez-vous que je vous en fasse porter des deux ?

— Attendez... Ma mère veut vous dire quelque chose. »

Agatha perçut un murmure puis une voix qui hurlait comme si elle devait franchir un ravin.

« Vous êtes trop aimable... Je ne voudrais en aucun cas... mais j'apprécierais beaucoup...

— Avez-vous entendu ? demanda Eleanor. Je ne peux la convaincre de s'approcher davantage.

— Remerciez votre mère, je vous prie, répondit Agatha, convaincue qu'il était préférable de parler calmement dans le combiné plutôt que de crier depuis l'autre bout de la pièce, mais qui n'ignorait pas que les subtilités mondaines entretenaient souvent une relation inverse avec la réflexion rationnelle. Je vais vous en envoyer un de chaque. »

Elle reposa le combiné et alla demander à la cuisinière de remettre au valet de Lady Emily deux bocaux, suffisamment gros pour donner une impression de générosité, mais pas assez pour inspirer la vision d'un garde-manger abondant, capable d'approvisionner tous ceux qui adresseraient le moindre compliment à la maîtresse de maison.

13.

Les bureaux de l'étude Fothergill et fils étaient situés dans un immeuble géorgien à façade de brique proche de la gare. Une rangée de sièges austères en crin vert bouteille occupait la pièce de devant lambrissée de bois sombre, et Beatrice s'efforça de ne pas glisser tandis qu'elle attendait, perchée au bord d'un canapé au décor surchargé. De lourdes tentures masquaient l'élégance des grandes fenêtres et empêchaient le soleil de pénétrer, tandis qu'un épais tapis turc dans des tonalités de violet et de brun ajoutait une note de richesse arrogante. Plus elle attendait, moins elle était prête à affronter l'intimité imminente de cette négociation financière avec le maire Fothergill en personne. Elle regretta de ne pas avoir la force morale, ni les fonds suffisants pour se passer purement et simplement de ses services. Une porte s'ouvrit enfin au milieu des lambris et le maire traversa silencieusement le tapis pour s'approcher d'elle.

« C'est si aimable à vous, mademoiselle Nash, d'avoir accepté de venir dans mon humble bureau. J'aurais été ravi de vous rendre visite chez vous, mais il m'a semblé qu'il serait plus confortable et plus discret de nous rencontrer ici. »

Son message écrit, expliquant qu'il avait été nommé pour représenter les notaires de sa famille, évoquait déjà cette commodité, utilisant la formule « votre chambre louée » pour désigner son cottage.

« Merci, M. Fothergill, répondit Beatrice, cherchant à s'endurcir contre le fiel de sa condescendance.

— Voulez-vous du thé ?

— Non merci, déclina-t-elle, songeant à Perséphone refusant d'accepter à boire ou à manger d'Hadès. Je ne voudrais pas vous faire perdre plus de temps que nécessaire. Il suffira que vous m'exposiez la proposition de ma tante dans tous ses détails afin que je sois en mesure de lui répondre sur tous les points.

— Nous sommes ravis qu'on nous ait demandé notre assistance, reprit-il. Puisque notre étude est l'une des plus anciennes de la ville, nous ne devrions pas être surpris de découvrir l'étendue de notre notoriété, mais nous n'en sommes pas moins remplis d'humilité et de reconnaissance chaque fois que cela se présente. » L'humilité était loin de transparaître dans son attitude lorsqu'il chaussa son nez d'une paire de petites lunettes rondes et parut la jauger attentivement au-dessus des verres. « Je ne puis que vous féliciter de vos ressources et de vos relations, poursuivit-il. On peut comprendre que vous souhaitiez rester discrète sur ce genre de choses. Tant de gens pourraient chercher à en tirer avantage. »

Il posa les yeux sur une épaisse liasse de papiers qu'il tenait à la main et fit glisser un doigt grassouillet sur la première page, de haut en bas.

« Je n'ai certainement pas l'intention de laisser qui que ce soit en tirer avantage, répondit Beatrice, espérant que la fermeté de son ton ferait comprendre à son interlocuteur qu'elle l'incluait dans cette population.

— Une jeune femme qui ne disposera pleinement de son héritage que le jour de son mariage ne peut être qu'une cible attirante pour toutes sortes d'aventuriers, poursuivit-il d'une voix basse de conspirateur. Bien que vos curateurs soulignent que vos revenus seront suffisants pour vous mettre à l'abri du besoin sans que, pour autant, on puisse parler de fortune, on peut comprendre qu'ils souhaitent vous tenir la bride serrée.

— Je ne me marierai jamais, répliqua-t-elle. J'ai l'intention de vivre modestement de mes propres revenus et je n'ai réclamé que de faibles sommes, conformes à ce que prévoient les termes de la curatelle, afin de pouvoir mener une vie décente, conforme à mon rang. »

M. Fothergill la dévisagea attentivement comme s'il cherchait à déceler des signes de folie sur ses traits.

La tante de Beatrice lui avait jeté le même regard quand celle-ci lui avait demandé de cesser de présenter un vicaire de ses amis comme son prétendant. Qu'une femme douée de raison pût repousser la chance de mettre la main sur un mari et d'hériter ainsi d'un revenu annuel de plusieurs milliers de livres était inconcevable pour Tante Marbely. Beatrice n'avait pu la convaincre que la disposition du vicaire à l'épouser en dépit, comme il le disait lui-même, de son âge et de son éducation excessive, était une indignité à laquelle elle refusait de se soumettre, dût-elle mourir de faim. Dans sa colère, Tante Marbely lui avait fait douloureusement comprendre qu'elle avait réussi à convaincre son père d'accepter la curatelle aussi bien que le vicaire, et que son vœu de mourant avait été de savoir sa fille pourvue d'un mari convenable qui assurerait sa sécurité. Ayant survécu au visage livide et aux insultes cinglantes de sa tante contrariée et ayant juré de ne jamais lui accorder satisfaction, elle affrontait désormais les sourcils froncés de M. Fothergill d'une âme égale.

« Je ne vois pas la nécessité d'un contrôle ni d'une approbation préalable pour des montants aussi modiques, ajouta-t-elle, poussant son avantage.

— Je puis vous assurer que l'étude détaillée des modestes dépenses quotidiennes d'une vieille fille ne présente aucun intérêt pour moi », répondit M. Fothergill.

L'air toujours vaguement déconcerté, il leva une main impérieuse et fourragea dans ses papiers, les disposant pour sa prochaine ligne d'attaque. « Néanmoins, dans le cadre des limites que suggère cet accord, j'espère pouvoir vous proposer une solution aussi satisfaisante pour vous que pour moi.

— Et que proposez-vous ?

— Tout simplement que vous me fassiez parvenir la liste mensuelle de l'ensemble de vos dépenses, avec des copies des factures de tous les commerçants. Je demanderai à cette chère Mme Fothergill, mon épouse, de les vérifier et de les approuver. D'une part, elle pourra me conseiller, de l'autre, elle vous sera certainement d'un précieux secours, puisque vous êtes seule, sans main féminine pour vous guider.

— Il n'est pas question d'imposer pareil fardeau à votre épouse, protesta Beatrice, horrifiée.

— Elle ne demande qu'à vous rendre ce service, insista M. Fothergill. Je l'ai déjà sondée sur ce point avec la plus grande discrétion, et sa noble tête s'est immédiatement inclinée en signe d'approbation.

— Je ne tolère pas que l'on discute ainsi de mes affaires personnelles.

— Je puis vous assurer que mon épouse est la discrétion même et que je n'ai donné aucun nom ni aucun détail d'ordre financier - je lui ai simplement parlé d'une pauvre jeune personne sans mari ni personne de confiance pour l'éclairer. Nous n'avons pas de fille, voyez-vous...

— Mme Kent et Lady Emily se sont montrées, l'une comme l'autre, d'une extrême bonté à mon égard.

— Précisément. De très grandes dames à leur manière, bien sûr, mais vous ne devriez pas abuser de Lady Emily. » Il lui jeta un regard solennel comme si elle s'était présentée tous les jours à la grande porte de chêne de Lady Emily pour quémander conseils et soutien financier.

« Quant à Mme Kent, poursuivit-il en s'inclinant vers elle d'un air aussi complice que sa vaste bedaine le lui permettait, mon épouse et elle se connaissent depuis leur enfance, vous savez, et si leur longue amitié me lie la langue, ma responsabilité professionnelle m'oblige à vous mettre en garde. »

Il posa le doigt le long de son nez.

« Je ne vois absolument pas ce que vous pouvez avoir à lui reprocher, répondit Beatrice. Il me semble que son mari est haut fonctionnaire à Whitehall.

— Il est regrettable d'obliger une épouse à passer d'aussi longues années à l'étranger. Cela ne peut qu'encourager de légères faiblesses de caractère. Ma propre chère épouse n'a jamais quitté les limites de l'Angleterre du Sud et ne mettra jamais les pieds à Londres sans que je le lui ordonne expressément. Pour elle, la décence passe avant tout. »

Beatrice se leva, et ramassa son ombrelle, cherchant à garder son sang-froid.

« Avec tout le respect qui vous est dû, je pense que nous en resterons là, M. Fothergill. Je suis consternée que mes curateurs aient demandé à un notaire de votre envergure de se charger d'une affaire aussi triviale, et vous feriez bien de leur écrire immédiatement pour décliner cette proposition. » Elle enfila ses gants avec un calme qui dissimulait une envie effrénée de se ruer sur lui. « Je ne leur dirai rien, bien sûr. C'est une étude où la correction est primordiale, et je crains qu'ils ne considèrent votre offre d'un œil soupçonneux, aussi bien intentionnée et charmante soit-elle.

— Ces types de Londres, ils peuvent être raides », convint M. Fothergill.

Il plissa le front et elle constata avec plaisir qu'elle l'avait proprement décontenancé.

« Je suis pourtant certain que telles sont les conditions qu'ils ont l'intention de vous imposer, continua-t-il en baissant les yeux sur ses documents, et Beatrice fut convaincue qu'il regrettait la perte des émoluments qu'on avait pu lui faire miroiter. Ils vous proposent dix livres immédiatement.

— M. Fothergill, nous n'avons que mépris, vous comme moi, pour leurs dix livres. Notre intégrité ne saurait être achetée à aussi vil prix.

— Non, bien sûr, les transactions que je traite d'ordinaire sont évidemment plus importantes », acquiesça-t-il, mais elle était déjà en train de lui dire au revoir et de quitter la pièce en imitant de son mieux l'attitude hautaine de sa tante, malgré son dépit.

Une fois dans la rue, elle craignit de fondre en larmes d'exaspération. N'étant pas assurée de pouvoir s'isoler dans son propre cottage, elle gravit la côte d'un bon pas en direction de la vieille tour qui surplombait les marais, projetant de se tenir un moment à la balustrade pour se rafraîchir le visage sous la brise marine jusqu'à ce qu'elle ait retrouvé son calme. Elle ne prit que vaguement conscience d'un bruit de pas derrière elle, mais au moment où elle rejoignait l'entrée du parc, elle entendit crier « Bonjour » et, se retournant, aperçut avec consternation M. Poot, le neveu de Fothergill, qui montait la rue derrière elle, pantelant, agitant son chapeau, souffrant manifestement de la chaleur dans son costume trois pièces de laine. Elle espéra un instant qu'il saluait quelqu'un d'autre, mais lorsqu'il traversa la pelouse en s'essuyant le visage avec un grand mouchoir, elle comprit qu'il l'avait suivie depuis les bureaux de Fothergill dans l'intention de lui parler.

« Mademoiselle Nash, haleta-t-il, je vous supplie de m'accorder un entretien.

— M. Poot, il me semble que nous avons à peine été présentés. Je m'en voudrais d'être brutale, mais permettez-moi de vous rappeler qu'il n'est pas très correct de votre part de m'aborder ainsi dans la rue.

— Je vous demande pardon, mademoiselle Nash. Mais je suis convaincu que nous pouvons nous rendre mutuellement un immense service. Si vous vouliez bien me faire la grâce de quelques instants de conversation en tête à tête, vous y trouveriez peut-être votre avantage.

— Vous faites erreur, M. Poot. Je vous souhaite une bonne journée. »

Elle se détourna et s'approcha de la balustrade, regrettant qu'il n'y ait pas un ou deux promeneurs dans l'enceinte du parc, ou une artiste peintre assise devant son chevalet, pour les soumettre à un regard vigilant.

« Vous m'obligez à vous faire remarquer que vous me devez bien une minute de votre temps, lança-t-il en réprimant difficilement une grimace sarcastique. Puisque vos amis ont veillé à ce que mon poste d'enseignant vous revienne.

— Je ne vois absolument pas de quoi vous parlez, M. Poot », dit-elle en resserrant sa main autour de la poignée de son ombrelle.

Elle se tourna pour lui faire face, d'un air délibérément inexpressif, tandis qu'il rangeait son mouchoir. Elle n'allait certainement pas lui donner la satisfaction de lui demander en quoi ses soucis professionnels la concernaient.

« Je vous demanderai de bien vouloir me laisser tranquille. »

Poot la dévisagea à son tour pendant une minute puis se mit à rire, d'un rire bref comme un aboiement de chien.

« Oh, sans doute ignorez-vous que les neveux des Kent, associés à ce traître de Wheaton, m'ont piégé pour me faire boire ce matin-là ? demanda-t-il. Ils m'ont fait perdre toutes mes chances.

— Un homme ivre est responsable de ce qu'il a bu.

— Si un homme renverse du rhum sur le dos de votre veste, cela peut suffire pour que vous empestiez la taverne, rétorqua Poot. Je vous le demande, mademoiselle Nash, est-ce juste ?

— Non, en effet, M. Poot », admit-elle, se demandant s'il avait l'intention de porter plainte et s'il était encore possible de lui retirer son poste.

Peut-être son inquiétude se lut-elle sur son visage, parce qu'il s'esclaffa de plus belle.

« Oh, ne vous en faites pas, ils m'ont rendu service, en réalité. Mon oncle voulait me faire obtenir ce poste de professeur pour ne pas avoir à me prendre dans son étude, mais comme cela n'a pas marché... eh bien voilà, je travaille pour lui.

— Je vous assure que je n'en savais rien, M. Poot. Je ne désirais qu'une chose, être engagée pour mes propres mérites.

— Vous l'avez été, mademoiselle Nash, et moi, je ne désire qu'une chose, que vous m'écoutiez pendant quelques minutes et que vous me jugiez selon mes mérites.

— Je vous écouterai, mais si c'est votre oncle qui vous envoie, vous perdez votre temps. Je préférerais mourir de faim plutôt que de me soumettre aux conditions déraisonnables des notaires de ma tante. »

Elle détourna les yeux en direction de la Manche pour qu'il ne voie pas son visage s'empourprer d'humiliation. L'idée qu'il ait pu être informé, lui aussi, des propositions qu'on lui avait faites la faisait frémir.

« Ceux d'entre nous à qui la vie impose d'injustes restrictions doivent souvent endurer plus que leur part d'humiliation, remarqua-t-il. Je crois que nous devrions pouvoir trouver le moyen de nous assister réciproquement.

— Comment envisagez-vous de m'assister ? demanda-t-elle en se dirigeant vers une petite table de fer où elle s'assit.

— En vous demandant de m'aider », répondit-il.

Désormais très circonspect, il attendit qu'elle l'invite à s'asseoir, ce qu'elle fit d'un geste de la main. Il prit place lentement.

«Je pense que nous pouvons, vous et moi, être d'une grande utilité à notre pays, en même temps que l'un pour l'autre, reprit-il. Seriez-vous intéressée par un travail peut-être plus vital et plus intellectuel que les comités de dames et les collectes de fonds?

— Je suis toujours prête à servir mon pays, M. Poot. Mais la nécessité d'exercer un emploi rémunéré me tient à l'écart de possibilités d'agir plus efficacement.»

Beatrice savait, et en était meurtrie, que consacrer tout son temps à la cause nationale était apparemment devenu la règle de la bonne société de la ville.

«Sur ce point, nous nous ressemblons, dit-il. Ne disposant ni des relations ni de la fortune nécessaires pour huiler les rouages qui me permettraient d'obtenir un confortable poste de commandement, j'en suis réduit à voir des gens moins compétents que moi élevés à des positions pour lesquelles je donnerais volontiers ma vie.

— Nous devons tous aider dans la mesure de nos possibilités. Connaissez-vous Hugh Grange qui vient de rejoindre les services médicaux de l'armée? Un officier de qualité et une noble décision, ne trouvez-vous pas?

— En effet, acquiesça-t-il. Et j'ai moi-même enfin été appelé à faire ma part.» Il posa la main sur son cœur. «Je vais rejoindre un petit groupe de juristes chargé de rendre un grand service au peuple de Belgique et à notre pays en interrogeant tous les réfugiés belges de la région pour rassembler leurs témoignages sur les horreurs de l'invasion allemande.

— C'est merveilleux, M. Poot, s'enthousiasma Beatrice.

— Ces récits, consignés et compilés, feront l'objet d'un rapport officiel du gouvernement britannique qui, espère-t-on, pèsera lourd dans la balance lorsque sera venue l'heure de réclamer des comptes au Kaiser.

— Et en quoi puis-je vous aider dans cette entreprise ?

— J'ajouterai simplement que dans cette tentative pour porter témoignage, il ne faut passer sous silence aucune horreur et aucune brutalité, ne ménager aucun sentiment, n'accepter aucun compromis sous prétexte de délicatesse. Je l'ai fait comprendre très clairement à tous les Belges que je suis allé voir au foyer, et pourtant, je n'ai pu obtenir la moindre coopération de leur part ; pour être honnête, ils ont paru perdre toutes leurs connaissances en anglais quand je les ai exhortés à s'exprimer.

— Ne les auriez-vous pas exagérément assaillis de questions, M. Poot ? demanda Beatrice. Ils ont été tellement brutalisés et tourmentés par les Allemands que votre autorité manifeste a pu les effrayer.

— J'ai expliqué à la commission qu'un uniforme militaire les aurait intimidés et contraints à parler bien plus efficacement qu'un chapeau melon ne saurait le faire. Mais peut-être avez-vous raison, mademoiselle Nash. Il m'arrive d'oublier la force de mon autorité naturelle. Sans doute importe-t-il de savoir adoucir son approche, d'arriver à leur arracher la vérité par la suggestion et par quelques flatteries compatissantes.

— Je suis sûre que si vous les interrogez gentiment...

— Il me semble que vous avez établi avec eux un rapport propre à désamorcer toute méfiance de leur part.

— Je suis certaine que vous devez être capable de les convaincre en douceur, M. Poot.

— S'y ajoute que tous ne parlent pas très bien anglais – ce qui peut se comprendre, après tout – et que mon français, bien que tout à fait correct, n'est pas, comment dire, d'une grande richesse de nuances. » La vilaine rougeur qui envahit le bout de ses oreilles trahissait que ce pauvre M. Poot savait pertinemment que son français était bien trop rudimentaire pour la tâche qu'on lui avait confiée. «Je remercie simplement le Seigneur qu'on ne nous ait pas envoyé de réfugiés flamands, poursuivit-il.

— Je comprends qu'une bonne maîtrise de la langue soit indispensable.

— Vous pourriez servir votre pays en acceptant simplement de me consacrer quelques heures pour m'aider à accomplir ce travail essentiel, reprit-il. Voyez-vous, je m'en remets intégralement à vous dans cette affaire, et vous en serai à jamais redevable.

— Je ne souhaite pas qu'on me soit redevable de quoi que ce soit, protesta Beatrice. Je ne sais que trop bien ce qu'on éprouve en pareil cas.

— Il est d'une importance extrême pour ma tante et pour mon oncle que je fasse mes preuves au sein de cette commission, insista-t-il. Si j'ai bien compris, ceux qui obtiendront les résultats les plus convaincants se verront offrir un emploi gouvernemental plus permanent.»

Beatrice le dévisagea attentivement.

«La proposition de votre oncle d'exercer un contrôle sur mes finances est inacceptable», dit-elle. La phrase était brutale, et elle se demanda si elle ne se plaçait pas dans une position trop vulnérable. «Vous comprenez certainement mon point de vue?

— Se voir refuser l'accès à des fonds suffisants et se faire traiter comme une enfant est certainement humiliant, reconnut-il. Si j'avais une procuration de votre part, j'insisterais auprès de mon oncle pour lui faire comprendre que la simple liste manuscrite de vos dépenses, présentée une fois par mois, serait largement suffisante.

— Il voulait me faire rendre des comptes à Mme Fothergill, ajouta-t-elle.

— Non, voyons, c'est un travail de clerc, rien de plus. Je pourrais parfaitement assumer moi-même cette responsabilité, et vous pouvez être sûre que je prendrai grand soin de ne pas fourrer mon nez dans le détail de vos dépenses et me contenterai de confirmer qu'elles ne dépassent pas un montant parfaitement raisonnable.

— Accepteriez-vous de faire cela, M. Poot ?

— Mon oncle a été très flatté d'être sollicité par des notaires londoniens aussi illustres. Votre refus l'a mortifié, mais il s'est convaincu que votre obstination est insurmontable. Si je pouvais lui dire que vous acceptez l'arrangement dont nous venons de parler, je devrais pouvoir lui faire entendre raison.

— Je vous assisterai, M. Poot, acquiesça Beatrice. Il est parfaitement normal que nous aidions notre pays et que nos invités belges aient la possibilité de faire connaître publiquement les torts qu'ils ont subis.

— Merci.

— Et j'accepterai que vous supervisiez mes comptes à l'essai pendant un trimestre, ajouta-t-elle.

— Je serai heureux de pouvoir vous être utile et vous pouvez compter sur mon entière discrétion.

— Je ne souhaite pas, par ailleurs, que ces dispositions créent la moindre obligation entre nous, M. Poot, insista-t-elle.

— Votre franchise est admirable, mademoiselle Nash. Permettez-moi de vous répondre que, sans espérer de liens plus étroits, peut-être ceux de l'amitié pourraient-ils...

— Malheureusement, notre relation juridique exclut toute amitié entre nous, coupa-t-elle. Il est vrai que dans la mesure où nous ne nous connaissons pas très bien, maintenir une relation strictement professionnelle ne sera une perte ni pour vous ni pour moi.

— Bien entendu », acquiesça-t-il.

Il n'avait pas l'air pleinement satisfait, mais le soulagement de la voir accepter ses plans supplanta probablement toute velléité de protestation.

« Pouvez-vous faire en sorte que votre étude me fasse porter la traite de dix livres promise à mon domicile avant demain soir ? demanda-t-elle, se levant pour prendre congé.

— Je pense que vos curateurs accepteront nos dispositions, mais vous devez comprendre que la rédaction des documents définitifs prendra un certain temps et que par les temps qui courent, notre agence bancaire risque d'être lente à honorer les traites qu'elle reçoit. Je devrais tout de même pouvoir vous obtenir deux livres dans les plus brefs délais. Cela vous conviendrait-il ?

— Merci, M. Poot. Deux livres conviendront fort bien. J'attendrai patiemment le reste. »

S'efforçant de quitter le parc avec un semblant de dignité qu'elle était loin d'éprouver, Beatrice éprouva un bref pincement au cœur en songeant à sa vie d'autrefois. Jamais son père et elle n'auraient accepté de s'abaisser à ergoter pour quelques sous. Le monde lui paraissait un peu moins noir et blanc sans sa présence tutélaire. Mais peut-être, songea-t-elle, le monde avait-il toujours été gris, et le croire différent avait-il été pure naïveté de sa part ?

Elle longea la grand-rue, en direction de l'ancienne porte de pierre à l'est de la ville, où les boutiques cédaient la place à une agréable promenade qui longeait le sommet de la falaise, surplombant les prés salés, avec la rivière en contrebas et la vaste étendue de marais littoral au-delà. Ici, Beatrice eut la surprise d'apercevoir M. Tillingham debout devant la balustrade de fer noir. Il était tellement figé qu'il semblait ralentir le pas des passants et pourtant, cette immobilité décourageait les marques habituelles d'amitié, chapeaux soulevés et civilités diverses. Il ne bougeait même pas la tête quand les habitants de Rye le contournaient et poursuivaient leur chemin. Beatrice n'avait pas l'intention de lui parler, mais son regard fixe et sa main cramponnée à un fleuron de fer forgé comme si celui-ci pouvait lui offrir un appui plus solide que sa canne à pommeau d'argent lui inspirèrent un élan d'inquiétude. S'avançant, elle posa la main sur son bras.

« M. Tillingham ? Vous vous sentez bien ? » Il tressaillit puis se retourna, comme tiré du sommeil, et battit de ses paupières lourdes en la voyant. « Tout va bien ? insista-t-elle.

— Ils ne savent pas ce qui les attend, psalmodia-t-il d'une voix lente, comme s'il gravait ces mots dans sa mémoire tout en les prononçant. Le charme de cette terre immuable et antique, de cette ville, n'est que tulle fragile.

— Souhaitez-vous vous asseoir ? » Apercevant un banc de bois à proximité, à l'abri d'un grand arbre en pot, Beatrice fit un geste dans sa direction. « Pourrions-nous prendre place là-bas un moment, M. Tillingham ?

— Pardonnez-moi », dit-il, secouant lentement la tête comme un gros chien qui remue les oreilles en se réveillant. Il lui offrit son bras et la conduisit vers le banc. « Je composais quelques lignes pour un essai, et je me suis perdu dans mes pensées. Il peut m'arriver d'être extrêmement grossier quand je réfléchis. »

Beatrice se mordit la langue pour réprimer un sourire et s'assit, abritant ses yeux d'une main pour contempler le marais, comme M. Tillingham l'avait fait.

« Quelle jolie vue, remarqua-t-elle. Le recul de la mer au fil du temps mesuré et consigné avec précision par le dessin des digues.

— Bien observé, mademoiselle Nash », approuva-t-il. Il fit glisser ses doigts le long de sa chaîne de montre comme s'il disait son chapelet. « Je crains cependant que l'illusion de ce rempart vert en constante expansion ne nous inspire quelque suffisance. Peut-être sommes-nous comme le roi Knud qui s'imaginait avoir triomphé de la nature en voyant la marée s'éloigner.

— Vous êtes d'humeur bien sombre aujourd'hui, M. Tillingham.

— Je repensais au grand conflit américain de ma jeunesse, expliqua-t-il. Moins d'un siècle après avoir obtenu l'indépendance, nous nous sommes déchirés – frère contre frère, patriote contre patriote –, les champs de blé couverts du sang de jeunes fermiers, des villes réduites en cendres par leurs voisines. » Il sortit un grand mouchoir en soie et s'épongea le front. « Je me rappelle surtout que ce qui a commencé par des tambours et des fifres, des drapeaux et des banderoles, s'est transformé, bien trop vite, en un long hiver gris de l'esprit.

— On a peine à croire à la guerre par un jour aussi radieux, murmura Beatrice.

— Et pourtant, elle fait rage juste au-delà de l'horizon, là-bas, répondit M. Tillingham avec un geste de sa canne. On m'a demandé de rédiger un texte exaltant pour convaincre l'Amérique de se rallier à notre glorieuse cause. »

Elle s'efforça de choisir ses mots avec soin, soucieuse de ne pas gâcher cette précieuse occasion d'entendre l'écrivain exprimer ses pensées.

« Qu'avez-vous l'intention de leur dire ? demanda-t-elle.

— Mes paroles n'ont pas encore, pour le moment, parfaitement cerné mes pensées. Je crains que ma prémonition – que l'Angleterre, rêveuse sous ses cieux estivaux et enveloppée dans son manteau de marais et de paisibles canaux, n'affronte de longues ténèbres de l'âme – ne soit pas suffisante pour pousser l'Amérique à agir. » Il joua avec sa chaîne de montre et remua sa puissante mâchoire comme s'il mastiquait ses propres pensées. « La question qui se pose est de savoir si l'Amérique pourra encore espérer bâtir sa propre cité radieuse si elle se tient à l'écart pendant que tout ce que le monde civilisé contient de beau et d'antique est passé par le fil de l'épée.

— Et une approche moins philosophique ? suggéra Beatrice, craignant que le goût de M. Tillingham pour les phrases interminables et les multiples ellipses ne serve guère un appel aux armes. Les journaux regorgent de récits de bébés transpercés d'un coup de baïonnette et de paysans assassinés.

— Nous ne gagnerons pas cette guerre en répondant par une propagande bon marché aux actes sanguinaires et à la sauvagerie des Allemands, répliqua-t-il. Nous devons être fermes dans nos convictions et notre raison doit demeurer inflexible, faute de quoi nous perdrons l'honneur même si nous remportons la bataille. Je dois plaider la cause de la protection de l'innocente Belgique et de l'Angleterre ancestrale en les présentant comme le creuset de toute civilisation durable.

— Quelle noble vision ! Cela me paraît très bien. »

M. Tillingham lui jeta un regard perçant, comme si elle venait de lui exprimer une insulte voilée.

« L'approbation des dames est toujours suspecte, observa-t-il. On risque le rejet des esprits sérieux. L'étiquette romantique de l'esprit chevaleresque. Le véritable écrivain s'efforce de conquérir des lecteurs d'une autre trempe.

— Nous ne sommes pas toutes des lectrices écervelées de romans anglais, protesta Beatrice.

— D'un autre côté, il semble bien que les dames soient les plus à même d'éveiller l'enthousiasme pour certaines idées, poursuivit-il, songeur. Peut-être l'écrivain aurait-il intérêt à simplifier suffisamment son idée maîtresse pour que le regard féminin s'en empare et la répande à travers la ville.

— Nous pouvons certainement tous embrasser cette cause-là, insista Beatrice.

— Et je suis certain que tous le feront dès que j'aurai quelque peu étoffé ces grandes lignes. » M. Tillingham réfléchit un instant avant d'ajouter, pour lui-même : « Il faut que j'invite le jeune Daniel à dîner pour qu'il me donne le point de vue de la nouvelle génération. »

Beatrice ne put que détourner le regard et faire mine de contempler l'horizon pour dissimuler sa déception. Le manque d'égards de l'écrivain avait dissipé toute sollicitude à son égard et elle décida de l'interroger au sujet des lettres de son père.

« Un travail de cette importance réclame certainement tout votre temps, M. Tillingham, dit-elle. Regrettez-vous de devoir renoncer provisoirement à votre œuvre personnelle pour servir le pays ?

— Nous sommes tous appelés à consentir des sacrifices. J'ai une ou deux petites entreprises en cours, juste de quoi préserver la cohésion de l'âme et du corps, encore que je n'aie jamais adhéré à l'idée que l'austérité du corps soit bonne pour l'âme, ou favorable à l'expression de la muse.

— J'avais espéré moi-même publier un petit ouvrage, reprit Beatrice. Des lettres de mon père, avec une préface de ma plume.

— Ah, fit M. Tillingham en contemplant avec une intense concentration une barge qui remontait la rivière à la voile, au-dessous d'eux.

— Or je viens d'apprendre que l'éditeur de mon père a demandé à un autre auteur de se charger de ce projet, poursuivit-elle.

— Vraiment ? »

La ligne de flottaison de la barge était très basse car elle transportait une lourde cargaison de charbon et semblait requérir toute l'attention de M. Tillingham pour négocier son passage sous le pont.

« Il a conservé mon manuscrit. Mais n'a pas l'intention de me faire participer à cette publication.

— Écrire un livre n'est pas une tâche qui se partage, savez-vous, lui fit-il remarquer. J'ai essayé parfois de collaborer avec des amis, des écrivains déjà publiés, extrêmement populaires eux aussi, mais je puis vous dire que cela a été très préjudiciable à notre amitié. »

Ils restèrent assis un moment en silence, puis M. Tillingham poussa un profond soupir.

« Écoutez-moi, il n'est pas impossible que je sois l'auteur en question, reconnut-il.

— Quelle curieuse coïncidence, fit-elle. Je suis certaine que vous m'en auriez parlé si vous n'aviez pas été aussi occupé ?

— Cela m'a échappé. On m'a soumis un projet qui ressemble effectivement à celui que vous venez d'évoquer, et je me rappelle à présent que le nom de votre père y était peut-être mentionné. Évidemment, je n'aurais pas ordinairement envisagé de donner suite à une telle commande, mais vous m'aviez incité à ressortir son petit ouvrage, et sans doute étais-je d'humeur réceptive quand l'éditeur m'a écrit.

— C'était à moi de rédiger ce texte, M. Tillingham. Ils n'avaient pas le droit de s'adresser à un autre écrivain.

— Un autre écrivain, dites-vous, mademoiselle Nash ? »

Il haussa un sourcil et elle fut écrasée sous le poids de son sarcasme.

«Je ne prétends pas aspirer aux sommets que vous occupez, M. Tillingham. Mais il me semble être mieux placée que quiconque pour présenter le travail de mon père.

— Je n'ai pas l'intention de me quereller à propos d'un petit recueil de lettres dont l'audience sera tout au plus respectable, même si mon nom figure en couverture. Face à l'ampleur de la catastrophe mondiale pour laquelle nous consentons tous de tels sacrifices de sang et de larmes, je suis convaincu que vous partagerez mon mépris pour les discussions stériles. »

Il se tourna vers elle, abaissant ses lourdes paupières dans une imitation approximative du regard modeste d'un saint.

« Vous avez raison, acquiesça-t-elle. En des temps aussi tragiques, je devrais être heureuse que le nom de mon père ne soit pas simplement jugé dénué de toute importance.

— C'est une angoisse qui n'est épargnée à aucun de nous, dit-il, cédant apparemment à un instant d'honnêteté involontaire. En temps de guerre, la sagesse de l'âge peut être écartée par la vigueur de la jeunesse et l'art écrasé par la recherche du sensationnel. Dans notre défense attentionnée de l'œuvre de votre père, nous pourrons préserver l'une et l'autre.

— Je suppose qu'il s'agit d'un pluriel de majesté, lança Beatrice. Les gens ne cessent de dire "nous", mais j'ai déjà constaté qu'ils songent rarement à m'y inclure.

— Pourquoi ne pas approfondir la question, mademoiselle Nash ? Si vous continuez à y attacher pareille importance, je ne demande qu'à me retirer de ce projet et à retourner votre manuscrit sans l'avoir lu. Si, après mûre réflexion, vous estimez que je suis l'homme de la situation, je serais honoré d'utiliser les notes que vous avez rédigées pour compléter mes recherches. Et peut-être pourrais-je trouver le temps de jeter un coup d'œil à l'une ou l'autre de vos autres productions ? »

Elle garda le silence, luttant pour réprimer un frisson puéril d'excitation à l'idée que le célèbre auteur pourrait poser les yeux sur ses écrits.

« Et vous viendriez bien sûr dîner à la maison pour me faire part de toutes vos idées à ce sujet, ajouta-t-il, se levant avec difficulté du banc de bois. Je vous souhaite le bonjour, mademoiselle Nash. »

Il lui baisa la main de ses lèvres sèches et descendit la grand-rue de sa démarche traînante caractéristique, tapotant le sol de sa canne au pommeau d'argent.

Alors qu'elle le regardait s'éloigner, Beatrice comprit qu'elle avait été sur le point de vendre sa juste colère contre un siège à la table du grand homme, et sourit en songeant que M. Tillingham avait été bien plus près de réussir à la corrompre que ce pauvre maire Fothergill avec ses dix livres. Elle se demanda combien d'autres auteurs et artistes M. Tillingham avait séduit aussi aisément grâce à sa gloire et à sa réputation. En quittant le banc pour descendre vers la rue en contrebas, elle se fit une promesse : si elle acceptait qu'il présente ce livre, ce serait pour mieux servir la mémoire de son père, et non parce qu'elle espérait être ainsi comptée parmi les jeunes protégés du grand homme. Pourtant, en rentrant chez elle, elle n'avait qu'un désir, celui d'être reçue dans ce cercle d'élus.

Dans les marais, le soleil brûlait le dos de Snout, penché sur l'acier poli des rails de chemin de fer. La chaleur rayonnait depuis les traverses brunes qui ancraient les barres dans le sol, et la sueur aplatissait ses cheveux avant de dégouliner sur son torse. L'ombre était rare. Seuls quelques arbustes rabougris et d'épais buissons de ronces séparaient la voie ferrée des champs. Des freux, qui nichaient dans les broussailles, battaient des ailes autour de lui, croassant de colère dans leur langage, tenant leurs ailes noires sur le côté comme s'ils secouaient un imperméable trempé. Parfois, quand son seau se faisait lourd, il se réfugiait sous un des arbres grêles, des aubépines pour la plupart, aux feuilles étroites et frémissantes, et se reposait un instant, humant les endroits où des braises échappées des trains qui passaient avaient brûlé des cercles dans les herbes et carbonisé les branches.

Il était apparemment le seul en été à ramasser le charbon et le coke tombés des convois. Il s'étonnait de la courte mémoire de ceux qui ne pensaient à venir fouiller le long de la voie que quand le gel s'était abattu sur les champs et que le prix du charbon grimpait. Son père lui donnait un penny par seau pour ajouter le fruit de ses expéditions à la cave à charbon de la forge. Mais Snout mettait de côté un seau sur trois et le stockait en prévision de l'hiver. À ce moment-là, les dames de la ville qui lui faisaient signe depuis leurs fenêtres étaient prêtes à lui glisser deux pence pour qu'il vide son seau par leur trappe. Le prix du charbon montant en flèche, il caressait l'espoir de gagner encore plus durant l'hiver à venir. Ses réserves se trouvaient dans un terrier de blaireau désaffecté ouvrant sur une berge escarpée là où la voie ferrée croisait un cours d'eau. Un matelas de ronces en dissimulait l'entrée, et comme il n'y avait que quelques trains par jour, il était à l'abri des regards.

L'été précédent, il avait embauché deux petits garçons pour l'aider, en leur offrant un demi-penny par seau. Mais ils étaient paresseux et ne cessaient de se plaindre. L'un d'eux, mécontent de ne recevoir qu'un demi-penny pour le demi-seau qu'il avait mis des heures à remplir, était allé chercher son père qui avait menacé de tirer les oreilles à Snout s'il ne lui donnait pas davantage. Snout avait promptement fait surgir de sa poche une pièce de deux pence toute brillante, mais comme il s'y attendait, le père lui avait tout de même collé une bonne taloche et avait cherché à l'intimider en parlant de prévenir les autorités ferroviaires.

C'étaient les vicissitudes du commerce. Snout ne s'appesantissait pas sur ses échecs, préférant se concentrer sur sa fortune grandissante qu'il conservait dans un bocal de verre caché sous une planche détachée, sous son lit. Il n'avait partagé son secret qu'avec sa sœur Abigail qui savait se taire mieux que n'importe quel adulte. Il ne jouait pas avec le bocal, n'allait jamais y piocher quelques pièces pour s'acheter des bonbons, et n'avait pas l'intention de transformer sa monnaie en boutons dorés pour orner son gilet comme le peuple de son arrière-grand-mère avait coutume de le faire. Il se contentait de soulever la planche de temps en temps, de dévisser le couvercle métallique et de glisser dans son bocal quelques pièces de plus, en prévision du jour où il pourrait enfin quitter Rye.

Il n'avait aucune envie de prendre la succession de son père qui avait commencé à travailler à la forge quand il avait épousé la mère de Snout. Son père était, de tout le comté, l'homme qui s'y connaissait le mieux en chevaux, et il avait souvent un joli cob gitan pie, à la crinière luxuriante et aux jambes frangées, parqué dans le grand box derrière la forge, attendant d'être vendu. Il avait l'art d'amadouer les chevaux les plus rétifs par le seul pouvoir de sa voix et de convaincre tous les acheteurs qu'ils étaient d'excellents juges en matière d'équidés. Dans la mesure où il ne vendait que de belles bêtes, ses clients étaient persuadés qu'il avait raison. Ils ne l'en appréciaient que plus et sa réputation grandissait, mais Snout voyait bien que les recommandations qu'ils faisaient s'accompagnaient souvent d'un clin d'œil et d'une mise en garde à voix basse à propos des origines tsiganes de son père.

Il constatait, également, que son arrière-grand-mère ne venait jamais chez eux. Il la voyait se promener avec son panier de bruyère blanche porte-bonheur, frappant à toutes les portes, sauf à celle du petit cottage près de la forge. La famille de son petit-fils ne lui offrait pas un verre d'eau, pas une chaise à l'ombre. Si Snout la croisait en ville, il descendait du trottoir pour la laisser passer et ils n'échangeaient jamais un regard. C'était la honte que lui inspirait cet accord tacite bien plus que les railleries des autres qui lui donnait envie de partir.

Il se voyait déjà à la tête d'un commerce dans une bourgade prospère et avait même promis à Abigail qu'elle pourrait venir tenir son ménage. Mais maintenant que Mlle Nash lui avait parlé des bourses scolaires, ses projets avaient pris une urgence nouvelle car ils ne paraissaient plus irréalisables. Le sifflet d'un train retentit et la locomotive noire cliquetante arriva à vive allure, crachant de la vapeur et des escarbilles, tirant ses wagons de bois bleu et écarlate, tandis que ses roues grinçaient et cognaient contre les rails d'acier. Après son passage, il traversa la voie avec insouciance pour aller ramasser un freux, assommé par le convoi. Les conducteurs de trains s'arrêtaient parfois pour en faire autant, mais aujourd'hui, la locomotive avait poursuivi sa course et Snout savait que son père ne refuserait pas une tourte au freux pour son dîner.

14.

Agatha Kent était en train d'ouvrir en grand toutes les fenêtres du pavillon de jardin de M. Tillingham pour l'aérer avant la réunion hebdomadaire du Comité de secours belge. En tant que secrétaire de l'organisation, elle mettait un point d'honneur à arriver en avance pour superviser la mise en place des canapés et de la théière. Les autres dames du comité prétendaient n'avoir pas la patience nécessaire pour se charger de tâches aussi rébarbatives que la rédaction du procès-verbal des réunions et la commande de canapés. Elles ne comprenaient pas que ces fonctions accordaient à celle qui les assumait une autorité suprême sur le comité, qu'il s'agît de la disposition des sièges ou des décisions et projets qu'Agatha avait ainsi toute liberté de nuancer et d'orienter en exploitant l'étroite marge entre prise de notes et transcription officielle.

« Ce fauteuil de teck sculpté devrait être déplacé en face de celui de M. Tillingham », remarqua-t-elle, faisant signe au domestique de l'écrivain de placer le trône noueux, relique d'un voyage de quelque précédent propriétaire en Extrême-Orient et perchoir favori de Mme Fothergill, le plus loin possible. « Parfait, merci », ajouta-t-elle en drapant son châle sur le dossier du siège situé à gauche de celui du président, avant de déposer une paire de gants de rechange crème sur le fauteuil situé à sa droite pour réserver la place à Lady Emily. Sortant de son sac un vaporisateur d'eau de lavande, elle commença discrètement à en pulvériser les rideaux. La pièce, qui servait de club aux réfugiés belges tous les après-midi, était toujours remplie de l'odeur âcre de leur épais tabac de pipe brun.

Elle aperçut par la fenêtre plusieurs petits groupes de réfugiés qui s'attardaient encore dans le jardin. La jeune Céleste, qui semblait avoir promptement pris la responsabilité du bon déroulement des après-midi, lisait une histoire à plusieurs jeunes enfants assis sous un arbre. Agatha admira la grâce paisible avec laquelle la jeune fille était constamment disposée à faire la lecture, à rédiger la correspondance de ceux qui avaient besoin d'une secrétaire ou à traverser la pelouse pour remplir les carafes de citronnade et chercher les plats de petits gâteaux offerts par les dames de la ville. Quand elle se reposait, elle semblait toujours irrésistiblement attirée par le même tabouret bas, tout près de son père si volubile. Le professeur ignorait sa présence à un point qu'Agatha jugeait inexcusable, mais cela ne semblait pas troubler la jeune fille qui écoutait silencieusement, les yeux baissés, tricotant des bonnets et des gilets sans manches pour les enfants belges avec la laine entortillée provenant de vieux lainages donnés.

Sous la fenêtre du pavillon, M. Poot et Beatrice Nash, assis devant une table, terminaient un de leurs entretiens avec un vieux réfugié. M. Poot était venu presque tous les après-midi, l'air emprunté dans son costume noir et son chapeau melon, pour soutirer aux malheureux des histoires qui feraient les gros titres de la presse à sensation. Si Beatrice n'avait pas accepté de l'aider, songea Agatha, elle aurait sans doute déjà intimé au jeune homme l'ordre de mettre fin à ces interrogatoires. Sous ses yeux, le vieil homme donna un coup de canne sur la table et s'éloigna en proférant un chapelet d'injures.

«Je ne suis pas sûre d'être en mesure de vous traduire précisément ce qu'il vient de dire, fit la voix de Beatrice avec une sagesse affectée. En avez-vous compris la teneur ?

— Encore des chèvres ! pesta M. Poot, soulevant un instant son chapeau pour éponger son front avec sa pochette. J'essaie d'obtenir des récits d'atrocités et eux, tout ce qu'ils veulent, c'est que j'enregistre le gabarit de leurs chèvres pour d'éventuelles indemnisations.

— Apparemment, son bouc était de taille exceptionnelle et jouissait d'une excellente réputation d'étalon, remarqua Beatrice.

— Ce n'est pas drôle, rétorqua M. Poot.

— En effet. Je sais que ce n'est pas une atrocité à proprement parler, mais ces gens-là ont tout perdu. Pour vous comme pour moi, ce ne sont peut-être que quelques chèvres, mais elles représentaient toute leur richesse, tous leurs revenus.

— Deux biques, un bouc, quatre chaises de bois, trois marmites, une courtepointe en coton et un crucifix en bois, reprit M. Poot. Ai-je oublié quelque chose ?

— Pas de hordes teutonnes, j'en ai peur», répondit Beatrice en relisant les notes qu'elle avait prises.

Ils commencèrent à ranger leurs papiers, et Agatha s'éloigna de la fenêtre pour se livrer à une dernière inspection des canapés.

Tandis que les Belges se retiraient, les membres du comité commencèrent à arriver et Agatha se dirigea vers la porte ouverte pour accueillir le défilé de chapeaux qui remontaient en dodelinant l'allée du jardin de M. Tillingham. À une fenêtre de l'étage de la grande maison, une ombre suggérait que le maître des lieux était à l'affût. Il préférait en effet faire son entrée une fois tout le monde rassemblé. Agatha avait l'impression qu'il adorait se répandre en menus propos et en salutations quand ses interlocuteurs étaient réduits au silence, la bouche pleine de canapés au concombre.

«J'espère que vous avez veillé à ce que le thé soit un peu plus léger aujourd'hui, remarqua Bettina Fothergill qui gravissait majestueusement les marches sous un de ses grotesques couvre-chefs en fronçant les sourcils, comme si Agatha était personnellement responsable de la préparation des boissons. La semaine dernière, il était beaucoup trop fort et trop chaud pour le temps qu'il faisait, et j'ai bien cru que j'allais m'évanouir en rentrant chez nous.

— Je suis ravie de vous voir, Bettina, fit Agatha.

— Le thé fort purge le sang et dégage le cerveau, déclara Alice Finch qui arrivait avec son amie Minnie Buttles, cramponnée à son bras. Du thé plus fort et des corsets moins serrés, Mme Fothergill !

— Je n'ai jamais entendu pareilles sornettes», murmura Bettina Fothergill. Elle jaugea d'un regard sévère la tenue d'Alice, composée d'une jupe étroite en flanelle, d'un gilet rayé et d'un canotier masculin avant de s'éloigner d'une démarche hautaine en direction de la table à thé. «Avons-nous vraiment besoin de femmes de ce genre ? maugréa-t-elle.

— Je suis si contente que vous soyez venues toutes les deux, dit Agatha en échangeant une poignée de main avec Mlle Finch et Mlle Buttles. Il paraît que vos souscriptions ont un grand succès.»

Faire du porte-à-porte pour convaincre les habitants de consentir un don hebdomadaire au Secours belge était une tâche essentielle, mais les autres dames du comité n'avaient reculé devant aucun prétexte pour s'y dérober. Agatha avait invité les demoiselles Finch et Buttles au comité dans le seul but d'irriter Bettina Fothergill, qui bafouillait en leur présence comme si elle s'apprêtait à les dénoncer pour quelque méfait indéfinissable, mais elles s'étaient révélées extrêmement efficaces pour collecter des fonds.

« Les gens se montrent très généreux quand nous en avons terminé avec eux, acquiesça Alice Finch. Et pourtant, certains n'hésiteraient pas à feindre la pauvreté devant saint Pierre lui-même s'ils pensaient pouvoir s'en tirer à bon compte.

— Je crains que d'autres n'aient pas les moyens d'assumer leur propre générosité, intervint Minnie Buttles, l'air préoccupé, tout en enroulant autour de son doigt un ruban du corsage de sa volumineuse robe en mousseline décorée de motifs végétaux. Les demoiselles Porter hébergent déjà les religieuses, mais elles ont absolument tenu à s'engager à verser six pence par semaine.

— J'ai eu une longue discussion avec le père de Minnie, ce qui m'a permis de tracer un plan sur lequel figurent ceux qui disposent des revenus nécessaires », reprit Alice. Elle sortit une feuille de papier pliée d'un ouvrage relié et entreprit de l'étaler sur une desserte. « Un bon pasteur sait toujours qui met quoi sur le plateau de la quête.

— Vous ne voulez pas dire que vous avez dessiné une vraie carte ? s'étonna Agatha.

— Aucun général digne de ce nom ne lance de campagne sans avoir repéré le champ de bataille », répliqua Alice.

Son plan de la ville comprenait des flèches partant de la plupart des maisons et conduisant à de minuscules annotations dans la marge concernant leurs occupants et leur situation financière. « Nous avons l'intention de lancer une nouvelle offensive sur Rye Hill cet après-midi. Certains de vos voisins font preuve d'une remarquable astuce pour éviter d'être chez eux, Mme Kent, mais Minnie a préparé des petits pots de confiture de quetsches qui nous serviront de cheval de Troie.

— Mon Dieu, il vaudrait mieux ne pas laisser cette carte tomber entre les mains des Allemands, lança Agatha. En fait, je vous suggérerais de ne pas la montrer à tout le monde. Sa remarquable efficacité doit beaucoup à son caractère secret, n'est-ce pas ?

— Vous avez certainement raison, approuva Alice en repliant le document et en le rangeant. Nous resterons modestes à propos de notre contribution et garderons le silence sur nos méthodes. Et si nous allions chercher quelques canapés, Minnie ?

— Volontiers. Je demanderai à cette chère Mme Fothergill de nous en recommander une sélection, parmi tous ceux qu'elle a déjà goûtés. »

Lady Emily arriva avec deux teckels qui couraient autour de ses chevilles. Elle avait manifestement trop chaud, paraissait en colère et avala un verre d'eau froide debout, sans même retirer ses gants.

« Je suis épuisée au point que je crois bien que je vais m'effondrer, dit-elle à Agatha. Je me suis éclipsée un moment dans l'espoir de souffler un peu.

— Comment avancent les projets de l'hôpital ? demanda Agatha.

— Nous sommes prêts à recevoir nos premiers patients, mais un petit inspecteur bouffi du quartier général a eu l'impertinence de m'affirmer qu'ils ont déjà trop d'hôpitaux d'officiers. Il m'a priée d'envisager de recevoir de simples soldats ou peut-être des victimes indiennes ou autres, originaires des colonies.

— Je suppose que nous avons le même devoir vis-à-vis de tous ceux qui servent le roi et l'empire.

— Sans doute, mais je ne vois pas pourquoi je devrais me laisser imposer des exigences abusives, rétorqua Lady Emily. Comme je l'ai expliqué au commandant Frank, le directeur, certaines propriétés anciennes remplies de courants d'air figurant sur leur liste conviennent bien mieux à des gens déjà habitués aux privations. Je ne puis qu'espérer que notre approbation est en bonne voie. »

Ayant retiré ses gants, elle entreprit alors de décortiquer des canapés pour en donner le jambon à ses chiens.

« Et comment va Eleanor ? demanda Agatha. Nous pensons beaucoup à elle.

— Elle se fait du souci pour Otto, bien sûr, mais nous lui avons assuré que personne n'irait imaginer que les vieilles familles comme la sienne aient pu être responsables de cette guerre absurde.

— En effet, approuva Agatha en essayant de réprimer un sourire. Voici Beatrice avec du thé. En désirez-vous ?

— Où est M. Tillingham ? demanda Lady Emily, qui prit une soucoupe et une tasse des mains de Beatrice et y laissa tomber deux morceaux de sucre.

— Peut-être écrit-il encore, répondit la jeune fille. Je sais par mon père que l'élan créatif tend à vous faire perdre la notion du temps.

— Accordons au grand homme le bénéfice du doute, admit Lady Emily. Mais j'ai du mal à comprendre pourquoi l'art ne pourrait coexister harmonieusement avec la bonne éducation. »

M. Tillingham fit son entrée juste après l'arrivée de sa gouvernante chargée d'un plateau de canapés frais.

« Que c'est aimable à vous d'être venues. Je quitte à l'instant mon labeur, comme vous le voyez. »

Son costume était agrémenté d'une lavallière écarlate et bleu nouée lâchement. Il brandit un grand mouchoir de lin et montra ses mains comme si elles étaient tachées d'encre. Dans la mesure où il dictait tous ses textes à sa secrétaire, ses doigts étaient propres et roses et son mouchoir fraîchement amidonné n'avait manifestement pas été chiffonné dans les affres de la création poétique. Les dames ne s'en empressèrent pas moins autour de lui, le visage enfiévré, tandis que M. Tillingham les gratifiait d'un aperçu du travail qu'il avait accompli à Londres pour la cause nationale du Secours belge, au profit de laquelle il avait reçu de leurs modestes coffres plusieurs généreuses contributions ; Agatha mit fin à ses discours en rappelant à ces dames leur devoir à l'égard de leurs réfugiés locaux. Elle eut quelque difficulté à rétablir l'ordre.

Les projets d'organisation d'une grande kermesse de collecte de fonds avec défilé de chars qu'avait lancés le Comité de secours belge avaient pris des dimensions qui leur prêtaient l'aspect d'une petite guerre en soi. Les prés salés de la ville et le terrain de cricket avaient été réquisitionnés pour les attractions du jour, qui devaient comprendre, en plus des stands, des jeux, des promenades à dos de poney et de la buvette habituels, un véritable campement militaire. Deux escouades formées des toutes dernières recrues du colonel Wheaton feraient montre de leurs talents dans le creusement des tranchées et les exercices d'infanterie, les services médicaux de l'armée britannique avaient accepté d'envoyer une ambulance militaire modèle sous le commandement de Hugh, tandis que les boy-scouts locaux avaient l'intention de faire une démonstration de leurs compétences de campeurs tout en s'occupant du plus grand nombre de latrines jamais rassemblé pour une unique manifestation à Rye. Agatha avait pris le risque calculé de demander à Bettina Fothergill de se charger du corso. En tant qu'épouse du maire, elle aurait en tout état de cause exigé une place d'honneur dans le défilé, et lui confier cette responsabilité avait permis d'obtenir l'approbation du conseil municipal pour l'ensemble du programme, depuis le creusement de trous jusqu'à la possibilité de servir de la bière et du champagne sous des chapiteaux.

« Après la fanfare municipale, les scouts et la locomotive à vapeur tirée par des chevaux, nous envisageons de faire défiler de longues rangées d'écolières tout de blanc vêtues, pieds nus, portant des couronnes de chrysanthèmes blancs dans leurs cheveux dénoués, expliqua Bettina.

— Les écolières ne préféreraient-elles pas marcher devant les chevaux si elles doivent être pieds nus? suggéra Alice Finch avec un sourire malicieux.

— Si vous refusez obstinément de prendre quoi que ce soit au sérieux..., s'énerva Bettina.

— Mme Fothergill pourra toujours changer l'ordre plus tard, intervint Agatha. Ou peut-être pourrait-on ajouter des bottes en caoutchouc ? »

Beatrice parut s'étrangler dans son mouchoir et Agatha lui jeta un regard sévère avant de poursuivre :

« Je crains que les chevaux ne puissent être entièrement supprimés.

— Nous présenterons ensuite nos dignitaires dans des véhicules automobiles, mais je ne sais pas encore s'il est préférable qu'ils interprètent des personnages célèbres ou qu'ils se présentent sous leur propre identité, reprit Bettina. Vous voyez-vous en Shakespeare, M. Tillingham ? »

L'écrivain, dont l'attention s'était égarée, fut complètement décontenancé par la question.

« Ma foi, il ne serait pas bienséant... Je veux dire, pour d'autres peut-être, mais pas pour un simple écrivain...

— Dans le corso, M. Tillingham, dit Agatha en lui tapotant la main. Souhaitez-vous porter une fraise et des collants lors du défilé ?

— Grands dieux, non.

— Nous avons aussi Boadicée, la reine Élisabeth en compagnie de Sir Walter Raleigh, et Nelson, tous conduits dans des charrettes anglaises décorées de lauriers, poursuivit Bettina.

— Je pourrais peut-être porter la fraise et les collants dans le rôle de Sir Raleigh, suggéra Alice, que la présentation imperturbable de Bettina faisait pouffer. Minna a des cheveux parfaits pour jouer la Reine des Fées.

— Je ne doute pas que vous puissiez interpréter Sir Walter tel qu'on le représente d'ordinaire, avec barbe et moustache, répondit Bettina d'une voix sirupeuse. Je crains seulement que le pasteur renâcle à voir sa fille associée à pareille extravagance.

— Il s'agit bien d'un corso, n'est-ce pas ? »

Alice plissa les yeux et Minnie posa une main apaisante sur son bras.

« Personnellement, il me semble que les costumes et tout ce qui touche au théâtre doivent justement permettre aux gens de se divertir dans des tenues indécentes sans être ostracisés, remarqua Lady Emily. Je ne vois pas ce qui peut vous faire trouver la proposition de Mlle Finch extravagante, ma chère Bettina. »

Un profond silence tomba sur la salle.

« Vous avez raison, Lady Emily, convint Bettina. Mais je puis vous assurer que tous nos costumes seront du meilleur goût et d'une décence irréprochable.

— Parfait. Pourrions-nous à présent en arriver à la fin du défilé ? » demanda Lady Emily.

Ainsi rappelée à l'ordre, Bettina Fothergill tira de derrière sa chaise un grand bloc à dessin et présenta un croquis alambiqué à la plume et à l'encre.

« Britannia elle-même, sur un trône doré, entourée d'allégories de l'Angleterre, de l'Irlande, de l'Écosse et du pays de Galles, et abritant sous ses jupes son innocente servante, la Belgique. »

Tout le monde resta bouche bée devant l'envergure de l'idée et du croquis. Bettina s'empourpra pendant que le silence se prolongeait.

« Où allons-nous trouver une charrette suffisamment grande ? demanda enfin Alice lentement. N'y voyez surtout pas une critique !

— J'aime bien les six chevaux blancs, remarqua Lady Emily. Mais je ne vois pas où, dans notre comté, nous pourrions louer un équipage ainsi assorti. L'armée en a déjà réquisitionné tellement. »

Bettina prit l'air vexé. Son long visage parut s'allonger encore, le chagrin tirant ses paupières vers le bas, comme ceux d'un saint-hubert. Du coin de l'œil, Agatha vit frémir les lèvres de Beatrice.

« Dites-moi, à qui songez-vous pour les rôles de votre Britannia et de ses suivantes ? demanda Minnie Buttles, ajoutant prudemment sa douce bienveillance au débat. Mlle Nash ne ferait-elle pas une délicieuse rose rouge d'Angleterre au côté de la Belgique blanche comme neige de Mlle Céleste ?

— Mlle Nash aura déjà fort à faire avec le défilé de ses élèves de latin », coupa Bettina.

Agatha soupira en voyant la bienveillance se flétrir une fois de plus sur ce sein de pierre.

« Je choisirai les jeunes filles en fonction de leur respectabilité, que je veux sans faille, et de leur aptitude à acheter elles-mêmes la soie blanche de leur costume, poursuivit Mme Fothergill. Il nous faut évidemment ce qu'il y a de mieux pour représenter le plus bel acte de patriotisme de notre pays. »

Agatha admira le stoïcisme avec lequel Beatrice Nash réagit à cet affront. Un certain nombre de répliques cinglantes lui chatouillaient les lèvres, mais elle les garda pour elle. Elle ne pouvait qu'espérer que Beatrice comprendrait qu'il était dans leur intérêt stratégique d'encourager Bettina dans ses ambitions absurdes. Ce finale grandiose était un moyen idéal pour occuper la femme du maire ; et si c'était un échec, cela ne ferait que parachever l'ampleur de sa défaite.

« Ma foi, tout cela me paraît magnifique », dit alors Agatha.

Un silence satisfait pesait sur les rangées de sièges.

« J'ai pleine confiance en Mme Fothergill et suis convaincue qu'elle viendra à bout de cette tâche herculéenne par ses propres forces.

— Merci, dit Bettina.

— Et nous espérons, ma chère Bettina, que vous nous ferez vous-même la grâce d'interpréter le rôle de Britannia ? » ajouta Agatha.

L'expression de reconnaissance de Bettina fut telle qu'Agatha faillit avoir des remords.

« En fait, j'allais suggérer que nous demandions à Ellen Terry[1] de nous faire cet honneur, dit la femme du maire. Mais si vous insistez...

— Nous insistons ! » s'écria Agatha, éprouvant le frisson de la victoire en donnant à la salle le signal d'une petite salve d'applaudissements – Bettina Fothergill rougit comme une écolière.

Lorsque le comité se dispersa dans le jardin encore tout embaumé sous les ombres allongées des cheminées, Beatrice attendit Agatha sur le seuil du pavillon de jardin, regardant les derniers membres disparaître sous l'arche de la grille.

« Je suis vraiment navrée de ce qui s'est passé avec Mme Fothergill, remarqua Agatha. Il lui arrive de parler à tort et à travers. »

Elle aurait voulu en dire plus, proposer d'aider Beatrice à acheter une robe de soie si elle avait envie d'incarner une suivante, mais comprit instinctivement qu'une telle offre serait aussi humiliante pour cette jeune femme indépendante que l'insulte la plus brutale de Bettina.

« J'essaie de m'amuser de son manque de subtilité, répondit Beatrice. Cette pauvre Mme Fothergill est si démunie face à vos talents de diplomate qu'on aurait presque pitié d'elle. » Elle hésita avant d'ajouter : « Tout de même, elle vous manifeste une singulière animosité.

— J'ai été fiancée autrefois à un jeune homme qu'elle admirait, lui confia Agatha. Et puis mon fiancé est mort, et je me suis éloignée de Rye pendant de longues

1. Célèbre actrice anglaise de l'époque. (*N.d.T.*)

années. Mais je ne sais trop pourquoi, nous n'avons jamais été capables de surmonter nos stupides rivalités de jeunes filles.

— Je suis navrée », murmura Beatrice, dont l'expression s'adoucit d'une manière qui invitait à d'autres confidences.

Agatha s'en voulut d'exhumer des histoires anciennes qu'elle n'avait pas l'intention de ressusciter.

« Maintenant que nous sommes en guerre, il faut vraiment que j'essaie de me montrer plus généreuse avec Bettina, dit-elle alors. Je n'espère pas vraiment qu'elle suivra mon exemple, mais cela pourrait la dérouter assez longtemps pour que nous prenions l'avantage. »

15.

« Je ne connais rien de plus satisfaisant que de contribuer à un vrai travail comme celui-ci », déclara Eleanor Wheaton.

Eleanor, Céleste et Beatrice étaient confortablement assises dans des fauteuils à l'ombre fraîche d'un chêne, détachant des cônes de houblon qu'elles prélevaient sur un tas de lianes.

« On éprouve un lien si profond avec la terre », poursuivit-elle.

Vêtue pour l'occasion d'une robe légère de coton blanc et rose digne d'une bergère d'opérette, Eleanor paraissait paisible et sereine, comme si préparer le houblon n'était pas plus inhabituel pour elle que de réaliser une broderie avec un fil de soie. Ses doigts gantés travaillaient prestement tandis que les fleurs de houblon tombaient en une cascade régulière depuis son tablier dans le grand morceau de toile de jute étendu à leurs pieds. Céleste travaillait elle aussi calmement, mais détachait les cônes plus délicatement, comme si elle cherchait à éloigner des papillons d'une fleur. Beatrice, quant à elle, trouvait cette tâche exaspérante : les lianes ligneuses vous grattaient, l'odeur des cônes était amère, les filets de sève humide poissaient ses gants. Elle détachait et arrachait, et se baissait pour retirer des feuilles déchiquetées de la pile de fleurs froissées à ses pieds.

« Personnellement, je ne connais rien de plus satisfaisant que de faire un travail parce qu'on a choisi de le faire, et non parce qu'on y est obligé, dit-elle hargneusement tout en cherchant à essuyer les perles de sueur de ses joues sans s'étaler la sève irritante sur la peau. Je serais surprise que les travaux des champs amusent beaucoup ceux qui sont contraints de gagner leur vie en enchaînant les récoltes.

— La cueillette du houblon est toujours une occasion de réjouissances », intervint Hugh en déposant une nouvelle brassée de lianes derrière le siège de Beatrice.

Le col de sa chemise, tachée par les chargements qu'il avait déjà transportés, était déboutonné, laissant entrevoir le creux ombreux de sa gorge. Ses manches battirent l'air, poignets ouverts sur ses hauts gants de cuir lorsqu'il agita une main vers le champ.

« C'est un jour de vacances pour les familles londoniennes et la perspective d'un manteau d'enfant bien chaud pour les paysannes. »

Une atmosphère de vacances semblait effectivement planer sur la houblonnière. Les femmes bavardaient le long des rangées, des bambins jouaient dans les haies et des filets de fumée s'élevaient dans l'air depuis les feux allumés devant plusieurs cabanes de bois grossières alignées le long de la berge. Dans le champ, sous un soleil ardent, des groupes d'hommes, de femmes et d'enfants plus âgés suivaient les rangées de lianes qui retombaient vers le sol, chantant tout en cueillant. Les autres jeunes gens, Harry Wheaton, Daniel et Craigmore, l'ami de celui-ci, coupaient des lianes en compagnie des hommes les plus vigoureux. Tandis que Hugh contemplait le champ, Beatrice vit une ombre fugace voiler son visage. «Je ne peux m'empêcher de me demander combien de ceux qui font la récolte aujourd'hui seront encore ici l'année prochaine », dit-il, si bas que Beatrice se demanda s'il avait eu l'intention de donner voix à sa pensée. Elle sentit un frisson glacial ternir cet après-midi radieux.

« Il est vrai que si devions vivre de nos talents de récolteuses, nous mourrions rapidement de faim, reconnut Eleanor. Mais il est si plaisant de participer à cette activité, au lieu de se contenter de se promener et de regarder travailler les autres, comme une reine au milieu de ses paysans.

— Les paysans en question sont particulièrement impressionnés que vous leur ayez amené un fils de comte cette année », remarqua Hugh.

Il était difficile de ne pas admirer le jeune vicomte si bien découplé, songea Beatrice. Craigmore se conduisait avec une courtoisie aisée, sans la moindre hauteur, et ses joues roses ajoutaient une touche d'humilité enfantine à un menton accusé et à une épaisse tignasse blonde. En le voyant aider une vieille femme à hisser son énorme sac de houblon sur une charrette, Beatrice dut convenir que l'aristocratie anglaise pouvait trouver dans la jeunesse éclatante de Craigmore quelques arguments en faveur de la supériorité de son sang, regrettablement absents chez les vestiges fanés de la lignée des Marbely.

« Et contrairement à Harry, il ne cherche pas à rivaliser avec tous les gars du coin ni à pincer les filles, observa Eleanor, tournant la tête vers les hautes lianes que taillait Harry Wheaton avec la sauvagerie d'un pirate. Mon frère ne peut pas s'empêcher de vouloir être toujours le plus fort, ajouta-t-elle. C'est tellement déraisonnable.

— Tous les garçons essayent d'être les meilleurs, dit Hugh. Voilà pourquoi je préfère me tenir à l'écart. »

Beatrice ne put réprimer un éclat de rire. L'air confus, Hugh fronça les sourcils en ajoutant :

« Je n'en tire aucune vanité. Simplement, en tant qu'homme de science, j'ai conscience de ne pas être à l'abri de cet instinct de compétition virile, moi non plus. »

Daniel et Craigmore laissèrent bientôt Harry Wheaton à ses exploits et se dirigèrent vers leur arbre, chargés de nouvelles piles de lianes.

« Il faut chercher des boissons fraîches tout de suite, lança Eleanor lorsqu'ils arrivèrent. Daniel, soyez gentil, essayez de trouver le valet. Il a dû mettre les bouteilles quelque part au bord de l'eau.

— Hugh, si tu étais chic, tu t'en chargerais, répliqua Daniel en retirant ses gants pour sortir de sa poche un petit carnet. J'ai quelques vers qui me trottent dans la tête et qu'il faut absolument que je note. »

Il se laissa tomber par terre, roula sur le ventre et commença à griffonner avec un morceau de crayon tout mâchonné.

« L'inspiration vient toujours à Daniel quand quelqu'un exige de lui un véritable effort, remarqua Hugh.

— Savez-vous qu'à Florence, il a sérieusement envisagé un jour de louer un fauteuil roulant pour se faire transporter au sommet des collines simplement pour pouvoir terminer une villanelle ? raconta Craigmore avec un grand sourire. Je lui ai proposé de lui briser les jambes pour qu'il ait l'air moins ridicule.

— Je ne t'écoute même pas, répliqua Daniel.

— La paresse inhérente aux classes créatives..., soupira Hugh.

— Je puis vous assurer qu'elle ne touche que les poètes, fit Craigmore. Nous autres, artistes, nous sommes toujours plus que prêts à nous atteler à la tâche.

— Vous troublez ma concentration encore plus que ces chansons atroces, protesta Daniel. Je vais aller chercher à boire, simplement pour avoir la paix.

— Je t'accompagne, dit Craigmore. Je ne voudrais pas que tu te pâmes au milieu d'un sonnet entre ici et la rivière. »

Les deux jeunes gens dévalèrent la pente qui descendait vers les méandres verts de la rivière, riant et échangeant quelques bourrades tandis qu'ils bondissaient au-dessus de touffes d'herbe rêche et évitaient des bouquets de chardons ébouriffés. Beatrice ne put qu'admirer l'aisance avec laquelle ils semblaient vivre leur amitié, comme s'ils étaient encore des petits garçons, sans rien des hésitations et des embarras qu'elle éprouvait en tant que femme. Elle pouvait prétendre que cela venait de leur moindre analyse et de leur moindre réflexion sur les nécessités de la négociation sociale, mais elle n'en enviait pas moins la spontanéité avec laquelle ils traversaient le pré, sans penser à rien d'autre qu'à leur tâche immédiate et au plaisir qu'ils éprouvaient à être ensemble.

«J'aime bien Craigmore, observa Eleanor. Nettement moins collet monté que son père qui terrorise tous les valets avec ses regards inquisiteurs.

— Recevoir des invités tout en s'apprêtant à inaugurer l'hôpital doit représenter une tâche redoutable, fit Beatrice. Votre mère doit être complètement épuisée.

— C'est ce que ne cesse de lui dire le commandant Frank, le responsable de l'hôpital. Mais Mère jure ses grands dieux qu'elle poursuivra inlassablement ses efforts.

— Voilà qui doit le rassurer, j'en suis certain, dit Hugh en riant.

— Il me ferait presque pitié, renchérit Eleanor. Mais il bafouille tellement dès que j'entre dans une pièce que je ne peux que penser qu'il me prend pour une espionne à cause de mon mariage avec Otto.

— La nounou allemande et vous formez un véritable nid d'agents secrets, c'est sûr, approuva Hugh.

— Harry prend un malin plaisir à encourager ses soupçons en demandant à Fräulein de porter toutes nos lettres à la poste, reprit Eleanor. Il la fait passer juste sous la fenêtre du bureau du commandant, et je dois avouer qu'elle a le chic pour serrer furtivement le courrier contre sa poitrine.

— Personne ne saurait douter sérieusement de votre loyauté, intervint Beatrice. Cet homme doit être un fieffé imbécile.

— Il va de soi que vivant dans la maison de ma mère, je ne serais pas assez sotte pour envoyer ou faire envoyer quoi que ce soit de vraiment compromet», répliqua Eleanor.

Elle parlait sans la moindre ironie et sans la moindre trace de culpabilité, mais en croisant le regard de Hugh, Beatrice y vit le reflet de sa propre consternation à l'idée que, peut-être, Eleanor était effectivement assez sotte pour se figurer que les nouvelles restrictions en matière de correspondance ne la concernaient pas.

« Madame a épousé un Allemand ? » demanda Céleste d'une toute petite voix.

Beatrice s'en étonna, car elle n'avait jamais entendu la jeune fille faire de commentaire aussi abrupt. Elle prit conscience que les menus propos échangés lors de leurs visites pour le thé et en d'autres occasions ne leur avaient jamais permis d'évoquer la situation d'Eleanor. La famille Wheaton avait simplement recommencé à l'appeler Mlle Wheaton, et le bébé était, bien sûr, le petit George, tout bonnement. Personne dans le comté ne semblait oser échanger des ragots à leur sujet, un des nombreux privilèges du rang.

« Oui, en effet, confirma Eleanor. Je suis désolée si cela vous chagrine, mais je vous assure que mon mari est tout à fait hostile aux tactiques atroces des hordes prussiennes qui ont envahi votre pays. »

Il y eut une pause un peu contrainte. Céleste ramassa une fleur de houblon tombée sur ses genoux, Eleanor tourna le regard vers la rivière et Beatrice baissa les yeux vers l'herbe.

«Je regrette que votre bébé et vous soyez séparés de votre mari, dit enfin Céleste. Tant de familles ont été divisées. C'est une grande souffrance.

— Vous avez raison, répondit Eleanor. Vous avez formulé cela avec infiniment de grâce, ma chère. »

Elles recommencèrent à travailler dans un profond silence, que ne rompait que le bruissement des fleurs de houblon qui tombaient doucement dans la toile étalée à leurs pieds.

Daniel et Craigmore revinrent de la rivière, chargés de paniers d'osier trempés contenant des bouteilles soigneusement bouchées de cordial au citron et de sirop d'orgeat qui étaient restées au frais au bord de l'eau, à l'ombre de la berge. Ils étaient accompagnés d'un homme et d'une femme en vêtements amples, coiffés de larges chapeaux paysans de paille trahissant une origine étrangère. Peut-être l'Italie, ou le sud de l'Espagne, se dit Beatrice, en observant le corselet foncé de la femme lacé sur une blouse de mousseline et sa jupe de couleurs vives remontée sur une hanche. Elle tenait son chapeau à la main, son épaisse chevelure acajou brillant au soleil et menaçant d'échapper à tout instant aux peignes d'écaille qui la retenaient. L'homme, dans sa tunique informe et ses pantalons larges enfoncés dans de hautes chaussettes grossières, portait une corbeille d'une main et de l'autre plusieurs boîtes à gâteaux qui se balançaient au bout d'une ficelle. Émergeant de ses manches retroussées, ses avant-bras étaient aussi musclés que ceux d'un paysan, mais son visage, sous son large chapeau mou, était pâle et lisse, comme s'il passait peu de temps en plein air.

« Nous avons rencontré des amis inattendus à la rivière, annonça Daniel, posant ses paniers à l'ombre du siège d'Eleanor et ouvrant une bouteille de cordial. Eleanor, puis-je vous présenter M. et Mme Frith ? Ce sont de grands amis de M. Tillingham, et M. Frith a accordé son amitié à plusieurs jeunes poètes, dont moi-même.

— Enchantée, dit Eleanor. Puis-je vous présenter à mon tour Mlle Beatrice Nash et Mlle Céleste, notre amie réfugiée belge ?

— Monsieur Frith ? demanda Beatrice quand ils se serrèrent la main. Seriez-vous Algernon Frith ?

— Pourquoi ? Êtes-vous une de mes créancières ? demanda l'homme tout en nerfs, la mine sérieuse.

— Non, c'est-à-dire..., bafouilla Beatrice. Mais si vous êtes Algernon Frith, l'écrivain, cela pourrait expliquer votre tenue romantique.

— Excellent sens de l'observation, approuva l'homme. Je suis effectivement Algernon Frith, écrivain, revenu depuis peu d'un long mais financièrement fort sage voyage de noces en Andalousie. D'où mon costume. Je n'ai pas eu le temps de commander à mon tailleur une tenue mieux adaptée à la cueillette de houblon.

— Ne l'écoutez pas, intervint sa compagne. Il a un goût insatiable pour les costumes exotiques et je suis complice de sa muse, tout en sachant que je me ridiculise ainsi en société.

— Pas du tout, protesta Eleanor. On ne saurait imaginer aspect plus charmant et plus pittoresque, Mme Frith.

— Appelez-moi Amberleigh, dit la femme.

— Mme Frith est plus connue sous le nom de plume d'A. A. de Witte, précisa Daniel.

— Je suis une grande admiratrice de votre œuvre », s'extasia Beatrice, ne sachant pas très bien sous quel nom s'adresser à l'auteur de plusieurs romans médiévaux célèbres remplis de détails si concrets et sensationnels qu'elle n'aurait jamais cru au départ qu'ils aient pu être écrits par une femme.

Les journaux avaient cependant publié quelque temps auparavant une photographie d'A. A. de Witte, l'accusant d'être à l'origine des difficultés conjugales d'Algernon Frith.

« Bien que je doive reconnaître, poursuivit-elle, que ce sont les seuls ouvrages que j'aie jamais lus en cachette de mon père.

— Vous êtes très gentille, répondit Amberleigh en riant. Mais si j'étais vous, je ne le crierais pas sur tous les toits. Il est certainement mieux vu de n'avoir jamais lu un mot de ma plume.

— Mon épouse et moi-même sommes fort heureux d'entendre une opinion aussi aimable. Ce n'est pas si courant ces derniers temps, ajouta Frith. Je crains de ne pas avoir rendu la vie facile à Amberleigh ces deux dernières années. »

Les amants s'étaient enfuis sur le continent européen, où Frith prétendait avoir obtenu le divorce et où ils s'étaient mariés. Peut-être à cause de la réputation de ses livres, le mariage d'Amberleigh de Witte faisait l'objet de maintes rumeurs calomnieuses.

« M. Frith a déjà publié douze romans et trois recueils de poèmes, expliquait Daniel à Eleanor. C'est l'une de nos plus grandes plumes.

— Ce jeune homme est très aimable, mais, et ce n'est pas Mlle Nash qui me démentira, le véritable écrivain de la famille est mon épouse, Amberleigh. Ce cher vieux Tillingham vous expliquera que je suis un charmant compagnon et un épouvantable écrivassier. Tillingham a cette grande qualité de pouvoir dire à tous ses amis qu'ils ne sont que des écrivassiers tout en réussissant à conserver leur amitié.

— Il ne m'a jamais traité d'écrivassier, protesta Daniel. Il se montre très sévère, mais encourageant.

— Il a un faible pour la beauté, ce qui explique peut-être aussi sa bienveillance à l'égard de mon épouse. Mais croyez-moi, sa nature littéraire finira par prendre le dessus et il vous éreintera comme les autres.

— Vous joindrez-vous à nous pour la fête de ce soir, madame Frith ? demanda Eleanor. Nous avons toute la place nécessaire à notre table.

— Il me semble que nous avons un autre engagement,

répondit Amberleigh précipitamment. Nous devons voir Mlle Finch, la photographe, et Mlle Buttles. »

Elle se détourna comme pour scruter le pré à la recherche de ses amies et son chapeau, qu'elle tenait comme une ombrelle pour se protéger du soleil, jeta une ombre sur son visage.

« Plus on est de fous, plus on rit, insista Eleanor. Peut-être pourrions-nous convaincre Mlle Finch de nous photographier.

— Nous vivons très retirés du monde, ma femme et moi, expliqua Frith, baissant la voix avant d'ajouter : Nous ne courons pas après les invitations mondaines depuis le bruit qu'a fait mon divorce.

— On m'a également suggéré de mener une existence plus recluse à cause de mon mari allemand, mais il me semble que nous devons nous opposer à pareilles absurdités, vous ne trouvez pas ? demanda Eleanor d'une voix résolue. De plus, ajouta-t-elle, c'est un pique-nique que nous partageons avec toute la population locale, des fermiers aux bohémiens. Sans aucune cérémonie.

— Il faut que vous veniez, mon vieux, intervint Daniel. Amberleigh et vous apporteriez tant de vie à cette petite réunion. »

Frith se tourna vers son épouse, qui baissa son chapeau et hocha très légèrement la tête.

« Puisque vous avez la bonté d'insister, madame la baronne, nous serons ravis d'accepter votre aimable invitation, dit l'écrivain.

— Parfait, nous formerons un groupe tout à fait bohème, répondit-elle l'air ravie. Et je vous en prie, appelez-moi Eleanor. Pas d'étiquette entre nous ! »

Agatha Kent s'était juré que ce soir-là, elle garderait ses opinions pour elle. Le colonel Wheaton et Lady Emily tenaient à faire croire qu'ils recevaient un comte en toute décontraction. De ce fait, ils étaient tendus comme des ressorts d'horloges suisses et, même s'ils n'avaient pas été affublés l'un comme l'autre de cols très hauts et très raides, ils n'auraient pu éviter de relever le menton au point de se casser la nuque. La robe d'épaisse dentelle noire de Lady Emily était rehaussée d'une simple broche de diamant. De la taille d'un œuf de caille, elle n'étincelait pas de mille feux, signe qu'il s'agissait d'un vieux bijou de famille, d'une discrétion du meilleur aloi. Le colonel Wheaton avait endossé son ancien uniforme auquel il avait ajouté un petit brassard orné des insignes de ses nouvelles Réserves du Sussex. Son costume paraissait un peu étroit mais, estima Agatha, le colonel aurait eu l'air tout aussi contraint en robe de chambre, vu l'importance de l'événement.

Lord North, à qui l'on avait, semblait-il, confié plusieurs brevets militaires en plus de portefeuilles ministériels, fit son entrée au salon vêtu d'un smoking à veste courte et de chaussures en cuir souple. Son épouse portait une robe de soie noire unie et un sautoir de perles assez long pour s'enrouler plusieurs fois autour de sa gorge. Ils étaient plus petits qu'Agatha ne les avait imaginés, et carrés d'épaules tous les deux. Foulant le tapis pour échanger des poignées de main, ils auraient aussi bien pu être un couple d'inspecteurs scolaires ou un brasseur et sa femme.

« Sur la route, voyez-vous, dit Lord North en manière d'excuse en désignant sa tenue. Le strict nécessaire et pas une malle de plus, dirais-je.

— Nous nous efforçons d'éviter toute sortie excessivement formelle pendant notre tournée d'inspection, ajouta sa femme. Nous ne voudrions pas adresser à ceux qui travaillent si dur pour préparer notre pays un message qui pourrait être mal perçu.

— Je ne peux que vous approuver, acquiesça Lady Emily, et Agatha la vit mentalement faire disparaître les cartons de menu et les huîtres fumées, et peut-être même le second pudding. C'est un dîner en toute simplicité. Une petite soirée entre amis, rien de plus. Puis-je vous présenter M. Kent du Foreign Office et son épouse ? »

Ce changement soudain de tonalité aurait pu réussir, car Agatha et John s'étaient vêtus l'un comme l'autre avec une bienséante discrétion, John en queue de pie noire et Agatha d'une modestie irréprochable en bleu marine, si à cet instant, le majordome n'avait pas annoncé le maire et son épouse, dont la magnificence fit voler en éclats tout semblant de naturel.

La toge écarlate bordée d'hermine et l'épaisse chaîne du maire, insigne de sa fonction, offraient une toile de fond resplendissante à la robe de Mme Fothergill, toute de fil d'or recouvert de crêpe de Chine en soie transparente. Des diamants étincelaient sur sa gorge, autour de sa taille et de ses poignets, tandis que l'immense parure de plumes de paon et d'autruche teintes qui ornait ses cheveux menaçait d'épousseter le lustre lorsqu'elle traversa la pièce.

« C'est si aimable à vous de nous avoir invités, ma chère Emily, dit Bettina, embrassant Emily Wheaton sur la joue tout en secouant ses plumes comme des épées. Agatha, votre robe est très bien. Tout à fait appropriée. » Et embrassant Agatha, elle lui chuchota : « Où est le comte ? Vont-ils faire une entrée solennelle ?

— Lord North, Lady North – puis-je vous présenter notre maire, M. Frederick Fothergill, et sa chère épouse ? intervint le colonel Wheaton. Vous aviez demandé très explicitement à rencontrer nos autorités locales. Les voici donc.

— Parfait, nous avons donc le ministère, l'armée et le point de vue local. Nous devrions pouvoir parler franchement de la nécessité de prendre des mesures d'urgence alors que les Boches sont déjà presque à notre porte, déclara Lord North.

— Laissez-nous donc dîner paisiblement avant de vous emparer de la salière et du poivrier pour dresser des cartes de défense maritime, intervint sa femme. Vous allez avoir une nouvelle indigestion si vous commencez à disserter en mangeant.

— Un faible prix à payer. Pas de temps à perdre, dit-il en se tournant vers Lady Emily. Je ne sais combien d'autres invités nous interdisent de rejoindre la table, chère madame, mais il n'est pas bon d'imposer une longue attente à un estomac impatient.

— Nous n'attendons plus que M. Tillingham et le professeur, répondit Lady Emily. D'ailleurs les voici.

— Tillingham ? Tillingham ? demanda Lord North. Ce nom me dit quelque chose...

— C'est cet écrivain, rappelez-vous, mon ami. Il fait de l'agitation en faveur des réfugiés belges, lui expliqua sa femme à mi-voix. Il a écrit dans le *Times* un article qui vous a donné le hoquet.

— Les écrivains, asséna-t-il d'une voix tonitruante. Toujours à écrire au lieu d'agir. Et ils professent les opinions les plus extravagantes.

— Il faut toujours préférer l'homme d'action, convint M. Tillingham. Mais tous les héros ont inévitablement besoin d'un scribe pour consigner leurs exploits, et je suis votre humble serviteur, Lord North. »

Si le commentaire du comte l'avait blessé, il n'en montra rien et sa réaction parut adoucir Lord North qui lui serra énergiquement la main en disant :

« Il me semble que nous nous sommes rencontrés au dîner de collecte de fonds de la duchesse, à Belgrave Square ?

— Une cohue effroyable, mais certains des meilleurs esprits du pays étaient rassemblés autour d'un verre de porto ce soir-là, acquiesça M. Tillingham. N'étiez-vous pas l'âme de cette discussion, Lord North ?

— M. Tillingham est accompagné de son cher réfugié personnel, interrompit Bettina. Le professeur a apporté une contribution inestimable à la vie culturelle de notre modeste bourg, et tout le monde l'adore. »

Elle prit la main du professeur entre les siennes et le tira en direction de Lord North.

« Enchanté », dit celui-ci. Il serra la main du professeur et éleva la voix : « Parlez-vous anglais ?

— Je suis ravi de faire votre connaissance ainsi que celle de votre charmante épouse. *Enchanté, madame**, dit le professeur en faisant le baisemain à Lady North.

— C'est qu'il est presque impossible de faire fonctionner la moindre organisation quand ces gars-là insistent pour parler une autre langue, remarqua Lord North. Il est déjà assez difficile de faire la guerre en anglais.

— Et comment diable avons-nous vaincu les Boers ? » s'étonna Agatha.

Les mots lui avaient échappé avant qu'elle ait eu le temps de réfléchir, et elle s'efforça désespérément d'afficher une mine sereine, espérant que John ne lui écraserait pas le pied.

« Comment, en effet, madame Kent, comment ? C'est une excellente question, répondit Lord North. Si vous voulez mon avis, nous aurions pu être à Mafeking six mois plus tôt si nous n'avions pas été obligés de traduire tous les panneaux indicateurs et de nous débrouiller avec des écartements de rails différents des nôtres.

— Nos réfugiés sont si simples qu'ils se satisfont d'un bon dîner et d'une pipe pleine », interrompit Bettina.

Agatha se mordit les lèvres pour ne pas mentionner le départ des réfugiés des Fothergill, le comptable et sa femme, qui avaient trouvé asile dans un hôtel de Bexhill au terme d'une brève semaine d'hospitalité tyrannique.

« Figurez-vous qu'ils se mettent au tricot comme s'ils étaient de modestes paysans anglais », ajouta Bettina.

Agatha sentit un frémissement gagner sa bouche et baissa les paupières pour tenter de dissimuler son amusement.

« Mme Fothergill sait comme nul autre appréhender la nature profonde de nos invités réfugiés, commenta John, haussant très haut les sourcils dans une expression de parfaite innocence. Si vous deviez les présenter à Lord North en un ou deux mots, madame Fothergill... ? »

Il n'acheva pas sa question, et Bettina rougit de plaisir.

« Ma foi, je les qualifierais de simples, monsieur Kent », répondit-elle, et Agatha se vit contrainte de porter sa main gantée à ses lèvres et de feindre une quinte de toux.

« Cette dame ne prétend tout de même pas nous traiter de simples d'esprit ? intervint le professeur.

— Bien sûr que non, professeur, protesta Bettina, toutes plumes frémissantes. Je voulais simplement dire... »

Elle s'interrompit, confuse, ne sachant comment poursuivre.

« Eh bien, il me semble que le désir de mener une vie simple, chez soi, avec un bon dîner et une bonne épouse pourrait tout aussi justement nous décrire, nous, les Anglais, lança le colonel Wheaton.

— Et je ne puis qu'espérer que nous serions ne fût-ce que moitié aussi reconnaissants qu'eux si nous étions chassés de notre pays, ajouta Agatha.

— Jamais l'esprit britannique indomptable ne se laissera chasser de son île, déclama M. Tillingham, adoptant le ton extatique qu'il prenait quand il sondait la postérité possible d'une formule. Il tiendra ses positions jusqu'au dernier homme, jusqu'au dernier enfant.

— Il nous faudrait déjà des positions à tenir, fit remarquer Lord North. Jusqu'à présent, j'ai vu plus de patrouilles de boy-scouts que de soldats, et nous avons plusieurs semaines de retard dans la constitution de stocks de sacs de sable et dans l'édification de positions défensives.

— En tant que présidente du détachement des auxiliaires volontaires de la Croix-Rouge de Rye, je puis vous assurer que mes dames n'attendent qu'un appel pour entrer en action, déclara Bettina. Nous sommes prêtes à servir sans délai.

— Je suis ravie de l'apprendre, dit Lady North avec un regard dubitatif à la tenue de Bettina.

— Asticots, poux, plaies suppurantes, commenta son mari avec délectation. Ce sera un travail sanglant, qui risque de mettre à rude épreuve la plupart de vos aides-soignantes bénévoles. »

Bettina poussa un gémissement sourd et se détourna.

« Il s'agira d'un hôpital destiné aux convalescents, précisa Lady Emily d'une voix faible en se laissant tomber un peu brutalement sur une méridienne. Nous avons l'intention de préparer notre propre bouillon de bœuf et de proposer quantité de jeux de société dans le jardin d'hiver.

— Je suis certain que Lord North cherche simplement à nous endurcir par sa franchise, remarqua John. Mais il faut veiller à ne pas céder à l'alarmisme.

— De l'alarmisme ? s'indigna Lord North. Libre à vous autres, à Whitehall, de répandre votre propagande en prétendant que nous fêterons Noël à Berlin, mais moi, je m'apprête à repousser une invasion parfaitement réelle, avec des Boches qui pilleront tout sur leur passage en remontant vers Londres, enfonçant leurs baïonnettes dans le corps de nos enfants et violant nos femmes. »

Il frappa du poing sur la table et Bettina Fothergill laissa échapper un petit cri.

« Je me sens défaillir, murmura-t-elle. Quels sentiments devez-vous éprouver, Lady Emily, à l'idée que votre propre fille a épousé un de... l'un d'eux ? »

Tous les visages se pétrifièrent d'embarras et Agatha vit Emily Wheaton serrer les lèvres jusqu'à ce qu'elles soient exsangues.

« Ce sont ces satanés Prussiens, dit alors le colonel Wheaton. Le mari de ma fille est originaire de Saxe, une aristocratie foncière qui remonte aux croisades. Cela n'a rien à voir, évidemment.

— Nous ne voulions pas manquer de respect à ce pauvre jeune homme, intervint le maire. C'est simplement que mon épouse se fait un sang d'encre pour vous et pour votre fille, Lady Emily.

— Ma fille est à la fête du houblon avec les neveux de Mme Kent et tout un groupe de jeunes gens, répondit Lady Wheaton d'une voix glaciale. Il me semble que votre fils les a accompagnés, Lord North ?

— En effet, il était ravi de se voir épargner un nouveau dîner officiel, répondit-il.

— Le dernier jour de la cueillette du houblon est toujours très animé, déclara Agatha, réprimant un soupir d'envie. Bal campagnard, jeux, spectacles, dîner au bord de la rivière – ils vont s'amuser merveilleusement !

— Est-ce une grande fête ? demanda Lord North.

— Au point d'en être intolérable, répliqua Bettina. On y accepte les gens les plus ordinaires. Je n'y vais jamais.

— La ferme où elle se déroule est une de nos métairies, et mon fils et ma fille accordent toujours leur aide au fermier, le dernier jour de la cueillette du houblon. Nous considérons qu'il est de notre devoir d'y participer et j'espère bien que mes enfants ne craignent pas de remercier leurs inférieurs, remarqua Lady Wheaton.

— Quelle meilleure image de la nation pour laquelle nous nous battons que ce rapprochement entre ville et campagne, riches et pauvres, jeunes et vieux, tous unis pour rentrer les récoltes ? s'écria Lord North. Lady

North et moi apprécierions certainement d'aller jeter un coup d'œil à ces festivités.

— En êtes-vous sûr ? intervint le colonel Wheaton. L'épouse de notre maire n'a pas tort de remarquer que la foule peut être très bigarrée et même tapageuse.

— "Tapageuse" ? Que voulez-vous dire ? s'inquiéta le professeur. Ma fille s'est rendue à cette fête, *n'est-ce pas** ?

— Oh, ce ne sont que des danses paysannes et des divertissements locaux, le rassura Agatha.

— Tout est parfaitement décent, renchérit le colonel Wheaton. Je me demandais simplement si nos charmantes épouses auraient très envie de s'asseoir sur une planche posée sur deux barriques pour regarder un tas de gens batifoler dans l'herbe.

— Extrêmement bucolique, ajouta M. Tillingham. Mais comme dans toutes les pastorales, on prend plaisir à apercevoir l'orage qui menace à l'horizon et le loup tapi dans les taillis.

— Il y a des loups ? demanda le professeur.

— Figure de rhétorique, cher ami, le rassura M. Tillingham. Certaines années, ils ont un excellent orchestre tsigane. J'y ai emmené un jour un jeune artiste italien qui a été fort impressionné.

— J'aimerais beaucoup y aller, dit Lady North repliant son éventail d'un air décidé. Si nous devons servir le peuple, nous devons le côtoyer.

— Peut-être vaudrait-il mieux laisser les malheureux cueilleurs de houblon profiter de leur fête paisiblement, objecta Agatha. Ils ont travaillé dur et hésiteront peut-être à s'amuser librement en présence d'aussi éminents visiteurs.

— C'est ridicule, voyons, il n'y aura que nous », protesta Lady Emily. Elle fit signe au majordome : « Voulez-vous bien téléphoner à la ferme et leur faire savoir que nous viendrons après le dîner ? Expliquez-leur bien que nous venons en toute simplicité et qu'ils doivent faire comme si nous n'étions pas là.

— Les fermes du Sussex ont le téléphone ? s'étonna Lord North.

— Les miennes, oui, répondit le colonel Wheaton. J'en ai installé un dans la cuisine de chaque ferme. Comme cela, tous mes métayers savent que je suis susceptible de les appeler à n'importe quelle heure. Ça les maintient sur la brèche, croyez-moi.

— Quelle abomination, ce téléphone, soupira Lady Emily. Je refuse d'en être l'esclave.

— Toutes nos ambassades en disposent, à présent, bien sûr, commenta John. Mais la diplomatie ne peut en faire grand usage avec toutes ces lignes groupées et les opérateurs qui épient les conversations.

— Vous pourriez en tirer une saynète comique pour une de vos pièces, monsieur Tillingham, lança le maire. J'imagine des interférences sur la ligne du Kaiser et les Russes qui n'arrêtent pas de réclamer de la vodka. Quelque chose de ce genre.

— Je n'écris pas de "saynètes", monsieur Fothergill, rétorqua Tillingham les lèvres si pincées qu'elles en disparaissaient presque. Je ne suis pas un auteur de music-hall.

— Rien de tel qu'un peu d'humour pour animer un spectacle, insista le maire. Ma foi, votre prochaine pièce pourrait être aussi populaire que celles de Gilbert et Sullivan. »

M. Tillingham avait l'air à deux doigts de l'apoplexie.

« Je crains que nous ne soyons pas équipés pour une fête champêtre, fit remarquer Bettina en lissant sa robe dorée.

— Il ne faudrait surtout pas risquer de gâcher une robe aussi superbe, approuva Lady Emily. Nous vous libérerons de toutes vos obligations, et votre mari aussi, ma chère Bettina. Notre chauffeur vous raccompagnera pendant que nous nous mettrons en quête de chaussures plus adaptées.

— Ma foi, nous ne voudrions pas jouer les trouble-fête en nous dissociant du groupe, Lady Emily, dit le maire en regardant sa femme dont le visage frémissait.

— Oh, vous nous rendrez service, mon cher monsieur Fothergill. Il n'y aurait pas eu de place pour vous dans les voitures. » Elle lui adressa un sourire qui n'autorisait aucune discussion avant d'ajouter : « Et si nous passions à table ? »

Au moment où Agatha et John guidèrent le professeur et M. Tillingham à travers la houblonnière dénudée, la lumière avait presque disparu du ciel et des danseurs s'ébattaient bruyamment à la lueur orangée d'un grand feu de bois. Les Wheaton avaient quelques minutes de retard, Emily ayant confié tout bas à Agatha qu'elle comptait sur elle pour que tout soit en ordre afin d'assurer un accueil décent à Lord et Lady North.

« Je ne sais pas très bien comment Emily imagine qu'un tel événement puisse être autre chose que ce qu'il est », fit observer Agatha à John tandis que le feu de bois agitait les ombres allongées.

Autour du champ, de longues planches grossières posées sur des tréteaux étaient entourées de cueilleurs de houblon ; les Londoniens et les habitants du bourg restaient à leurs tables attitrées mais participaient joyeusement aux danses. Pour compléter les provisions qu'ils avaient apportées, des plats de saucisses grésillaient sur des braseros tandis que des pommes de terre rôties sous la braise étaient extraites du feu à l'aide de longues pinces de fer.

« Une fête païenne par excellence, admit John, humant d'un air approbateur un plat qui passait. Mais cela ne fera pas de mal à Lord North de se voir rappeler que telle est l'Angleterre ancestrale et que nous nous battons pour elle autant que pour les bourgades guindées et les villes étincelantes.

— Je ne suis pas certaine qu'il apprécie votre vision historique », remarqua Agatha en voyant glisser à terre un homme qui avait manifestement fait honneur aux cruchons de cidre du fermier.

Le métayer et sa famille occupaient une longue table décorée de bottes de foin et de banderoles à un emplacement de choix, et Agatha aperçut le groupe d'Eleanor, un peu à l'écart.

« Je vois que la volonté de se mêler au peuple a des limites, commenta John lorsqu'ils s'approchèrent de la table d'Eleanor, reconnaissable à sa nappe de lin, à ses chandeliers d'argent et à la présence d'un valet qui évoluait autour des convives avec plusieurs bouteilles de vin.

— Je ne pense pas qu'aucun d'entre nous prenne plaisir à s'asseoir sur une planche grossière et à manger avec ses doigts, intervint M. Tillingham. Par exemple, j'apprécierais fort, quant à moi, une coupe de champagne bien fraîche. »

Agatha croisa le regard de Hugh et lorsqu'elle agita son mouchoir pour lui faire signe, une expression de consternation assombrit le visage du jeune homme.

« Que faites-vous ici, ma tante ? demanda-t-il en se précipitant pour les accueillir.

— N'avez-vous pas reçu le message annonçant notre venue ? Lady Emily a fait parvenir des instructions explicites à la ferme par téléphone.

— Je crois qu'il ne reste personne à l'intérieur pour répondre, expliqua Hugh.

— Ma mère doit venir aussi ? demanda Eleanor en les voyant approcher. Si j'avais su, j'aurais préparé un autre plan de table.

— Tout autre, j'imagine », renchérit M. Tillingham.

Suivant la direction de son monocle, Agatha découvrit avec consternation qu'Algernon Frith et Amberleigh de Witte étaient assis là, au côté de Minnie Buttles. Tillingham s'inclina très brièvement sans leur présenter le professeur. Agatha serra le bras de John, en guise de signal d'alarme.

« Papa, vous voilà ! » s'écria Céleste, quittant la table en courant, les joues roses, un rire léger aux lèvres, pour étreindre son père qui tressaillit ostensiblement.

La jeune fille ne devait pas ses belles couleurs à la simple excitation de la danse, et la main d'Agatha se resserra encore sur le bras de son mari.

« Bonsoir, mon vieux Tillingham, dit Algernon Frith. Tu nous trouves fort à l'aise ce soir dans ce cadre rustique.

— J'espère que le champagne sera correct, fit Daniel. Le cidre est rugueux comme de l'eau salée et dénué de toute poésie.

— Tu vas bien, mon enfant ? demanda le professeur, tenant sa fille à bout de bras et jetant un regard soupçonneux sur l'incarnat de ses joues. Je te trouve bien rouge.

— Monsieur et madame Kent, quel plaisir de vous voir ! » s'écria Amberleigh de Witte.

Elle sourit, mais son regard anxieux n'échappa pas à Agatha.

« Mlle Wheaton a eu l'amabilité d'inviter notre petit groupe à partager sa table. »

Minnie se leva elle aussi et parcourut des yeux le pré d'un air inquiet à la recherche d'Alice Finch.

« Madame la baronne, vous êtes toujours aussi aimable, dit Agatha à Eleanor. Mais il semblerait que vous n'ayez pas été informée de l'arrivée imminente de vos parents, accompagnés de Lord North et son épouse.

— Dois-je demander au valet de nous trouver d'autres chaises ? demanda Hugh.

— Je crains que nous n'ayons pas besoin de davantage de sièges mais de moins, répondit Agatha. Si Lord

North n'était pas parmi nous, nous serions évidemment tout à fait heureux de... »

Elle laissa sa phrase en suspens, souriant à Algernon et cherchant à ne pas voir les lèvres pincées d'Amberleigh.

« Peut-être mon épouse et moi-même pourrions-nous vous emprunter quelques-uns de vos invités pour aller nous asseoir avec eux à une autre table, madame la baronne ? » suggéra John.

Il adressa un signe discret au valet qui se mit à chercher du regard une table dont il pourrait déloger les occupants. Agatha lui aurait volontiers sauté au cou devant tout le monde pour avoir trouvé le moyen de leur retirer cette épine du pied. De plus, Bettina n'étant pas là, Agatha était toute prête à se sacrifier et à être ainsi libre de danser à sa guise en échappant à l'entourage guindé du comte.

« Non, non, il n'est pas question de vous obliger à faire faux bond à ceux que vous attendez, mon cher monsieur Kent, protesta Algernon. Nous étions sur le point de demander à nos amis de nous excuser, mon épouse et moi. » Il fit un geste désignant à la fois toute l'assistance et personne en particulier. « Pardonnez-nous. Nous avons promis de rejoindre des voisins à d'autres tables.

— Je vais vous accompagner et essayer de trouver Alice, ajouta Minnie. Elle tenait absolument à ce que je m'asseye, mais elle a sûrement besoin d'aide pour porter son matériel. »

À l'autre bout du champ, on pouvait voir Alice Finch installer son pesant appareil photographique et demander à deux jeunes danseurs tsiganes de poser devant la roue peinte d'une roulotte.

« Je me joindrais volontiers à vous, fit M. Tillingham. Mais Lord North souhaite avoir mon opinion personnelle sur une ou deux questions d'importance nationale. De plus, je dois veiller sur le professeur.

— Bien sûr, abandonner ses amis ne se fait pas, répliqua Amberleigh en ramassant son châle et en jetant un regard froid à Agatha. Je comprends parfaitement.

— Je préfère venir avec vous », intervint soudain Beatrice en se levant de table.

Agatha lui pardonna la colère qui faisait briller ses yeux. Bien sûr, Beatrice ne pouvait pas mieux comprendre qu'Amberleigh qu'elle cherchait à éviter aux Frith tout risque d'humiliation.

« Non, non ! s'écria Daniel. Nous devons nous préparer pour notre tableau vivant. Notre numéro commence juste après que Harry et Craigmore auront dansé la matelote.

— J'ai été ravie de faire votre connaissance, mademoiselle Nash, dit Amberleigh. Il faut absolument que vous veniez me voir et que vous m'apportiez certains de vos écrits. » Tout en prenant le bras de son mari pour s'éloigner, elle ajouta : « Nous devons nous serrer les coudes entre femmes, ne trouvez-vous pas ?

— Daniel a écrit une ode au roi du Houblon, expliqua Hugh tandis qu'Agatha suivait les Frith des yeux. Craigmore sera le roi, et Mlle Beatrice et Mlle Céleste seront les servantes de la fille du fermier. Celle-ci jouera le rôle de la reine.

— Êtes-vous sûrs que ce soit une bonne idée ? demanda Agatha. Lady Emily n'apprécie guère le théâtre amateur.

— Ma chère tante, il ne faut pas confondre la poésie avec quelque vil divertissement d'amateurs, s'indigna Daniel. J'ai adapté mon "Ode à David" pour l'occasion. » Il agita une liasse de papiers en conduisant Beatrice et Céleste à l'écart de la table. « Ne craignez rien, nous élèverons le niveau de la soirée à de nouveaux sommets. Il est grand temps, sans doute. »

Il n'avait pas fini de parler quand un pipeau commença à jouer une gigue endiablée tandis que deux hommes en pantalons retroussés, des seaux sur la tête et des fourches à la main, bondissaient sur l'estrade.

« Oh, j'adore l'ode de ce garçon, s'extasia Tillingham. Tellement viscérale, d'une beauté si brute !

— Comment cela, "viscérale" ? » s'inquiéta Agatha, dont l'attention se détourna immédiatement quand elle constata que les deux hommes qui mimaient une matelote, provoquant les rires et quelques jets de saucisses, étaient Harry Wheaton et le jeune Craigmore.

Lord et Lady North, flanqués du colonel Wheaton et de Lady Emily, qui s'avançaient précisément à travers le pré en direction de la table, n'eurent pas l'air franchement amusés de voir leurs fils se donner en spectacle pour la plus grande joie de rustres.

« Il faut absolument que je m'asseye », annonça Agatha. Hugh lui prit le bras et lui recula un siège. « Et je crois qu'une grande coupe de ce champagne me ferait le plus grand bien.

— Qu'y a-t-il de drôle ? demanda le professeur en voyant Craigmore et Harry balancer leurs fourches dangereusement près de leurs membres et sautiller au-dessus de râteaux croisés dans une danse du sabre improvisée.

— Les gens apprécient que le fils du colonel ne craigne pas de se ridiculiser devant eux, expliqua John. Cette année, en plus, il leur a amené le fils d'un comte.

— J'ai bien peur que cela ne fasse pas rire Lady North », observa Agatha.

Cette visite menaçait de tourner à la catastrophe. Elle ne pouvait cependant que s'obstiner à sourire tandis que Hugh et le valet entreprenaient de disposer une véritable forêt de sièges supplémentaires.

Hugh fut soulagé que la matelote s'achève, car les acclamations et les sifflets de la foule ne semblaient pas près de dérider Lord North et son épouse. Lorsque le présentateur des danses s'avança pour annoncer la récitation poétique, Hugh sentit son estomac se nouer.

« Pourvu que Daniel n'ait pas présumé de ce qu'il peut imposer au public, entendit-il sa tante chuchoter à Oncle John, sa voix se faisant l'écho de sa propre inquiétude.

— Espérons surtout qu'il sera bref, renchérit Oncle John. Mais préparons-nous à une épopée. »

Pendant que la foule applaudissait, Hugh pria tout bas le valet de veiller à ce que les coupes de champagne soient remplies régulièrement.

Deux garçons brandissant des torches enflammées s'avancèrent et prirent position de part et d'autre de la scène tandis qu'un unique violoniste commençait à jouer une version lente d'un antique menuet et que les acteurs contournaient l'estrade pour se disposer en cercle dans l'herbe. Tous, sauf Daniel, étaient coiffés d'une grande couronne de houblon, tandis que les jeunes filles arboraient de longues lianes couvertes de fleurs, entrelacées de rubans et épinglées sur une épaule, qui se répandaient sur le sol comme les traînes de robes de bal. Se déplaçant avec une lenteur majestueuse, Craigmore portait d'une main des baguettes de saule nouées ensemble à la manière d'un sceptre romain, tenant de l'autre la fille du fermier, qui berçait une brassée de fleurs des champs aussi roses que ses joues empourprées. Beatrice tenait contre sa taille un panier de pommes et Céleste un cruchon de cidre sur l'épaule, telle une nymphe ornant une amphore grecque. Daniel formait l'arrière-garde, une écharpe écarlate nouée avec panache autour de son cou. Il tenait un grand carton à dessins de cuir.

« Ce n'est pas un tableau vivant, s'ils bougent, remarqua M. Tillingham, d'une voix rendue plus forte qu'il ne l'aurait souhaité par la chope de cidre qu'il avait bue.

— Sans doute, mais quel charmant effet », observa Tante Agatha.

Hugh dut convenir que la lumière horizontale des derniers rayons du soleil, le vacillement des torches et du feu de bois, les arbres qui s'enténébraient tout autour et la foule bigarrée qui, quittant les tables, s'avançait pour mieux voir, prêtaient à cette procession un étrange pouvoir de fascination.

Lorsque la musique s'arrêta, les acteurs se déplacèrent pour former un carré, prêts à danser. La foule applaudit et de petits enfants se faufilèrent tout devant, sous les jupes de leurs mères, pour être plus près de la scène.

« *Le Couronnement du roi du Houblon*, annonça Daniel, lisant un papier qu'il avait sorti de son carton ouvert avant de le laisser voltiger jusqu'au sol. *Adaptation spéciale du poème "Au David de Florence" par Daniel Bookham, transposé en hommage à ce dernier jour de cueillette...* La dernière cueillette, peut-être ? » ajouta-t-il en laissant tomber le deuxième feuillet tandis que le violoniste se lançait dans une courte ritournelle musicale.

« J'espère que c'est en vers rimés, murmura Lady Emily. Sans pentamètres iambiques, ce n'est pas de la poésie, à mon sens. »

Ta cuisse de marbre vigoureuse et si blanche
Attire ma main qui voudrait insuffler
Une vie bouillonnante dans ton corps palpitant,
Où se mettrait à couler un sang ardent –
Attirant le jeune berger
Qui rentre au logis, mains sur les hanches.

Lorsque Daniel s'interrompit, le violon, rejoint par un pipeau, reprit le même menuet mais sur le mode mineur, tandis que Beatrice et Céleste déposaient leurs présents aux pieds de la fille du fermier et que leurs bras se nouaient pour la première figure dansée.

Roi de ta propre chair, Prince de tes propres yeux
Nul n'exerce empire plus noble ni plus délicieux

Tel un prêtre, j'effleure la lanière de ta sandale,
Te promets tous les honneurs, et une foi sans égale.

Craigmore et la fille du fermier prirent place dans la danse. Hugh n'en était pas certain à cause de la distance, mais il eut l'impression que les épaules de Beatrice frémissaient d'un rire réprimé. Les quatre danseurs défilèrent dans une ronde solennelle, mains levées.

Garçon, homme et roi, ta puissance me terrasse,
Et affaiblit ma lyre. Serait-ce que je trépasse ?
Baise mon front, roi des houblonnières,
Éveille-moi, géant, et fais fleurir la terre.

Les dernières pages s'envolèrent de la main de Daniel qui mit un genou en terre. Les danseurs se figèrent, le roi du Houblon s'inclinant devant sa reine, les servantes figées dans de profondes révérences, bras au ciel. Lorsque les acteurs s'immobilisèrent pour le tableau final, trois fillettes arrivèrent en courant depuis l'arrière-scène avec des corbeilles remplies de fleurs qu'elles se mirent à jeter sur les danseurs. Agatha vit un gros dahlia s'abattre sur la joue de Beatrice qui demeura impassible, ne réagissant que par un cillement. La musique s'acheva par une longue note tenue. Une tempête d'applaudissements et de rires salua le numéro tandis que de bruyants commentaires circulaient à toutes les tables.

« Bravo, bravo ! s'exclama M. Tillingham, applaudissant depuis sa chaise. Le poète ! Le poète ! »

David se releva lentement, dénouant de son cou son écharpe rouge qu'il utilisa pour inviter les acteurs à effectuer un profond salut. Lorsqu'il recula pour reprendre place parmi eux, Craigmore lâcha la main de la fille du fermier et attrapa le jeune homme par le cou dans une étreinte amicale. Daniel esquissa un sourire gêné mais ne fit aucun effort pour se dégager jusqu'au moment où Craigmore le lâcha pour lui asséner une claque dans le dos et lui prendre la main, tandis que tous les acteurs se tenaient par le bras pour une nouvelle série de saluts. Les applaudissements furent plus enthousiastes et plus soutenus que Hugh ne l'estimait justifié. Lorsque Craigmore ramena enfin la fille du fermier à son père et que les autres regagnèrent leur table, Hugh s'inclina vers sa tante pour lui chuchoter :

« Daniel va être d'une insupportable suffisance demain matin.

— C'était très réussi, tout de même, remarqua sa tante.

— Vous avez été merveilleuses, mesdemoiselles, renchérit Lady Emily. Il faut absolument que Bettina Fothergill obtienne votre concours pour sa grande flotte de la parade. Pour le moment, les jeunes filles qu'elle a choisies manquent tellement de charme que je crains qu'elle ne cherche à s'assurer que Britannia ne soit pas éclipsée par ses suivantes. »

Hugh remarqua que Lord North, qui n'avait pas applaudi et était resté les mains croisées dans le dos, chuchotait quelque chose à sa femme. Il fit ensuite la moue et fronça les sourcils. Au colonel Wheaton qui lui demandait si le spectacle lui avait plu, il répondit d'un hochement de tête.

« J'ai apprécié l'accompagnement musical. Un faible pour le violon.

— Votre fils est vraiment charmant d'avoir accepté de participer ainsi au pied levé à nos divertissements d'amateurs, dit Agatha à la comtesse. Il est toujours bon d'offrir à la population quelque chose de plus sain que des numéros de music-hall et des danseuses légères.

— N'oublions pas cependant qu'une certaine décadence peut se dissimuler dans des poèmes qui se prétendent pleins d'esprit, répondit Lady North. Nous devons toujours être sur nos gardes pour éviter l'attrait perfide des fausses idoles.

— C'est indéniable, renchérit Lord North.

— Bien sûr, approuva Agatha qui se tourna alors pour lever les yeux au ciel à l'intention de Hugh et Beatrice.

— Je pense que nous en avons assez vu, reprit Lord North en s'adressant au colonel Wheaton. Nous sommes attendus de bonne heure à Douvres pour passer la revue au château et je sais que mon épouse se fatigue facilement.

— Ne danserez-vous pas ? demanda Agatha. L'orchestre va jouer pendant des heures.

— Je regrette, mais le devoir avant tout. J'ai été ravi de faire votre connaissance, ainsi que celle de votre mari, madame Kent.

— Partez-vous aussi, ma tante ? demanda Hugh tout bas tandis que le colonel Wheaton et Lady Emily s'apprêtaient à prendre congé.

— Certainement pas, répliqua Agatha. On vient d'annoncer un "Gay Gordons" et je n'exclus pas de danser le "Sir Roger de Coverley[1]" si la digestion de mon dîner me le permet. » Elle s'inclina vers Hugh et Beatrice pour chuchoter : « Si M. Tillingham souhaite se retirer, il peut réquisitionner une charrette.

— Bravo, madame Kent ! approuva Beatrice tandis qu'Agatha se laissait entraîner par son mari vers les groupes de danseurs qui commençaient à se former.

— Dansez-vous, mademoiselle Céleste ? » demanda Daniel.

Comme elle acquiesçait, il la pria de bien vouloir lui donner la main, ce qu'elle fit avec le sourire plein de confiance que seul Daniel pouvait inspirer aux demoiselles. Hugh éprouva un pincement de jalousie devant l'aisance désinvolte de son cousin et eut encore plus de mal que d'ordinaire à composer son visage et à rassembler ses idées pour formuler sa propre invitation embarrassée.

1. Il s'agit de deux danses populaires, l'une typiquement écossaise, l'autre anglaise. (*N.d.T.*)

« Voulez-vous danser, mademoiselle Nash ? demanda-t-il. Il faut tout de même que je vous prévienne que mes expériences de danses campagnardes sont essentiellement théoriques.

— J'en serais ravie, monsieur Grange. Heureusement pour vous, j'étais toujours une des plus grandes aux cours de danse que nous avions à l'école, et je suis donc habituée à conduire. »

Il aurait volontiers continué à badiner, à aligner les fadaises pour dissiper l'embarras dans lequel le plongeait la conversation. Mais la main de Beatrice était chaude après les efforts qu'elle avait consentis et elle était rayonnante sous sa couronne de houblon. Dans l'éclat vacillant du feu et le crescendo de la musique, Hugh la trouva transformée. Renonçant à parler, il préféra l'entraîner dans la danse, tourbillonnante et le rire aux lèvres.

16.

Le lendemain matin, Hugh était installé dans une bergère de sa salle d'étude, théoriquement plongé dans un nouveau livre sur la structure des cerveaux de singes, un exemplaire d'un ouvrage qu'un éminent chercheur allemand avait fait parvenir avant publication à Sir Alex Ramsey, juste avant la déclaration de guerre. En réalité, après des semaines de nuits sans sommeil à bachoter pour ses examens tout en suivant un entraînement militaire toute la journée, il somnolait plaisamment dans un rayon de soleil, savourant les agréables effets d'un copieux petit déjeuner. Il se demandait vaguement si ce scientifique allemand parviendrait à faire traverser la guerre sans encombre à ses singes, si ceux-ci apprenaient les ordres en allemand aussi facilement qu'en anglais, s'il existait une hiérarchie dans les langues humaines et où se situerait l'anglais sur une telle échelle par rapport, mettons, au français ou au latin.

Ces méditations le conduisirent tout naturellement à s'interroger sur ce que Mlle Beatrice Nash, qui devait venir déjeuner avec Céleste et les jeunes Wheaton, aurait à dire de la poésie des langues rivales. Tandis que son esprit s'égarait, il avait conscience du parfum d'une rose grimpante tardive qui s'insinuait par la fenêtre ouverte de l'écurie et songea que cette odeur avait peut-être stimulé sa pensée; il se demanda si les singes associaient des odeurs à des personnes comme le faisaient les êtres humains, si Smith serait toujours Smith s'il sentait la lotion capillaire au lieu du gasoil et de la cire à chaussures et si Mlle Nash, qui embaumait la rose et les fleurs de tilleul, était, en cet instant précis, en train de mettre son chapeau pour venir passer un après-midi en plein air sur la terrasse...

Un bruit de pas précipités dans l'escalier annonça l'arrivée de son cousin Daniel, et Hugh referma son livre, non sans soulagement, car c'était un ouvrage dense, imprimé en petits caractères, comme si l'imprimeur avait fait tout son possible pour comprimer sa longueur indigeste dans un volume de pages à peu près maniable.

« Craigmore est parti », annonça Daniel. Son visage était crispé dans un masque de désarroi, et sa voix brisée menaçait de compromettre son attitude favorite de nonchalance blasée.

« Comment ça, parti ?

— Une affaire de famille urgente, paraît-il. » Daniel tira sur le col fripé de sa chemise, et Hugh remarqua qu'il transpirait abondamment comme s'il avait fait tout le chemin en courant. « Le majordome des Wheaton prétend ne pas savoir où il est allé. Tout ce qu'il sait, c'est que Craigmore a pris le premier train du matin avec sa mère.

— Et Harry et Eleanor, qu'en pensent-ils ?

— Je ne les ai pas vus. Eleanor a fait savoir qu'elle était souffrante, et il semblerait que Harry soit sorti à cheval et qu'on ne l'attende pas avant la nuit. »

Daniel se laissa tomber dans la seconde bergère et enfouit son visage dans le creux de son bras.

« Voilà qui porte certainement un coup aux projets de Tante Agatha, commenta Hugh, s'efforçant de prendre un ton léger dans l'espoir que son cousin suivrait son exemple et se calmerait. J'espère qu'il n'est rien arrivé de grave à la famille de Craigmore.

— Ne fais pas l'idiot, Hugh, sa famille n'a rien à voir là-dedans, marmonna Daniel sans relever la tête. C'est Lord North. » Il gémit et ajouta : « Ma vie est fichue.

— Ne peux-tu pas essayer de faire une phrase qui tienne debout, Daniel ?

— Tu ne comprends donc pas ? Craigmore a dû parler à son père de la revue, de nos projets. Ils l'auront expédié je ne sais où.

— Tu dramatises sûrement. Tu te laisses emporter par ton imagination. »

Tout en parlant, Hugh était conscient de l'hypocrisie qu'il y avait à essayer d'apporter le réconfort au lieu de la vérité. Mais quelle vérité offrir à son cousin ? Se rappelant les chuchotements échangés par Lord North et son épouse après la récitation de Daniel, Hugh comprit, la mort dans l'âme, que ce n'était pas à la revue que le père de Craigmore s'opposait.

« Craigmore ne serait jamais parti sans me laisser un message, reprit Daniel. J'ai toujours redouté que son père ne nous mette des bâtons dans les roues.

— Ma foi, il est regrettable que notre déjeuner perde trois convives à la fois. Il faut absolument en informer la cuisinière.

— Comment peux-tu parler de déjeuner ? gémit Daniel dont le visage décomposé était à demi dissimulé par les cheveux qui lui tombaient dans les yeux. Tu ne peux pas savoir ce que perdre une amitié comme celle qui me lie à Craigmore représente pour moi.

— Reprends-toi, Daniel. » Hugh se leva et tira le bas de sa veste comme pour ajouter du poids à ses paroles. « Inutile que toute la maisonnée en soit informée. Craigmore ne souhaiterait certainement pas qu'on en fasse tout un plat, j'en suis certain. »

Daniel resta silencieux, et Hugh regarda par la fenêtre pour laisser à son cousin le temps de reprendre son sang-froid. S'il lui enviait sa nature passionnée, libre et extravertie et son aptitude aux amitiés intenses, il supportait mal ses débordements occasionnels d'émotion.

« Tu as raison, évidemment », finit par admettre Daniel dans un soupir. Sortant un grand mouchoir de soie d'une poche, il se moucha sans gêne. « Tu as de la chance d'être fait d'une étoffe plus rationnelle, Hugh. Tu ne te laisseras jamais entraîner par tes sentiments.

— Merci », répondit Hugh, parfaitement conscient que ce n'était pas un compliment dans la bouche de Daniel.

Il était injuste que celui-ci l'oblige à jouer les vieux sages pour mieux l'insulter ensuite, mais le souci majeur de Hugh était d'éviter que son cousin se répande en jérémiades sur son sort.

« Et si nous réfléchissions à la meilleure manière de réagir ? suggéra-t-il. Le mieux serait de commencer par feindre l'indifférence face à ce départ soudain.

— Je vais écrire à Craigmore chez son père, à Londres, lança Daniel.

— Ne fais pas ça. Tante Agatha enverra certainement une lettre de remerciements à Lady Emily ce matin. Nous lui demanderons de prendre des informations discrètement.

— Et si Lady Emily ne sait rien ? Je peux encore mettre ma lettre au courrier de midi.

— Si la situation est telle que tu l'imagines, ta lettre pourrait être interceptée. J'écrirai moi-même à Craigmore – mais par le courrier de la fin d'après-midi, au plus tôt.

— Pourquoi ce délai ?

— Craigmore a paru s'intéresser vivement aux laboratoires de notre hôpital. Comme je suis attendu à Londres mardi, il pourrait très bien me venir l'idée, en milieu d'après-midi, de lui envoyer une invitation informelle à venir les visiter. Sur un ton parfaitement neutre, comprends-tu ?

— Il n'est pas question d'attendre jusqu'à mardi, gémit Daniel.

— J'espère que cela l'incitera à me donner quelques éclaircissements. En attendant, Daniel, il faut absolument que tu retrouves ton calme. Le désordre physique et émotionnel n'est jamais bénéfique. »

Un bruit de voix au rez-de-chaussée de l'écurie fut suivi d'un léger coup frappé sur le mur de la cage d'escalier et de la voix de Beatrice Nash :

« Hou hou ! Il y a quelqu'un ?

— Je ne veux voir personne », chuchota Daniel d'une voix pressante.

Hugh remarqua sa pâleur singulière, mais peut-être, songea-t-il, était-ce l'effet bien mérité d'une consommation immodérée de cidre brut et de champagne.

« Pour l'amour du ciel, ce n'est que Beatrice et Céleste, dit-il. Vous pourrez rivaliser de pâleur intéressante, Mlle Céleste et toi. Mais il est vrai qu'elle arrive d'une zone de guerre. Sa situation t'aidera peut-être à redonner à la tienne de plus justes proportions.

— Tes sarcasmes sont dénués de la subtilité qui pourrait les rendre amusants », murmura Daniel. Attrapant Hugh par la manche, il ajouta : « Merci tout de même pour ton aide. Que ferais-je si tu n'étais pas toujours là pour me sortir d'embarras ?

— Un jour, il faudra bien que tu apprennes à te débrouiller sans moi. Et maintenant, s'il te plaît, un charmant sourire pour nos invitées.

— Il y a des moments où tu me fais tellement penser à Oncle John ! dit Daniel. Bonjours, mesdemoiselles, montez donc ! Vous avez de la chance, il n'y a ni sang ni tripes aujourd'hui. »

Les jeunes filles apparurent en haut des marches, et Hugh constata avec satisfaction que Beatrice sentait effectivement la rose et la fleur de tilleul. Céleste dégageait un très léger parfum de savon et de talc et elles ne portaient, ni l'une ni l'autre, le moindre stigmate des festivités de la veille.

« Bienvenue, lança-t-il. Comment nous avez-vous trouvés ?

— J'ai demandé à Jenny d'oublier l'étiquette et de nous dire où vous étiez, répondit Beatrice. Nous sommes un peu en avance, et j'espérais que vous seriez ici pour que je puisse montrer votre repaire à Céleste.

— Bienvenue, mademoiselle Céleste, ma modeste salle d'étude est à votre disposition.

— C'est un privilège, répondit Céleste. Je veux voir les poulets morts. »

Daniel éclata de rire et Hugh espéra que la présence des jeunes filles le ramènerait à la raison. Mais le jeune homme était incapable de dissimuler son trouble.

« Craigmore est parti, lâcha-t-il tout à trac. Mon ami a disparu avant le petit déjeuner.

— C'est bien dommage pour notre déjeuner, compatit Beatrice. J'espère qu'il n'a pas reçu de mauvaises nouvelles de sa famille ?

— Je suis sûr que tout va bien, intervint Hugh, heureux de voir la jeune fille réagir comme lui. Je prierai Tante Agatha de demander à Lady Emily ce qui s'est passé, simplement pour que nous soyons tous rassurés.

— Mais c'est affreux, s'écria Céleste en se tournant vers Daniel. Comment votre ami a-t-il pu partir sans vous prévenir ?

— C'est exactement ce que je me demande, approuva Daniel. Cette incertitude me ronge. *L'angoisse du doute**.

— Il n'est pas très poli de ne pas laisser de message par les temps que nous vivons, reprit Céleste. Il a pu arriver n'importe quoi, *n'est-ce pas** ?

— Voilà au moins quelqu'un qui me comprend », soupira Daniel avec un regard appuyé à Hugh.

Celui-ci ne put que lever les yeux au ciel pendant que son cousin et Céleste se dirigeaient vers les deux bergères où ils prirent place pour continuer pendant de longues minutes à ruminer les circonstances du départ de Craigmore d'une voix basse et pressante, mêlant l'anglais et le français.

«Je suis sûre qu'il y a une explication très simple, dit Beatrice à Hugh. Mais peut-être ferions-nous mieux de nous retirer pour éviter à votre tante l'obligation de nous recevoir?

— Ne me laissez pas déjeuner seul avec Daniel dans l'état de nervosité où il est, protesta Hugh. Mon repas me restera certainement sur l'estomac.»

Quand Beatrice rit, Hugh entendit résonner un écho de la musique de la veille et dut réprimer l'envie de l'entraîner dans une nouvelle danse tourbillonnante.

«J'aime autant rester, reconnut-elle. J'ai prévenu Mme Turber que nous serions sorties, et la cuisine Turber n'est pas du genre à produire le moindre repas improvisé.»

Tante Agatha se tenait sur sa petite véranda de l'étage, où elle passait la plupart de ses matinées à son bureau, en peignoir et en pantoufles, à faire sa correspondance et à lire des revues. Oncle John fumait la pipe sur le siège disposé dans l'embrasure de la fenêtre et parcourait les journaux de courses de la semaine précédente. Hugh frappa sur le battant ouvert de la porte et entra.

«Je suis en retard? s'alarma Agatha. J'essayais de finir quelques notes avant leur arrivée.

— Céleste et Beatrice sont là. Mais Céleste est en grande conversation avec Daniel et Beatrice a manifesté l'envie de visiter le potager.

— Dans ce cas, nous ferions mieux de nous préparer, remarqua son oncle.

— Avez-vous déjà écrit une lettre de remerciements à Lady Emily?» demanda Hugh avec une feinte indifférence.

Le regard soudain attentif de sa tante lui fit comprendre qu'il était un piètre comédien.

« Je suis précisément en train de la rédiger, répondit-elle en haussant un sourcil.

— Il semblerait que la comtesse soit repartie précipitamment pour Londres ce matin, dit Hugh. Elle a emmené Craigmore sans dire un mot à personne.

— Voilà qui paraît pour le moins cavalier, non ? intervint Oncle John.

— Daniel était si heureux que son ami soit là, remarqua Agatha. Il doit être complètement retourné. »

Hugh essaya de mettre le plus de franchise possible dans son regard.

« Pas excessivement, la rassura-t-il. Nous espérons seulement qu'il ne s'agit pas d'une urgence familiale. Peut-être Lady Emily pourrait-elle nous rassurer sur ce point.

— Tout de même, c'est un peu grossier après tout le mal que Lady Emily s'est donné pour les recevoir – mais sois tranquille, je serai discrète et ferai simplement état de notre inquiétude pour la famille de Lady North.

— Apparemment, Harry et Eleanor n'étaient pas disponibles non plus pour le déjeuner, poursuivit Hugh. J'ai déjà prévenu la cuisinière. »

Quand Hugh fut sorti, Agatha reprit son stylo et après une brève hésitation, rédigea une courte ligne exprimant toute sa sollicitude à l'égard de la comtesse et sa compassion envers Lady Emily pour le dérangement que ce départ hâtif devait lui avoir occasionné.

Pendant qu'elle relisait son message, John replia son journal et sortit sa pipe de sa bouche.

« Il fallait s'y attendre, vous savez, dit-il.

— Comment cela ?

— Un fils de comte. Pas question de l'autoriser à jouer les artistes alors que le pays est en guerre.

— Je ne dis pas le contraire. Mais je ne vois guère la nécessité d'éloigner ce garçon.

— Il est toujours préférable de tuer le serpent dans l'œuf. Il serait grand temps que Daniel devienne un peu raisonnable, lui aussi.

— Je me fais autant de souci que vous pour l'avenir de Daniel. Mais il possède manifestement un talent hors du commun, John. Tillingham lui-même le reconnaît.

— Tillingham est un vieux sybarite qui a des intérêts bien particuliers à défendre.

— John ! protesta Agatha. Vous faites erreur sur toute la ligne. J'ai eu à réconforter plusieurs dames de ma connaissance après que M. Tillingham s'est montré très brutal à propos du talent de leurs fils. Dont certains sont encore plus séduisants que Daniel.

— Vous admettez donc cette possibilité ?

— Vous êtes épouvantable, ce matin. Soyez sérieux un moment, John, je vous en prie. Ne croyez-vous pas que Daniel devrait cultiver sérieusement son art? Il pourrait être le prochain Coleridge.

— Il me semble que M. Kipling est plus à la mode actuellement. Par ailleurs, Coleridge a vécu dans la pauvreté et a dû se laisser entretenir par des amis charitables.

— Peut-être pensez-vous qu'il ferait mieux d'être facteur, comme Trollope ? demanda Agatha.

— Vous oubliez que la décision ne dépend pas de nous », répliqua John d'un ton amène tout en repliant son journal qu'il rangea au fond d'un panier.

Il prenait grand plaisir à relire d'anciens numéros et veillait à assurer leur rotation de sorte que, même si les articles lui paraissaient parfois familiers, il pouvait être sûr d'en avoir oublié les détails. Bien qu'Agatha redoutât que ce comportement ne le fît paraître pingre aux yeux des domestiques, il ne répondait pas à un souci d'économie : la lecture de comptes rendus de courses déjà gagnées et d'anecdotes sur des chevaux relégués depuis longtemps au rang d'étalons lui apportait, disait-il, une détente bienvenue par rapport à l'afflux constant de nouvelles crises qui dominait sa vie professionnelle. Comme il avait peu d'autres vices dont une épouse raisonnable pût se plaindre, elle était bien obligée de trouver cette habitude charmante. N'ayant pas les mêmes goûts que son mari, elle consacrait une trop grande partie de l'argent du ménage à l'achat hebdomadaire de *The Gentlewoman* et de *Country Life*, et avait plus récemment commencé à se plonger avec délectation dans la presse illustrée la moins vulgaire.

«Je suis convaincue que Daniel suivra sa propre voie quoi qu'en dise son père, reprit Agatha. Ou peut-être même pour le contrarier. J'aime à croire que nous pourrions exercer une influence utile en jouant les intermédiaires.

— Il ne faut pas vous mêler de leurs affaires, Agatha. Nous en avons déjà parlé. Nous avons défini depuis longtemps le rôle qui nous revient en tant qu'oncle et tante de Hugh comme de Daniel.

— Oui, mais...

— Il n'y a pas de mais, ma chère.» La voix de John n'avait rien perdu de sa douceur, mais elle comprit qu'il était préférable de ne pas le contredire. «J'ai exposé au père de Daniel l'assistance que je suis en mesure d'apporter en assurant à notre neveu un poste dans la fonction publique ou les services diplomatiques. Je n'ai aucun appui particulier à lui offrir s'il tient à se lancer dans une carrière littéraire, de sorte que, même si je ne savais pas que son père s'y oppose, je ne pourrais lui être d'aucune utilité dans ce domaine.

— Il veut créer une revue de poésie.

— Si c'était un brevet militaire qu'il briguait, je pourrais tirer quelques ficelles. C'est du moins ce que semblent penser un certain nombre de gens, à en juger par les dizaines de requêtes que je reçois.

— Non, surtout, ne parlez pas d'une chose pareille, protesta Agatha. N'est-il pas déjà assez effroyable que Hugh se soit engagé?

— De nombreux rejetons de la fine fleur de notre aristocratie font des pieds et des mains pour participer aux combats, remarqua son mari. Des carrières et des fortunes se feront au cours de ces prochains mois. Hugh a eu bien raison, selon moi, de suivre les conseils de son patron.

— N'en parlez pas à Daniel, implora Agatha. Je serais folle d'inquiétude.

— Très bien, je n'en dirai rien. Mais vous, en échange, laissez ce garçon et son père discuter de son avenir sans vous en mêler.

— Il faut que je fasse passer ce message à Emily Wheaton. Je ne peux pas attendre le courrier. Je vais demander à Smith de le lui porter. »

Après la fraîcheur de la brise marine et les vertes prairies du Sussex, Londres était étouffante sous la poussière accumulée d'un long été. N'ayant reçu qu'une note laconique de Craigmore lui faisant savoir qu'il serait chez lui mardi matin, mais ne serait pas disponible pour visiter l'hôpital de Hugh, les deux cousins avaient décidé de considérer ce message comme une invitation à venir le voir. Ils avaient réussi à franchir les redoutables grilles et la cour de la demeure londonienne de Lord North en partie parce que Hugh était en uniforme et que par les temps qui couraient, cette tenue semblait inspirer le respect et ouvrir les portes. On les avait fait entrer dans une antichambre exiguë, lourdement lambrissée de chêne. Elle ne contenait que de petits canapés fort raides, un âtre vide au manteau de cheminée en fonte et, entre deux grandes fenêtres, un imposant buste de Cromwell en malachite verte, sur un socle assorti sculpté d'une telle exubérance de rinceaux et de fleurs que Cromwell lui-même l'aurait vraisemblablement fracassé. Hugh ignorait qu'il y eût le moindre lien de famille entre le comte North et le célèbre lord-protecteur. Peut-être après tout n'y en avait-il pas, songea-t-il, ce qui aurait expliqué que cet affreux objet de famille ait été relégué dans ce purgatoire de chêne afin d'intimider les visiteurs importuns. Daniel faisait les cent pas entre les quatre angles de la pièce comme s'il la mesurait pour y installer un tapis. Les mains jointes derrière le dos, les épaules voûtées, il avait l'air aussi malheureux que Cromwell et était presque aussi vert. Hugh espérait que son cousin saurait conserver sa dignité.

« Mieux vaudrait ne pas trop manifester ton émoi, lui dit-il tout bas. Et rappelle-toi que toute évocation de ton projet de revue risque d'être considéré moins comme un témoignage d'amitié que comme une demande de financement.

— Je me fiche pas mal de la revue et des finances, grommela Daniel.

— Je sais. Mais tais-toi et laisse Craigmore nous expliquer de quoi il retourne. »

Daniel s'approcha de Hugh et lui serra la main.

« Merci mon cousin. Ton air de désapprobation sempiternel me ramène toujours à la raison.

— Je n'ai pas un air de désapprobation sempiternel », protesta Hugh.

Jetant un rapide coup d'œil au trumeau placé au-dessus de la cheminée, il se contraignit à afficher un demi-sourire, effaçant ainsi les profondes rides qui lui creusaient le front. Il remonta légèrement son calot sous son bras.

« Ou du moins, je n'aurais pas cet air-là si tu me donnais moins de tracas, mon cousin.

— Je suis assez grand pour m'occuper de mes affaires moi-même, tu sais, dit Daniel d'un ton d'écolier grognon.

— Dois-je te rappeler que tu es arrivé à la gare ce matin sans un sou ?

— Je te sais gré de m'avoir avancé le prix du billet. Je ne crois pas que nous aurions obtenu des places assises sans ton ordre de mission.

— Espérons que tu pourras repartir. La priorité accordée aux soldats semble s'être imposée dans les chemins de fer.

— Je me rappelle à présent que je me suis servi de quelques billets de banque comme marque-page. J'ai dû partir à la hâte et laisser ma fortune glissée dans mon Longfellow. » La constatation de son étourderie sembla améliorer l'humeur de Daniel. « On devrait affecter à tous les poètes un Hugh chargé de veiller sur eux.

— Merci, dit Hugh qui tourna la tête en entendant un bruit de pas dans le vestibule. J'ai toujours rêvé d'être valet. »

La porte de la pièce s'ouvrit toute grande, poussée par un domestique et Craigmore s'avança avec une dignité pleine de raideur, tel un ambassadeur obligé de recevoir un groupe de notables coloniaux de second rang : le menton relevé, les lèvres pincées, la rigidité de son attitude encore accentuée par l'épais lainage d'un uniforme d'un bleu terne si neuf que les coudes n'avaient pas encore pris de pli. Il portait des souliers cirés, marchant lentement comme s'ils lui comprimaient les pieds en plusieurs endroits et portait sous le bras une casquette bleue avec une visière noire brillante. En deux jours seulement, sa lèvre supérieure s'était garnie d'une ombre de moustache prometteuse, et seuls ses cheveux dorés, qui s'obstinaient à boucler malgré une coupe impitoyable, nuisaient à son allure martiale.

« Oh ! Mon Dieu, tu joues dans *H.M.S. Pinafore*[1] ? » demanda Daniel dans un éclat de rire. Son visage était rayonnant et l'arrivée de son ami semblait avoir dissipé son angoisse. « Qu'est-ce qu'ils t'ont fait ?

— Hugh, Daniel, c'est fort aimable à vous d'être venus, dit Craigmore. Vous voudrez bien m'excuser si je

1. Opéra comique de Gilbert et Sullivan. (*N.d.T.*)

n'ai pas beaucoup de temps à vous consacrer. Ma mère donne un déjeuner. »

Il serra la main de Hugh puis celle de Daniel, qui la prit entre les deux siennes :

« Si tu savais comme je suis heureux de te voir. »

Craigmore retira doucement sa main et la glissa derrière son dos. Ses joues s'empourprèrent et il se balança légèrement sur ses talons, comme s'il réfléchissait soigneusement aux paroles qu'il allait prononcer. Quand il parla, il fit un geste vers les canapés. Hugh obtempéra et s'assit. Daniel resta debout.

«Je tenais à vous présenter mes excuses pour l'extrême précipitation de notre départ du Sussex. C'était d'une grossièreté impardonnable, mais nous n'avons pas eu un moment pour vous avertir. Nous avons reçu un télégramme de très bonne heure, et ma mère et moi n'avons eu que le temps de sauter dans un train.

— Nous avons été heureux d'apprendre par Lady Emily qu'aucun malheur ne vous avait rappelés à Londres, dit Hugh d'un ton entre affirmation et interrogation.

— En vérité, il s'agissait plutôt d'une occasion à saisir, reprit Craigmore lentement. Un vieil ami de mon père a proposé de me faire bénéficier d'une chance exceptionnelle, mais il n'était que brièvement de passage à Londres, ce qui nous a obligés à revenir en ville en toute hâte.

— Sans même prévenir vos amis ? » s'étonna Daniel.

Il était debout derrière Hugh, qui sentit ses mains se cramponner au dossier de bois du canapé.

«Je dois avouer, poursuivit Craigmore, que même si j'avais eu un moment, je n'aurais pas su quoi écrire. » Il prit une profonde inspiration et regarda Daniel droit dans les yeux. « Cette bonne fortune ne pouvait qu'entraîner le renoncement à nos ambitions les plus chères, mon ami, et en tout honneur, je ne pouvais t'annoncer pareille nouvelle dans une lettre.

— Tu as obtenu un commandement militaire, c'est cela ? » demanda Hugh, énonçant prudemment l'évidence en espérant que son ton éviterait toute explosion violente de la part de Daniel, qui lâcha le canapé et se laissa tomber au côté de son cousin.

Hugh n'eut pas le courage de le regarder en face. Craigmore et lui continuèrent à converser comme si Daniel n'était pas là.

« Je savais que tu avais rejoint les services médicaux de l'armée, évidemment, dit Craigmore à Hugh. As-tu déjà reçu ton affectation ?

— Je dois d'abord faire six semaines de formation. Les aspects militaires essentiellement. Ils se sont dépêchés de nous faire passer nos derniers examens universitaires.

— Royal Flying Corps, annonça Craigmore. L'uniforme n'est pas encore tout à fait au point. Bien sûr, nous avons un équipement de vol plus adéquat pour tous les jours. Cuir et tout le reste. Je dois passer chez Burberry plus tard dans la journée pour me trouver une capote et ils font un casque d'aviateur tout à fait épatant avec des lunettes : les meilleurs verres, polis à la main.

— J'ignorais que tu pilotais.

— Je m'y suis mis un peu l'année dernière. J'ai emmené Daniel survoler Florence deux ou trois fois cet été. C'est bigrement amusant. Des dizaines de types se sont portés candidats pour des commandements, tu peux t'en douter, alors quand mon père a pu m'obtenir une entrevue avec le général de brigade aérienne... Je peux t'avouer que je n'avais aucune envie de m'enrôler dans une guerre ordinaire, mais l'aviation... c'est tout à fait nouveau, ce machin-là. »

Sa rougeur s'accentua tandis qu'il répétait : « Bigrement amusant ! »

« Et l'art ? interrogea Daniel d'une voix éteinte.

— Je n'ai jamais été aussi bon peintre que ne le pense Daniel, déclara Craigmore s'adressant toujours à Hugh.

Je le savais, même si lui-même l'ignorait.» Ne tenant plus en place sur son canapé, il se leva pour s'accouder au manteau de la cheminée, posant le pied sur le chenet. «J'aurais toujours été le type qu'on tolère à cause de son argent et de ses relations.

— Je n'ai jamais eu ce genre de pensées, murmura Daniel.

— Je sais bien, je sais bien», intervint précipitamment Craigmore, se hasardant à lui jeter un bref regard. «La seule chose que je te reproche, c'est d'avoir peut-être été aveuglé par... par l'amitié.

— Et cette amitié? protesta Daniel. Faut-il en faire fi et n'y voir qu'un agrément éphémère?

— Mon père dit que l'époque que nous vivons a besoin d'hommes, pas de garçons hypersensibles. Bien des amitiés seront bouleversées par les événements des jours à venir.

— Depuis quand écoutons-nous nos pères? s'indigna Daniel. Ne partageons-nous pas la plus profonde aversion pour leurs hypocrisies et leurs petits calculs?

— Bavardages de café et rodomontades d'écoliers, reprit Craigmore. Il est temps que nous mûrissions un peu, Daniel.

— J'ai mûri cet été. J'avais cru avoir trouvé la boussole de ma vie. Malheureusement, elle m'a tout l'air d'être cassée. Me voilà condamné à faire du surplace.

— Toujours des comparaisons et des métaphores devant les vérités brutales. Nous n'avons aucun droit l'un sur l'autre, Daniel. Je n'ai signé aucun contrat. Je ne romps aucune promesse qui ne puisse affronter le regard de l'opinion publique.

— Nous n'avions pas besoin de promesses.

— Je me suis engagé à servir mon pays en cette heure de danger. Le patriotisme ne saurait faire l'objet d'aucune discussion.

— Foutaises ! lança Daniel d'une voix amère. Tu t'es laissé acheter par ton père qui t'a fait miroiter la possibilité de piloter des avions coûteux, de boire du bon vin au mess avec d'autres hommes de ton espèce et de te faire admirer aux défilés avec tes galons d'argent et tes souliers cirés. Du théâtre amateur de la pire espèce. Nul doute qu'on entendra parler de toi dans les pages de la presse illustrée la plus ordinaire.

— Il me semble qu'il n'y a rien à ajouter. » Craigmore se redressa, tout son corps ne formant qu'une colonne rigide et Hugh le vit serrer les dents pour réprimer un léger frémissement de sa mâchoire.

« J'espère que nous resterons amis. Si tu réussis à surmonter ton émotion d'aujourd'hui et à te montrer courtois, je serais heureux que tu m'écrives.

— Où te trouverons-nous ? demanda Hugh qui se leva, soucieux de soustraire Daniel à cette entrevue avant que son cousin n'ait entièrement réduit à néant son amitié avec Craigmore.

— Dès que j'aurai une adresse militaire, je vous la ferai parvenir. »

Un bruit de voix leur parvint du vestibule suivi d'un éclat de rire féminin.

« Si vous voulez bien m'excuser, nos invités arrivent. »

Avant qu'il n'ait pu prendre congé, le même domestique ouvrit la porte. Une jeune femme entra, vêtue d'une élégante robe bleue à jupe étroite, au corsage orné de ganses noires et de boutons de laiton, et coiffée d'un immense chapeau vaporeux. Elle sourit avec l'assurance insouciante des privilégiés. Sans qu'elle fût jolie, son maintien lui conférait un air de raffinement séduisant.

« Le valet m'a dit que vous aviez des amis, et comme je meurs d'envie de connaître les amis de Craigmore, j'ai décidé de me conduire de manière absolument scandaleuse et de faire irruption. » Elle embrassa Craigmore sur la joue et lui prit le bras. « Présentez-moi, chéri. »

Craigmore eut l'air vaguement confus, comme un commis de cuisine surpris avec un poulet volé à la main. Un sourire involontaire monta aux lèvres de Hugh, ajoutant peut-être encore à l'embarras de Craigmore. Le jeune homme plissa le front, l'air sévère.

« Mademoiselle Charter, puis-je vous présenter M. Hugh Grange et M. Daniel Bookham ? Monsieur Grange, monsieur Bookham... » Il prit une profonde inspiration avant d'achever : « Permettez-moi de vous présenter Mlle Joy Charter, ma fiancée. »

Ils quittèrent la demeure en silence et n'échangèrent pas un mot jusqu'au moment où ils se séparèrent devant un petit pub où Daniel et d'autres écrivains aimaient se retrouver. Hugh hésitait à le laisser seul, mais son cousin lui assura qu'il allait très bien et que l'apparition soudaine d'une fiancée de Craigmore le laissait froid.

« Enfin, abstraction faite de la déception évidente due au fait que c'est, il faut bien l'avouer, une vraie jument. »

Pour que Daniel se montre d'une grossièreté aussi brutale, il fallait qu'il soit furieux et malheureux, mais, étant déjà lui-même en retard pour son prochain rendez-vous, Hugh ne put que le laisser rejoindre ses amis et son whisky dans le pub enfumé.

« Je viens te chercher dès que j'ai fini, promit-il. Tâche de te tenir comme il faut.

— Je communierai avec ma fiancée, la déesse des lointaines îles écossaises, répondit Daniel. Mais j'essaierai de rester droit, enfin, sur ma chaise en tout cas. »

Dans la demeure de brique rouge de Sir Alex Ramsey, le papier peint doré sentait la colle sèche, et l'épais tapis de Turquie exhalait une odeur de vieille laine. Toutes les fenêtres étaient fermées, et l'air immobile donnait l'impression d'avoir déjà séjourné dans d'autres poumons. Le majordome fit monter Hugh à l'étage dans le bureau personnel du chirurgien. Ce sanctuaire intime était surchargé de tableaux et de bronzes antiques. Il abritait plusieurs confortables fauteuils club et un parfum de cuir s'élevait d'un secrétaire exposé au soleil de l'après-midi, devant le bow-window.

« Entrez, mon garçon, dit le chirurgien qui était en train de choisir une carafe sur un plateau. Je vous attendais. J'ai une bonne nouvelle pour vous. »

Sans demander à Hugh ce qu'il souhaitait boire, il remplit deux verres, ajoutant aux odeurs de la pièce l'épais arôme ambré du brandy.

« J'espère que vous allez m'annoncer qu'ils ont enfin compris que les exercices militaires ne nous seront d'aucune utilité et qu'ils ont décidé de les supprimer, répondit Hugh, se perchant sur une chaise rembourrée fort raide en essayant de ne pas tripoter son uniforme. Je ne saurais vous dire combien nos ennemis se divertiraient de voir une centaine de médecins se marcher réciproquement sur les pieds et agiter leurs fusils de bois en tous sens.

— J'ai entendu dire, en effet, que nous ne faisions pas très bonne figure, approuva le chirurgien en lui tendant un verre. Il est étrange qu'une intelligence supérieure fasse obstacle à l'apprentissage de manœuvres pourtant élémentaires... Faut-il en déduire que les régions cérébrales qui ne sont pas utilisées pour l'étude tendent à s'atrophier ?

— Il faudrait plutôt, me semble-t-il, y voir un lien entre le manque de goût pour l'athlétisme et le choix de la carrière médicale. Ou peut-être réfléchissons-nous trop quand on nous demande de tourner à gauche.

— Tenez bon mon garçon et dans six semaines, vous serez en France, reprit Sir Alex. J'ai l'immense privilège de vous annoncer que vous avez réussi vos derniers examens. Toutes mes félicitations. C'est donc en tant que chirurgien à part entière que vous partirez pour le front. »

Levant son verre, il le vida d'un trait.

« Vous m'en voyez surpris, dit Hugh. Je n'osais pas espérer un tel résultat.

— Major de votre promotion, mon cher garçon. J'ai cru déceler une plus grande indulgence que de coutume dans la notation, puisque les examens ont été avancés de quelques mois. Mais vous pouvez être sûr que vous auriez été reçu même une autre année, comme je le pensais.

— Merci, docteur. Votre confiance m'est infiniment précieuse.

— Dans l'immédiat, en attendant que les plans de notre hôpital soient achevés, on nous a demandé de répartir nos chirurgiens de manière que les services médicaux de l'armée disposent de capacités générales sur la totalité du front, mais on m'a assuré que notre groupe serait autorisé à sélectionner ses propres cas. Ne vous laissez donc pas intimider par les administrateurs qui prétendront vous confier des patients ordinaires. Et méfiez-vous des orthopédistes. Ils ont tendance à tirer la couverture à eux ; une sacrée bande d'arrivistes.

— Oui, docteur.

— Choisissez les pathologies les plus intéressantes et veillez à conserver un exemplaire de toutes vos notes. Chaque cas ne peut être utile aux progrès de la science que grâce aux notes que nous accumulons.

— Je comprends. Des notes méticuleuses.

— Il est toujours judicieux d'en garder un exemplaire. Le dossier qui accompagne un blessé risque d'être perdu pendant le trajet, surtout s'il meurt.

— J'essaierai d'être à la hauteur », promit Hugh en se levant pour lui serrer la main.

Sir Alex lui jeta un regard circonspect avant de toussoter pour lui faire comprendre qu'il avait quelque chose à ajouter.

« Ce sont des temps extrêmement durs, mon garçon, surtout pour celles que nous laissons derrière nous. »

L'espace d'un instant, Hugh crut avec horreur que Tante Agatha avait écrit à son patron. « La situation est très douloureuse pour ma fille, poursuivit ce dernier. Le départ imminent d'un aussi grand nombre de ses jeunes amis l'afflige profondément.

— Je ne me doutais pas... »

Hugh l'avait aperçue à la première conférence du chirurgien, mais elle avait été tellement affairée à distribuer ses drapeaux et ses plumes qu'elle s'était contentée de lui adresser son sourire le plus éblouissant en le voyant en uniforme.

« Elle dissimule fort bien ses sentiments sous sa pétulance juvénile, soupira Sir Alex. Elle me rappelle tellement sa mère. »

Il prit sur son bureau un lourd cadre d'argent et le retourna pour faire voir à Hugh la photographie de sa défunte épouse, qui fixait l'objectif sans un sourire, en robe noire et en perles, une bible dans une main tandis qu'un paon se promenait incongrûment sur la balustrade de pierre à laquelle elle s'appuyait. Bien que ce cliché ne suggérât pas un passé familial de pétulance, Hugh fut touché que Sir Alex lui montre ce portrait. Le chirurgien était généralement plutôt avare de confidences personnelles.

« La similitude de beauté est frappante », commenta Hugh qui en fut récompensé par un regard chargé d'une vive émotion promptement étouffée par une toux.

« Il n'en reste pas moins que ce sont des temps peu communs, reprit Sir Alex. Et je tenais simplement à vous faire savoir que je ne vous ferai pas obstacle, mon garçon. Nous ne devons pas faiblir ; nous devons nous engouffrer dans la brèche sans hésiter, si je puis dire. »

Il se réfugia dans un silence embarrassé, tirant sur sa moustache et se détournant vers la fenêtre pour ne pas regarder Hugh. De toute évidence, songea ce dernier, Sir Alex parlait de Lucy et lui accordait une autorisation qu'il ne lui avait pas encore demandée. Que le grand homme anticipât ainsi ses pensées ne le surprenait guère, mais ce soutien manifeste lui faisait l'effet d'un honneur trop grand pour être vraisemblable.

« Le bonheur de Mlle Ramsey doit être le premier souci de ses amis, aventura-t-il.

— C'est exactement ce que je lui ai dit, approuva le chirurgien. Je lui ai fait savoir que son choix serait le mien, sans considération de rang ni d'excellence, mais pour vous parler franchement, j'ai quelques soucis, Grange.

— À mon propos ? demanda Hugh avec une brutalité née de l'étonnement.

— Non, non, vous feriez tout à fait l'affaire. Je songe à un ou deux autres jeunes gens. Disons simplement qu'il ne sert à rien d'avoir une couronne si l'on n'a pas de tête sur laquelle la poser.

— Dois-je comprendre, monsieur, que vous souhaitez que Mlle Ramsey épouse qui elle souhaitera ? demanda Hugh d'un ton plus sec qu'il ne l'aurait voulu, peut-être parce que l'idée qu'il puisse *faire l'affaire* en raison des temps difficiles qu'ils vivaient le froissait légèrement.

— Je ne lui laisse pas tout à fait carte blanche, reprit le chirurgien. Mais si un prétendant est véritablement intéressé, je lui suggérerais de passer à l'action sans tarder. Le fait est qu'elle refuse de partir pour le pays de Galles tant qu'elle n'aura pas pu annoncer ses fiançailles. Elle craint d'être isolée à la campagne et de s'y trouver laissée pour compte. Franchement, je ne sais plus à quel saint me vouer pour la convaincre de quitter Londres.

— Londres n'est certainement pas sous le coup d'une menace imminente. »

Il eut la vision soudaine de Lucy, dans sa robe la plus vaporeuse, assise dans un salon gallois ténébreux avec une vieille tante assoupie sur son tricot, sa jeunesse et sa fraîcheur ensevelies tandis que la pluie battait contre les carreaux.

« Un tel exil serait indéniablement une épreuve pour elle, ajouta Hugh.

— Les zeppelins ne remontent peut-être pas encore la Tamise, mais en temps de guerre, Londres est un lieu de licence et de désordre. Ma chère épouse allait jusqu'à refuser de s'asseoir sur un banc public au parc, alors que figurez-vous qu'hier, ma fille a pris un omnibus et a invité à venir prendre le thé à la maison trois jeunes gens qu'elle avait convaincus de se rendre au bureau de recrutement.

— Avec votre autorisation, ce serait un honneur pour moi de lui parler. Et quels que soient ses sentiments à mon égard, je vous donne ma parole que je l'exhorterai à penser à sa sécurité.

— Merci, dit Sir Alex. Sa tante ne vit pas sur un sommet isolé de Snowdon mais en plein cœur de Cardiff. Elle aura toute la vie mondaine désirable, et moi, je pourrai me consacrer à notre cause l'esprit tranquille. »

Au jardin, Hugh trouva Lucy blottie dans un fauteuil du petit pavillon d'été. Les sièges étaient recouverts de plaids, comme pour lutter contre la fraîcheur automnale qu'aurait pu suggérer le calendrier. Mais il faisait chaud, et seul le parfum fort et poivré des asters suggérait le changement de saison. Le voyant approcher, Lucy l'accueillit en lui tendant les deux mains.

« Vous êtes très... élégante », remarqua-t-il en s'inclinant pour lui baiser une main puis l'autre.

Elle portait une jupe de sergé bleu avec une veste assortie, agrémentée d'épaulettes écarlates, une écharpe rouge et blanche drapée sur l'épaule. Ses cheveux étaient relevés sous un coquet calot sur lequel elle avait épinglé une broche représentant le drapeau de St. George. Tout cela composait un charmant petit uniforme.

«Je suis si contente que vous veniez enfin me voir. Soldat de la tête au pied et, en plus, chirurgien diplômé à présent.

— Votre père vous l'a donc dit.

— Je lui ai tiré les vers du nez. J'ai appris à être très insistante ces temps-ci.

— C'est ce que je constate.

— Comment trouvez-vous mon uniforme ? demanda-t-elle en se levant et en lissant sa jupe étroite. Nous avons créé, mes amies et moi, notre propre association, la brigade de recrutement de St. George.

— Avez-vous besoin de comités et de règlements pour distribuer des plumes ? s'étonna-t-il.

— Le journal nous a prises en photo hier et notre portrait a été publié avec la légende "Les filles de George" ! Regardez, Hugh. »

Elle lui tendit une page découpée dans un journal illustré sur laquelle figurait une grande photographie représentant une dizaine de jeunes filles, toutes accrochées à l'arrière d'un omnibus et agitant frénétiquement la main en direction du photographe.

« C'est la gloire assurée », commenta Hugh.

Pareille photographie exigeait plusieurs minutes de pause, ce qui prêtait aux saluts un aspect pour le moins artificiel.

« Cette pauvre fille, au fond, n'a pas de bras, ajouta-t-il.

— Maisie est incapable de se tenir tranquille. Elle a tenu à agiter vraiment la main, avec pour résultat que ses bras sont flous, expliqua Lucy, observant l'illustration par-dessus son épaule.

— Est-il possible que vous ayez toutes le visage fardé ?

— Ne soyez pas vieux jeu, Hugh. Chacun sait qu'une photographie professionnelle exige un minimum de maquillage. Ce qui importe, c'est qu'en attirant ainsi l'attention, nous puissions apporter une réelle contribution à l'effort de guerre.

— Tout de même, je serais surpris que votre père approuve cela, remarqua Hugh.

— Je ne lui ai pas montré ce journal», admit-elle. Elle replia la page et la rangea dans sa poche. «Maintenant que nous l'avons aidé à recruter ses cent médecins, il ne peut pas me demander de rester les bras croisés. Le pays a besoin de tous les hommes disponibles et nous sommes exactement celles qu'il faut pour accomplir cette mission.

— Ce n'est pas parce que nous sommes en guerre que l'on doit oublier toute notion de décence, insista Hugh. Je suis certain que votre père ne se soucie que de votre réputation.

— Pourquoi tenez-vous donc tellement, vous les hommes, à vous accaparer ainsi la guerre? Ne vous figurez pas que nous allons rester tranquillement à la maison à tricoter pendant que vous vivez toutes ces aventures.

— La guerre n'a rien d'une aventure, et...»

Il n'avait pas fini de parler qu'elle rétorquait avec un regard furieux : «C'est exactement ce que je dis. En un temps de péril national, nous devons tous pouvoir mettre la main à la pâte.

— Pardonnez-moi. Nous cherchons à vous protéger, votre père et moi.

— Parler comme un père n'est pas un trait particulièrement séduisant chez un jeune homme.

— Je suis un idiot, dit-il en se frappant le front du poing dans un simulacre de désespoir qui la fit éclater de rire. Et si vous me racontiez vos aventures, voulez-vous?» poursuivit-il, espérant de tout cœur n'entendre parler que d'activités des plus banales.

Sillonner Londres dans un omnibus loué et décoré semblait être la principale occupation du groupe d'amies de Lucy. Elles avaient été invitées à se produire à l'Albert Hall et avaient assisté à un dîner de recrutement à

Whitehall, mais c'était l'omnibus qui semblait enchanter le plus la jeune fille.

« Et le mois prochain, il y aura une garden-party au Palais et nous assurerons une garde d'honneur à la grille avant de rejoindre la réception, chacune de nous portant un petit bouquet de roses thé. »

Elle poussa un gros soupir.

« Voilà qui m'a l'air tout à fait passionnant, dit-il, résistant à l'envie de lui demander où elles comptaient trouver des roses thé en octobre.

— Vous ne pouvez pas imaginer combien il est exaltant de faire quelque chose qui compte vraiment, renchérit-elle d'un air parfaitement sérieux, joignant les mains pour donner plus de force à ses propos. C'est tellement plus satisfaisant que de recopier des dossiers de malades à longueur de journée, de répondre au courrier comme une secrétaire rémunérée ou de devoir épousseter le cabinet de consultation de mon père parce qu'il ne fait pas confiance à la bonne. »

Elle avait l'air si désolée que Hugh ne put résister à l'envie de prendre ses mains entre les siennes. Un rayon de soleil plongeant entre les toits parait ses cheveux d'une touche d'or, et un souffle frais s'échappait de ses lèvres pulpeuses, roses de santé et de jeunesse. Hugh sentait ses mains trembler entre les siennes et vit sa petite veste se tendre sous une puissante inspiration.

« J'étais loin de me douter que vous étiez malheureuse, murmura-t-il.

— Jusqu'à mon mariage, je suis tenue de faire mon devoir à l'égard de mon père. Mais j'ai toute confiance en vous, Hugh, et je dois avouer que j'aspire à échapper à l'odeur même du cabinet de consultation.

— Vous méritez de vivre vos aventures. Vous méritez tout. »

Elle abaissa ses longs cils et rougit ; ils s'assirent dans un silence que Hugh espérait plein de compréhension tandis qu'il cherchait ses mots pour lui faire une déclaration en bonne et due forme.

« Vous savez que j'ai promis à mon père que si j'étais fiancée, j'accepterais de partir pour le pays de Galles et d'aller vivre chez ma tante, reprit-elle d'une voix douce.

— Vous savoir en sécurité dans le sein de votre famille serait un grand soulagement pour votre père comme pour moi.

— Mais la garden-party royale a lieu le mois prochain, rappela-t-elle en esquissant une petite moue de ses lèvres charmantes. Comprenez-vous mon problème ?

— Si vous étiez fiancée, ce genre de chose serait certainement le cadet de vos soucis, remarqua Hugh en souriant. Je voudrais vous demander...

— Non, non, ne me demandez rien, Hugh, protesta-t-elle en retirant ses mains pour les agiter devant lui comme pour effaroucher un petit chien. Je ne voudrais pas vous répondre non, et si je me laissais aller à vous dire oui, je serais obligée de partir. Passons un accord sans mots, sans promesses.

— Quel genre d'accord ? demanda-t-il. Et que dirai-je à votre père ?

— Je ne vous demande que quelques mois, Hugh. Vous obtiendrez ensuite tout ce que vous voulez. Un jour, tout cela pourra être à vous. »

Elle tendit la main vers la maison pour laquelle elle venait d'exprimer une aversion sans partage.

« Je ne demande rien d'autre que vous, répondit-il, se demandant si elle serait vraiment prête à le suivre dans un meublé d'Old Brompton Road ou dans une petite villa d'une banlieue lointaine à portée de la bourse d'un jeune chirurgien.

— Votre intégrité est l'une de vos qualités les plus attachantes, Hugh. Tous les hommes ne sont pas comme vous. »

Elle fronça les sourcils d'un air si sérieux qu'il ne put s'empêcher de rire.

« J'ose espérer que vous n'avez pas découvert cette vérité dans un omnibus ? lança-t-il.

— Oh Hugh ! protesta-t-elle en lui donnant une petite tape mutine. Voilà exactement pourquoi je vous adore. »

Il constata avec étonnement qu'au lieu d'être atterré par le délai qu'elle lui imposait, l'idée de poursuivre leur relation sans changement lui inspirait une étrange satisfaction, voire un léger soulagement. Sans doute était-ce la guerre, songea-t-il, qui donnait envie aux gens de s'accrocher à leur existence familière ? L'image fugace de rires et de danses dans une houblonnière du Sussex lui traversa inopinément l'esprit. Il la repoussa et pendant la demi-heure suivante, accorda à Lucy une attention sans faille tandis qu'elle le régalait de récits de sa vie londonienne si profondément transformée.

Après la clarté du soleil qui brillait au-dehors, la pénombre qui régnait dans le petit pub aux poutres noires était presque impénétrable ; elle était rendue plus étouffante encore par l'odeur de foie frit et de bière éventée et par la fumée d'innombrables pipes et cigares dont l'âcreté vous prenait à la gorge. Des étudiants, des jeunes juristes et des commerçants se serraient devant le bar de cuivre sur quatre rangs, et Hugh dut se frayer un chemin à travers la foule pour rejoindre la planche posée sur une barrique qui servait de table à son cousin et à ses deux amis, occupés à engloutir des tourtes avec toute la grâce de dockers. Daniel était en bras de chemise, sa cravate enfoncée dans sa poche, une tache sombre d'alcool renversé sur le cœur. Une chope de bière et un verre de whisky poisseux étaient posés près de son assiette et, au milieu d'un débat bruyant, un de ses compagnons se hissa sur ses pieds pour remplir les verres à whisky à ras bord.

« À la poésie et à la mort ! s'écria-t-il en levant son verre qu'il vida d'un trait.

— À la poésie qui transcende la mort ! hurla son voisin, qui suivit son exemple avant de s'effondrer à côté de son assiette.

— À la poésie par-dessus tout ! renchérit Daniel qui aurait imité ses camarades si Hugh ne lui avait pas retenu le bras.

— Salut cousin, dit-il.

— Hu-Hugh, bredouilla Daniel, ayant quelques difficultés à prononcer le *h* de son nom. Tu arrives juste à temps pour porter un toast au roi. Nous partons tous à l'armée !

— Au roi ! fit le jeune homme qui tenait la bouteille, levant celle-ci et buvant au goulot.

— Au roi et à la patrie ! glapit l'autre, incapable de se relever de son siège.

— Au roi ! »

Des acclamations fusèrent dans tout le pub et Hugh dut renoncer à se faire entendre au milieu d'un chœur enthousiaste de « Land of Hope and Glory », miséricordieusement abrégé par l'impuissance générale à se rappeler plus de quatre vers du refrain. Lorsque le vacarme reflua, Hugh s'assit sur un tabouret bas et demanda à une serveuse qui passait de lui apporter un steak et une tourte aux rognons.

« Je ne peux rien refuser à un officier, mon chou, dit-elle avec un clin d'œil suggestif.

— Juste la tourte, pas de pois ni de sauce.

— Hugh, tu vas être fier de moi, annonça Daniel. Mon père aussi sera fier de moi. Mes amis, du moins ceux qui me restent dans ce monde cruel (à ces mots, il sortit sa cravate de sa poche et s'en tamponna les yeux), seront fiers de moi. Nous partons à la guerre, Hugh.

Nous partons – *tous dans la vallée de la mort, chevauchaient les cinq cents*[1].

— Six cents, corrigea l'ami prisonnier de sa chaise.

— Comment, Tubby? Hugh, je te présente mon ami Tubby Archer.

— Six cents... Brigade légère... six cents, reprit Tubby.

— Six cents? Ça fait une chiée de canassons, ça, dit l'autre, qui berçait à présent la bouteille comme un bébé.

— Longshanks, mon ami... ça fait effectivement... ça fait, ça fait une... »

Daniel riait tellement qu'il ne pouvait plus parler, la mâchoire pendante, les yeux dégoulinant de larmes.

« Le patron vous demande de baisser un peu le ton, messieurs, intervint la serveuse, se glissant vers eux avec une tourte fumante destinée à Hugh.

— Excusez-nous, dit celui-ci. Peut-être pourriez-vous apporter un pichet de café.

— Non, non, non, protesta Daniel en agitant un doigt réprobateur devant Hugh. Nous allons nous engager dans l'armée du roi et nous ne partirons pas à jeun.

— *Non, nous ne partirons pas à jeun, si vraiment nous partons,* chantèrent les trois amis.

— Excusez-nous, répéta Hugh.

— Ne vous en faites pas, dit la serveuse. Laissez-les brailler à leur guise, les pauvres chéris. Ils seront moins gais quand ils se réveilleront à côté du sergent-major. »

Elle adressa un nouveau clin d'œil à Hugh et s'esquiva pendant que Daniel gémissait :

« Reviens, Peg mon cœur. Je t'aime ! »

Les trois amis se lancèrent dans une interprétation polyphonique et rocailleuse de « Peg o' My Heart » qui ne s'en tenait que passagèrement à une tonalité définie. Au moins, ils étaient suffisamment calmes pour que

1. Vers extrait de « La Charge de la brigade légère » de Tennyson. (*N.d.T.*)

Hugh puisse avaler quelques bouchées de sa tourte accompagnées d'une gorgée de bière forte. Quand ils se turent, ils semblaient tous trois plongés dans une mélancolie larmoyante, un très léger progrès par rapport à leur ivresse et à leur tapage antérieurs.

« Qu'est-ce que c'est que cette histoire d'enrôlement ? demanda Hugh. Je croyais que tu étais plutôt du genre pacifiste.

— Non, non, pas pacifiste, seulement poète, rectifia Daniel. Mais le temps est venu, mon cousin, le temps est venu de montrer à certains que c'est dans les tranchées que l'on trouve les vrais hommes, la vraie bravoure.

— C'est l'infanterie qui te tente ? s'étonna Hugh, incapable de réprimer un sourire à l'idée d'un Daniel, si délicat, dans une tranchée boueuse.

— Longshanks que tu vois ici – je te présente Bill Longshanks du cercle des poètes du Grand Pimlico –, Longshanks a un oncle qui peut nous faire entrer dans le régiment des artistes de l'infanterie légère. Formation d'officiers. Rien que des poètes, des peintres, tout ça. Pas de riches dilettantes, mais de vrais artistes dont la mission sera de dresser le tableau de nouvelles formes de bravoure et d'édifier, en sonnets et au pinceau, une nouvelle fraternité de soldats-artistes. » Il s'interrompit pour contempler sa chope de bière et, la trouvant encore à moitié pleine, il la leva comme pour porter un toast. « Nous partons cet après-midi même, les gars.

— Tu ferais probablement mieux d'attendre d'avoir dégrisé un peu. Tu considéreras peut-être les choses sous un autre jour quand tu auras les idées plus claires.

— Non, non, je veux me précipiter dans la vallée avec les chevaux, proclama Daniel. Pas de temps à perdre.

— Pas de chevaux, précisa Longshanks. Uniquement des fusils et tout le toutim. En train sans doute. À quatre heures, à la gare de King's Cross.

— Ils ont besoin de moi, Hugh, expliqua Daniel. Il leur faut un rédacteur en chef pour la revue du régiment.

— J'ai annoncé à mon oncle que Daniel Bookham était l'homme qu'il nous fallait pour rédiger notre histoire en vers épiques.

— Même sous un tir de barrage, je poursuivrai mon ouvrage au fond de ma tranchée à la lueur d'une unique bougie, reprit Daniel. Et quand le clairon sonnera la fin du jour et que nos camarades sortiront du carnage nos corps martyrisés, ils me trouveront, serrant contre ma poitrine le dernier numéro... »

Il essuya une larme et ses amis inclinèrent profondément la tête, semblant déjà pleurer la destruction du régiment.

« Il me semble que tu mets la charrue avant les bœufs, même s'il n'est question ni de bœufs ni de chevaux, remarqua Hugh. Ce n'est pas le genre de décision à prendre dans une taverne.

— Ce sera la plus grande aventure de notre temps, déclara Longshanks qui ne semblait pas tout à fait aussi saoul que Hugh ne l'avait cru de prime abord. C'est la toile ultime et aucun médiocre ne sera invité !

— Bravo ! Bravo ! » reprirent en chœur Daniel et Tubby Archer.

Hugh comprit, le cœur serré, que les recruteurs insidieux ne reculaient devant aucun stratagème ; flatterie, insultes, perspectives de carrière, amour, honneur familial et éclat doré de la chance à saisir, tous ces appâts servaient également l'objectif de convaincre les jeunes gens d'endosser l'uniforme.

« M'étant moi-même engagé, je serai le dernier à t'en dissuader, reprit Hugh. Mais je te rappelle qu'avant de le faire, j'ai demandé l'autorisation de mon père et la bénédiction de ma mère, et je compte sur toi, cousin Daniel, pour en faire autant. Tu ferais bien de prévenir aussi Oncle John et Tante Agatha, me semble-t-il.

— Nous pourrions partir demain, remarqua Tubby. Par le premier train, tu sais – le temps d'emballer un copieux déjeuner et de régler quelques affaires.

— Demain ira très bien, acquiesça Longshanks. Mais je vais télégraphier à mon oncle dès aujourd'hui pour l'informer de notre intention et je compte sur vous pour ne pas me faire mentir en vous dérobant au dernier moment.

— Ce délai ne risque-t-il pas de faire découvrir le pot aux roses à la logeuse de Tubby ? s'inquiéta Daniel. Je croyais qu'il avait l'intention de partir sans tambour ni trompette.

— J'emballerai mes pinceaux et sortirai par la grande porte, déclara Tubby. J'informerai la dame de mon intention sur le ton le plus grave et lui promettrai une livre de ma chair prélevée sur la solde du roi lui-même.

— Mieux vaudrait prévoir d'avoir un cab à la porte, remarqua Daniel. Nous risquons de devoir nous enfuir précipitamment.

— J'ai le temps de te conduire chez ton père, déclara Hugh à son cousin. Ou peut-être le trouverons-nous à son club ?

— Inutile. Un message par le dernier courrier suffira. Mon père sera évidemment exstra... extar... extatique en apprenant la nouvelle.

— Dans ce cas, allons voir Oncle John au ministère. J'ai la vague impression que tu auras grand besoin de son aide pour annoncer à Tante Agatha que son neveu préféré part pour la guerre.

— Ce n'est pas moi le préféré, c'est toi », rétorqua Daniel. Se tournant vers ses amis, il ajouta : « Ils le trouvent tellement intelligent avec toute sa science et sa médecine, alors que moi, je ne suis qu'un pauvre poète impécunieux...

— Et moi, je parie que tu es incapable de dire trois fois de suite "pauvre poète impécunieux" sans postillonner de la bière au visage de tout le monde, dit Hugh. Allons-y Daniel. »

Glissant une main sous le bras de son cousin, et accompagné des protestations de ses amis et de rendez-vous hurlés qui n'avaient de sens pour personne, Hugh fit sortir Daniel du pub d'une poigne énergique et l'entraîna à vive allure vers un autobus à destination de Whitehall.

17.

Le cottage d'Algernon Frith et d'Amberleigh de Witte était une petite maison basse au toit de chaume, qui se dressait au milieu des champs dans un fouillis de verdure. La peinture verte des châssis de fenêtres s'écaillait, les avant-toits et les murs chaulés étaient grisâtres de moisissures. La grille du jardin, peinte en vert elle aussi et rouillée sur ses poteaux, était ouverte, tandis qu'une bicyclette gisait, renversée négligemment contre la véranda où deux grands pots de terre vernissée, du bleu le plus vif, débordaient de fleurs dans une profusion toute méditerranéenne de rouge, de rose et d'orangé. L'allure délabrée du cottage aurait dû n'inspirer que mépris mais, approchant en compagnie de Céleste sur l'étroit sentier herbeux, Beatrice le trouva au contraire étrangement romantique. Une jeune fille apparut sur le seuil et esquissa une révérence en les voyant.

« Entrez, mesdemoiselles, s'il vous plaît, dit-elle, un peu essoufflée et les yeux écarquillés, comme si elle n'avait pas l'habitude d'accueillir des invités. Madame est dehors, derrière la maison. »

Au bout d'un couloir au sol pavé de pierres grossières, elles se retrouvèrent dans un jardin qu'ombrageaient des arbres ployant sous le poids de vieilles plantes grimpantes. Sous une pergola recouverte de végétation, au bord d'un étang, Amberleigh de Witte était allongée dans une chaise en osier plus ou moins affaissée, vêtue d'une robe d'intérieur verte, ses cheveux retombant sur son épaule gauche, à peine retenus par un mince ruban. Elle écrivait dans un grand cahier à couverture de cuir et ne se leva pas à l'approche de Beatrice et Céleste, se contentant d'agiter une longue main fine dans leur direction et de leur crier :

« Venez prendre le thé. J'ai demandé du champagne, mais il est encore en train de rafraîchir dans la glacière. »

Sur une table en bois disposée à côté d'elle, une bouilloire sifflait au-dessus d'un petit réchaud et une pile de tasses en porcelaine ancienne bleu et blanc attendaient d'être remplies. Un présentoir proposait un assortiment des petits canapés habituels et des rochers ordinaires, qui connaissaient une certaine popularité à présent que le sucre se faisait rare. Mais un plat de grès, juste à côté, contenait une tourte au porc luisante, tandis qu'une jatte remplie de ce qui avait tout l'air de cuisses de canard confites, enrobées de graisse jaune, était posée sur un vieux tonneau, surveillée avec une attention vigilante par un épagneul haletant, dont le museau touchait presque le bord. Des coupes à champagne et une bouteille sombre contenant quelque alcool inconnu complétaient ce thé opulent, fort peu conventionnel.

« C'était vraiment très aimable à vous de nous inviter », remercia Beatrice.

Le message rédigé sur du papier à lettres bleu dégageant une forte odeur d'iris avait réitéré l'espoir d'Amberleigh de Witte de voir Beatrice lui apporter quelques-uns de ses textes. Une telle proposition de la part de cette éminente femme de lettres avait été un véritable baume pour les espoirs blessés de la jeune fille et elle avait consacré beaucoup de temps à faire un choix dans son maigre assortiment de poèmes et de saynètes. Aucun soupçon d'hésitation, aucun scrupule à l'idée qu'Agatha Kent pût lui reprocher de rendre visite à une femme désormais aussi scandaleuse que célèbre n'était de taille à lutter contre le frémissement de joie qu'elle éprouvait à l'idée qu'on lui ait demandé de présenter son œuvre.

« Je vois que vous avez avec vous quelques pages à me faire lire, remarqua Amberleigh en posant son cahier et sa plume et en désignant le classeur en carton que Beatrice serrait sous son bras.

— J'ose à peine vous demander..., murmura Beatrice, rougissant de se déprécier ainsi à la manière d'une élève empressée sous le regard perçant des yeux noisette d'Amberleigh.

— Je prendrai bien plus de plaisir à lire vos écrits qu'à griffonner les miens par un après-midi aussi radieux, répondit la femme de lettres, tournant la tête vers le lac pour crier : Johnny, Minnie, nous avons de la visite. »

Un peu surprise, Beatrice chercha des yeux la silhouette d'un inconnu, mais n'aperçut de l'autre côté de l'étang que Mlle Finch, la photographe, accroupie dans un grand massif de joncs. Elle portait un long manteau de lin et une ample culotte de cycliste enfoncée dans des bottes. Un vaste chapeau mou abritait sa tête et son appareil photo.

« Nous arrivons, répondit Mlle Finch en leur faisant signe. Un dernier cliché, Minnie. Cette fois, tourne-toi un peu vers moi. »

Minnie Buttles émergea alors de ce que Beatrice avait pris pour une masse d'algues et surgit de l'eau, nue jusqu'à la taille. Elle se drapa partiellement dans l'extrémité d'un drap de lin mouillé qui s'étala sur la surface verte. Ses cheveux dénoués pendaient, trempés, dans son dos, et sa couronne de frondes de fougères et de roses alanguies s'inclina sur ses yeux.

« C'est la dernière, Johnny, dit Minnie. Ta nymphe du printemps ne va pas tarder à succomber à la pneumonie.

— Vous connaissez Mlle Finch et Mlle Buttles, bien sûr, dit Amberleigh avec un parfait naturel comme s'il était tout à fait habituel d'avoir des invitées en train de nager à moitié nues dans son étang au milieu de l'après-midi. Oh, faites descendre le chat de ce siège et asseyez-vous, ajouta-t-elle en désignant un assortiment de chaises de jardin plutôt vétustes. Il sait qu'il doit céder la place aux invités.

— Je... nous travaillons ensemble pour le Secours belge », précisa Beatrice.

Tout en essayant de faire basculer doucement le chat gris sur l'herbe, elle songea qu'en réalité, on connaissait bien mal les gens que l'on rencontrait dans la salle du comité. Elle avait peine à croire qu'elle avait réellement vu Minnie Buttles, toujours si réservée, au milieu de l'étang, mais n'osait pas jeter un nouveau regard pour s'en assurer. Elle se concentra sur le chat, qui cracha et souffla en dégageant une griffe prisonnière de l'osier et fila furtivement.

« Et mademoiselle Céleste, notre princesse de Belgique, dit Amberleigh, en tendant la main à la jeune fille. Quel plaisir de vous revoir !

— Merci, madame. Je suis très heureuse d'être chez vous.

— Vous êtes délicieuse. Mlle Finch voudra certainement vous photographier vous aussi.

— Non, non, je ne peux pas. Mon père, il n'approuve pas la photographie, protesta Céleste. Il pense que la photographie, elle détruit l'art.

— Et vous, qu'en pensez-vous ? demanda Amberleigh.

— Je n'ai pas... comment dit-on... d'opinion ? » dit Céleste.

Elle s'assit sur une chaise bleue légère, dont l'accoudoir avait été réparé par un étroit bandage de laine à tricoter rouge.

« Une femme doit toujours avoir une opinion, observa Amberleigh. Personne ne la lui demandera peut-être, mais nul ne peut l'empêcher de s'en faire une. »

Céleste parut prendre un moment pour traduire et assimiler la phrase avant de répondre dans son anglais prudent :

« C'est vrai, j'ai été triste de devoir laisser le portrait – *la peinture** – de ma mère, dit-elle enfin. Si j'avais eu une petite photographie d'elle, j'aurais peut-être pu la porter dans mon cœur.

— Très joliment dit, mademoiselle Céleste, admira Amberleigh. Vous avez l'étoffe d'une vraie bohème.

— Je ne suis pas certaine que ce jugement rencontrerait l'approbation de son père, remarqua Beatrice.

— Vous avons-nous choquée avant même que le thé soit servi, mademoiselle Nash ? demanda Amberleigh. J'aurais dû vous prévenir que je vous invitais dans un jardin de femmes.

— Les jardins du Sussex semblent abriter un nombre inattendu de femmes *en déshabillé**, observa Beatrice, sans parler, songea-t-elle, de celles qui préféraient l'usage occasionnel d'un nom et de culottes d'homme.

— *C'est en toute innocence, je vous assure**, reprit Amberleigh en souriant à Céleste. Mes après-midi ne font qu'offrir aux femmes un lieu où elles peuvent se retrouver pour se délasser, discuter, créer – sans obéir aux contraintes de la mode ni de la société. Nous retirons nos souliers et nos corsets et jouissons pleinement de la liberté de cet espace privé.

— Un peu comme la Rational Dress Society ? interrogea Beatrice.

— Dieu nous garde de porter des tenues aussi tristes que celles que ces dames proposent, s'écria Amberleigh. Échanger les entraves du corset pour l'invisibilité d'une robe de chanvre, ce n'est pas l'idée que je me fais de la liberté.

— J'aimerais bien retirer mes souliers, murmura timidement Céleste. J'ai un peu mal aux pieds à force de marcher sur ces sentiers.

— Je suis navrée, Céleste », dit Beatrice.

Il y avait bien cinq ou six kilomètres jusqu'au cottage d'Amberleigh, et Beatrice avait marché d'un bon pas, comme à son habitude, sans tenir compte de Céleste qui s'efforçait de la suivre dans des chaussures données qui n'étaient pas à sa taille. Comme d'habitude, la jeune fille ne s'était pas plainte.

« Retirez vos chaussures et vos bas, conseilla Amberleigh. Vous découvrirez que la vase de mon étang est aussi apaisante pour des pieds fatigués que n'importe quel onguent. C'est le calcaire, vous savez. Il fait un merveilleux cataplasme.

— Je ne sais pas si..., commença Beatrice, mais Céleste avait déjà retroussé ses jupes en écume autour de ses hanches et entrepris de rouler ses épais bas sombres jusqu'au bas de ses jambes pâles.

— En revendiquant un petit espace personnel, peut-être pourrons-nous retrouver l'innocence de notre enfance, poursuivit Amberleigh. Et à travers l'objectif de l'innocence, commencer à apercevoir quelque chose de vrai. Ces possibilités créatives ne vous échappent certainement pas, mademoiselle Nash ?

— Sans doute, murmura Beatrice, mais le doute qui transparaissait dans sa voix l'obligea à plus de franchise. Mon père m'ayant appris à envisager les arts comme la plus noble forme d'activité humaine, comme une quintessence qui dépasse l'éducation et l'érudition pures et simples, j'ai évidemment quelque mal à y voir le produit primitif d'orteils boueux ou... »

Elle s'interrompit, craignant de se laisser aller à des propos offensants. Un rire perlé s'échappa des lèvres d'Amberleigh.

«... ou de la consommation d'alcool en plein après-midi, acheva-t-elle alors que la servante approchait avec un seau de bois d'où émergeaient plusieurs bouteilles et un gros bloc de glace. Croyez-moi, ma chère mademoiselle Nash, le champagne est une excellente muse pourvu qu'on l'approche avec l'apparence de dévotion qui s'impose.

— Versez-moi vite du thé avant que j'attrape la mort. Je suis gelée, s'écria Minnie qui avait quitté son royaume palustre et surgit alors, vêtue d'un ample peignoir et enveloppée d'une épaisse couverture à la manière d'une toge. Il m'arrive de penser que Johnny aurait plus vite fait de me peindre que de me prendre en photo.

— Voulez-vous du champagne ? demanda Amberleigh.

— Non merci, refusa Minnie. Ça me fait dormir et... Mon Dieu, mademoiselle Céleste ne ferait-elle pas en cet instant un merveilleux sujet pour Johnny ? »

Céleste s'avançait sur la pointe des pieds sur la berge de l'étang, écrasant la mousse et la vase entre ses orteils, ses jupes serrées en boule autour de ses genoux. Elle se baissa pour observer une grande araignée d'eau, en suspension à la surface sur ses longues pattes, tandis que son reflet, décrivant un grand arc, semblait vouloir la rejoindre.

« Pas de photographies, s'il vous plaît, intervint brutalement Beatrice. Je suis chargée de veiller sur la respectabilité de Céleste. »

Elle avait à peine fini sa phrase que les joues de Minnie s'empourprèrent.

« Oh, pardon, s'écria Beatrice. C'est simplement qu'elle est très jeune et que son père est incroyablement vieux jeu.

— Exactement comme le père de Minnie, le pasteur, intervint Alice Finch, posant précautionneusement son appareil et son trépied de bois à côté d'Amberleigh. Et pourtant, comme je lui ai dit, il faut bien faire de l'art.

Vaut-il mieux le faire en exploitant une pauvre fille prête à troquer sa réputation contre une miche de pain, ou être nos propres modèles et accepter de figurer sur les œuvres que nous accrocherons au-dessus de nos cheminées ?

— Mais vous n'y figurez pas, objecta Beatrice.

— Ce n'est pas faute d'avoir essayé, croyez-moi, dit Mlle Finch tandis que Minnie souriait. Il se trouve simplement que mon visage ne plaît pas à l'appareil. Mon portrait en Diane chasseresse... Il aurait pu servir de frontispice au catalogue d'un charpentier. Voilà pourquoi, dans toutes nos interprétations de la beauté, je reste derrière l'objectif, laissant Minnie resplendir devant.

— Et nous faisons preuve de la plus grande prudence dans le choix de ce qui peut être publié, reprit Minnie. Je suis une fille de pasteur, et non quelque créature du demi-monde.

— Je suis navrée si j'ai pu sembler vous désapprouver, regretta Beatrice. Je suis plus habituée aux écrivains qu'aux artistes. Je vous demande de me pardonner.

— Buvez du champagne et nous vous pardonnerons, répondit Amberleigh.

— Nous nous contenterons de thé, Céleste et moi, merci.

— Vous autres, écrivains, vous êtes aussi prompts que les artistes à exploiter vos personnages en les faisant se conduire comme vous ne le feriez jamais vous-même, observa Mlle Finch. Puis vous les jugez impitoyablement et les vouez aux gémonies pour le plus grand ravissement de vos lecteurs, ô combien respectables !

— Je crois que ma situation est plutôt pire que toutes celles que j'ai pu infliger à mes personnages, fit remarquer Amberleigh.

— Le temps effacera tout cela, la rassura Minnie. En attendant, vos amis sont fort heureux de vous avoir tout à eux à la campagne.

— Il semblerait que nous n'ayons pas autant d'amis que je le pensais, ma chère Minnie, murmura Amberleigh en sortant un message de sa poche et en le relisant. Agatha Kent m'écrit pour m'annoncer qu'elle est désolée de ne pas pouvoir assister à notre thé. Elle est tellement occupée à secourir les Belges, dit-elle, qu'elle se voit contrainte non seulement de renoncer à ce plaisir mais d'essuyer la honte de ne pas pouvoir nous rendre cette invitation dans un avenir prévisible.

— J'avais meilleure opinion d'elle », commenta Minnie.

Beatrice garda le silence mais à la vue de Céleste buvant son thé pieds nus, une légère inquiétude commença à assombrir son bonheur. Elle aurait répondu à cette invitation à tout prix, mais regretta soudain de n'avoir pas inventé quelque excuse pour ne pas y emmener Céleste.

« C'est Tillingham et Mme Kent qui nous ont trouvé cette maison à louer, reprit Amberleigh. J'avais donc espéré être la bienvenue dans leur petite ville, mais il semblerait que toutes les portes nous soient fermées.

— Nous sommes toutes des réfugiées sous une forme ou une autre, soupira Alice Finch en se laissant tomber dans un fauteuil et en étirant ses jambes dans leurs grosses bottes. Buvons à cette triste situation. »

Beatrice ouvrit la bouche pour élever une objection, mais après mûre réflexion, décida de se taire. Quand le thé brûlant toucha le fond de sa gorge, elle s'interrogea : si elle devait, elle aussi, être considérée comme une réfugiée, où se trouvait le foyer dans lequel elle pouvait espérer être rapatriée un jour ? Elle toussa, pour masquer les larmes qui lui étaient inopinément montées aux yeux.

« En l'honneur des amitiés créatives, celles qui comptent, lança Amberleigh tout en parcourant quelques pages du petit carton de Beatrice. Je demande à Mlle Nash l'autorisation de vous lire un extrait de son œuvre. »

Beatrice ne put faire mine de protester et éprouva pour la première fois le frisson d'entendre ses propres mots prononcés tout haut en présence d'autrui. Obtenir des conseils sur son intrigue, se voir demander son avis sur certaines photographies d'Alice, constater qu'Alice et Amberleigh écoutaient attentivement le fruit de ses pensées trébuchantes, la grisait autant que le champagne que buvaient ses aînées. Amberleigh lui proposa de venir écrire dans son jardin chaque fois qu'elle le voudrait, et l'après-midi s'écoula ainsi, enveloppé de la brume du soleil dont les rayons se reflétaient sur l'eau et de la conversation chaleureuse qui se déroulait sous les arbres. Ce ne fut qu'au moment où Céleste, qui avait été fort occupée à confectionner des colliers de pâquerettes pour le chat récalcitrant, manifesta la ferme intention de rentrer pieds nus chez elles que Beatrice remarqua qu'il était déjà fort tard. Horrifiée, elle exigea que Céleste enfile ses souliers comme une jeune fille respectable et après des adieux précipités, elle se hâta d'aller retrouver un dîner froid assaisonné de plusieurs remarques acerbes d'une Mme Turber terriblement soupçonneuse.

18.

M. Fothergill ayant fait parvenir à Beatrice un message l'invitant à venir voir son clerc à la date qui lui conviendrait, elle se retrouva dans la salle d'attente de son étude à l'épais tapis, regardant par la fenêtre en se demandant s'il lui arrivait parfois d'être ouverte. Il semblait y avoir plus de poussière que d'oxygène dans la pièce, et elle avait hâte d'être libérée pour retrouver le soleil. Quelques minutes plus tard, M. Poot émergea du labyrinthe de couloirs, affichant un onctueux sourire de bienvenue comme s'ils étaient de vieux amis. Un jeune employé apporta un plateau de thé, et Beatrice, que la présence obligatoire d'un chaperon avait toujours agacée quand elle était plus jeune, regretta d'être venue seule lorsque M. Poot serra trop longuement sa main gantée tout en approchant sa chaise excessivement près de la sienne.

« Il ne s'agit que de quelques lettres, dit-il quand elle eut refusé une tasse de thé, repoussé une jatte d'amandes au sucre et répondu très laconiquement à ses commentaires sur les agréments du temps.

— Pardon ? demanda-t-elle d'un ton aussi glacial que possible.

— Si j'ai bien compris, vos curateurs attendent la restitution au sein de votre succession de certaines lettres extrêmement précieuses.

— Je puis vous assurer qu'ils n'ont aucun droit à faire valoir sur ces documents, déclara Beatrice. J'ai expliqué on ne peut plus clairement à l'éditeur de mon père ainsi qu'à la famille de ma tante que toutes les lettres qui se trouvent en ma possession sont mes copies personnelles, et ne font pas partie des archives de mon père.

— Ne pourriez-vous pas simplement en faire une nouvelle copie ? interrogea M. Poot. Cette querelle me paraît bien dérisoire. »

Elle ne pouvait évidemment pas faire comprendre à M. Poot l'affront qu'on lui avait fait en remettant son manuscrit à M. Tillingham, son dur labeur se trouvant ainsi tout à la fois rejeté et confisqué par autrui. Elle ne put que soupirer.

« Je ne vois pas la nécessité d'en débattre, répondit-elle.

— Ils menacent de vous retirer votre rente mensuelle ainsi que le reliquat des dix livres promises, annonça-t-il, une ride de préoccupation apparemment sincère se creusant entre ses yeux. Je serais plus que navré que l'on vous coupe les vivres, mademoiselle Nash.

— Ces deux points n'ont strictement aucun lien.

— Pourtant, si la lettre de change n'arrive pas, comment payerez-vous vos factures ? Il est déjà venu à l'attention de mon oncle que vous avez commandé hier, non pas une, mais deux robes à la boutique de tissu des frères Pike.

— Comment a-t-il pu en être informé ? » s'étonna Beatrice en sentant ses joues s'empourprer.

M. Poot n'avait certes pas mentionné les sous-vêtements et les bas dont elle avait également fait l'acquisition, mais elle était persuadée que M. Fothergill et lui avaient compté le moindre ruban, le moindre galon.

« Quelqu'un m'espionnerait-il ? »

À l'instant même où elle posait la question, elle se rappela avoir vu M. Poot entrer dans la boutique alors qu'elle en sortait. Il avait soulevé son chapeau, mais son sourire obséquieux et ses salutations – trop familières et trop sonores, que tous les clients avaient pu entendre – l'avaient fait frémir. Elle se rappela aussi qu'elle avait répondu par un bref hochement de tête et s'était éclipsée aussi vite que possible. Le visage de M. Poot ne trahissait aucune satisfaction mesquine, et pourtant, son impassibilité même la faisait bouillir.

« Chère mademoiselle Nash, peu importe comment cette information lui est parvenue. Je puis vous assurer que j'en ignorais tout. Mais dans la mesure où mon oncle a désormais connaissance de cette commande qu'on ne peut que juger considérable au vu de notre récent accord touchant la modestie de vos intentions financières, il a jugé opportun que nous ayons une conversation, vous et moi, entre nous, afin de régler cette affaire de lettres à la satisfaction de vos curateurs... »

Il n'acheva pas sa phrase, semblant attendre une explication, tandis qu'un sourire faussement timide invitait Beatrice aux confidences. Elle était convaincue qu'il lui suffirait de baisser les cils en rougissant pour lui faire accepter n'importe quelle justification fictive. Mais elle le regarda droit dans les yeux.

« M. Poot, nous avions décidé d'un commun accord que votre étude recevrait une copie de mes comptes mensuels et que vous vous abstiendriez personnellement de tout examen injustifiable de mes dépenses personnelles. Cette intrusion ne me paraît pas conforme à cet accord.

— C'est ce que j'ai expliqué à mon oncle, protesta M. Poot. Je lui ai dit que j'avais toute confiance dans votre sens de l'économie. Mais il estime qu'il nous incombe de vérifier que vous êtes en mesure de régler vos dettes.

— Rassurez-vous, c'est le cas.

— Je vous assure que je suis votre très humble allié, ajouta-t-il en posant la main sur son cœur comme pour prêter serment. Mais parlons clair, vous et moi. Une commande de cette importance peut paraître prodigue, et puisque vous n'avez pas encore touché le reste de vos dix livres, où avez-vous trouvé les fonds nécessaires ?

— Vous m'insultez, ma parole, s'indigna-t-elle. M'accuseriez-vous d'avoir fait appel à un prêteur sur gages ?

— Je n'aurais pas songé un instant à vous soupçonner d'une action aussi déshonorante, dit-il, la regardant de haut comme s'il était choqué par le fait même qu'elle connût l'existence de telles personnes. Peut-être Mme Kent vous a-t-elle prêté de l'argent ?

— Ce n'est pas le cas. »

Il secoua la tête lentement, l'air déçu. Beatrice dut résister à l'envie presque irrépressible de frapper le sommet de son crâne huileux avec la poignée d'ébène de son ombrelle. Attrapant celle-ci, elle se leva.

« Je ne supporterai pas qu'on m'espionne, M. Poot.

— Croyez-moi, je suis de votre côté dans cette affaire. Je m'efforce simplement d'empêcher mon oncle d'écrire à vos curateurs à propos d'une affaire qui, j'en suis certain, ne fera qu'accroître leur obstination. »

Elle interrompit son mouvement, souhaitant désespérément quitter la pièce qui semblait rétrécir au fur et à mesure qu'ils respiraient son air confiné, mais désireuse d'éviter toute communication de ce genre avec ses curateurs. Elle se rassit, gardant la main sur son ombrelle.

« Si vous voulez tout savoir, j'ai vendu des livres. M. Evans de la grand-rue avait un acheteur pour une édition rare de *La Vie de Johnson* de Boswell et comme j'ai toujours éprouvé une certaine aversion pour le docteur Johnson, en raison de ses habitudes personnelles et de son arrogance, ainsi que pour M. Boswell dont je n'apprécie pas l'admiration béate, j'ai décidé de les vendre pour acheter des robes de dame, considérant que ce serait bien fait pour eux.

— Je dois avouer que je suis abasourdi.

— Vous estimez qu'une dame ne devrait pas se dessaisir de ses possessions contre de l'argent ?

— Je suis abasourdi que vous ayez pu obtenir deux robes et une demi-douzaine d'effets que je ne saurais mentionner pour le prix d'un livre ! »

Et vous avez quand même cru bon de les mentionner, pensa-t-elle.

« Il s'agissait de trois volumes reliés en maroquin et dorés sur tranche, précisa-t-elle. Une dame les avait jadis offerts à mon père et il n'a jamais pu se résoudre à s'en défaire. Personnellement, j'ai toujours trouvé ces livres et la dame parfaitement vulgaires.

— Cette indication de la source de vos fonds me satisfait. Permettez-moi toutefois de vous mettre en garde en m'appuyant sur une amère expérience personnelle : se dépouiller de ses biens n'est pas une solution à long terme à ses besoins personnels. »

Il soupira et nettoya ses lunettes. Il s'était montré honnête l'espace d'un instant, et Beatrice ne put se défendre d'une certaine compassion pour un jeune homme dans la gêne. Après tout, elle était mal placée pour porter un jugement aussi sévère sur son plastron bon marché.

« Hum... Je m'inquiète aussi, car la soie blanche ne semble peut-être pas l'achat le plus adéquat pour une jeune femme dans votre situation, ajouta-t-il, tuant dans l'œuf toute velléité de sympathie.

— Votre tante s'est laissé persuader de me demander, un peu tardivement, de figurer sur son char de corso, mais elle exige que toutes les suivantes de Britannia soient vêtues de soie blanche, expliqua Beatrice. J'estime devoir prendre ces dépenses à ma charge pour soutenir la cause du Secours belge et assurer le triomphe de Mme Fothergill lors de cet événement. »

Ce qu'elle avait éprouvé, en réalité, était une cuisante humiliation lors de la réunion hebdomadaire du comité, au moment où Mme Fothergill lui avait fait cette proposition à l'instigation de Lady Emily, tout en laissant son évidente réticence transparaître derrière son sourire. Agatha Kent n'assistait pas à cette réunion, et n'avait donc pu faire diversion ni atténuer l'embarras général lorsque Mme Fothergill avait cru bon d'ajouter, en minaudant, qu'elle n'en voudrait pas à Beatrice de refuser cette offre si elle était dans l'incapacité d'assumer le coût d'une robe de soie. Beatrice s'était empressée d'accepter, non seulement pour rasséréner les autres membres du comité, qui avaient baissé les yeux sur leur programme afin de se désolidariser de cette rosserie, mais aussi pour voir l'expression suffisante de Mme Fothergill s'effacer devant un profond dépit. Elle espérait simplement que le vendeur avait raison et qu'il serait possible de teindre ultérieurement cette soie en bleu marine, une couleur plus facile à porter.

« Eh bien, je... eh bien, tout est en ordre, dans ce cas, conclut M. Poot, tordant les lèvres à la recherche d'une formule élégante.

— Ce sont mes premiers achats depuis que j'ai quitté le deuil, précisa-t-elle. Ma seule robe correcte est noire, et j'ai craint qu'il ne soit de mauvais augure de la porter.

— Cette sensibilité est tout à votre honneur. N'importe quel homme serait heureux de connaître une femme aussi raisonnable. »

Comme il semblait s'apprêter à lui tapoter la main, elle feignit de remettre en place une mèche de cheveux invisible.

« Merci, M. Poot. »

Elle se leva, tira sur ses gants et s'éloigna lentement de la table basse en direction de la porte.

« Et puisque vous êtes indéniablement raisonnable, reprit-il, permettez-moi de vous conseiller vivement de satisfaire aux demandes de vos curateurs.

— Je vais leur écrire immédiatement, assura-t-elle, certaine que la teneur de sa lettre n'aurait pas grand-chose à voir avec ce qu'il imaginait. Puis-je compter sur votre soutien ?

— Bien sûr, approuva-t-il. Je vais apaiser les inquiétudes de mon oncle et j'espère que nous finirons par parvenir à une véritable compréhension entre nous. Je serais si heureux de jouir de votre confiance.

— Je n'en doute pas, M. Poot. »

Elle lui adressa son sourire le plus coquet et ne frémit même pas quand il porta sa main à ses lèvres. Dans la rue, elle donna libre cours à sa fureur en décapitant plusieurs pissenlits qui poussaient dans les fentes du trottoir. Chaque capitule doré arraché, pulvérisé par l'extrémité d'acier de son ombrelle, était une petite tête de M. Poot ou une Tante Marbely miniature, qu'elle écrasait ensuite discrètement sous son talon.

Gravir la colline jusqu'à la maison d'Agatha Kent fit beaucoup pour rendre sa bonne humeur à Beatrice. On n'avait guère vu Mme Kent en ville ces derniers jours, et la rumeur prétendait qu'elle était souffrante, une nouvelle qui suscitait une grande surprise et un vif intérêt car on la déclarait d'ordinaire « robuste comme un cheval », « solide comme un cuirassé » et autres expressions du même tonneau, pleines de bienveillance faute de déborder de féminité. Beatrice s'était proposée pour établir le procès-verbal de la réunion du Comité de secours belge à sa place, et maintenant qu'elle avait transcrit ses notes et rédigé un rapport soigné, elle avait l'intention de l'apporter à Agatha. Le nouveau trimestre commençant la semaine suivante, elle espérait qu'elle l'inviterait à prendre le thé pour lui donner quelques conseils de dernière minute et la rassurer sur ses aptitudes à naviguer sur les eaux perfides de la vie scolaire.

Jenny lui ouvrit la porte et reconnut Beatrice avec un soulagement évident. Ce n'était pas le regard dont elle gratifiait habituellement les visiteurs non annoncés, ce qui conduisit Beatrice à demander : « Tout va bien, Jenny ?

— Je suis bien contente de vous voir, mademoiselle, dit la jeune fille en reculant pour la laisser entrer dans le vestibule. Mme Kent refuse toutes les visites depuis plusieurs jours. Mais elle vous aime beaucoup.

— Je ne voudrais pas l'importuner. J'avais simplement quelques documents à lui apporter.

— Non, non, entrez, entrez, insista Jenny. La cuisinière et moi ne savons plus quoi faire pour la réconforter. La cuisinière vous le dira elle-même. »

Elle esquissa un signe, et la cuisinière de Mme Kent apparut à la porte de l'office. Elle se précipita dans le vestibule, tout en s'essuyant les mains à son tablier.

« Quel plaisir de vous voir, mademoiselle.

— Il paraît que Mme Kent est souffrante ?

— Pas au point de faire venir le docteur, me semble-t-il, observa Jenny. Mais elle ne quitte pas sa chambre et on ne peut pas dire qu'elle s'habille vraiment.

— Hier, elle s'est fait porter tous ses repas sur un plateau et elle a à peine touché au pâté de viande, chuchota la cuisinière. Pouvez-vous imaginer que Mme Kent n'apprécie pas mon pâté de viande ? Cela montre bien qu'elle n'est pas elle-même.

— J'ai hésité à téléphoner à M. Kent, reprit Jenny. Mais nous n'avons pas osé l'appeler, vu qu'il est tellement occupé.

— Avec la guerre et tout le reste, précisa la cuisinière.

— En plus, les jeunes messieurs sont partis tous les deux, poursuivit Jenny.

— Conduisez Mlle Nash dans le bureau de Mme Kent, je vous suivrai avec le plateau du thé, suggéra la cuisinière. Comme ça, elle ne pourra pas refuser la visite.

— Je ne voudrais vraiment pas la déranger, répéta Beatrice.

— Ne dites pas cela, répliqua la cuisinière. Votre présence lui réchauffera le cœur. Et soyez gentille, mademoiselle, veillez à lui faire avaler quelque chose. »

À la porte du bureau de l'étage, Jenny et la cuisinière ne laissèrent à leur maîtresse aucune chance de se dérober. Après avoir frappé un petit coup sec à la porte, Jenny annonça Beatrice d'un ton enjoué, comme si elle avait été invitée, tandis que la cuisinière la poussait littéralement dans la petite véranda vitrée attenante à la chambre d'Agatha, avec son lourd plateau à thé.

« Je pose le thé là, madame, annonça cavalièrement la cuisinière qui laissa tomber le plateau chargé dans un cliquetis de vaisselle sur une table basse, sans égards pour les papiers et les revues éparpillés dessus. Et n'oubliez pas de goûter les tartelettes aux mûres, mademoiselle, elles sortent du four. »

Sur ces mots, les deux domestiques sortirent bruyamment de la chambre, laissant Beatrice affronter seule son hôtesse réticente.

Agatha était enfouie au milieu de coussins dans le fauteuil situé près de la fenêtre, vêtue du peignoir dans lequel Beatrice l'avait vue un des premiers jours. Ses cheveux étaient vaguement rassemblés en une tresse lâche et elle était jambes nues, les pieds enfoncés dans une moelleuse paire de pantoufles brodées. Des périodiques et des journaux jonchaient le fauteuil ; certains avaient glissé ou avaient été jetés au sol. Une paire de bas posée sur le dossier d'un siège et un peigne abandonné sur une table donnaient à la scène une apparence de négligence insolite. Agatha leva un sourcil interrogateur, mais son visage resta sans vie et elle semblait ne pas avoir l'énergie de parler.

« Pardonnez-moi de faire ainsi irruption, dit Beatrice. Je suis venue vous apporter le procès-verbal de la réunion du comité et vos domestiques ont paru penser que vous désireriez peut-être un peu de joyeuse compagnie.

— Une joyeuse compagnie est aussi bienvenue à la mélancolie que du jus de citron sur une brûlure, observa Agatha. Mais si vous me promettez de ne pas sourire et de ne pas babiller à tort et à travers, vous pouvez rester et servir le thé. Je crains fort de n'avoir pas même la force de soulever la théière cet après-midi.

— Êtes-vous souffrante ? demanda Beatrice en servant le thé. Vous paraissez... » Elle parcourut une nouvelle fois la pièce du regard. « ... n'être pas tout à fait vous-même.

— J'espère que vous pardonnerez mon négligé, dit Agatha en se lissant les cheveux. Je ne m'attendais pas à avoir de la visite. » Elle accepta une tasse de thé et s'inclina, paupières closes, pour humer la vapeur odorante qui s'en élevait. « En effet, je ne suis pas tout à fait moi-même en ce moment. Mais qui pourrait l'être en ces temps effroyables ?

— Vous nous avez manqué à la réunion du comité. Lady Emily est incapable de dissimuler le mépris que lui inspire Mme Fothergill quand vous n'êtes pas là.

— J'avais le vague espoir que si je restais pelotonnée ici, tout s'évanouirait peut-être comme un mauvais rêve, reprit Agatha.

— Espériez-vous vraiment escamoter Mme Fothergill ? demanda Beatrice. Je dois avouer que j'aurais bien aimé la voir disparaître de la salle du comité dans un nuage de fumée.

— Je parle de la guerre, voyons. C'est un mauvais rêve, non ? Nous sommes tous tellement absorbés par le travail qu'elle nous donne, par l'excitation et la nécessité de faire des choses importantes que nous n'avons même pas pris le temps de réfléchir à sa vraie nature.

— Nous sommes allées, Céleste et moi, prendre le thé chez Amberleigh de Witte et avons passé un après-midi très agréable», dit Beatrice espérant que sous l'effet de la surprise, Agatha Kent se laisserait aller à lui adresser des reproches.

Agatha était la boussole sur laquelle Beatrice avait fixé son cap, et elle ne la reconnaissait plus dans cette créature pâle et léthargique aux idées étranges.

«J'ai relu mes périodiques», poursuivit Agatha qui semblait ne pas l'avoir entendue. Elle posa sa soucoupe en équilibre sur le banc à côté d'elle et ramassa un exemplaire de l'hebdomadaire *Gentlewoman.* «Je n'avais pas remarqué, voyez-vous, de quelle manière la guerre s'est insinuée dans notre existence.» Elle entreprit de tourner lentement les pages posées sur ses genoux. «J'ai toujours apprécié la chronique mondaine, les fiançailles et les mariages, ces nouvelles joyeuses de nos jeunes gens les plus brillants abordant la vie...

— Chez ma tante, je lisais toujours les offres d'emploi de gouvernantes et de femmes de chambre, l'interrompit Beatrice en lui tendant la petite assiette de canapés. Non que j'aie eu l'intention de m'engager dans une carrière de femme de chambre, mais il était rassurant de voir qu'il y avait des possibilités de gagner sa vie en cas de nécessité.

— Pour commencer, le roi a annulé sa visite à Cowes, enchaîna Agatha, faisant allusion à la régate de voile du mois d'août. Ensuite, on a ajouté les titres militaires aux noms figurant dans les annonces... "Le vicomte Lindsey, sous-lieutenant du régiment du roi, a le plaisir de vous annoncer ses fiançailles avec..." et ainsi de suite.» Elle s'interrompit et poussa un soupir qui sembla se communiquer aux coussins qui la soutenaient. «Puis sont venues les annulations... "Le vicomte et sa fiancée, qui auraient dû se marier à l'église paroissiale de Saint Georges...", d'abord une ou deux seulement, perdues au milieu des mariages, mais elles ont fini par l'emporter en nombre sur les annonces. Et maintenant, ce sont des listes énumérant les noms de la fine fleur de la jeunesse britannique, dont la mort est annoncée à la place des mariages, leur vie s'achevant avant même d'avoir pu commencer.

— C'est affreux, compatit Beatrice. Je suppose que certaines familles fort anciennes vont perdre leurs héritiers et que des lignées vont ainsi être brisées dans les deux camps du conflit.

— Si l'on ne protège pas les rejetons des plus grandes familles, il me paraît inéluctable que partout, des mères perdent leurs fils. »

Détournant la tête, Agatha se pinça le nez comme pour empêcher les larmes de lui monter aux yeux. Beatrice ne brisa pas le silence. Dehors, les arbres inclinaient leurs cimes et tapotaient les vitres de leurs branches, le soleil dansait sur la pelouse en contrebas tandis qu'au loin, la mer étincelait; la nature sembla un instant se moquer, par sa permanence, de la fragilité de l'homme.

« Vous vous inquiétez sans doute pour votre neveu Hugh ? » demanda Beatrice.

Alors qu'elle prononçait ces mots, une vive douleur lui étreignit le cœur, comme si les angoisses d'Agatha étaient contagieuses. Elle se rappela les sombres prémonitions de M. Tillingham et fut prise d'une inquiétude croissante à l'idée que Hugh pût être en danger autant qu'un autre.

« Les médecins ne seront-ils pas cantonnés loin des lignes? demanda-t-elle, elle-même surprise par sa voix rauque.

— Hugh a de telles compétences qu'il sera très probablement affecté à un hôpital de l'arrière ou, au pire, dans une unité sanitaire avancée, mais pas plus près des combats. Cela n'en reste pas moins extrêmement dangereux, c'est certain, mais c'est un garçon très raisonnable et nous sommes tous fiers de lui. »

Elle s'était mise à pleurer, tout en continuant à parler d'un ton pondéré. Les larmes ruisselaient sur ses joues dans les sillons creusés par les rides et dégoulinaient de son menton. Elle ne paraissait pas les sentir.

« Que puis-je faire pour vous ? » demanda Beatrice.

Elle s'agenouilla au côté d'Agatha et la prit dans ses bras, désarçonnée de voir s'évanouir ainsi la force d'une femme dont elle dépendait à ce point. L'intérêt personnel et une inquiétude sincère se disputaient dans son esprit lorsqu'elle s'écria :

« Je vous en prie, je vous en prie, aidez-moi à comprendre ce qui vous tourmente. »

Agatha essuya les larmes de son visage du revers de ses deux mains, qu'elle examina un moment avant de sembler se rappeler qu'elle avait un mouchoir dans la poche de son peignoir. Elle le sortit et s'épongea les joues. Enfin, elle prit une profonde inspiration, comme pour se donner le courage de prononcer ces paroles.

« Daniel s'est engagé, lui aussi, dit-elle d'une voix sourde. Il ne sera pas médecin, lui. Il suit actuellement une formation d'officier et quand je parcours ces pages, c'est son nom que je lis dans toutes les annonces de morts. »

Elle regarda Beatrice bien en face, et ses larmes jaillirent à nouveau, coulant librement.

Beatrice ne savait que répondre pour la rassurer. Des larmes involontaires lui montèrent également aux yeux et elle battit énergiquement des paupières pour ne pas perdre son sang-froid alors qu'Agatha était dans la peine.

« Sa formation sera certainement longue, suggéra-t-elle enfin. Peut-être la guerre sera-t-elle finie plus rapidement que nous ne le pensons ? »

Elle n'en croyait pas un mot, car le mari d'Agatha lui-même disait le contraire. Tandis qu'Agatha hochait la tête et lui saisissait la main, Beatrice comprit qu'elles étaient aussi stupides l'une que l'autre de se raccrocher à ce mensonge facile.

« J'ai été si prompte à m'enorgueillir de mon travail et à appeler les autres à participer à l'effort de guerre, j'étais tellement bouffie de ma propre importance, reprit Agatha. Ce n'est que maintenant que je comprends combien il était facile d'agir ainsi aux dépens des fils d'autres femmes.

— Vous devez rester solide, pour Daniel et pour Hugh. Maintenant que vous comprenez les enjeux avec une telle lucidité, votre travail n'en prend que plus d'importance. Vous devez continuer à être un phare pour cette ville, Mme Kent. Si vous reculez, tous nos efforts risquent d'être compromis.

— C'est exactement ce que dit mon mari, acquiesça Agatha. Mais lui au moins, il a pu voir Daniel avant qu'il ne parte s'enrôler. Ils ne m'ont rien dit jusqu'à ce que Daniel ait mené son projet à bien. Pourquoi les hommes s'imaginent-ils que cela vaut mieux pour nous ?

— Votre mari est un homme bon. »

Beatrice ne trouva rien d'autre à dire, tout en songeant que son propre père avait imposé une curatelle sur sa succession sans prendre la peine de l'en informer, qu'il l'avait laissée croire qu'elle serait indépendante, alors qu'en réalité, il l'avait traitée comme une créature sans cervelle. Ces instincts, songea-t-elle alors, étaient peut-être enracinés dans les meilleurs des hommes eux-mêmes.

« Il craignait probablement que je ne m'apitoie excessivement sur moi-même et ne fasse une scène », reprit Agatha. Elle soupira à nouveau mais ses joues reprirent un peu de couleur et elle se redressa sur son siège. « Ce que j'ai indéniablement fait ces derniers jours. Imaginer qu'il suffisait que je me retire du monde pour que le monde disparaisse ! Parfaitement ridicule !

— Je suis sûre que M. Kent serait soulagé de vous savoir à nouveau sur pied. Vous êtes notre pilier à tous.

— Je ne sais pas très bien par où commencer. »

Agatha parcourut du regard la petite pièce et fit la grimace, comme si elle constatait pour la première fois le désordre qui y régnait. Tout en songeant qu'un bain et un sérieux coup de peigne s'imposaient, Beatrice préféra lui tendre une assiette de pâtisseries.

« Commencez par prendre une tartelette aux mûres, dit-elle. Ordre de votre cuisinière.

— Merci d'être venue me sortir de mon abîme de désespoir, reprit Agatha. Maintenant, pendant que je reprends des forces, peut-être pourrez-vous essayer de m'expliquer pour quelle raison notre respectée maîtresse de latin s'est montrée aussi insoucieuse de sa réputation et de la mienne en allant rendre visite à cette de Witte. »

19.

La rentrée des classes fut un soulagement pour Beatrice. L'école l'appelait comme le doux chant de la civilisation elle-même, l'exhortant à rejoindre les blanches salles de marbre où les voix de la poésie et des mathématiques, de la peinture et des chansons se répondaient dans une paisible harmonie. Alors qu'elle descendait la colline, contournait la cour de triage ferroviaire animée et s'approchait du joli bâtiment aux pignons couverts de tuiles rouges et aux jardinières fleuries de couleurs vives, elle sentit naître l'espoir que l'innocence de ses élèves saurait effacer la guerre de ses pensées en ce radieux jour de septembre et l'emporter loin de ce qui attendait le monde.

Une grosse touffe d'herbe s'abattit sur sa jupe à l'instant où elle franchissait la grille de l'école, et elle eut la brève vision de jeunes garçons en train de se jeter des mottes de terre et des pierres et même un vieux soulier de part et d'autre d'une haie, avant qu'une voix ne brise l'air d'un cri aigu.

« La maîtresse ! Carapatez-vous ! »

Une masse confuse d'écoliers se précipita de l'autre côté du bâtiment, sans montrer leurs visages, impossibles à distinguer les uns des autres avec leurs canotiers et leurs blazers bruns identiques.

« Ça va, mademoiselle ? » demanda une fillette vêtue de la même veste brune, les cheveux tirés en arrière si énergiquement qu'elle en avait la peau du visage toute tendue. Elle tenait entre les mains une pile de livres et un chapeau. « Je peux vous donner tous leurs noms, si vous voulez, mademoiselle.

— Pas cette fois, mais si cela se reproduit, je pourrais être obligée de te les demander », répondit Beatrice, fronçant les sourcils pour décourager des délations aussi empressées. Devant l'air penaud de la fillette, elle adoucit son regard, fit tomber la poussière de sa jupe avec son gant et demanda : « Comment t'appelles-tu ?

— Jane, mademoiselle, répondit la petite avec enthousiasme. Ces garçons, ils jouent tout le temps à la guerre, ils se jettent des choses. Et quand ils touchent quelqu'un, ils crient : "Je l'ai eu, ce Boche", et ils décampent comme s'ils étaient de nouveau tous dans le même camp. Franchement, qui peut bien avoir envie de jouer à un jeu aussi stupide ? »

Ce commentaire fit comprendre à Beatrice que la fillette aurait vivement souhaité être invitée à participer aux combats.

Deux garçons à la poitrine barrée de grands bâtons arrivèrent en courant depuis la façade de l'école ; ils pointèrent leurs fusils de bois en imitant des bruits de tir. D'autres, montés sur des chevaux imaginaires et brandissant des épées de bois, chargèrent leurs camarades par derrière à grand renfort de cris et de jurons terrifiants.

« Hé ! Il est interdit de courir dans la cour de devant ! s'écria une voix d'homme, et M. Dimbly, le professeur de sciences et de gymnastique, surgit sur le seuil du bâtiment.

— Pardon, monsieur, fit l'un des garçons, sans que les fantassins et les cavaliers ne ralentissent l'allure en s'éclipsant en direction des courts de tennis.

— Mademoiselle Nash, bienvenue sur le second front occidental, dit M. Dimbly, sa toge universitaire s'envolant de ses épaules lorsqu'il s'avança pour la saluer. File d'ici, Jane. Les élèves n'ont pas le droit de passer par cette porte, tu le sais.

— Oui, monsieur, obtempéra Jane qui se hâta de rejoindre l'entrée des filles, les épaules voûtées comme dans l'attente de nouvelles humiliations.

— On a du mal à obliger les filles à rester dans leur coin avant et après la classe, expliqua M. Dimbly. J'ai toujours peur que l'une d'elles se retrouve par terre, mais il est bien difficile d'empêcher les garçons de jouer à la guerre, en ce moment. Toute cette excitation dans l'air – ça les rend encore plus turbulents que d'habitude.

— On dirait que vous n'êtes pas loin de les approuver, M. Dimbly? s'étonna Beatrice.

— Les garçons qui se prennent pour des soldats font beaucoup plus d'efforts au gymnase. Bien sûr, ils n'en sont que plus indisciplinés en cours de latin, mais ce n'est plus mon problème ! »

Il accompagna ces mots d'un sourire qui empêchait tout soupçon de malveillance.

« Il ne me reste qu'à espérer que le cours de latin ait lieu avant celui de gymnastique dans l'emploi du temps quotidien, fit Beatrice.

— Entrez, je vais vous montrer la salle des professeurs, proposa-t-il. Nous avons notre propre réchaud et même une bouilloire. Il arrive que les dames de notre petit groupe aient la gentillesse d'apporter des gâteaux faits maison ou des biscuits, bien qu'avec la guerre, je ne sois pas certain que nous soyons aussi favorisés ce trimestre. »

Il se montrait à peu près aussi subtil qu'un chiot qui quémande un biscuit, désamorçant toute éventuelle irritation de la part de Beatrice.

«Je dois vous prévenir que je n'ai aucun talent de pâtissière, M. Dimbly. Je me demande comment je vais pouvoir garder la tête haute en salle des professeurs...

— Ne vous en faites pas. Ce n'est pas une obligation – et puis, si vous voulez tout savoir, Mlle Devon fait des rochers si durs qu'ils méritent vraiment leur nom.» Il poussa la lourde porte de chêne vitrée et lui fit un clin d'œil en s'effaçant devant elle. «Quand le placard est vide, il me reste toujours la possibilité de me faire cuire un œuf dur sur un bec Bunsen, mademoiselle Nash. Alors si vous avez un creux, n'hésitez pas à passer me voir en salle de sciences.

— Je devrais pouvoir attendre l'heure du déjeuner, M. Dimbly, répondit-elle d'un ton qu'elle espérait assez sévère pour décourager toute nouvelle tentative de galanterie.

— Une armée ne se bat pas le ventre creux, mademoiselle Nash. Vous verrez.»

Le bruit de la salle de classe se remplissant de jeunes garçons évoquait assez le bourdonnement d'un théâtre bondé, en plus aigu. La salle fraîchement repeinte de blanc, aux pupitres de chêne récurés et au tableau immaculé, s'imprégna avec une surprenante rapidité d'une odeur de laine mouillée, de souliers de cuir, de pieds et d'aisselles réchauffés par l'agitation de la cour de récréation et de la rue. Bien décidée à ne pas reculer sous l'assaut, Beatrice se cramponnait à son bureau au point d'en avoir les articulations blanches. Après avoir passé l'été à essayer de faire travailler les trois protégés d'Agatha Kent, elle ne s'attendait évidemment pas à se trouver en présence d'une salle silencieuse remplie d'érudits pâles, de jeunes gens aux cheveux filasse ployant diligemment la tête sous la férule de Virgile, mais elle était mal préparée à affronter la meute de visages boutonneux et couverts de sueur qui se tenait devant elle. Certains étaient aussi jeunes et maigres que Snout, lequel se laissa tomber derrière un pupitre du fond et entreprit discrètement de bombarder la nuque de ses camarades avec des boulettes de papier mâché propulsées à l'aide d'une paille. D'autres paraissaient presque des hommes déjà, arborant d'étranges massifs broussailleux de pilosité faciale et criant d'une voix rauque. Elle n'avait même pas remarqué que la fille qu'elle avait rencontrée dans la cour et une de ses camarades étaient entrées dans la salle et s'étaient installées à des pupitres voisins, dans l'angle le plus éloigné de l'estrade.

Beatrice s'était déjà raclé la gorge plusieurs fois et avait tapoté son pupitre avec sa règle pour réclamer le silence, mais le chaos ne reflua qu'au moment où la porte se rouvrit et où la voix tonitruante du directeur exigea le calme.

« Très bien, messieurs – et mesdemoiselles –, si l'un de vous ouvre encore la bouche, il tâtera de ma canne et aura une heure de retenue. Vous avez quelque chose à ajouter ? »

Tout le monde se figea, bras le long du corps, mentons relevés et la salle devint immédiatement silencieuse. Beatrice, dont les oreilles tintaient encore, ne put que hocher la tête de gratitude.

« Asseyez-vous ! » dit le directeur.

Tous se laissèrent tomber sur leurs chaises dans un grattement de souliers cloutés sur le plancher de chêne. Grommelant devant les rangées de têtes baissées comme si ses yeux pouvaient percer le crâne des éventuels récalcitrants, le directeur passa à l'avant de la salle et prit place entre Beatrice et ses élèves.

« Bien. Mlle Nash est votre nouvelle maîtresse de latin, et vous lui devez le respect. Si j'entends encore le moindre bruit intempestif en provenance de cette salle, je viendrai personnellement vous en faire subir les conséquences. Est-ce compris ?

— Oui, monsieur le directeur ! répondirent-ils en chœur.

— *Nanos gigantium humeris insidentes*, proclama-t-il, la main sur le cœur. N'oubliez jamais votre devoir à l'égard des géants sur les épaules desquels vous marchez et dont les paroles ont été transmises à travers les millénaires jusqu'à vos têtes crasseuses et indignes.

— Oui, monsieur le directeur ! répondit la classe dans un unisson morose.

— À vous, mademoiselle Nash, reprit-il d'une voix normale et enjouée. Bienvenue au cours supérieur de latin. Faites-les travailler sans relâche, et ne craignez pas de faire preuve de fermeté. *Oderint dum metuant*, comme on dit, qu'ils me haïssent, pourvu qu'ils me craignent. »

Il repartit majestueusement, refermant la porte derrière lui, ne laissant que coopération muette dans les rangées de pupitres. Si Beatrice n'avait aucune envie que ses élèves la haïssent, elle n'en était pas moins reconnaissante au directeur de ce bref interlude de crainte, crainte qui commençait déjà à s'effacer des visages pour laisser place à des coups d'œil furtifs tandis que les enfants recommençaient à se trémousser sur leurs chaises.

« Jack, s'il te plaît, fais l'appel, dit-elle d'une voix sévère, heureuse de repérer un visage familier. Nous commencerons ensuite par une brève révision de ce que vous avez appris l'année dernière. »

Il lui semblait parfois que les deux semaines écoulées avaient duré une éternité. Beatrice avait déjà oublié son premier jour de classe ; son samedi après-midi et son dimanche de congé ne semblaient pas lui apporter de vrai repos. Elle vivait dans une brume d'épuisement, l'esprit soûlé par le vacarme de souliers agités cognant dans des pieds de pupitres, l'odeur de garçons qui imprégnait jusqu'à la chaux des murs, le défilé de visages éteints que rencontrait son regard chaque fois qu'elle se détournait du tableau pour poser une question à la classe. Elle faisait de son mieux pour ne pas s'adresser plus que nécessaire à ses élèves de l'été, mais leur expression maussade suffisait à lui faire comprendre qu'elle avait attiré sur eux une attention importune. Son erreur la plus magistrale avait été de demander à Snout de réciter ce qui était, comme elle en informa toute la classe, son passage préféré de Virgile, celui où Énée sauve son père de Troie en flammes. Se sentant trahi, Snout lui avait jeté un regard de reproche absolu et n'avait rien trouvé de mieux pour distraire les autres de son humiliation que de renverser son encrier sur son livre. Reprenant son sang-froid, Beatrice l'avait envoyé chez le directeur et il était sorti, adressant un clin d'œil à ses camarades qui pouffaient et l'acclamaient.

Le soir, elle dînait sans mot dire, essayant de ne pas s'endormir dans son assiette, et présentait ensuite ses excuses à la pauvre Céleste, qui lui répondait par un chuchotement soucieux. Chaque matin, Beatrice espérait se réveiller ragaillardie et endurcie, prête à affronter ses nouvelles fonctions, mais elle avait l'impression de s'enfoncer lentement sous l'assaut des enfants, qui n'étaient silencieux que lorsqu'elle les invitait à partager les joies du latin.

« Vous avez une mine effroyable, observa M. Dimbly le deuxième samedi matin, en lui tendant une tasse de thé fort alors qu'elle faisait son entrée, visiblement harassée, dans la petite salle des professeurs pendant la pause de dix heures.

— Vous au moins, vous savez parler aux femmes, répondit-elle d'une voix cinglante, avalant son thé d'un trait dans l'espoir que la brûlure la réveillerait enfin.

— J'ai quelque chose pour vous, annonça-t-il en faisant surgir de la poche de son ample toge un œuf brun encore tiède. Cuit de ce matin.

— C'est trop aimable à vous, commença-t-elle en esquissant un geste de refus.

— Il faut garder des forces », intervint Mlle Clauvert, assise près du poêle avec son amie Mlle Devon. Elles avaient posé leurs tricots et grignotaient les mêmes œufs durs avec un plaisir manifeste. « Le premier mois, je m'évanouissais régulièrement jusqu'à ce que M. Dimbly m'ait donné ce précieux conseil », poursuivit Mlle Clauvert en minaudant à l'adresse du professeur rougissant.

— Beaucoup d'œufs, des pommes, du thé fort et une cuillerée d'huile de foie de morue par semaine, confirma celui-ci d'un ton bourru. Ça maintient en forme et tient à distance la pestilence et les germes qui ne manquent pas de grouiller dans une salle remplie de garnements mal lavés.

— Merci, M. Dimbly, répondit Beatrice. Sur la recommandation de Mlle Clauvert, je vais accepter votre offre. »

Elle prit l'œuf tiède, le tapota sur le dossier d'une chaise et l'écala en laissant tomber les morceaux de coquille dans l'ouverture du petit poêle noir de la salle des professeurs.

« Je ne cesse de le lui répéter, notre M. Dimbly est un homme charmant et un vrai gentleman, reprit Mlle Clauvert, et la rougeur qui envahit ses traits était si bien assortie à celle de son collègue que Mlle Devon, oubliant son âge, pouffa en les voyant.

— Pour ma part, je ne jure que par le camphre et par une fine tranche de craie une fois par semaine », intervint M. Dobbins, le professeur de mathématiques, vêtu d'une toge si antique qu'elle avait pris une vilaine couleur grisâtre. Beatrice l'imagina au tableau, prenant son temps pour noter une formule complexe tout en mâchonnant d'un air absent son bâton de craie pour des raisons thérapeutiques. « Je ne peux pas manger d'œufs, ajouta-t-il. Ça me donne des flatulences.

— M. Dobbins, voyons ! protesta Mlle Devon.

— Pardon », répondit-il en se recroquevillant dans son fauteuil.

Puis il leva son journal tel un écran et Beatrice l'entendit marmonner :

« On a toujours pu parler librement dans la salle des professeurs. Elles n'ont qu'à avoir une salle à elles si ça ne leur plaît pas.

— Quand cesserai-je enfin d'être aussi épuisée ? demanda Beatrice. J'ai pourtant fait des expéditions lointaines, des excursions en montagne...

— Ces élèves sont très assommants ou fatigants – comment doit-on dire, mademoiselle Devon ? demanda Mlle Clauvert.

— Les deux, indéniablement, répondit Mlle Devon. Ils essaient de vous avoir à l'usure, mademoiselle Nash.

— Il faut les combattre par l'esprit, conseilla Mlle Clauvert. Donnez-leur des exercices impossibles et vous verrez comme ils seront silencieux.

— Usez de la baguette plus régulièrement, intervint M. Dimbly. Un coup par-ci par-là... c'est un excellent exercice pour vous, et ça les aide à rester concentrés.

— Je ne crois pas que les châtiments corporels sans discernement soient une méthode d'enseignement valable, répliqua Beatrice. J'ai l'intention de les atteindre par la pensée rationnelle et par une soif commune de savoir. »

Sa réponse fut accueillie par les éclats de rire de tous les professeurs confortablement rassemblés dans la salle.

« Vous serez moins éreintée quand vous cesserez de tenir ce genre de discours, observa Mlle Devon. N'est-ce pas, monsieur Dimbly ? »

D'autres rires fusèrent et Beatrice en fut réduite à dévorer son œuf dans un silence consterné. Plus tard dans la matinée, elle trouva l'occasion de frapper de sa règle avec beaucoup d'élégance sur le bord de deux pupitres. Et lorsque Snout lâcha un vent manifestement délibéré au milieu de ses explications sur l'importance du devoir à remettre le lendemain pour la sélection des élèves susceptibles de se présenter aux examens d'obtention d'une bourse, elle réussit à faire siffler la règle à son oreille. Tous les enfants semblèrent se redresser sur leurs chaises et cesser de ressembler à des muets abrutis et, lorsque Snout lui adressa un infime signe de compréhension, Beatrice sentit l'envie de s'abîmer dans le sommeil glisser de son front comme si on lui avait retiré un lourd capuchon de laine.

Alors qu'il ne restait qu'une demi-heure de classe avant que les élèves ne soient libérés pour le samedi après-midi, le directeur glissa la tête par la porte et demanda à la voir un instant dans la bibliothèque à propos des projets pour la kermesse de la ville. La participation des élèves du cours de latin supérieur à cet après-midi de festivités consisterait à défiler dans les rues déguisés en guerriers romains, avant de réciter sur scène quelques discours de guerre exaltants tirés de l'*Énéide*, en latin et dans les traductions anglaises réalisées par les enfants eux-mêmes. Ses trois élèves de l'été s'étaient vu confier les rôles principaux, un privilège qu'Arty et Jack avaient salué d'un air important et compétent, tandis que Snout affichait une indifférence totale. Toute la classe avait pourtant manifesté un enthousiasme inhabituel pour ce projet, bien que les costumes et les épées promis aient de toute évidence largement contribué à attiser leur passion.

Apparemment, le directeur voulait lui suggérer de confier à un autre élève, le capitaine de l'équipe de rugby, le rôle de Snout, qui jouait Énée dans le spectacle de sa classe.

« Monsieur le directeur, il me semble que je devrais être autorisée à préparer mon numéro en fonction de ce qui représentera le mieux notre école, objecta Beatrice. Le garçon que j'ai choisi pour interpréter le rôle du héros troyen éprouve une passion toute particulière pour cette pièce et récite très bien. C'est mon meilleur élève et, me semble-t-il, un de nos candidats les mieux placés pour obtenir une bourse à l'examen de latin. L'élève dont vous me parlez est, en revanche, plus à l'aise sur le terrain de rugby qu'en latin et il récite comme une bûche.

— Nous nous attachons à cultiver un profond sens de la camaraderie dans notre établissement. Vous constaterez que je n'exerce qu'une infime pression sur la barre pour maintenir notre frêle esquif sur son cap.

— Je suis ravie de l'apprendre, monsieur le directeur.

— Mais compte tenu de votre récente arrivée, il m'incombe de vous signaler les questions susceptibles d'influer sur la situation, poursuivit-il. Je ne songe qu'à vous guider afin de vous permettre d'accéder à une meilleure compréhension et de parvenir au succès.

— Y a-t-il donc quelque chose dont je devrais être informée ?

— Le jeune élève dont vous parlez a déjà beaucoup reçu de nous. Il a bénéficié d'une éducation plus approfondie que la plupart des garçons de son origine, et je pense qu'il a de bonnes raisons de nous être reconnaissant de tout ce que nous avons fait pour lui.

— Il est remarquablement intelligent, observa Beatrice.

— On ne peut que se demander, bien sûr, si une éducation trop poussée ne risque pas à un moment d'inspirer à un jeune être une certaine frustration à l'égard de la vie qui l'attend, continua le directeur d'un air songeur. Il peut être extrêmement douloureux de découvrir que la voie vous est définitivement barrée, alors qu'on est déjà allé trop loin pour continuer à s'intégrer confortablement dans l'existence que vous impose votre condition.

— La plupart des gens sont heureux d'avoir l'occasion de progresser. Je crois que le jeune M. Sidley a de bonnes chances de faire honneur à notre école en obtenant une bourse, et qu'il devrait bien réussir dans la vie.

— Je regrette que malgré les désirs de changement de Mme Kent, nous devions nous résoudre à refuser à ce garçon de postuler à cette bourse, poursuivit le directeur, secouant doucement la tête d'un air chagrin. C'est une question d'aptitude à diriger, voyez-vous. Les meneurs naturels parmi nos élèves apportent le plus grand crédit à notre établissement, et je pense que vous découvrirez, Mlle Nash – quand vous aurez passé un peu plus de temps parmi nous – que les élèves eux-mêmes acceptent, et admirent même, cette autorité naturelle ; ils trouvent normal et souhaitable d'être représentés de cette manière.

— Tout de même, le meilleur et le plus intelligent..., commença-t-elle. Je ne puis que protester, monsieur le directeur.

— Ce garçon ne pourra jamais représenter dignement notre école, mademoiselle Nash, insista-t-il, d'un ton si doucereux qu'elle se laissa presque aller à acquiescer. Je veux bien croire qu'il soit capable de répéter quelques phrases en latin – rien de plus qu'un numéro de chien savant, en fait –, mais il ne pourrait jamais rivaliser avec des garçons vraiment instruits, issus de vraies familles. Lui-même trouverait cela insupportable et il serait la risée de tous.

— Alors que le capitaine de rugby est un meneur naturel ? » demanda Beatrice.

Mais elle connaissait la réponse et dut convenir, à sa grande honte, qu'elle ne ferait que compromettre sa propre position en continuant à protester.

« Vous le voyez vous-même ! s'exclama le directeur. Je suis tellement soulagé que vous compreniez la situation. Je n'avais aucune envie de devoir intervenir et usurper votre autorité. » Il se frotta les mains de ravissement. « Imaginez avec quelle vigueur notre jeune athlète remplira la cuirasse du général troyen et avec quelle autorité il brandira l'épée.

— Si seulement il pouvait réciter son texte latin avec un peu de sentiment, murmura Beatrice, vaincue.

— Pourvu qu'on l'entende, mademoiselle Nash, pourvu qu'on l'entende ! »

Snout s'était esquivé en catimini du gymnase, loin de l'odeur suffocante des matelas de caoutchouc et des pieds chauds, et de ses camarades qui profitaient de ce que M. Dimbly saluait quelque exploit de l'un ou l'autre des athlètes les plus sportifs pour le cogner et le bousculer, le faire tomber sur les tas de cordes et le balancer au-dessus du cheval-d'arçons. S'échappant dans l'air vif de l'après-midi, il s'était glissé jusqu'au petit coin de terre dégagé derrière un gros if touffu sous les fenêtres de la bibliothèque pour rouler et fumer ses derniers brins de tabac.

La voix de Mlle Nash lui parvint, brutale et pressante, par le carreau ouvert. Le timbre plus grave, plus lent et plus âgé du directeur, avec ses longues phrases et ses digressions à n'en plus finir, était parfaitement identifiable, lui aussi. Les petits indiscrets, lui disait son arrière-grand-mère, auraient les oreilles brûlées par des charbons ardents. Il suivit des yeux la volute de fumée qui s'élevait de l'extrémité de sa cigarette tandis qu'il se grattait, la peau irritée par la laine piquante de son uniforme. Il sentait l'étroitesse du ruban de son chapeau autour de sa tête, humait l'odeur de terre sèche et le parfum cireux et vert de l'if, qui lui rappelait le cimetière. Son cou se mit à le brûler, et il serra les dents.

Il était pénible de devoir supporter le flot incessant d'humiliations mesquines des autres garçons. Il était pénible de devoir faire ses devoirs à la lumière de la lampe à huile qui fumait sous l'avant-toit exigu et sombre du cottage. Il regrettait de ne pas avoir un père qui comprenne la géométrie des triangles, ou puisse discuter du mot le plus juste pour restituer la fièvre des combats antiques à partir de la simplicité aride du latin. Mais son père travaillait avec des soufflets et un marteau, et gardait ses comptes dans sa tête. Snout se sentait souvent bien seul lorsqu'il rédigeait des devoirs sur des lieux qu'il avait peine à se figurer, lorsqu'il se penchait sur l'atlas, sur les portraits de princes indigènes de tous les pays de l'Empire ou sur les images de trésors rapportés dans les musées britanniques par diverses expéditions scientifiques. Trouvant la géographie tout aussi fascinante que l'histoire, il n'avait pas plus de mal à imaginer la Troie ou la Rome antiques que la ville moderne de Bombay, et estimait que le latin était plus vivant et plus captivant que le français.

La leçon la plus pénible de toutes, celle qu'il venait d'entendre une fois de plus par la fenêtre de la bibliothèque, était que les promesses de Mlle Nash resteraient vaines et qu'il ne pourrait jamais échapper à son destin. En cela, il ne se distinguait pas des autres garçons du pays. La physionomie, le nom et l'accent de chacun suffisaient à retracer ses origines depuis une centaine d'années. C'était comme s'ils portaient tous une énorme fiche brune attachée à leur veste avec l'histoire de leur famille imprimée en grosses lettres. Ou comme s'il avait été un des spécimens de M. Hugh, flottant dans un bocal de formol nauséabond avec une étiquette collée sur le couvercle. Il n'était pas possible d'échanger sa place contre celle d'un autre garçon, fût-ce pour un jour. Il n'était pas possible d'être différent.

« Oh, ce n'est que le petit Sidley – le fils du romanichel...

— Ma foi, mauvais sang ne saurait mentir, vous savez... »

La voix du directeur résonna encore à son oreille :

« Ce garçon ne pourra jamais représenter dignement notre école... »

Il s'était pris à espérer que la salle de classe, dont les contraintes étaient pourtant aussi pesantes que des chaînes, lui apporterait la clé de l'évasion. Il comprenait désormais que jamais il ne pourrait échapper à la prison de sa condition. Ces gens-là auraient beau lui sourire, leurs yeux diraient toujours « sale romanichel ». Il était condamné à vivre et à mourir à quelques kilomètres seulement de la forge fuligineuse de son père et toute son instruction ne ferait sans doute que donner à penser aux autres qu'il était plus rusé et plus fourbe que son père, qui n'avait jamais appris à lire.

Il pinça son mégot entre ses doigts, sentant la piqûre de la cendre chaude. La brûlure était comme une offrande qui scellerait son serment. Il leur prouverait à tous qu'ils se trompaient au sujet de Richard Sidley. Il se ferait soldat et à l'image des guerriers troyens errants de l'*Énéide*, il partirait en quête de son destin dans une grande aventure qui le conduirait dans des contrées étrangères. S'extirpant des buissons, il traversa la cour de récréation à toutes jambes en direction de la voie de chemin de fer. S'il arrivait à sauter en douce dans le prochain train au moment où il ralentissait en approchant du passage à niveau, il aurait rejoint le camp du colonel Wheaton avant l'heure du thé.

TROISIÈME PARTIE

Par-delà la voie ferrée, à travers les prés
Alors qu'au ciel s'étirent les ailes dorées
Volant, volant à jamais dans les nuées,
Je te vois encore en uniforme passer
Et ne suis pas loin d'attendre, quittant les prés,
De te voir ouvrir la porte de bois le premier.

Marian Allen, « The Wind on the Downs »

20.

Le matin de la kermesse, l'aube se leva, limpide, la morsure de l'air de ce début d'octobre s'effaçant rapidement sous la douceur d'une nouvelle journée d'été indien. Beatrice ouvrit énergiquement sa croisée bloquée et inclina la tête depuis sa chambre encore glaciale pour profiter d'un rayon de soleil matinal. Une volée d'oiseaux s'élevant des pavés signala l'approche d'une silhouette solitaire qui gravissait la rue en pente. Beatrice reconnut les pas lents et le dos voûté de la femme du poissonnier, dont le fils avait été parmi les victimes des premiers combats de la Force expéditionnaire. Elle se rappelait la fierté des parents devant leur jeune soldat, déjà sous les drapeaux depuis quelques années, l'intérêt et le respect enthousiastes que la ville leur avait manifestés au cours des premières semaines, quand la soif d'informations et la possibilité de se sentir plus proche de l'action avaient transformé la poissonnerie en une ruche d'activité et de cancans. La pauvre femme semblait à présent vieillie de dix ans, et les affaires périclitaient, de nombreux habitants cédant à l'insensibilité instinctive qui les poussait à éviter les familles endeuillées.

Beatrice avait observé le même phénomène dans le village de sa tante. Pour chaque personne qui s'arrêtait, lui adressait un sourire de compassion et lui disait un mot bienveillant à propos de son père, combien se détournaient vers la vitrine des boutiques ou traversaient précipitamment la rue, baissant leurs parapluies pour masquer leur visage ! Et plus tard, quand ils ne pouvaient pas l'éviter, ils se déclaraient surpris de l'avoir vue aussi rarement.

Par un jour comme celui-ci, les veuves et les mères éplorées étaient censées garder leurs vêtements de deuil et leurs visages pâlis à l'abri de leurs demeures aux volets clos. Dans les récits historiques et sur les nobles œuvres d'art exposées dans les musées, les femmes qui avaient fait le sacrifice de leurs maris et de leurs fils étaient toujours absentes des grandes commémorations et des banquets, songea Beatrice. Les cercueils des morts n'accompagnaient aucun défilé de la victoire, aucune cérémonie de paix. S'obligeant à rester à sa fenêtre malgré son propre désir de se cacher, Beatrice prit soin de croiser le regard de la femme du poissonnier et de lui adresser un sourire et un signe de la main rapides avant de se réfugier à l'intérieur de sa chambre.

Hugh jeta un dernier coup d'œil au miroir et redressa sa casquette, l'inclinant selon un angle qui éviterait, dans la mesure du possible, de le faire ressembler à un conducteur de bus. Ce couvre-chef lui agrandissait les oreilles, se dit-il, et sa visière brillante jetait constamment une ombre maussade sur ses yeux. Il aurait été plus à l'aise et plus fringuant, songea-t-il, en blouse de chirurgien, mais lors de manifestations publiques, un officier se devait d'endosser une tenue de cérémonie, aussi raide et inconfortable fût-elle. Daniel, qui laçait ses chaussures sur une chaise, à l'autre bout de leur ancienne salle de jeux, parvenait à donner l'impression de porter son uniforme avec une nonchalance qui frôlait le relâchement ; il semblait ne souffrir d'aucune gêne au niveau des épaules et ne pas sentir la laine neuve et piquante sur sa peau nue. Il avait aplati ses cheveux coupés court à la brillantine, mais ils bouclaient tout de même sur son front et son visage était joyeux, tandis qu'il faisait passer son lacet à travers l'œillet de laiton tout en tirant sur une cigarette matinale interdite.

« Ta veste va empester le tabac toute la journée, l'avertit Hugh. Attends-toi à te faire assaisonner par Tante Agatha.

— Tous les soldats sentent le tabac. Le Tommy sent le tabac, la sueur et le chou ; l'officier le tabac, le cirage et le rhum. Une remarquable universalité.

— Mes gars à moi sentent l'iode. J'ai pris deux bains ce matin et me suis aspergé de l'eau de Cologne d'Oncle John simplement pour ne pas me donner la nausée.

— Espérons que les Boches ont une autre odeur, remarqua Daniel. Difficile de transpercer d'un coup de baïonnette quelqu'un qui sent comme ton camarade de chambrée.

— À en croire la presse, les Allemands doivent puer le sang des innocents.

— Des mots projetés comme des pierres à la face du monde, observa Daniel. Ces journalistes risquent de transformer une obligation morale d'agir en une croisade revancharde et aveugle.

— Qui se livre à une croisade aveugle ? demanda Oncle John, poussant la porte après avoir frappé.

— La presse, répondit Daniel. Elle enflamme le public ordinaire au-delà de toute raison.

— Est-ce le point de vue qui domine parmi tes camarades ?

— Nous professons des points de vue très différents. Nous avons déjà eu quelques débats plutôt vifs au mess.

— Voilà pourquoi on n'aurait jamais dû mettre tous les artistes et écrivains dans une seule brigade, déclara Oncle John, en secouant la tête mais avec le sourire. Si vous pouviez interrompre votre fronde pendant une demi-heure, votre tante vous fait dire que nous ferions bien de prendre le petit déjeuner maintenant si nous voulons être à l'heure.

— Si cela ne vous fait rien, je vais descendre en vitesse voir mes gars à leur cantonnement, annonça Hugh. Jeter un dernier coup d'œil à leur tenue avant le défilé. J'espère qu'ils se sont débrouillés pour trouver quelque chose à se mettre sous la dent.

— Mes camarades à moi devront attendre, observa Daniel. La cuisinière m'a dit qu'elle avait mis de côté un joli morceau de lard tout exprès pour aujourd'hui. Je refuse de laisser le devoir s'interposer entre moi et une tranche de bacon. »

En bas, dans le vestibule, tandis que Hugh s'arrêtait pour rectifier vainement une dernière fois l'inclinaison de sa casquette, il huma une odeur de bacon et aperçut, par la porte ouverte, un angle de la table du petit déjeuner dressée, le bleu des hortensias sur la desserte, les rideaux de lin blanc agités par une légère brise. Des bruits sourds de casseroles lui parvenaient depuis la cuisine, un rayon de soleil se répandait sur le parquet de chêne sombre tandis que les parfums de l'encaustique et de la peinture fraîche s'ajoutaient aux odeurs plus insistantes provenant de la salle à manger. Hugh mesura soudain l'importance du rituel traditionnel du petit déjeuner, de l'attachement qu'il éprouvait pour ce vestibule ordinaire avec son porte-parapluies et la lumière du dehors qui jouait dans les carreaux de la porte d'entrée. Une envie lancinante de rejoindre tout de même Daniel et la famille autour de la table appesantit sa main sur la poignée de la porte, mais une voix plus pressante lui reprocha son sentimentalisme, sa sensiblerie même. Son départ ne briserait pas la maison comme un fragile décor de théâtre, et il ne laisserait pas la guerre faire peser le poids de la tragédie sur la moindre de ses allées et venues. Son absence n'aurait aucune incidence, hormis une part de lard supplémentaire pour Daniel. Bien décidé à appliquer cette énergique résolution, Hugh fit immédiatement un détour par la salle à manger et enveloppa plusieurs tranches de bacon dans une serviette afin de pouvoir les manger en descendant la colline.

La fanfare, sur sa petite estrade, en était à sa troisième exécution de « Daisy, Daisy, Give Me Your Answer, Do ». Le trombone jouait faux mais dans l'ensemble, Agatha Kent était, pour le moment, tout à fait satisfaite. Il faisait un temps superbe avec un soleil radieux que rafraîchissait une brise assez puissante pour faire voltiger correctement les fanions, frémir les jupons et obliger de temps en temps une main à retenir le bord d'un chapeau aux carrefours. Coincée entre les maisons étroites et les masses compactes de spectateurs qui débordaient des trottoirs jusque sur la chaussée, la parade semblait écumer telle une cascade tandis que la succession glorieuse de chars, de charrettes décorées et de défilés des associations et institutions locales débouchait dans la rue plus large, en face de la tribune des officiels. Agatha cochait les participants dans son grand carnet, au fur et à mesure de leur passage. M. Tillingham s'avançait dans une voiture découverte, accompagné d'une jeune fille costumée en allégorie de la Littérature, brandissant un immense parchemin et une plume dorée. Mlle Buttles et Mlle Finch furent très applaudies dans leurs incarnations de la reine Élisabeth I et de Sir Walter Raleigh, Sir Walter pilotant sa nouvelle motocyclette Triumph et la Reine des Fées enfoncée, avec tous ses ruchés, dans le sidecar tel un poulet primé. Dans ses plus beaux atours, le maire agitait la main du haut d'un grand omnibus hippomobile, entouré de représentants de tous les métiers de Rye, parmi lesquels un pêcheur qui brandissait une énorme morue morte au bout d'une courte canne. Hurlant et jappant, les chiens de l'Association des chiens de travail paradèrent en manteaux ornés de la croix de saint

Georges et du blason du comté, à l'exception d'un border terrier qui avait apparemment réussi à se débarrasser de son costume dont il exhibait les restes déchiquetés entre ses mâchoires. Tout le long du parcours, des jeunes filles en jolies robes d'été barrées d'écharpes rouge, blanc et bleu passaient à travers la foule avec des plateaux couverts de petits drapeaux en papier à épingler et des tirelires décorées, faisant les yeux doux au public afin de le convaincre d'acheter un insigne pour défendre la cause.

Les gradins étaient pleins, et le colonel Wheaton accompagné de Lady Emily, dont le char avait ouvert la parade, avaient eu beaucoup de mal à rejoindre leurs sièges au centre des deux tribunes officielles. Le colonel Wheaton, vêtu d'une tenue de cérémonie de sa propre conception avec plusieurs boucles de soutaches sur l'épaule droite et une épée indienne ancestrale accrochée à une ceinture de cuir outrageusement ornementée, saluait tandis que défilaient ses troupes, intégrées depuis peu dans l'armée régulière. Au premier rang, son fils Harry arborait des galons de lieutenant. Les hommes traînaient un peu, certains boitant dans des godillots qui semblaient avoir été collectés à la hâte. Ils portaient des fusils en bois, les vrais n'étant pas encore arrivés.

« Les hommes de Papa ne sont-ils pas superbes ? s'extasia Eleanor Wheaton. De vrais soldats !

— La tenue de combat est moins seyante que celle de cérémonie, remarqua Agatha.

— Mais elle leur évite d'être des cibles trop faciles sur le champ de bataille », lui fit observer son mari, John, vêtu d'un blazer et d'un pantalon de flanelle.

Agatha éprouva un pincement au cœur fugace. Il aurait été tellement séduisant en uniforme, songea-t-elle, et il n'avait même pas un an de plus que le colonel Wheaton, lequel semblait bien décidé à obtenir de pouvoir participer aux combats.

« Mieux vaut laisser les soutaches et les couleurs vives aux dames », reprit John en esquissant un signe de tête en direction d'Eleanor.

Celle-ci portait une veste bleu marine de coupe militaire, avec une profusion de brandebourgs sur le corsage et resserrée à la taille par une ceinture de laine écarlate.

« Je pense qu'à nous deux, Père et moi, nous avons accaparé le marché de la soutache, dit-elle sans paraître s'offusquer le moins du monde de la remarque de John. Après l'incident des chiens, peut-être ai-je cherché à prouver mon patriotisme avec trop de zèle. »

John leva un sourcil interrogateur et Agatha se trouva dans la position embarrassante d'avoir négligé de communiquer une anecdote qui présentait une grande importance pour un des interlocuteurs et aucune ou presque pour l'autre. En pareille situation, elle n'avait pas le choix : les sentiments de John devraient être sacrifiés.

« Rappelez-vous, mon cher. Je vous ai raconté l'autre jour que des garçons ont jeté des pierres aux teckels de Lady Emily alors qu'Eleanor les promenait et ont proféré les commentaires les plus effroyables sur elle-même et sur ces pauvres petites bêtes accusées d'être allemandes.

— Ah oui, bien sûr ! s'écria John, prouvant son talent diplomatique avec un infime haussement de sourcil. Terrifiant ! Aucune personne douée d'intelligence ne pourrait douter du patriotisme d'une telle rose anglaise.

— Merci, M. Kent, répondit Eleanor. Mais je crois que Mère est plus préoccupée par les accusations portées contre ses chiens.

— Que quiconque puisse contester le patriotisme de mes teckels est profondément choquant, renchérit Lady Emily. C'est scandaleux.

— L'Association des éleveurs a d'ailleurs décidé de changer le nom de la race. Le teckel sera désormais le chien de la Liberté, reprit Eleanor. Ils vont passer des annonces dans les journaux. Espérons que cette mesure sera efficace.

— Flatter ainsi les masses, quelle vulgarité ! regretta Lady Emily. Mais si cela peut sauver la vie d'un unique petit chien, sans doute faut-il s'y résoudre.

— À propos de sauver des vies, voici l'ambulance de Hugh, remarqua Agatha. Quel beau garçon, n'est-ce pas ? »

Hugh marchait devant son ambulance, le visage fermé. Par les portières arrière ouvertes du véhicule parfaitement briqué, on apercevait deux ambulanciers qui, assis à l'intérieur, agitaient leur casquette en direction de la foule. Ils étaient suivis par un de leurs camarades qui portait fièrement une caisse étiquetée Radioscope portatif. La caisse était factice, cet appareillage étant bien trop volumineux et trop précieux pour être exhibé lors d'un corso campagnard, mais les services médicaux de l'armée s'enorgueillissaient tant de ce tout récent progrès du matériel médical qu'ils avaient autorisé Hugh à fabriquer une maquette rudimentaire pour l'occasion.

Derrière Hugh défilait le groupe de huit officiers de Daniel, marchant deux par deux, tous dans leur nouvelle tenue de combat avec casquette, large ceinturon Sam Brown muni d'une lanière en bandoulière et d'un étui de revolver sur la hanche. Les brodequins étaient cirés, et l'absence de claudication conduisit Agatha à conclure qu'ils avaient été correctement brisés.

« Je suis si contente que le groupe de Daniel ait pu venir, s'écria Eleanor. Mais j'avais espéré que le régiment d'artistes de l'infanterie légère porterait des chemises de lin et des poignards à la ceinture.

— Ce ne sont pas des pirates, lui fit remarquer Agatha. C'est un corps de formation d'officiers, et ils prennent les choses très au sérieux, comme leur attitude suffit à le montrer.

— Je meurs d'impatience de visiter la tranchée modèle, poursuivit la jeune femme. Beatrice Nash m'a dit qu'ils ont des étagères à livres et du mobilier de rotin, et qu'ils lisent de la poésie tous les soirs avant l'extinction des feux.

— Le défilé semble se dérouler avec une parfaite efficacité, remarqua John. Vous valez bien des généraux, mesdames.

— Ne vendons pas la peau de l'ours... », fit Agatha.

Elle avait remarqué que l'une ou l'autre des jeunes filles qui vendaient des drapeaux sollicitaient les spectateurs masculins avec un peu trop d'effronterie et avait également repéré Snout qui, en toge et sandales romaines, semblait avoir abandonné ses camarades et brandissait, lui aussi, une petite tirelire. Un des chevaux des pompiers boitait, et plusieurs écoliers paraissaient congénitalement incapables de marcher en ligne droite ; leur formation ressemblait à un troupeau de moutons affolés et les professeurs avaient passé leur temps à surveiller leurs ouailles au lieu d'agiter la main. Certes, dans l'ensemble, le défilé se déroulait correctement, mais on ne pourrait être assuré du succès tant que le dernier char, celui de l'allégorie de Britannia, n'aurait pas fait halte devant la tribune officielle pour écouter la fanfare jouer les hymnes nationaux de la Belgique et de la Grande-Bretagne, avant de rejoindre le terrain de manœuvres au son d'une interprétation grisante de « Land of Hope and Glory ». On espérait que la foule entière se mettrait à chanter et aurait été ainsi dûment encouragée à dépenser son argent lors des attractions prévues pour l'après-midi. Alors, et alors seulement, songea Agatha, elle pourrait respirer.

Beatrice ne pouvait pas nier qu'elle s'amusait. Sa robe neuve retombait en plis seyants sur ses sandales dorées ; ses cheveux avaient fait preuve de bonne volonté et s'étaient laissé remonter en rouleaux souples sous une couronne de lauriers. Elle était emplie d'un bonheur inhabituel, dû, elle le savait, à la conscience d'être jeune et jolie, ou plus exactement, au souvenir de ce sentiment, qu'il lui était arrivé d'éprouver avant que les récentes années de déclin de son père n'en dénoncent la vanité. Assise sur une caisse dissimulée sous un tapis à droite du trône jonché de fleurs de Britannia, elle portait un bouclier décoré de la croix de saint Georges. Tout en saluant la foule, elle réservait ses sourires les plus amicaux aux enfants ravis qui, assis, bouche bée, sur les épaules de leurs pères, le poing serré autour de petits drapeaux ou de sucettes poisseuses, admiraient le spectacle qui se déroulait devant eux. Elle savait que les petits croyaient que tout cela était réel et ne reconnaissaient même pas Mme Fothergill, dont le visage maquillé avait pris un air régalien sous sa couronne de lauriers et qui agitait la main avec toute la réserve d'une authentique souveraine. Céleste, incarnant la Belgique, était assise sur une caisse plus basse aux pieds de Britannia, portant sa propre robe blanche, dont la dentelle avait été hâtivement cousue sur tout le devant de la jupe, un simple bonnet de coton blanc à cordons sur la tête et les épaules drapées d'un petit foulard tricoté aux couleurs du drapeau belge. Elle portait un bouquet de fleurs des champs dans une corbeille. Les allégories de l'Écosse, du pays de Galles et de l'Irlande se tenaient derrière le trône, sur des caisses de différentes hauteurs, toutes recouvertes d'un tapis vert pour suggérer le paysage moutonneux du royaume. En tête, une petite section d'une fanfare du Kent interprétait des chansons et des hymnes patriotiques et les spectateurs reprenaient quelques fragments de paroles tout en agitant leurs chapeaux. Leur ferveur était telle que Beatrice elle-même sentit ses yeux s'humecter. Le plus dur des cœurs ne pouvait que fondre devant cette journée ensoleillée et l'ardeur patriotique élémentaire de cette foule campagnarde.

Lorsque leur char approcha des tribunes officielles, Beatrice éprouva une nervosité à laquelle la perspective de défiler devant le colonel Wheaton, Lady Emily et les autres dignitaires était largement étrangère ; elle se demandait avant tout si Hugh et Daniel tiendraient parole et reviendraient sur leurs pas pour assister à leur arrivée triomphale. Céleste elle-même leva la main pour rectifier l'ordonnance d'une vrille de cheveux rétive, révélant à Beatrice que la jeune fille n'était pas à l'abri, elle non plus, de ce soupçon de vanité. Assise un peu au-dessus d'elle, Beatrice refusa de lisser sa propre chevelure et chercha à ne pas parcourir la foule du regard à la recherche de visages familiers. Comme le char ralentissait avant de s'arrêter, Mme Fothergill se leva sous les applaudissements nourris des occupants des tribunes officielles et après un signe de tête plein de dignité pour remercier la foule, elle dégaina l'épée accrochée de façon si décorative à une ceinture de tapisserie qui lui entourait la taille.

« Femmes de Grande-Bretagne, préparez-vous à défendre la Belgique, lança-t-elle d'une voix vibrante.

— Que se passe-t-il ? chuchota Beatrice. Je croyais que c'était un tableau muet.

— L'élément de surprise ma chère, répondit Mme Fothergill. Tenez-vous prêtes ! »

Sans lui laisser le temps d'en dire davantage, un rugissement s'éleva à l'arrière des deux tribunes et une bande d'hommes, vêtus de vestes d'uniforme bleues et arborant les casques à pointe distinctifs si prisés des régiments allemands, se précipita en avant en brandissant des épées, des fusils de chasse et des outils agricoles. Ils se lancèrent à l'assaut du char en poussant des jurons terrifiants. L'orchestre entonna une marche entraînante tandis que Mme Fothergill commençait à agiter son épée à droite et à gauche au-dessus de sa tête en poussant des cris d'orfraie. L'Écosse et l'Irlande brandirent leurs javelots et entreprirent de repousser les assaillants, sans cesser de glousser, tandis que le pays de Galles se recroquevillait derrière son bouclier et les sommait d'arrêter.

« Si tu fais un pas en avant, mon père t'enverra chez le juge, Ernie Phillips, put-on l'entendre dire. Et toi, Arthur Day, arrête d'agiter cette fourche comme un fou furieux.

— Nous défendrons la Belgique jusqu'à notre dernier souffle, hurla Mme Fothergill tandis que Beatrice se levait et parait une charge trop enthousiaste de baïonnette, dont la pointe émoussée trahissait l'accessoire de théâtre.

— Vraiment, Mme Fothergill? s'étonna-t-elle. C'est vous qui avez fait venir ces hordes germaniques? »

Mais ses paroles furent noyées sous le cri de Céleste. Figée jusqu'alors sur sa caisse, la jeune fille se mit à hurler d'une voix de plus en plus perçante qui pouvait donner à penser qu'elle venait de recevoir un coup mortel ou qu'elle subissait une torture insoutenable. Le cri dura, dura au point que, un par un, les musiciens de la fanfare cessèrent de jouer et que les hordes teutonnes en restèrent pétrifiées.

« Céleste, êtes-vous blessée? »

Jetant son bouclier, Beatrice s'agenouilla pour prendre la jeune fille dans ses bras. Celle-ci résista, se débattant comme si Beatrice était l'ennemi et cette dernière regarda autour d'elle, éperdue, cherchant de l'aide. Remarquant de l'agitation dans la rue, elle aperçut Hugh qui se frayait un passage à travers la foule avant de bondir sur le char.

« Elle est hors d'elle », expliqua Beatrice.

La lamentation funèbre de Céleste s'interrompit brusquement, cédant la place à un silence presque aussi impressionnant, tandis que de petits flocons de salive écumaient aux commissures de ses lèvres et que ses yeux se révulsaient.

« Elle s'est évanouie, dit Hugh. Une sorte de crise d'épilepsie, j'en ai peur.

— J'ai mon brevet de secouriste, intervint Mme Fothergill. Puis-je vous aider ?

— Je crois que vous en avez suffisamment fait, répliqua Beatrice sans réfléchir. Pourriez-vous tous vous écarter pour lui laisser un peu d'air ? »

La foule qui s'était portée en avant pour voir ce qui se passait commença à reculer, et Beatrice se déplaça pour faire un rempart à Céleste pendant que Hugh la soulevait et la portait au pied du char.

« Tout de même, rien ne vous permet de me parler sur ce ton, lança Mme Fothergill, mais la voix d'Agatha Kent coupa court au commentaire acerbe par lequel Beatrice s'apprêtait à lui répondre.

— Mme Fothergill, le maire a besoin de vous pour inaugurer la tente des fleurs. Je pense que nous avons la situation en main. Mon neveu est médecin.

— Puis-je vous aider à descendre, Mme Fothergill ? ajouta John. Voici un marchepied.

— Je ne comprends pas ce qui a pu bouleverser cette pauvre enfant, reprit Mme Fothergill d'une voix sonore tout en se laissant emmener. À Bexhill, ils ont mis en scène une minuscule échauffourée et cela a suffi à doubler le montant de la collecte.

— Ont-ils lancé cette agression contre une vraie Belge ? demanda John.

— Ma foi non, et c'est précisément là que réside notre amélioration par rapport à leur spectacle, poursuivit Mme Fothergill d'un ton qui allait decrescendo au fur et à mesure qu'elle s'éloignait.

— Veux-tu des sels ? demanda Agatha à Hugh.

— Il vaudrait mieux la reconduire chez elle», dit celui-ci, tenant Céleste dans ses bras pendant que Beatrice agitait le petit flacon brun sous son nez.

Céleste gémit et tourna la tête pour se blottir contre l'épaule de Hugh comme une enfant.

«Je vais faire chercher son père, suggéra Agatha. Et il faudra que le directeur se charge de vos acteurs latins.»

Beatrice la remercia puis, rassemblant les nombreux plis de sa robe entre ses mains, elle se hâta de suivre Hugh dans l'escalier qui rejoignait la grand-rue. Elle se rappela le temps où son père la portait, enfant, cette sensation de voler au-dessus du sol, la sécurité de bras vigoureux, l'odeur paternelle familière l'emportant sur les nouvelles fragrances de la rue ou des bois. Elle se surprit à regretter que ce malaise ait frappé Céleste plutôt qu'elle – une pensée qu'elle réprima aussitôt. Quelle idée stupide, indigne du drame qui se jouait! Tout en se morigénant en silence, elle songea qu'elle était bien plus grande et plus lourde que Céleste et aurait vraisemblablement été déposée sans ménagement dans une brouette.

Lorsqu'ils arrivèrent au cottage, Hugh monta Céleste jusqu'à son alcôve qui abritait désormais le second lit de bois d'Agatha, une petite coiffeuse et un épais rideau descendant jusqu'au sol pour séparer ce recoin du palier. Après avoir allongé la jeune fille sur le lit, Hugh prit son pouls, tenant sa montre de gousset, le visage crispé d'inquiétude.

«Le pouls est régulier, observa-t-il. A-t-elle pris un petit déjeuner?

— Elle n'a pas mangé grand-chose, répondit Beatrice. Nous étions toutes les deux un peu nerveuses à cause du corso.»

Elle songea alors qu'en vérité, Céleste n'avait peut-être avalé qu'une tasse de thé. Quant à elle, elle avait pris un petit déjeuner qui lui paraissait à présent inélégamment plantureux. Elle avait trouvé dommage de laisser perdre le toast de Céleste et la confiture de groseilles à maquereau, et sa propre inquiétude à l'idée de la journée à venir n'avait fait que lui creuser l'appétit.

« Je suis certain que ce n'est qu'un léger choc, aggravé par le manque de nourriture, reprit Hugh. Il vaudrait tout de même mieux éviter de la laisser seule. Du thé tiède très sucré et un régime léger jusqu'à ce soir. Un œuf dur, par exemple. »

Il descendit pendant que Beatrice s'efforçait d'aider la jeune fille à retirer sa robe et son corset et à se glisser sous les draps. Céleste avait l'air fiévreuse et frissonna à son contact, redevenue la petite réfugiée échevelée et épuisée du premier soir.

« Vous êtes en sécurité à présent, la rassura Beatrice en lissant les cheveux dorés sur l'oreiller. Tout ira bien. »

Céleste se contenta de détourner le visage et de fermer les yeux. Beatrice s'assit au pied du lit et regarda, chagrine, les petites sandales ailées dispersées sur le sol.

Quand elle descendit au salon quelques instants plus tard, le professeur était arrivé. Il se tenait près de la fenêtre, passant d'un pied sur l'autre et jouant avec sa chaîne de montre.

« Comment va ma fille ? demanda-t-il, le visage tendu dans l'attente d'une mauvaise nouvelle.

— Comme je vous l'ai dit, je suis sûr qu'il n'y a aucune raison de s'inquiéter, dit Hugh. Un léger choc qui est venu s'ajouter aux émotions de la matinée et à l'absence de petit déjeuner, voilà ce que je pense. À moins qu'elle ne souffre d'un problème de santé que j'ignore ?

— Tout cela est de ma faute, reprit le professeur. On ne devrait pas exposer une enfant à pareille agitation. Je n'aurais pas dû lui donner l'autorisation d'y participer.

— Un jour de repos et il n'y paraîtra plus, le rassura Hugh. Je peux demander au docteur Lawton de passer demain si vous préférez ?

— Non, ce ne sera pas nécessaire. Je me suis hâté de revenir de la kermesse, où M. Tillingham m'avait demandé de juger les courges avec lui. Je suis tout à fait soulagée de savoir que ma fille va mieux.

— Souhaitez-vous monter la voir ? » demanda Beatrice gaiement.

Elle s'apprêtait à enfiler un tablier sur sa robe neuve pour préparer du thé et un œuf légèrement poché pour Céleste.

« Non, non, je ne veux pas la déranger. Dites-lui que je suis passé, et avec votre permission, je reviendrai prendre de ses nouvelles plus tard. Le devoir m'appelle à la fête.

— Vous êtes sûr, professeur ? » insista Beatrice, dont les propres obligations à l'égard de ses élèves de latin étaient passées au second plan dès que Céleste s'était évanouie. Levant les yeux vers la cage d'escalier, elle songea à la jeune fille tremblante et au réconfort que lui apporterait la main de son père sur son bras.

« Je vous remercie de vous occuper aussi bien de mon enfant, dit le professeur comme si elle avait laissé entendre autre chose. Si votre jeune docteur dit qu'elle va bien, il n'y a rien à ajouter. »

Sur ces mots, il se coiffa de son chapeau qu'il faillit faire tomber en passant sous le linteau un peu bas de la porte.

« Je ne trouve pas très correct de sa part de vous confier Céleste et de vous priver ainsi des festivités de l'après-midi », remarqua Hugh tandis qu'ils suivaient des yeux le professeur qui remontait la rue à grands pas.

Les faibles bruits d'un orgue de Barbarie et la cacophonie rivale d'une fanfare laissaient parvenir à leurs oreilles quelques échos de la kermesse qui se déroulait au pied du bourg, près du marais.

«Je regretterai éternellement d'avoir manqué la course de cochons, dit-elle d'un ton pince-sans-rire qui le fit s'esclaffer. Mais à quoi bon priver de ce plaisir deux personnes au lieu d'une ? ajouta-t-elle. Vous devriez y retourner.»

Il hésita un moment, comme s'il avait envie de rester.

«Je suppose qu'Abigail sera de retour à temps pour que vous nous rejoigniez à l'auberge pour le bal de charité ? demanda-t-il enfin.

— Je serais surprise que Céleste soit suffisamment rétablie. Je resterai sans doute ici.»

Malgré toutes ses protestations d'indépendance, l'idée de se rendre seule à un bal public ne la tentait pas plus que n'importe quelle femme.

«Il n'en est pas question, protesta Hugh. Nous ne supportons pas, Daniel et moi, de devoir inviter à danser des femmes que nous ne connaissons pas. Je viendrai vous chercher moi-même, et vous devez me promettre de nous réserver un certain nombre de danses sur votre carnet.

— Mais le vôtre sera plein, remarqua-t-elle.

— Je suis prêt à me couper en quatre pour faire mon devoir social. Mais si vous préférez que ma tante Agatha vienne vous prendre, je peux arranger cela.

— Ce ne sera pas nécessaire. Je ne suis plus une enfant.

— Vers sept heures, alors. En attendant, que notre patiente se repose. Je suppose que vous savez faire cuire un œuf ?»

La kermesse battait son plein et Agatha, profitant de l'ombre offerte par un rabat du chapiteau, posa son carnet sur une barrique commodément retournée et parcourut les alentours du regard avec l'optimisme prudent de celle qui s'est bien préparée et dont les efforts portent les fruits escomptés, mais qui jugerait prématurée toute manifestation de satisfaction ou tout relâchement de ses efforts.

« Tout me paraît marcher à merveille, observa son mari en sortant de la tente avec deux verres de citronnade bien fraîche et une assiette de canapés. C'est un succès sur toute la ligne, ma chère.

— Je ne suis pas superstitieuse, mais je refuse de vous approuver, de crainte que Bettina Fothergill ne provoque quelque nouveau scandale cet après-midi.

— Ceux qui prétendent n'être pas superstitieux n'illusionnent qu'eux-mêmes, remarqua John en lui tendant un verre et en posant l'assiette. Puis-je vous offrir un canapé au fromage porte-bonheur ?

— En quoi porte-t-il bonheur ? demanda Agatha.

— Ce n'est pas de la salade d'œufs. Il risque donc beaucoup moins que d'autres d'être responsable de quelque embarras gastrique après avoir passé une grande partie de la journée sur une assiette découverte sous un chapiteau surchauffé.

— Voilà qui me met en appétit, dit-elle avec un regard soupçonneux aux coins desséchés des tranches de pain. Mais comme je meurs de faim, je ne peux que vous remercier.

— Ce jeune Snout, celui qui se promenait avec la tirelire suspecte pour la quête ? reprit John. Je l'ai vu à l'intérieur, en train de régaler plusieurs de ses camarades de petits pains.

— Je vais lui frotter les oreilles. Après tout ce que nous avons fait pour lui...

— Je lui ai fait les gros yeux, et du coup, il a insisté pour payer votre citronnade. Il s'est montré absolument charmant à ce propos, alors si vous avez l'intention de lui créer des ennuis, sachez que vous risquez d'être accusée de complicité.

— Vous êtes incorrigible, John. Ce n'est pas parce qu'il vous amuse que nous devons laisser ses méfaits impunis.

— Ne vaut-il pas mieux accorder quelque latitude à l'épanouissement d'une conscience personnelle ? Si elle est sans doute propre à inspirer la peur, la main redoutable de l'autorité ne saurait forger le caractère. Je suis certain qu'avant l'aube, Snout sera dévoré de remords. De plus, je suis en vacances aujourd'hui. J'ai bien l'intention de savourer pleinement le fait de n'avoir aucune autorité à exercer sur quoi que ce soit.

— Vous auriez dû me prévenir. Je vous ai inscrit dans le jury du concours du plus beau bébé à deux heures, et aussi pour tenir la caisse de quatre à cinq. »

Le mari d'Agatha gémit dans son canapé au fromage mais ne refusa pas son concours. D'autres époux n'étaient que trop heureux de s'attribuer tout le mérite du travail de leurs femmes et d'accepter des honneurs en échange de leurs générosité financière, tout en brillant trop souvent par leur absence de toute action concrète de philanthropie. Agatha considérait comme l'une des plus grandes vertus de son époux qu'il lui accorde une solidarité sans faille ; ou, plus exactement, qu'il fasse exactement ce qu'elle lui disait de faire.

« Avant cela, je tiens à aller visiter la maquette de la tranchée de Daniel, et à jeter un coup d'œil à l'ambulance de Hugh, reprit John en consultant sa montre de gousset. M'accompagnerez-vous ?

— À vrai dire, je devrais faire l'inspection des stands puis vérifier le programme d'animations.

— N'avez-vous pas envie de voir vos neveux assiégés par des jeunes femmes en adoration, prises d'une passion irrésistible pour les pelles de tranchée et les attelles ? demanda John en avalant la dernière bouchée de son canapé. Je suis certain que nos deux garçons ne doivent plus savoir où donner de la tête.

— Fort bien. Mais si tout l'après-midi va à vau-l'eau, ce sera votre faute parce que vous m'aurez distraite. »

Ayant grignoté le centre un peu moins rassis de son canapé et bu sa citronnade, Agatha accompagna John jusqu'au bout du terrain, où la pelouse municipale avait été retournée et où l'odeur sombre de la terre meuble les attira vers les tranchées modèles. On ne pouvait marcher qu'à un de front sur les caillebotis fraîchement taillés et Agatha dut se contenter de voir rougir son neveu au-dessus des têtes de trois jeunes vendeuses de drapeaux volubiles, qui le suivaient en gloussant tandis qu'il cherchait à leur expliquer l'avancement des travaux de sa tranchée.

« Et vous voyez qu'en disposant chaque sac de sable perpendiculairement, comme le dessin des briques flamandes, nous obtenons un mur plus solide », disait Daniel en tapotant le tas de sacs de deux mètres cinquante de haut qui plongeait la tranchée dans une agréable fraîcheur et assourdissait les bruits de la kermesse.

À son tour, Agatha admira l'abri douillet, avec sa couchette et sa table pliantes, une lampe à huile et une étagère en osier contenant trois volumes de poésie. Deux ou trois poèmes avaient été punaisés sur les murs, où ils voltigeaient comme des papillons de nuit. On pouvait fermer le seuil de l'abri grâce à une couverture suspendue, retenue pour le moment par une longue embrasse de paille tressée, tandis qu'au milieu d'une petite fenêtre ménagée au milieu des sacs de sable et encadrée par des branches d'aune taillées au couteau était posé un vase de céramique contenant une poignée d'épis de blé et de coquelicots. Plus avant dans la tranchée, une alcôve abritait un banc rustique en osier tressé, sur lequel un autre officier du régiment d'artillerie légère était assis, fumant une grosse pipe et peignant sur un bloc de papier pour aquarelles qu'il tenait à la main.

« On dirait un adorable petit cottage, tu ne trouves pas ? dit l'une des filles.

— Un cottage pour deux», approuva l'autre, et elles gloussèrent de plus belle en poursuivant leur visite.

«Je me demande ce que nous avions en tête quand nous avons demandé à ces filles de vendre des drapeaux comme des marchandes ambulantes, observa Agatha. J'ai l'impression que nous avons créé des monstres d'effronterie.

— Fort bien bâties, sous-lieutenant, dit John à Daniel.

— Les tranchées ou les filles, mon oncle? demanda Daniel.

— Daniel! s'écria Agatha.

— Tante Agatha, puis-je vous présenter mon ami Worthington? C'est un peintre du Norfolk. Une de ses toiles a été reçue à l'Académie l'année dernière.

— Tout à fait charmant, observa Agatha en regardant la marine peinte rapidement mais avec assurance sur l'épais papier.

— L'aquarelle n'est pas vraiment ma spécialité, madame, reconnut l'officier en se levant de son banc et en esquissant un salut maladroit, les deux mains encombrées par ses outils. Mais nous voulions créer une atmosphère un peu artiste, vous savez, et la peinture à l'huile empeste affreusement dans un espace exigu.

— L'effet est excellent, approuva Agatha. Arriverez-vous à garder tout cela propre lors des combats?

— Nous avons fabriqué un petit balai en paille locale, répondit Daniel. Mais j'imagine que le sol va devenir extrêmement boueux si nous nous retrouvons à douze ici.

— Dormirez-vous à tour de rôle?

— L'abri est destiné à l'officier responsable et éventuellement aux transmissions, expliqua Worthington. Le reste des hommes ne dormira pas avant d'être renvoyé derrière les lignes.

— Voilà pourquoi il nous faut de la poésie, des chansons et quelques croûtes sur nos murs d'argile, reprit Daniel. Histoire de se remonter le moral.

— Le vase est peut-être superflu, jugea Agatha. Je ne suis pas certaine que les arrangements floraux entretiennent l'esprit martial.

— Vous avez raison, acquiesça Daniel. Nous avons cédé à l'esprit d'émulation et cherché à épater les gars du colonel Wheaton. Leur tranchée n'est pas plus grande qu'un fossé.

— En revanche, ils ont de la bière, ajouta Worthington. C'est tout à fait contraire au règlement, mais ils attirent plus de visiteurs que nous. »

Agatha prenait lentement conscience d'une sorte de bourdonnement mécanique qui s'amplifiait au-dessus des voix excitées qui résonnaient au-dehors.

« Grands dieux, qu'est-ce que ce vacarme ? demanda-t-elle.

— Une énorme surprise pour vous, très chère Tante Agatha, répondit Daniel en lui plantant un baiser chaleureux sur la joue. Une énorme surprise pour votre kermesse, dont vous retirerez tout le crédit.

— On dirait une locomotive cassée, observa Agatha. Qu'est-ce que tu as bien pu fabriquer, Daniel ?

— Venez voir », dit celui-ci en la prenant par la main.

Tout en se demandant avec inquiétude ce qu'il pouvait bien mijoter, Agatha éprouva un élan de bonheur absurde alors qu'il l'entraînait. Depuis qu'il n'était plus un petit garçon, Daniel s'était toujours dérobé aux étreintes et aux manifestations d'affection et pour elle, sentir sa main dans la sienne était déjà une délicieuse surprise.

Ils quittèrent la tranchée et, suivant le mouvement de la foule, gravirent la digue pour rejoindre le sentier qui passait entre les prés salés et la rivière. Hugh et deux de ses hommes agitèrent la main tandis qu'ils se frayaient un passage à travers la cohue pour les rejoindre. Le toussotement et le bourdonnement de multiples moteurs en provenance de l'ouest se firent encore plus bruyants, et soudain, une colonne de quatre biplans, aux câbles tendus entre les ailes comme sur des cerfs-volants cellulaires, avec un moteur bulbeux à l'avant évoquant une tête de mouche, apparut aux regards, les appareils volant l'un derrière l'autre dans leur direction à travers les marais.

« Comment est-ce possible ? s'étonna Agatha.

— C'est Craigmore et sa section, dit Daniel en l'embrassant encore sur la joue. Ils partent pour Folkestone, et je lui ai demandé de venir passer en rase-mottes au-dessus de ta kermesse.

— Je n'arrive pas à y croire. Ils sont superbes !

— Que vont-ils faire à Folkestone ? demanda Hugh en mettant sa main en visière, tandis que les petits avions s'approchaient de la foule et que chaque pilote piquait du nez avant de se redresser, dispersant des troupeaux de moutons à travers champs.

— Ils s'apprêtent à embarquer pour la France, et Craigmore m'a écrit pour me dire qu'il n'était pas question qu'il parte sans me dire au revoir, expliqua Daniel. Il prend le train pour nous rejoindre dès qu'ils se seront posés.

— Quelle surprise ! dit Hugh. Je suis ravi pour toi.

— Bettina Fothergill va être verte d'envie, exulta Agatha. Saluons-les. »

John Kent observait la scène avec attention, les yeux plissés, tandis qu'Agatha se joignait à Daniel, Hugh et au reste de la foule pour applaudir et crier aussi fort que les enfants qui se trouvaient parmi eux. Ils agitèrent mouchoirs, éventails et chapeaux et se courbèrent en avant, le souffle court, quand les avions passèrent juste au-dessus de leurs têtes. La fanfare entonna une marche allègre lorsqu'ils s'élevèrent bien plus haut que le clocher de l'église avant de virer et de redescendre, plongeant vers la rivière comme un troupeau d'oies. Ils remontèrent ensuite, repassant au-dessus de la foule. Après que les avions eurent ainsi viré plusieurs fois dans le ciel, la fanfare enchaîna sa quinzième interprétation de « Land of Hope and Glory », tandis que les appareils s'éloignaient à travers les prés salés. Le dernier pilote s'écarta de la ligne qui disparaissait pour exécuter son propre finale, un long et lent passage, parallèle à la rivière et à la kermesse. L'appareil volait si bas et si près qu'ils purent voir le pilote repousser son casque et ses lunettes pour agiter frénétiquement la main. C'était le jeune Craigmore avec sa crinière dorée, arborant un grand sourire. Agatha distinguait son visage sculpté aussi nettement que s'il se tenait sur l'autre berge.

« Craigmore ! hurla Daniel. Je suis là, je suis là ! »

Craigmore agita encore la main et leur fit un bref salut, mais Agatha doutait qu'il ait pu les reconnaître, avec tout le vent qui lui soufflait au visage.

« Trois fois hourra pour le Royal Flying Corps », cria John et la foule obtempéra de toute la force de ses poumons, tandis que l'avion de Craigmore prenait de la vitesse pour rejoindre son groupe. Daniel le suivit des yeux jusqu'à ce que la dernière trace de fumée se soit dissipée dans le ciel bleu, et ils attendirent avec lui, laissant la foule s'éloigner vers d'autres attractions.

« Comment es-tu arrivé à garder le secret ? » demanda Agatha quand Daniel cessa enfin de regarder le ciel et se retourna. Elle profita de son bonheur manifeste pour l'embrasser sur les deux joues et lui serrer la main une fois de plus.

« C'était magnifique, mon chéri.

— Le jeune Craigmore part déjà pour le front ? s'étonna John. Je suis navré de l'apprendre.

— Apparemment, c'est lui qui l'a demandé, répondit Daniel, une ombre de mélancolie passant sur ses traits. J'aurais bien essayé de le convaincre d'y renoncer, mais il a tenu à me voir avant de partir, et je n'ai pas voulu mettre en péril nos fragiles retrouvailles en l'exhortant à rester. Pour le moment, c'est son père qui l'a emporté, et je ne peux que m'incliner.

— Nous sommes fiers de toi, ta tante et moi, dit John en posant la main sur son épaule. Tu mûris mon garçon, et ça se voit.

— Le compagnon de jeunesse perdu sera peut-être l'ami raisonnable du grand âge. Enfin, c'est ce que j'espère. Je pourrais écrire un poème à ce sujet.

— Mon Dieu, ça ressemble plus à une devise brodée au point de croix qu'à un poème, remarqua Hugh.

— *Dixit* le vieillard rassis de ma jeunesse, ironisa Daniel. L'homme à la face revêche et à l'antique sagesse.

— Bien, quant à moi, je suis prête pour un tour de manège, annonça Agatha. Débrouillons-nous pour croiser Bettina au passage afin qu'elle ait l'occasion de me féliciter pour le triomphe intégral de cette journée. »

21.

À sept heures tapantes, quand Hugh frappa à la porte du cottage de Mme Turber, il constata qu'il était plus nerveux qu'il ne l'aurait cru. L'idée d'accompagner une voisine au bal n'aurait pas dû lui inspirer la moindre inquiétude, mais son cousin Daniel, qui se trouvait avec lui, était d'une bonne humeur si exubérante qu'il n'avait pas pu s'empêcher de taquiner Hugh pendant toute la descente vers la ville, puis toute la montée jusqu'à la maison de Mme Turber.

« Tu aurais tout de même dû te procurer un cab, tu ne crois pas ? chuchota-t-il à l'oreille de Hugh. Obliger une dame à marcher, quel coupable manque de galanterie !

— L'auberge où se tient le bal est à cent mètres, observa Hugh. Toutes les voitures seront encore prises dans les encombrements alors que nous dînerons déjà.

— Tu risques de paraître radin, c'est tout ce que je dis.

— Fais attention à toi si tu ne te tiens pas comme il faut. Je rends service, c'est tout. Cette pauvre Mlle Nash a été privée de toutes les animations de l'après-midi, et il me semble que le moins que nous puissions faire est de lui proposer notre bras pour aller à la fête.

— Les vieilles filles ne sont pas censées s'amuser. J'avais cru comprendre qu'elles vivaient pour être utiles à leur prochain. »

La porte s'ouvrit et Abigail, la servante, leur adressa un sourire presque familier.

« Savez-vous qu'on entend tout ce que vous dites par la fenêtre ? demanda-t-elle.

— Un jour, je mourrai de honte par ta faute, Daniel », dit Hugh en se précipitant à l'intérieur du cottage sur les talons de son cousin.

Beatrice se trouvait près de la cheminée du salon, vêtue d'une robe de soie blanche. Hugh supposa que c'était celle qu'elle avait portée pour la parade, mais certains drapés grecs en avaient probablement été retirés, révélant la courbe d'une profonde encolure et une taille ajustée. Dans ses cheveux remontés, elle avait planté un unique dahlia d'une nuance rose foncé, et un camée ancien monté en pendentif était accroché à un ruban de velours cramoisi autour de son cou. Elle ne portait pas d'autre bijoux et malgré l'expression de feinte sévérité qu'elle s'efforçait de prendre, Hugh la trouva ravissante.

« Vous êtes superbe, mademoiselle Nash, s'écria Daniel. La grande prêtresse du temple.

— C'est un synonyme de vieille fille, sans doute ? demanda Beatrice en enfilant de longs gants.

— Beatrice, je vous prie d'excuser mon cousin, intervint Hugh. Il a insisté pour m'accompagner alors que visiblement, il n'a pas toute sa tête. »

Hugh aurait aimé ajouter un compliment personnel, mais craignait que son cousin ne tourne ses efforts en dérision.

« Je n'ai plus toute ma raison, je l'avoue, mademoiselle Nash, expliqua Daniel. Mon cher ami Craigmore s'apprête à me rejoindre, et nous danserons tous jusqu'à l'aube.

— J'en suis heureuse pour vous. J'espère que les jeunes dames de Rye auront enfilé les plus solides de leurs chaussures de bal.

— Comment va Céleste ? demanda Hugh.

— Elle a mangé un œuf et bu plusieurs tasses de thé tiède. Elle est encore un peu fiévreuse mais se repose au calme. Abigail restera à son chevet.

— Dans ce cas, allons rejoindre notre joyeuse mascarade, suggéra Daniel. Je suis aussi gris que si le champagne coulait déjà à flots. »

Hugh ouvrit la minuscule porte d'entrée et tendit la main à Beatrice pour la conduire dans la rue tandis que Daniel leur emboîtait le pas. La courbure de la nuque de la jeune fille, le parfum de la fleur qui ornait ses cheveux et l'image de sa silhouette élancée lorsqu'elle se glissa devant lui l'électrisèrent. Sa coiffure semblait faite pour qu'on en retire les épingles et dans le dos de sa robe, étroitement lacée de rubans, un unique nœud lui donna soudain l'envie vertigineuse de le défaire. Il inspira profondément l'air du soir et se rappela qu'il était fiancé à une autre et qu'aller au-delà des limites de son amitié avec Beatrice risquait de rendre la vie à Rye très compliquée. Il lui offrit son bras avec une légère inclinaison du buste.

« Mademoiselle Nash ?

— Monsieur Grange. »

Elle lui prit le bras et tandis qu'ils se dirigeaient vers l'auberge, la pression de sa main sur sa manche le fit rougir si violemment qu'il n'osa plus la regarder.

L'auberge était tout illuminée et fleurie de rangées de dahlias et de chrysanthèmes à l'odeur poivrée. Beatrice, qui n'avait pas vu pareille fête depuis son retour en Angleterre, avait oublié le plaisir que pouvait inspirer la simple anticipation du divertissement. L'orchestre jouait sur la petite estrade de la salle de bal, et trois salons supplémentaires avaient été ouverts pour accueillir le dîner et les spectateurs. Les salles résonnaient déjà de rires bruyants. Dans l'entrée, Alice Finch les invita à s'approcher d'une tonnelle fleurie où elle les installa tous les trois autour d'un tronc moussu drapé d'un châle de velours, et les photographia dans un éclair de son flash tenu à bout de bras.

Les lustres de la salle de bal avaient été récemment électrifiés.

« Mon Dieu, la lumière est si vive que toutes les femmes risquent de paraître leur âge, remarqua Daniel.

— Vous êtes épouvantable, protesta Beatrice.

— Soyez prudente, dit-il. Les écolières n'ont pas le droit de sortir à une heure aussi tardive. »

Elle rit et lui frappa le bras avec son carnet de bal.

« Puis-je réserver une de vos danses ? » demanda Hugh d'un air si sérieux que Beatrice s'apprêtait à lui répondre par une boutade.

Mais elle se rendit compte qu'elle avait très envie de danser ; elle lui tendit donc le petit carnet avec son crayon d'argent.

« Oh, accordez-m'en aussi quelques-unes, implora Daniel. Ce sera franchement mieux que je ne sais quelle jeune fille en quête d'un mari et flanquée d'une mère insistante.

— Daniel ! s'exclama Hugh.

— Mlle Nash sait très bien que je la taquine comme une sœur. Inutile de prendre cet air belliqueux, Hugh. »

Hugh se rendit compte qu'il fronçait les sourcils tout en se demandant s'il préférait noter son nom en face de la valse ou plutôt de la prochaine mazurka, une danse moins intime.

« Je peux vous accorder une des danses paysannes, M. Bookham, dit alors Beatrice sans se départir de son calme. Mais je veillerai à vous faire trébucher, méfiez-vous. »

La vivacité avec laquelle elle avait mouché son cousin fit éclater Hugh de rire ; il décida alors de ne pas être en reste d'audace et de réserver la valse.

Agatha valsait avec son mari, et bien qu'elle eût mal aux pieds après cette longue journée, elle reposait à l'abri de ses bras et se laissait aller à profiter du bal en toute sérénité. La kermesse avait été un succès, les fonds collectés dépassaient toutes leurs espérances, et même le petit fiasco des Allemands de Bettina semblait ne pas avoir causé de tort durable.

« Êtes-vous heureuse, ma chère ? demanda John en lui faisant contourner avec assurance deux couples fort encombrants qui occupaient un angle. Vous avez l'air un peu soucieuse pour quelqu'un qui devrait savourer un triomphe sans nuage.

— Je suis très heureuse, répondit-elle en lui adressant le sourire qu'il attendait. Je danse avec vous, nos deux neveux sont à nos côtés et je ne penserai plus ni aux comités ni à la guerre jusqu'à la fin de la soirée.

— J'ai l'impression que Hugh prend grand plaisir à danser avec Mlle Nash », observa John.

Agatha, qui s'efforçait de maintenir son regard sur un point fixe pour ne pas avoir le vertige à force de tournoyer, risqua un coup d'œil à Hugh et perdit l'équilibre.

« C'est pure provocation de votre part, répondit-elle en esquissant un petit saut et un pas chassé pour retrouver son aplomb. Vous savez qu'il est pour ainsi dire fiancé à Lucy Ramsey.

— Toujours est-il que cette jeune personne n'est pas ici et qu'il ne semble pas s'en languir, observa son mari. J'ajouterai que Mlle Nash est une jeune femme d'une remarquable intelligence.

— En aggravant son impécuniosité par son intelligence, elle se rend immariable. J'adore Beatrice, mais elle ne favoriserait pas la carrière de Hugh et il est trop raisonnable pour repousser un cabinet de chirurgien au profit d'une enseignante sans le sou.

— Mes parents me conseillaient de me marier pour l'argent, fit-il remarquer. J'ai préféré l'amour d'une femme solide.

— Et voyez tous les ennuis que je vous ai causés. »

Beatrice avait du mal à se concentrer sur les pas en sentant la main de Hugh posée sur sa taille. Le jeune homme restait silencieux, bien qu'il semblât désireux par moments de parler ; une multitude d'expressions se succédaient sur son visage. Quand la danse prit fin, il la conduisit vers une chaise libre à la table de sa tante et proposa de lui chercher de la citronnade.

« Je serais ravie de boire un verre de citronnade, accepta-t-elle aimablement. Mais j'espère que nous sommes suffisamment amis pour que vous ne vous sentiez pas obligé de me tenir compagnie alors que vous devriez vous mêler aux autres.

— Je m'efforcerai de ne pas y voir une manière polie de me congédier. Je reviens dans un instant avec une citronnade. »

Beatrice observait avec plaisir le tourbillon de la piste de danse bondée et admirait l'apparence insolite des habitants dans leurs plus beaux atours, quand elle surprit plusieurs dames qui échangeaient des propos à voix basse, à l'abri d'une grande fougère.

« Je ne dis pas que c'est vrai, murmura la voix de Mme Turber. Tout de même, avez-vous vu comment elle s'est évanouie ? Il y a quelque chose de louche, croyez-moi.

— Ce n'est pas du tout normal, renchérit une autre, mais ces jeunes filles sont tellement émotives, n'est-ce pas ? »

Beatrice ne voulut pas en entendre davantage. Les joues en feu, elle se leva sans mot dire et se dirigea d'un pas rapide vers le salon où Hugh avait disparu. Il y avait surtout des messieurs, rassemblés devant le grand bar ou occupés à chercher des verres à apporter dans d'autres salles. Beatrice s'apprêtait à faire demi-tour et à s'éloigner quand elle entendit une autre voix familière, celle de M. Poot, qui disait :

« Tout cela est strictement confidentiel, bien sûr, mais permettez-moi de vous dire que vos cheveux se dresseraient sur votre tête si vous saviez ce que certaines de ces jeunes filles ont subi.

— Si c'était ma sœur ou ma fille, je préférerais la voir morte, commenta un autre.

— Certaines supplient qu'on les laisse mourir, reprit Poot. Je ne peux qu'essayer de leur faire comprendre que telle est la nature de la guerre et qu'elles doivent endurer leur sort courageusement. »

Il s'éloigna et Beatrice regagna sans trop savoir comment la piste de danse. En parcourant la salle du regard, il lui sembla voir partout des gens qui chuchotaient, têtes inclinées les unes vers les autres, yeux fureteurs.

« Souriez, lui dit Eleanor Wheaton, surgissant à son côté. Ça les rend fous que vous ayez l'air heureuse.

— Qui ?

— Tous ces cancaniers. Regardez-les. Ils passent leur temps à médire. »

Tout en parlant, elle fronça les sourcils et saisit le petit médaillon d'or constellé de diamants suspendu autour de son cou.

« Parlent-ils de vous ? demanda Beatrice.

— Cela arrive, oui, la baronne allemande, répondit Eleanor. Et puis ils jasent évidemment à propos d'Amberleigh de Witte...

— Je n'ai pas vu Amberleigh ni M. Frith, remarqua Beatrice.

— C'est parce qu'on a refusé de leur vendre des billets. Trop peu recommandables pour la bonne société de Rye.

— Ce n'est qu'un bal de charité, s'étonna Beatrice.

— Et puis, voyons... ils aiment bien aussi colporter des ragots sur Alice Finch, parce qu'elle vient de Londres et qu'elle leur ressemble si peu. Ils cancanent, ce qui ne les empêche pas d'accepter les photographies qu'elle leur offre. »

Eleanor agita aimablement la main en direction de plusieurs personnes de la salle et parut se réjouir de voir d'autres groupes se retourner pour la dévisager.

« C'est affreux.

— Ils pourraient médire tout à loisir sur mon frère, qui mérite plus de critiques qu'il n'en attire ; mais comme c'est un séduisant jeune homme, il est largement à l'abri de leur censure.

— Et qu'entendez-vous dire d'autre ?

— Ce que je voudrais vous faire comprendre, ma chère, c'est qu'il vaut mieux ne pas le savoir. Les ragots ne sont destructeurs pour l'esprit que si on les écoute. Faites comme moi, laissez glisser tout cela comme l'eau sur les plumes d'un canard.

— Qu'avez-vous entendu, Eleanor ? insista Beatrice.

— Oh, mon Dieu, quelques chuchotements peut-être, à propos du léger malaise de Céleste, répondit-elle à contrecœur. Et certaines rumeurs, qui prétendent que vous auriez mis le grappin sur les neveux d'Agatha Kent, ainsi que sur celui de Bettina Fothergill.

— M. Poot ? Ils ont perdu la tête ?

— C'est ce que je vous disais. Complètement fous. Peut-être d'ennui, à force de vivre ici. Mieux vaut ne pas en tenir compte. Oh, voici Hugh avec le champagne. »

Hugh arriva, portant deux verres de citronnade.

« Mesdames, vos citronnades, comme me l'a demandé Eleanor », annonça-t-il.

Beatrice en but une grande gorgée et découvrit que son verre contenait effectivement du champagne.

« J'ai intercepté Hugh, expliqua Eleanor. Aucun homme raisonnable ne peut demander à une dame de boire cette infecte citronnade poisseuse.

— Vous exercez une mauvaise influence sur moi, Eleanor, observa-t-il.

— Et vous, mon cher Hugh, vous avez grand besoin d'un peu de mauvaise influence, répliqua-t-elle. J'espère que Mlle Nash y pourvoira. »

Sur ces mots, elle leur fit un signe de la main et s'éloigna gracieusement, se glissant au milieu de la foule, sirotant son champagne et déposant des baisers sur des joues au passage, les têtes babillardes s'inclinant comme des roseaux dans son sillage.

« Elle vit dans son monde, remarqua Hugh. Mais c'est une chic fille.

— Nous parlions de ragots.

— Ne parlons pas. Buvons. Me feriez-vous ensuite l'honneur de m'accorder l'intégralité de la prochaine série ? »

Peut-être était-ce l'effet du champagne, mais Beatrice se sentit rougir comme une débutante alors qu'elle cherchait son carnet de bal. Hugh venait de saisir le petit crayon d'argent quand une voix les héla du fond de la salle. Beatrice aperçut une main gantée qui agitait un carnet de bal et un éventail en plumes d'autruche blanches.

« Bonsoir, Hugh, surprise, surprise ! » lança la propriétaire de l'éventail.

Une jeune fille qui ne devait pas avoir plus de dix-neuf ans, vêtue d'une robe de bal bleu turquoise et de souliers argentés, souriait à Hugh, ne doutant visiblement pas un instant que son arrivée inattendue serait bien accueillie.

« J'ai eu envie de vous surprendre.

— Mademoiselle Nash, murmura Hugh, visiblement troublé. Puis-je vous présenter Mlle Lucy Ramsey, la fille de Sir Alex Ramsey, mon patron ?

— Enchantée, répondit Beatrice, mais la jeune fille était trop occupée à s'accrocher au bras de Hugh et à lever des yeux adorateurs vers son visage pour réagir.

— Oh Hugh, n'est-ce pas la plus délicieuse des surprises ? demanda-t-elle. Je n'avais pas idée que la maison de campagne des Hartley était aussi proche de Rye. Nous sommes à Bexhill et j'ai passé la journée avec mon amie Jemima Hartley à vendre des cocardes ; et figurez-vous que nous avons été obligées de remettre des plumes blanches à pas moins de trois insolents qui avaient l'audace de nous faire des avances alors qu'ils n'étaient pas en uniforme.

— Grands dieux, s'exclama Hugh, scrutant son éventail comme s'il y cherchait des trous. J'espère que vous n'avez pas l'intention de vous mettre à en distribuer ici.

— Ne craignez rien, celles-ci sont des plumes d'autruche et sont beaucoup trop précieuses. Quoi qu'il en soit, dès que mes yeux se sont posés sur le prospectus annonçant vos festivités, j'ai exigé que nous venions vous voir ce soir.

— Je suis désarçonné, murmura Hugh. Et ravi, bien sûr. Il faut que je vous présente à mon oncle et à ma tante.

— Je regrette seulement que nous ne soyons pas arrivées plus tôt, reprit Lucy. J'espère que vous n'avez pas pris d'engagements auprès de toutes les villageoises ?

— Je crois pouvoir vous assurer que M. Grange est libre de toute obligation, intervint Beatrice en se forçant à sourire aussi largement que possible tout en réprimant un pincement de désappointement. Je vous souhaite une excellente soirée à tous les deux. »

Alors qu'elle s'éloignait, elle entendit Lucy Ramsey minauder :

« Oh, Hugh, vous n'avez pas voulu danser en mon absence ? Comme c'est romantique ! »

Se refusant à céder à un chagrin qu'elle n'avait aucun droit d'éprouver, Beatrice biffa le nom de Hugh de son carnet de bal et fit l'effort d'accepter d'autres partenaires avec le sourire. Mais quand M. Dimbly l'entraîna dans un quadrille, elle se surprit à parcourir la salle du regard à la recherche du visage de Hugh et lorsque M. Kent l'invita pour une polka, elle passa toute la danse à lui soutirer des anecdotes sur l'enfance de Hugh et Daniel, ne retenant que celles qui concernaient Hugh. Elle avait du mal à entretenir la conversation tout en se retournant constamment pour regarder Hugh et Lucy tourbillonner dans une succession de danses paysannes. La jeune fille était jolie et séductrice, et son rire gazouillant réussissait à se faire entendre, malgré la musique de l'orchestre et le bruit de fond des conversations. En l'observant, Beatrice estima qu'elle n'était pas d'une intelligence supérieure, mais une petite voix maussade lui rappela que même des hommes aussi instruits que Hugh semblaient préférer ce genre de femmes.

Elle était si bien plongée dans ses pensées que lorsque M. Poot surgit à son côté pour revendiquer sa compagnie pour un quadrille écossais, elle fut incapable de trouver une excuse valable, ce qui l'obligea à traverser la salle au galop dans les deux sens, ses deux mains serrées dans les paumes moites du clerc.

« Quel excellent exercice que la danse, n'est-ce pas ? s'enthousiasma-t-il. Sans aller jusqu'à approuver les excès du tango, je trouve que c'est un fort agréable prétexte pour que les hommes et les femmes se tiennent par la main tout en se livrant à une activité vigoureuse.

— Vous présentez cela sous un angle déjà bien assez excessif. Par bonheur, nous portons tous des gants.

— Votre sens de l'humour est acéré comme une flèche, mademoiselle Nash, remarqua M. Poot alors qu'ils faisaient une arche pour laisser passer le défilé des autres danseurs hilares. Vous me voyez littéralement percé au cœur.

— Peut-être dans ce cas feriez-vous mieux de vous asseoir, monsieur Poot, dit-elle alors qu'ils se séparaient pour contourner le groupe par les deux côtés.

— Excellente idée, échappons-nous un instant », approuva-t-il lorsque leurs mains se rejoignirent, et il l'entraîna promptement derrière un palmier en pot et une épaisse tenture qui masquait un petit balcon. Le fait que ce balcon donnât sur une cour d'écurie plutôt malodorante et que Beatrice s'empressât de retirer sa main pour battre en retraite vers la salle de bal ne sembla pas constituer un obstacle aux yeux de M. Poot. « Permettez-moi de vous prier de m'accorder quelques instants de conversation, continua-t-il. Ne voulez-vous pas vous asseoir ? »

Il désigna une petite chaise de fer forgé disposée dans l'embrasure de la fenêtre et elle l'examina avec méfiance.

« Merci, monsieur Poot. Mais un instant seulement. J'ai promis la prochaine valse à M. Kent.

— Je crois que les musiciens nous régalent d'un intermède de violon, observa M. Poot en écartant légèrement le rideau. Nous ne serons donc pas interrompus.

— Un peu de citronnade, peut-être, suggéra-t-elle, espérant le convaincre de s'éloigner pour pouvoir s'esquiver discrètement.

— Je vous apporterai volontiers un verre de citronnade, ou tout ce que votre cœur désire. Mais auparavant, accordez-moi un seul instant pour exprimer ce que je ne puis dissimuler plus longtemps. »

Sur ces mots, il mit un genou à terre et posa la main sur son cœur.

« Pour l'amour du ciel, non, monsieur Poot ! s'écria-t-elle d'une voix qui avait tout du glapissement horrifié. Je vous en prie.

— C'est moi qui vous en prie, mademoiselle Nash. Je m'étais préparé à vous présenter les arguments les plus raisonnables susceptibles de plaider en faveur de l'union de deux êtres à leur avantage mutuel; mais face à votre beauté d'aujourd'hui, d'abord en majestueuse Angleterre puis, ce soir, si gracieuse dans cette salle de bal, me voici littéralement emporté par l'émotion.

— C'est impossible, monsieur Poot», protesta-t-elle en tentant de se lever et de s'éclipser courtoisement. Mais il prit sa main entre les deux siennes et elle se rassit brutalement. «Je ne souhaite pas de déclaration, ajouta-t-elle.

— Je comprends votre surprise, sachant que vous avez renoncé depuis longtemps à tout rêve d'union matrimoniale pour la solitude du célibat. Mais vous avez retenu mon attention et conquis mon cœur, mademoiselle Nash. Je vous demande de devenir mon épouse afin d'unir nos fortunes en ce monde.»

Ayant repris son calme, elle ne put s'empêcher de demander d'une voix acerbe :

«De quelle fortune parlez-vous au juste?

— Votre héritage, dont j'ignore cependant l'étendue exacte, ne représentera qu'un agréable complément à notre bourse. Mon indépendance de gentleman me permettra de poursuivre une carrière juridique et de vous assurer ainsi la vie confortable et, oserais-je dire, la position sociale enviable d'épouse de notaire.» Contemplant le plafond, il ajouta : «Et peut-être, avec le temps, celle d'épouse de juge; ou même de maire, comme ma tante?

— Être exactement comme votre tante! s'écria Beatrice. Voilà qui est tentant, c'est indéniable.

— Vous vous moquez gentiment, je le sais. Mais songez simplement qu'en m'épousant, vous vous affranchirez de votre curatelle.

— C'est vous qui prendriez alors le contrôle de mes biens.

— Ne vous ai-je pas déjà prouvé que je suis votre ami et votre protecteur ? N'ai-je pas accordé mon approbation à la robe que vous portez ce soir même, en vous versant deux livres de ma propre bourse ?

— Vous m'avez fait une avance sur vos fonds personnels ? » s'écria-t-elle horrifiée.

Il esquissa un geste d'indifférence.

« Je ne considère pas cela comme une dette, répondit-il. Bien que j'attende encore que vos curateurs me remboursent, je n'avais pas l'intention que vous soyez informée de ce petit arrangement, je vous assure. Cela a été un plaisir pour moi de porter cette obligation tout contre mon cœur. »

Pendant un instant, ils restèrent l'un et l'autre interdits face à l'extravagance de son comportement. Beatrice sentait la colère l'envahir avec une violence de sentiment qu'elle n'avait pas éprouvée depuis l'affreux moment de la mort de son père. Elle savait qu'une aussi vive émotion risquait de lui arracher des larmes, et était fermement décidée à ne pas accorder cette satisfaction à M. Poot. Elle arracha sa main à la sienne et se leva, sans prendre garde à leur proximité, contraignant ainsi M. Poot, toujours agenouillé, à reculer précipitamment pour éviter d'avoir le visage enfoui dans ses jupes alors qu'elle le dominait de toute sa taille.

« Je décline votre proposition et vous saurais gré de ne jamais la réitérer, dit-elle, une nuance de fureur transparaissant dans son ton pincé. Je vous en prie, laissez-moi passer.

— Rien ne vous oblige à faire preuve d'une telle brutalité, protesta-t-il, se relevant péniblement, le visage enlaidi par la déception. Il me semble vous avoir fait l'offre la plus respectable que vous puissiez espérer, et vous pourriez au moins avoir la courtoisie de m'indiquer les motifs qui peuvent pousser une femme dans votre position à être aussi prompte à la refuser.

— Monsieur Poot... », commença-t-elle.

Elle s'apprêtait à lui faire vertement comprendre qu'elle ne lui devait aucune explication, mais une mazurka entraînante venait de commencer dans la salle de bal, et elle aperçut Lucy Ramsey qui sautillait et virait sous le bras levé de Hugh, son éventail en plumes d'autruche esquissant un gracieux cercle. Sa déconvenue passée et sa colère présente semblèrent se dissiper dans un profond soupir. Quelle stupidité, songea-t-elle, de gaspiller son exaspération pour ce qui était impossible ou absurde. Quand elle se retourna vers M. Poot, c'était avec un sourire résigné.

« Je vais vous donner une explication, reprit-elle, esquissant un petit dessin sur un angle de son carnet de bal avant de déchirer le morceau de papier pour le lui tendre. Je ne puis que suivre l'exemple tellement à la mode de Mlle Lucy Ramsey, la fille de Sir Alex Ramsey.

— Qu'est-ce ? demanda-t-il d'un air perplexe en regardant ce qu'elle avait griffonné.

— Je suis navrée, monsieur Poot, je suis une bien piètre artiste, répondit-elle tout en parcourant ostensiblement la salle de bal du regard à la recherche d'amis. Il s'agit de la médiocre représentation d'une plume. Soyez assuré, je vous prie, que je ne vous accuserais jamais de lâcheté, monsieur, mais si j'ai bien compris, une plume blanche est la seule réponse adaptée à tout prétendant qui ne porte pas l'uniforme. Maintenant, si vous voulez bien m'excuser, j'aperçois Mlle Devon qui me fait signe. »

« Quel plaisir de rester assises et de regarder les jeunes s'ébattre, n'est-ce pas ? » fit remarquer Mlle Devon quand Beatrice prit place à côté d'elle.

Les demoiselles Porter, qui avaient apporté leur tricot, opinèrent du chef.

«Je suis trop vieille pour danser, et n'irai jamais me mettre en avant alors qu'il y a tant de jeunes personnes, mais c'est un plaisir de voir les autres s'amuser et de savourer un bon petit dîner, ne trouvez-vous pas ? »

Beatrice, qui venait tout juste d'infliger et de subir un rejet sentimental, ne sut comment réagir. La vision soudaine de son avenir, assise le long du mur avec une houppette de plumes démodée sur la tête, hochant la tête au rythme de la musique pendant que les autres dansaient, la fit blêmir. Elle avait longtemps prétendu ne pas avoir de goût pour le mariage, mais peut-être n'avait-elle pas pris la juste mesure de toutes les conséquences d'une vie de célibataire.

Quand une nouvelle valse fut annoncée et que Lucy, la fille du chirurgien, s'engagea sur la piste au bras d'un capitaine à grosse moustache, Beatrice garda les yeux rivés au sol et espéra qu'en enroulant une pelote de laine pour les demoiselles Porter, elle découragerait les importuns. Mais les chaussures de Hugh surgirent sur le parquet ciré et quand elle leva la tête, il lui sourit et lui tendit la main.

Alors qu'elle cédait au plaisir de tournoyer à travers la salle, sa robe se balançant autour d'elle telle une cloche, elle tourna son visage vers celui de Hugh et bientôt, ils unirent leurs rires tandis qu'elle lui livrait une version brève et burlesque de la déclaration de M. Poot.

« Daniel va exiger que nous le provoquions en duel, lui dit Hugh. Mais je pense pouvoir convaincre Harry Wheaton de rosser ce butor.

— Non, non, vous avez juré le secret. Je ne veux pas l'humilier. Mais je crois que je serais morte si je n'avais pas pu en parler à quelqu'un.

— Pourquoi tout le monde m'accable-t-il de secrets ? gémit Hugh. C'est faire injure à mon caractère que de me supposer digne d'une telle confiance. »

La piste avait peine à contenir la cohue de valseurs, et la foule repoussa le couple vers une colonnade plus paisible. Lorsqu'ils prirent conscience qu'ils étaient seuls à danser, il leur parut tout à fait convenable de prendre place en attendant la fin de la valse sur un petit canapé disposé dans une alcôve fleurie. Après avoir été acculée dans une embrasure de fenêtre avec M. Poot, il était vraiment plaisant, songea Beatrice, d'être tranquillement assise avec Hugh et de savourer le réconfort d'une amitié réciproque. Il ne pouvait s'agir de plus que cela, pourtant elle sentait quelque chose planer entre eux et s'efforça de garder les pieds sur terre.

« Je tiens à vous dire que j'admire votre courage, dit alors Hugh. Vous être installée seule, avoir pris un emploi et vivre des fruits de votre labeur – il faut pour cela une persévérance peu commune, surtout face à des obstacles tels que M. Poot.

— Je ne fais que le strict nécessaire pour joindre les deux bouts, répondit-elle. À part ma propre cause, je n'en sers que bien peu.

— Vous avez accepté d'héberger une jeune fille en détresse.

— Sa beauté et sa jeunesse ont beaucoup contribué à ma propre popularité, remarqua Beatrice en riant. Une dizaine de dames seraient prêtes à tuer pour me la retirer.

— Puisque décidément, vous refusez tout compliment, il ne me reste qu'à vous admirer en silence. »

Pendant qu'ils étaient assis là, le reste du monde paraissait très loin. D'où le désarroi et l'incompréhension qui s'emparèrent de Beatrice lorsqu'elle entendit quelqu'un appeler Hugh. Elle ne sut pas très bien comment Agatha se trouvait soudain à son côté, tenant sa main serrée dans la sienne. Elle n'avait pas pris conscience qu'ils avaient quitté la colonnade pour rejoindre l'entrée de l'auberge, où un jeune homme en uniforme du Royal Flying Corps parlait à Daniel, lequel se laissait tomber à genoux tandis que Hugh le rattrapait et le soutenait de ses deux bras. Quand Daniel poussa un hurlement de douleur, Beatrice émergea enfin de son état de transe.

« Cela ne fait que quelques heures que nous vous avons tous vus, remarqua John Kent. Que s'est-il passé ?

— Il y avait un vent très fort à l'atterrissage, monsieur. De terribles bourrasques venues du large. Il a heurté un arbre au passage et est parti en vrille sur le terrain.

— A-t-il souffert ? demanda John.

— Il est mort sur le coup, monsieur, répondit le jeune officier. Son appareil a explosé comme une bombe. C'est un terrible choc pour nous tous. »

Il s'essuya les yeux et John fit signe à un employé de l'auberge d'apporter du brandy.

Daniel tanguait entre les bras de Hugh et gémissait comme une bête blessée à mort. Hugh lui parlait tout bas, mais son cousin semblait s'affaisser peu à peu comme s'il voulait s'allonger à terre et confier sa peine au tapis rugueux. Hugh échangea un regard avec son oncle et John Kent, accompagné du jeune officier, l'aida à traîner Daniel jusqu'à un banc. Lorsque le brandy arriva, ils en versèrent de force entre ses lèvres. Le jeune officier en remplit un verre, lui aussi, et s'assit silencieusement sur une chaise, sa casquette sur les genoux.

« Vous avez été très bon de prendre la peine de venir nous prévenir, remercia John. Vous préféreriez certainement être avec vos hommes.

— Il tenait absolument à vous rejoindre ce soir. Il voulait voir son ami avant que nous filions demain.

— Partez-vous tout de même ? demanda John.

— Oui, monsieur. Au petit jour. » Il se tourna vers Daniel qui avait toujours la tête enfouie entre ses genoux. « En fait, je vais devoir vous quitter, monsieur. Je ne voudrais pas manquer le dernier train.

— Bien sûr. »

Regardant autour de lui, John fit signe à Harry Wheaton, debout avec Eleanor sur le seuil de la salle de bal. Les hochements de tête de la foule tout autour d'eux donnèrent la nausée à Beatrice.

« Dites-moi, Wheaton, auriez-vous la gentillesse de raccompagner le camarade de Craigmore au train ?

— Oui, monsieur, acquiesça Wheaton, et il n'y avait pas trace sur son visage de son habituel sourire ironique. J'en serai très honoré.

— Notre voiture est dehors, intervint Eleanor en s'avançant. Souhaitez-vous reconduire Daniel chez vous, monsieur Kent ? »

John Kent accepta et regarda autour de lui, cherchant sa femme. Beatrice se rendit soudain compte qu'Agatha se cramponnait toujours à sa main. Un employé de l'auberge arriva avec le châle d'Agatha et Eleanor vint l'aider à s'asseoir dans la voiture. John et Hugh leur emboîtèrent le pas, Daniel, désormais silencieux, trébuchant entre eux.

Alors qu'elle les suivait jusqu'à la porte de l'auberge, Beatrice sentit une présence à côté d'elle. C'était la fille du chirurgien.

« Voilà qui nous rappelle combien la vie est fragile par les temps qui courent, soupira Lucy Ramsey. Connaissiez-vous ce jeune homme ?

— Oui. C'était le fils de Lord North, un excellent ami du cousin de Hugh.

— Chaque jour est infiniment précieux, n'est-ce pas ? reprit Lucy. Pauvre Hugh. Je comprends à présent que j'ai eu tort de le faire attendre.

— Pardon ?

— Je souhaitais garder le secret sur le lien qui nous unit, mais il me semble à présent que je dois l'autoriser à publier l'annonce de nos fiançailles sans tarder. » Elle glissa une mèche de cheveux blonds derrière son oreille et esquissa un sourire pincé. « Quelle puérilité de ma part de ne songer qu'aux formes et à la cérémonie du mariage, sans considérer la valeur d'une telle union pour un homme qui s'apprête à partir au front, ajouta-t-elle. Nous devons accomplir notre devoir, nous aussi, les femmes. »

Regardant autour d'elle, elle fit signe à une silhouette invisible dans la salle de bal.

«Je vous souhaite d'être très heureux», murmura Beatrice.

Elle avait pourtant un goût de cendres dans la bouche et dut faire un immense effort pour empêcher sa voix de trembler. Elle chercha à imputer son émotion à la mort de Craigmore, mais la souffrance qui irradiait en elle était d'une nature plus personnelle.

« Nous n'avons jamais douté que nous le serions », répondit Lucy. Elle regarda Beatrice bien en face, et il n'y avait qu'acier dans ses yeux bleus. «J'ai été ravie de faire votre connaissance », ajouta-t-elle en s'éloignant.

L'orchestre jouait toujours avec entrain dans la salle de bal surchauffée ; les ombres des couples enlacés se reflétaient sur les vitres et se dessinaient sur les murs des façades d'en face, ainsi que dans les flaques qu'une pluie fine avait laissées dans les rues. Les ragots devaient couler à flots avec le vin et le champagne. Mais lorsque Beatrice quitta la chaleur de l'auberge pour s'engager dans la rue froide, la soirée n'était déjà plus qu'un rêve évanoui.

Voyant Hugh debout près de la voiture en train de parler à son oncle, elle se réfugia dans l'embrasure obscure de la porte, car elle ne savait plus comment lui parler à présent. Elle avait les yeux rivés sur lui quand elle vit une silhouette sombre le rejoindre en courant et le tirer par la manche.

« Oh, M. Grange, il faut absolument que vous veniez », s'écria une voix que Beatrice reconnut comme celle d'Abigail. Le visage étroit de la servante se tourna vers elle quand elle émergea de sa cachette. « Il faut que vous veniez, Mlle Beatrice et vous. Mlle Céleste se meurt et je ne sais pas quoi faire. »

Comme Hugh hésitait, regardant alternativement Beatrice et la voiture, son oncle le prit par le bras.

« Ne t'inquiète pas Hugh, je m'occuperai d'eux, dit-il. Ta patiente a besoin de toi. »

Beatrice avait l'impression qu'elle allait s'évanouir et elle fit un gros effort pour calmer sa respiration et rester debout, prête à apporter son assistance. Elle avait les poumons en feu après cette course folle dans les rues obscures et un point de côté l'obligeait à appuyer une main sur son flanc. Mais c'était le spectacle de Céleste tordue de douleur et l'image de ses draps maculés de sang qui menaçaient de la faire défaillir. Céleste les vit à peine entrer dans sa petite alcôve ; elle était trop occupée à murmurer ses dernières prières et à supplier *le Bon Dieu** de l'emmener.

« Elle est de plus en plus mal, sanglota Abigail. Elle va mourir.

— Apportez des serviettes de toilette, des chiffons propres, ce que vous avez, ordonna Hugh. Et une cuvette d'eau chaude.

— Céleste, nous sommes là », murmura Beatrice.

Elle s'agenouilla à son chevet pour serrer la petite main blanche de la jeune fille, et prit sur elle pour réprimer un mouvement de recul devant l'odeur de transpiration et les traînées de sang.

« Laissez-moi tranquille, chuchota Céleste. C'est Dieu qui me punit. »

Elle poussa un gémissement de douleur et remonta ses genoux contre son ventre.

« Je ne crois pas que vous soyez en train de mourir, remarqua Hugh, se détournant légèrement de sa patiente.

Ce n'est pas vraiment ma spécialité, bien sûr, mais je vais devoir vous examiner.

— Non, non », protesta Céleste. Elle se recroquevilla et s'accrocha à la main de Beatrice. « Faites-le partir et laissez-moi mourir.

— Ce n'est que Hugh, insista Beatrice d'une voix pressante. Vous connaissez sa bonté, et c'est le seul médecin dont nous disposions pour le moment. Vous devez accepter son aide.

— Non, je mourrais de honte. Je vous en prie, je vous en prie, faites-le partir.

— Que faire ? » demanda Beatrice en regardant Hugh qui paraissait presque soulagé d'être ainsi éconduit.

Abigail gravit l'escalier quatre à quatre, avec une brassée de linges et un broc d'eau chaude. Hugh hésita un instant, plongé dans ses réflexions.

« Je ne peux pas appeler ma tante... », commença-t-il. Son visage s'éclaira soudain. « Abigail, Mme Stokes a passé la journée sur les prés salés à dire la bonne aventure. Y est-elle encore ?

— Je ne sais pas, répondit Abigail, en faisant une grimace révélant qu'elle refusait d'admettre le moindre lien avec son arrière-grand-mère et d'être responsable de ses faits et gestes.

— Nous avons besoin d'elle. Je sais que le docteur Lawton lui demande parfois de l'aider – avec certaines femmes.

— Il se peut qu'elle y soit.

— Alors, cours et ramène-la aussi vite que possible. Je suis sûr qu'elle saura quoi faire. »

Sur les directives de Hugh, qui se tenait aussi éloigné que possible du lit, Beatrice enveloppa Céleste dans un vieux drap propre et utilisa un peu d'eau chaude et de savon pour laver la sueur de son front. Lorsqu'elle repoussa ses cheveux emmêlés, Céleste lui parut plus tranquille. Son souffle était devenu plus régulier, malgré les élancements qui lui crispaient les traits.

« Qu'a-t-elle ? chuchota Beatrice en prenant le broc pour aller chercher de l'eau chaude à la cuisine.

— Je préfère n'avancer aucune hypothèse avant l'arrivée de Mme Stokes. Je ne voudrais pas me tromper.

— Nous devrions prévenir son père, observa Beatrice.

— Pourquoi ne pas attendre Mme Stokes ? Inutile de se précipiter avant d'en savoir davantage. »

Au terme de minutes interminables durant lesquelles Hugh prit plusieurs fois le pouls de la patiente, sourcils froncés, tandis que Beatrice lui caressait les cheveux et serrait les dents pour ne pas défaillir devant l'odeur ferreuse du sang, Mme Stokes monta bruyamment l'escalier, apportant avec elle des senteurs bienvenues de feu de bois et de lotion capillaire. Ses cheveux étaient tressés et enroulés sous un foulard rouge vif et des bracelets tintinnabulaient à ses poignets. Avant de s'approcher du lit, elle les retira et les fourra dans un grand sac de toile accroché à son épaule.

« Céleste, Mme Stokes est venue vous aider », dit Beatrice. Céleste battit des paupières et ses yeux s'arrondirent à la vue de la vieille femme. « N'ayez pas peur.

— Aucune raison d'avoir peur de moi, approuva Mme Stokes. J'ai mis au monde six enfants à moi, sans compter ceux des autres. J'ai déjà vu tous les ennuis des femmes, depuis la goutte jusqu'aux cochonneries que leurs maris leur refilent pour avoir frayé avec Dieu sait qui, et après ils leur racontent qu'elles se font des idées. »

Elle tira un chiffon propre de la pile qu'Abigail avait apportée et le noua autour de sa taille en guise de tablier.

« Je suis là, murmura Beatrice en caressant les cheveux de Céleste.

— Il va falloir nous laisser, maintenant, mademoiselle, reprit Mme Stokes. Nous allons nous occuper d'elle, Abigail et moi.

— Mais...

— La dernière chose qu'elle veut, c'est que vous voyiez ce qui la tourmente. Croyez-moi. Dehors, dehors. Laissez-moi faire ce que vous me payerez pour faire.

— Nous serons en bas, madame Stokes, dit Hugh. Appelez-moi si je peux vous être utile.

— Mettez de l'eau à bouillir. Nous aurons tous besoin d'une bonne tasse de thé. »

Hugh et Beatrice passèrent vingt minutes assis en silence sur le canapé du salon, à écouter les grincements du parquet, les bruits de pas et les ordres assourdis de Mme Stokes. À un moment, Beatrice moucha la lampe, tandis que Hugh se levait à plusieurs reprises pour attiser le feu ou pour fourrager avec les pinces au fond du seau à charbon en quête de quelques boulets supplémentaires. Abigail dévala l'escalier deux fois pour venir chercher de l'eau chaude, et la seconde fois, elle apporta une poignée de plantes séchées et prépara pour la patiente une infusion à l'odeur infecte. Beatrice tremblait d'inquiétude pour Céleste et son angoisse se transforma rapidement en migraine. Elle éprouvait cependant une certaine satisfaction à être en compagnie de Hugh, soudés par l'urgence qui les avait réunis sous la faible lueur de la lampe. Néanmoins, malgré le réconfort que lui apportait sa présence apaisante, la nouvelle de ses fiançailles imminentes lui inspirait un cruel sentiment de perte. Elle constata avec un soupçon d'étonnement qu'une petite flamme de jalousie brûlait en elle à l'idée que Lucy Ramsey fût sur le point d'emmener Hugh loin d'elle, et que leur mariage fût condamné à mettre fin à ce qui était devenu une amitié sans nuage.

Enfin, Mme Stokes descendit lentement et lourdement l'escalier, une marche après l'autre. Elle portait sous son bras un balluchon de linge noué, qu'elle posa près de la porte.

« Il est bien tard pour que ces vieux os courent les collines et grimpent les escaliers, remarqua-t-elle. Si vous aviez un peu de gâteau ou peut-être un sandwich à la viande, j'en prendrais bien une bouchée pour me remettre.

— Abigail, veux-tu bien t'en occuper ? demanda Beatrice.

— Comment va notre patiente, madame Stokes ? demanda Hugh. Je suis impatient de connaître votre diagnostic.

— La patiente, comme vous dites, aurait préféré ne pas l'entendre, croyez-moi. Avec ces jeunes filles, c'est toujours la même chose : surprise et récriminations.

— Voulez-vous bien m'expliquer ce qui se passe, tous les deux ? interrogea Beatrice. Il faut que je prévienne son père.

— C'est lui le docteur, fit Mme Stokes en pointant le menton vers Hugh. Il sait, lui. »

Abigail apporta un gros morceau de viande entre deux tranches de pain. Mme Stokes huma l'assiette puis enveloppa le sandwich dans un mouchoir propre et le fourra dans son sac.

« De violentes contractions et des saignements ? demanda Hugh dont le visage s'était empourpré. L'a-t-elle perdu ?

— Non, pour autant que je puisse en juger, répondit la vieille. Je lui ai fait prendre mon infusion de viorne et il faudra qu'elle reste au lit un moment; enfin, en admettant que vous souhaitiez éviter les contractions ? »

Elle parlait du ton prosaïque d'un expert médical à un autre. Hugh resta muet et s'empourpra davantage. Il ouvrit et ferma la bouche plusieurs fois.

« Abigail sait quoi faire, ajouta Mme Stokes en acceptant une tasse de thé.

— Oui, grand-mère, acquiesça Abigail.

— Elle va avoir un enfant, c'est ça ? » murmura Beatrice en s'asseyant lentement. Elle avait l'impression de ne plus pouvoir respirer. « Ce n'est pas possible.

— Elle attend un enfant, mademoiselle, confirma Mme Stokes. Elle est enceinte, et d'un homme, à moins que l'ange Gabriel ne soit revenu parmi nous.

— Comment cela se peut-il ? insista Beatrice. C'est une réfugiée.

— Je suis une vieille femme désormais, reprit Mme Stokes en soupirant. Fut un temps où je croyais que toutes les filles arrivaient dans le lit conjugal pures et innocentes. J'en sais un peu plus long aujourd'hui. Je pourrais vous raconter des milliers d'histoires sur la façon dont ça se passe, et aucune n'est plus sage que l'autre.

— Je pense que c'est une victime de la guerre, intervint Hugh. Si tel est le cas, elle n'est pour rien dans ce qui lui arrive.

— Vous voulez dire qu'elle aurait été violentée ? » Beatrice sentit la nausée monter en elle et enfouit son visage dans ses mains. « Oh mon Dieu, s'il vous plaît, faites que ce ne soit pas vrai.

— Ou alors elle aura laissé un berger jouer du flûtiau dans son champ, gloussa Mme Stokes. Me verserez-vous mon dû maintenant ou dois-je le réclamer à son père ?

— Nous vous remercions d'être venue », dit Hugh, le visage sombre. Il fouilla ses poches à la recherche de pièces et tendit sa paume ouverte à Mme Stokes. « Prenez ce que vous voulez, je vous en prie. Le docteur Lawton m'a toujours assuré que nous pouvions compter sur votre discrétion. »

Mme Stokes lorgna les pièces qu'il avait en main et les fit toutes glisser dans la sienne.

« Si elle a été forcée, ne vous imaginez pas que la ville la tiendra pour innocente. » Elle ramassa le balluchon de linge et Abigail courut lui ouvrir la petite porte. «Je vais brûler ces tissus pour éviter le mauvais sort.»

Devant la porte, Mme Turber recula d'un bond comme si elle avait été surprise de la voir s'ouvrir et poussa un petit cri.

«Qui est-ce? demanda Mme Stokes, qui fit tinter ses bracelets en agitant la main devant le visage de Mme Turber. Qui crie ainsi dans la rue en empestant l'alcool?

— Des romanichels! hurla Mme Turber. Des romanichels chez moi, venus me piller! À l'aide, à l'aide!

— Mme Turber, ne criez pas comme cela, intervint Beatrice en se glissant devant Abigail pour gagner le perron. Mme Stokes est venue nous aider. Mlle Céleste est tombée gravement malade.

— Elle est venue me voler, s'entêta Mme Turber. Je sais encore reconnaître mon linge, merci bien.»

Elle pointa un index osseux vers le balluchon et fit mine de s'en emparer.

«Ce linge doit être brûlé. À moins que vous ne vouliez que le mauvais sort s'abatte sur votre maison pendant sept ans? avertit Mme Stokes. Et vous feriez bien de vous rappeler qu'il existe une malédiction spéciale pour ceux qui éconduisent un voyageur venu leur faire une faveur.

— Comment osez-vous introduire une romanichelle sous mon toit? demanda Mme Turber en se tournant vers Beatrice. Je parie qu'il y a la moitié de mon argenterie dans ce balluchon!

— Et moi, je vous assure que non, madame Turber, coupa Hugh qui apparut derrière Beatrice et s'interposa entre les deux femmes âgées. J'ai demandé son aide à Mme Stokes en l'absence du docteur Lawton et je me porte garant de son honnêteté, quitte à remplacer votre argenterie moi-même.

— Cette sale vieille bohémienne ? glapit Mme Turber. Elle doit être mêlée à quelque manigance infamante, c'est sûr.

— J'imagine que vous nous avez espionnés par la fenêtre ? » demanda Beatrice, contenant à grand-peine sa fureur.

Mme Turber chercha à dissimuler son embarras en lui jetant un regard mauvais.

« Turber ? s'étonna Mme Stokes, et Beatrice perçut une lueur rusée dans son regard. Seriez-vous la veuve du vieux capitaine Turber, celui qui possédait le schooner *Le Toréador* et transportait du sherry d'Espagne deux fois par an ?

— Je vous saurais gré de ne pas salir le nom de mon époux en le prononçant, cria Mme Turber. Une pauvre veuve qui, en plus, se fait insulter dans la rue !

— Je vous demande pardon, madame, reprit Mme Stokes. Il ne me viendrait jamais à l'idée d'insulter la veuve de feu le capitaine Turber, ni de lui adresser d'autres paroles que de bénédiction.

— C'était un homme très respecté, acquiesça Mme Turber, apparemment un peu adoucie d'entendre parler de son mari avec autant de respect.

— Je sais que mon grand âge, et probablement le vôtre, Mme Turber, doivent d'être protégés à quelques barriques qui auraient pu arriver ici par la plage, sans se faire voir de l'agent du fisc, poursuivit Mme Stokes. Un très brave homme, feu le capitaine.

— Je ne vois pas absolument pas à quoi vous faites allusion », répliqua Mme Turber.

Elle paraissait au bord des larmes et posa la main sur ses yeux comme si la tête lui tournait. Hugh tendit le bras pour lui attraper le coude.

« Vous avez dû avoir trop chaud dans la salle de bal et vous êtes épuisée, madame Turber, dit-il. Puis-je vous raccompagner à votre porte ?

— Merci, monsieur Grange, je suis bien fatiguée, en effet. »

Elle avait l'air presque ensommeillée et les effets de sa longue soirée la faisaient bredouiller. Hugh l'aida à gravir les trois marches menant à sa grande porte d'entrée, et Abigail se glissa par le passage pour l'ouvrir de l'intérieur.

« Vous voilà chez vous, madame Turber, saine et sauve.

— Quel dommage pour ce petit ange », dit-elle encore à Hugh alors qu'Abigail l'aidait à entrer. Sa voix, s'adressant à la servante, portait jusque sur le palier extérieur. « Le capitaine ne prenait jamais la mer sans me rappeler le pistolet qu'il m'avait confié. Une balle pour sauver ton honneur, disait-il. Je le garde toujours sous mon oreiller.

— Donnez-lui de la tisane deux fois par jour, recommanda Mme Stokes à Hugh. Nous nous reverrons à la cueillette des pommes, si vous avez à nouveau besoin de moi. »

Elle tendit la main à Beatrice et alors que celle-ci s'apprêtait à la serrer, Mme Stokes retourna la main de la jeune fille, paume en l'air pour l'examiner au clair de lune.

« Des enfants dans votre avenir, voilà ce que je vois. Vous feriez mieux de vous marier avant qu'ils n'arrivent, ma très chère. »

Ils l'entendirent s'étrangler de rire jusqu'au pied de la colline. Beatrice se frotta la paume comme pour effacer une tache d'encre et Hugh eut l'air plus gêné encore qu'à tout autre moment de la soirée.

« Elle dit n'importe quoi, observa-t-il. C'est une bonne guérisseuse mais une piètre diseuse de bonne aventure.

— Je ne suis pas du genre superstitieux, répondit Beatrice, laissant retomber ses mains le long de son corps et regardant Hugh.

— Il faut que j'aille voir comment vont mon cousin et ma pauvre tante. Je suis navré de devoir vous laisser.

— Allez-y, bien sûr. J'espère que vous me donnerez de leurs nouvelles. Je veillerai sur Céleste.

— Elle a bien de la chance de vous avoir. » Il prit sa main entre les deux siennes. « Vous êtes une femme exceptionnelle, Beatrice.

— Que puis-je faire pour elle, Hugh ? » demanda Beatrice et ils savaient l'un comme l'autre qu'elle ne songeait pas seulement à son indisposition du moment. « Que faut-il faire ?

— Je vais parler à ma tante. Mais attendons quelques jours, voulez-vous ? »

Alors qu'il se tournait pour partir, Beatrice ne put retenir la question qui lui brûlait les lèvres.

« Passerez-vous voir Mlle Ramsey en rentrant chez vous ?

— Mlle Ramsey? répéta Hugh, d'un air d'abord ahuri, puis choqué. Oh mon Dieu, je l'avais complètement oubliée ! »

22.

Beatrice n'avait pas eu de nouvelles de Hugh depuis le bal, et aucun membre de la famille Kent n'assista à la messe dominicale. Tout en comprenant que leur chagrin devait les tenir fort occupés, elle souffrait de la solitude. Céleste ne s'était réveillée qu'après l'heure du déjeuner et restait au lit, le regard rivé sur la fenêtre, les yeux ternes, l'air apathique. Il n'était pas question de discuter des événements de la veille, mais ils pesaient sur le petit cottage comme un nuage invisible. Tout en se reprochant la lâcheté qui la poussait à éviter la petite encoignure du palier, Beatrice laissa Abigail sacrifier son dimanche après-midi pour venir soigner Céleste alors qu'elle-même passait la journée à lire dans son salon et à lever le nez au moindre bruit en provenance de l'extérieur.

Aux premières heures du lundi matin, un coup discret frappé à sa porte troubla son petit déjeuner, et elle se précipita, espérant que Mme Turber n'aurait rien entendu.

«Je n'ai pas le temps d'entrer, lui annonça Hugh. Je prends le train de Londres avec mon cousin. Il veut aller voir la famille de Craigmore.

— Comment va-t-il ?

— Il tient relativement bien le coup après une journée de repos.» Hugh s'empourprait au fur et à mesure qu'il parlait, comme s'il savait, aussi bien qu'elle, que ces échanges de paroles anodines leur permettaient d'éviter toute discussion plus sérieuse et plus douloureuse. « Et notre patiente, comment se porte-t-elle ? demanda-t-il avec un enjouement forcé.

— Elle s'est reposée toute la journée, elle aussi », répondit Beatrice. Incapable de parler des saignements autrement qu'à mots couverts, elle ajouta : « J'ai l'impression que les symptômes ont diminué.

— On ne sait trop quoi souhaiter en pareilles circonstances », remarqua Hugh. Il passa d'un pied sur l'autre et baissa les yeux vers le bas de la colline comme s'il pouvait voir la vapeur du train qui arrivait. « J'ai laissé un compte rendu détaillé à l'intention du docteur Lawton, ajouta-t-il. Et je me suis confié à ma tante qui vous prie de bien vouloir lui adresser un message pour l'informer de l'évolution de la situation. »

Beatrice en éprouva une vive déception. Elle avait secrètement espéré qu'Agatha Kent se précipiterait au cottage avec du bouillon de bœuf dans son panier et toute sa bonne humeur maternelle, pour la décharger de ce fardeau si oppressant.

« J'espère que les événements de la soirée n'ont pas trop perturbé Mlle Ramsey ? demanda Beatrice en cherchant à réprimer tout soupçon d'amertume de sa voix.

— Elle était très inquiète. Bien sûr, je ne lui ai rien dit de l'état de notre patiente.

— On ne peut que vouloir la préserver de détails aussi crus, approuva Beatrice.

— Ce n'est pas une question de délicatesse, reprit-il, trébuchant sur ses mots. C'est Mlle Céleste et vous que je cherchais à protéger. Mlle Ramsey est une jeune fille charmante, certes, mais elle ne s'embarrasse guère de discrétion.

— Pardonnez-moi, je vous en prie. Les temps sont difficiles, mais ce n'est pas une raison pour que je me permette de vous froisser, vous ou Mlle Ramsey.

— Je regrette de devoir partir aussi précipitamment en vous laissant cette charge. » Il lui prit la main et la serra. « Si je n'avais pas à courir pour attraper mon train, je vous exposerais plus en détail toutes les raisons que j'ai de vous admirer, mademoiselle Nash.

— Dans ce cas, c'est vous qui risqueriez de froisser Mlle Ramsey, remarqua-t-elle et, malgré son sourire, elle eut du mal à le regarder en face sans trahir sa souffrance.

— C'est une jeune fille charmante », répéta-t-il, du ton assuré de celui qui espère que la réitération donnera plus de vérité à ses propos.

Peut-être Beatrice trahit-elle sa surprise, car il rougit et sembla sur le point d'en dire davantage. Mais on entendait déjà le sifflement du train, loin en direction du marais, annonçant son arrivée imminente au passage à niveau.

« Soyez assuré que je penserai à vous et à Daniel », ajouta-t-elle encore.

Son cœur n'était que confusion, mais elle n'en éprouva pas moins une certaine satisfaction à ne pas inclure Mlle Ramsey dans cette promesse. Dès que Hugh fut parti, elle se reprocha pourtant sa mesquinerie. Ce n'était pas convenable, songea-t-elle, et elle se fit le serment que, dans les jours à venir, toutes ses pensées iraient aux deux cousins et à la disparition terrible de leur ami.

L'esprit toujours rempli de Hugh Grange et cherchant à ne pas s'appesantir sur les paroles qui auraient pu être prononcées si la tyrannie des horaires de chemin de fer ne s'était pas interposée, Beatrice arriva à l'école ce lundi matin-là pour la trouver en pleine effervescence.

M. Dimbly s'était engagé. Sans prévenir les autorités scolaires, il avait répondu à l'appel du colonel Wheaton et s'était enrôlé lors de la kermesse. Il se présenta alors en uniforme pour informer le directeur qu'il ne ferait pas classe ce jour-là, car il devait rejoindre le campement par le premier train. Terrassée par le chagrin, Mlle Clauvert s'était évanouie dans la salle des professeurs, et pendant que Mlle Devon essayait vainement de lui faire reprendre conscience en lui tamponnant les tempes à l'eau de Cologne, les enfants faisaient les fous dans les couloirs et hurlaient dans les salles de classe. Le directeur cherchait à rétablir l'ordre en vociférant et en agitant sa canne d'un air menaçant lorsque les élèves passaient en courant devant la porte de la salle des professeurs.

« Mademoiselle Nash, Dieu merci, vous voilà, s'écria le directeur. Je vous en prie, aidez M. Dobbins à rassembler les élèves pour une réunion d'adieu immédiate à notre ancien collègue. Quelle fâcheuse perturbation ! »

Il disparut en direction de la bibliothèque et le regard de Beatrice passa d'une Mlle Clauvert affligée à un M. Dimbly penaud. Elle prit les choses en main.

« Monsieur Dimbly, puisque vous êtes là, rassemblons les enfants pour qu'ils vous fassent des adieux corrects. Si vous voulez bien vous occuper de votre classe et de celle de Mlle Devon, je me chargerai de celle de Mlle Clauvert et de la mienne.

— Bien sûr, mademoiselle Nash, bonne idée », approuva-t-il, soulagé d'échapper à l'embarras et aux larmes féminines provoqués par son annonce. Il lui tint la porte et lorsqu'ils sortirent dans le couloir miraculeusement vide d'écoliers crasseux, il ajouta : « Je me demandais, mademoiselle Nash, si je pourrais avoir l'audace de vous prier de m'écrire ?

— Vous écrire, M. Dimbly ?

— Au front. Au milieu de tous ces dangers, il serait réconfortant, voyez-vous, d'avoir quelques lettres à conserver contre mon cœur. »

Il lui adressa un regard qui devait être, songea-t-elle, chargé de sens. Il avait les oreilles écarlates et avait l'air si grave qu'il en louchait presque.

« Vous feriez mieux de les conserver au sec et en sécurité dans votre baraquement, monsieur Dimbly, dit-elle. Les tranchées risquent d'être très humides et boueuses.

— Je pourrais les envelopper dans de la toile cirée », suggéra-t-il. Il avait l'air un peu interloqué, comme si la conversation ne prenait pas la tournure prévue. « Je ne sais pas très bien comment on est censé faire.

— Si vous me faites savoir où je peux vous adresser du courrier, je serai ravie de vous envoyer un petit mot de temps en temps, dit-elle, apitoyée. J'arriverai bien à trouver quelques anecdotes amusantes à vous livrer sur notre petite école, si cela peut vous être agréable ?

— Merci, mademoiselle Nash. » Il lui prit la main et la baisa. « Savoir que des pensées affectueuses lui seront envoyées de chez lui ne peut que renforcer la résolution de tout soldat. »

Il s'engagea rapidement dans le couloir sans lui laisser le temps de mettre les choses au point. Secouant la tête, elle chassa le professeur de ses pensées et se dirigea vers sa salle pour commencer à rassembler ses ouailles.

M. Dimbly fut envoyé à la guerre dûment muni d'hymnes retentissants et d'un bref discours du directeur qui réussit à communiquer sa désapprobation au personnel tout en suscitant les acclamations des élèves. Ce ne fut qu'après toute cette agitation, quand Beatrice parvint enfin à faire taire les bavardages dans sa classe, qu'elle remarqua une autre absence.

« Où est Snout – je veux dire le jeune M. Sidley ? » demanda-t-elle à ses élèves de latin.

Un silence embarrassé lui répondit, accompagné de quelques coups de coude dans les rangées de pupitres, puis Jack se leva, avec une réticence manifeste.

« Il est parti s'engager, annonça-t-il. Il voulait pas qu'on le dise avant que ça soit fait, mademoiselle.

— S'engager ? On ne peut pas s'engager à quinze ans, voyons ! »

Les doigts de Beatrice blanchirent tandis qu'elle s'agrippait à son bureau et s'efforçait d'empêcher sa voix de trembler.

« Il paraît que son père a signé pour lui donner la permission, expliqua Jack.

— Le père de Jack, il a pas voulu lui donner la sienne, commenta Arty. À cause que Jack a un gros travail de guerre à faire en gardant les moutons. »

Un chœur de bêlements et de rires résonna dans toute la salle, tandis que Jack devenait rouge comme une pivoine.

« Au moins, moi, j'ai essayé, dit-il d'une voix lourde de mépris. Y'en a qui sont tellement lâches qu'ils essaient même pas.

— Tu me traites de lâche ? demanda Arty en bondissant sur ses pieds. Je te ferai savoir que je suis chez les scouts et que je patrouille toutes les nuits pendant que tu dors bien au chaud dans ton petit lit comme une fille.

— Qui est-ce que tu traites de fille ? demanda Jack en serrant les poings.

— Taisez-vous avant que je cogne vos deux têtes l'une contre l'autre », intervint Beatrice d'un ton féroce. Elle se dirigea vers le pupitre d'Arty et le domina de toute sa taille : « C'est une plaisanterie pour toi, cette guerre ?

— Non, mademoiselle, fit Arty en se rasseyant d'un air renfrogné.

— Vous deux et tous les autres – vous vous imaginez qu'asticoter vos camarades et les harceler pour qu'ils s'engagent suffit à faire de vous des patriotes ?

— Non, mademoiselle, répondit la classe en chœur.

— C'est ainsi que vous rendez hommage à ceux qui, comme M. Dimbly, s'apprêtent, au moment même où je vous parle, à rejoindre le front ?

— Non, mademoiselle », reprit le chœur, plus éteint et plus maussade – une des filles, Jane, fondit en larmes.

« Si nous voulons soutenir nos soldats, nous devons accomplir la tâche qu'on nous confie et nous serrer les coudes, poursuivit Beatrice. Il est grand temps de renoncer à vos insultes puériles et à vos jeux stupides. »

Cette fois, plusieurs reniflements se firent entendre. Beatrice s'approcha des hautes fenêtres. Dehors, le soleil brillait, mais elle ne le voyait pas.

« Je vous demande vraiment pardon, mademoiselle, dit une voix : c'était Arty.

— Moi aussi, mademoiselle, renchérit Jack. Moi et Arty, on pensait pas à mal, mademoiselle.

— Est-ce que Snout s'est vraiment engagé, Jack ? demanda-t-elle tout bas.

— Oui, mademoiselle. Il est parti pour vivre de grandes aventures en France, et il aura trois vrais repas par jour. C'est ce qu'il a dit, mademoiselle.

— Il est jamais allé plus loin que Hastings, mademoiselle, reprit Arty. Pas comme d'autres.

— La guerre est une épreuve redoutable, et certains meurent en accomplissant ce devoir. Je vous demande de bien m'écouter quand je vous dis que ce n'est pas une aventure d'écolier. »

Elle se dirigea vers le tableau noir pour écrire la citation du jour d'une craie grinçante : *Nulla dies umquam memori vos eximet aevo.*

Mais aujourd'hui, elle était incapable de percevoir l'éclat de cette célèbre promesse de pérennité de la mémoire adressée aux guerriers morts. Tout ce qu'elle voyait, c'étaient deux jeunes Troyens se précipiter ensemble vers la mort, le cœur rempli d'esprit de bravade et de folie juvénile. Elle resta un moment au tableau, cherchant à composer son visage, et quand elle se retourna, toutes les têtes étaient baissées et plus personne ne reniflait. L'excitation du jour s'était dissipée.

« Qui veut commencer à traduire Virgile ce matin ? » demanda-t-elle de sa voix la plus douce.

Après l'école, Beatrice se dirigea vers l'ouest de la ville, là où les commerces et les cottages d'ouvriers se serraient à l'approche du quai. La forge était un bâtiment bas et délabré percé de deux portes d'écurie ouvertes. Elle résonnait de coups de marteau et l'odeur puissante des chevaux lui envahit les narines. La lueur du feu plongeait tout le reste du local dans des ténèbres impénétrables. Le petit cottage des Sidley se trouvait juste à côté, avec une porte basse, d'une couleur brunâtre suggérant un reste de peinture, et une unique fenêtre d'une propreté immaculée, avec un rideau usé, au rez-de-chaussée. Dans une jardinière, quelques soucis luttaient pour survivre. En soulevant le heurtoir de fer pour frapper, Beatrice remarqua que le seuil était lavé et chaulé de frais.

« Qui est-ce ? demanda une voix fluette, et un bruit de toux s'approcha lentement de la porte.

— Beatrice Nash, de l'école. »

Il y eut un moment de flottement, puis un loquet fut laborieusement repoussé comme s'il était grippé. La porte s'entrebâilla et une femme, la mère de Snout, s'accrocha au chambranle, le souffle court.

« Pardon. Je ne respire pas très bien ces derniers temps. Voulez-vous entrer ? »

Sans attendre la réponse, elle regagna l'intérieur et Beatrice la suivit dans l'étroit salon. La maison était plus petite que son cottage, avec une pièce unique et une arrière-cuisine exiguë qui occupaient toute la largeur. Il y faisait sombre et bien que l'âtre eût été récemment nettoyé et le feu préparé, et que le tapis de lirette qui ornait le plancher fût d'une propreté impeccable, une légère odeur de suie régnait dans la pièce. Il n'y avait pas de canapé, mais seulement quelques chaises de bois disposées le long du mur et un fauteuil en osier près du feu, dans lequel Mme Sidley se rassit.

«Je suis venue vous demander des nouvelles de votre fils, dit Beatrice, en prenant place sur une chaise. Ses camarades me disent qu'il s'est engagé, mais il est évidemment bien trop jeune!»

Mme Sidley resta silencieuse pendant quelques instants. Elle avait le regard fixé sur la pile de papier et de charbon comme si elle contemplait une énigme.

«Pourriez-vous allumer le feu? demanda-t-elle enfin. Abigail travaille et quand mon mari est occupé à ferrer, il oublie de venir le faire.

— Bien sûr, dit Beatrice qui prit une longue allumette dans un récipient de cuivre posé sur le manteau de la cheminée et s'accroupit pour la frotter sur le garde-feu.

— Ils ne font pas exprès de m'oublier, vous savez. Il est difficile de penser tout le temps à une infirme. Je ne veux pas les empêcher de vivre leur vie.»

Une quinte de toux lui fit cracher du sang dans un mouchoir de dentelle et Beatrice détourna les yeux pour ne pas l'embarrasser.

«Où est votre fils? demanda-t-elle.

— Lui non plus, je ne veux pas l'empêcher de vivre sa vie, reprit sa mère. Mais j'ai eu bien du mal à accepter qu'il parte. J'ai cru que j'allais mourir sur le coup, le cœur brisé.

— Il s'est donc réellement engagé?

— Il a demandé à son père de lui signer le papier. Il a dit que s'il voulait pas, il ficherait le camp et s'engagerait quand même.

— Mais il faut qu'il aille à l'école. Il a de l'avenir.

— Il nous a raconté qu'il a lui-même entendu que l'école n'en a rien à faire de lui, expliqua la malade, contemplant d'un air las la flamme qui léchait désormais le charbon. Qu'on ne le laisserait pas se présenter pour la bourse de latin, à cause de la famille de son père.» Regardant Beatrice, elle lui adressa un petit sourire. «Dès que j'ai vu mon mari, j'ai oublié que ça comptait. Toutes ces bêtises... Tout ce que j'ai vu dans ses yeux, c'est qu'il m'adorait.

— Tout le monde ne peut pas... Il y a de nombreuses conditions requises, en plus de bons résultats scolaires», commença Beatrice, mais elle rougit et les mots se coincèrent dans sa gorge. Elle baissa la tête et ajouta : «Il faut que vous sachiez qu'il y a des gens qui n'ont pas envie de voir votre fils renoncer à ses études.

— Ils ont vraiment le sens pratique, mes enfants, soupira Mme Sidley. Figurez-vous qu'Abigail, elle me dit comme ça, en face, qu'elle ne veut pas être coincée à la maison après ma mort à travailler pour son père, à n'avoir pas de vie et pas d'enfants à elle.» Elle s'interrompit pour approcher son mouchoir de ses lèvres, la respiration encombrée, avant de poursuivre : «Il n'empêche qu'elle rentre tous les soirs et fait le ménage ici. Elle ne se plaint jamais – elle fait ce qu'elle a à faire comme une bonne fille, c'est tout.

— Je loge chez Mme Turber.

— Oh, je sais bien qui vous êtes. Mon Dicky, il est fou de vous, mademoiselle Nash. Il dit que vous l'auriez bien défendu avec plus de force, mais qu'ils n'ont pas grand-chose à faire de vous non plus, à l'école; alors vous êtes obligée de faire attention, voilà ce qu'il dit, mon Dicky.

— Vos enfants ont de grandes âmes, madame Sidley, murmura Beatrice, mortifiée d'apprendre que le garçon cherchait à excuser ses propres faiblesses.

— Ils ont de qui tenir. Dans la famille de mon père, il y a eu des maréchaux-ferrants et des forgerons établis dans le coin depuis des générations. Et la famille de mon mari parcourt ce comté à la même saison chaque année depuis plus de cinq siècles.

— C'est incroyable, madame Sidley, fit Beatrice, honteuse de n'avoir jamais pris conscience de l'ancienneté du peuple de Maria Stokes.

— Ils connaissent toutes les histoires. Bien sûr, ils ne les racontent à personne, sauf dans la famille. » Elle s'interrompit puis ajouta : « La grand-mère de mon mari, Mme Stokes, elle a une bible d'un mètre de haut avec tout noté dedans au crayon.

— Je connais Mme Stokes, acquiesça Beatrice avant d'ajouter précipitamment : Mme Kent m'a emmenée chez elle.

— Une brave femme, cette Mme Kent. Elle vient souvent m'apporter du bouillon de bœuf.

— Puisque vous êtes si malade, je m'étonne que vous ayez laissé partir votre fils. Ne va-t-il pas vous manquer ? »

La mère de Snout ne pleura pas, mais son teint sembla devenir encore plus gris et elle tordit ses mains sèches et ridées comme si elle sanglotait.

« Pardon, je ne voulais pas vous faire de peine, reprit Beatrice. Mais je suis tellement fâchée qu'il quitte l'école.

— Il est bien trop jeune pour être soldat, approuva sa mère.

— Mais il a dit clairement ce qu'il voulait faire, pas vrai ? » lança une voix et Beatrice sursauta en découvrant le maréchal-ferrant, un homme au visage noir de suie et aux épaules musclées d'avoir passé sa vie à marteler et à soulever du fer, qui arrivait de l'arrière-cuisine, le bras sur les épaules de son fils.

Snout, tout rouge, tordait dans sa main son calot neuf de soldat. Son uniforme était trop grand pour lui et semblait ne tenir sur son corps fluet que grâce à son ceinturon, tel un ballot de linge attaché par une ficelle.

« Qui c'est qui veut pas qu'il parte ? demanda M. Sidley.

— Je suis Beatrice Nash, dit Beatrice en se levant pour lui montrer qu'il ne lui faisait pas peur. J'enseigne le latin à votre fils.

— Et vous lui avez aussi donné des leçons cet été », ajouta M. Sidley.

Son accent du Sussex, beaucoup plus marqué que celui de la plupart des habitants de la ville, révélait ses origines rurales. Ses yeux se plissaient comme ceux de Mme Stokes, et son menton accusé avait visiblement servi de modèle à celui de son fils.

« Et il vous en a été reconnaissant, pas vrai, fiston ? Encore qu'il a sans doute rien dit, pas vrai ?

— Il m'a apporté un lapin un jour. Ça a fait hurler Mme Turber, mais elle a apprécié le civet.

— C'était rien, grommela Snout en haussant les épaules.

— T'es un bon petit gars, fit sa mère.

— Un petit gars qui sait ce qu'il a à faire, reprit M. Sidley. Il est venu me voir et m'a expliqué comment c'est dans cette école et qu'il s'en sortirait bien mieux s'il allait voir un peu de pays et apprenait à être soldat.

— Il est remarquablement intelligent, insista Beatrice. Il doit aller à l'école.

— J'ai travaillé à onze ans, comme mon père, et je ne devais rien à personne. Alors quand il est venu me demander, je lui ai donné ma bénédiction, mon meilleur couteau à manche de corne et deux souverains d'or ; et je lui ai dit d'aller montrer à ces salauds que les Sidley sont d'aussi bons patriotes que n'importe quel Anglais, et meilleurs que la plupart. »

Il donna à son fils une claque dans le dos qui faillit le renverser. La mère de Snout détourna le visage, pressant son mouchoir en boule contre sa bouche.

«Y a plein de garçons de son âge qui travaillent, qui sont mariés et qui font leur vie, ajouta le maréchal-ferrant.

— J'ai eu peur que tu n'aies filé sans la permission de tes parents, Snout, fit alors Beatrice. Puisque je me suis trompée, je ne vais pas t'importuner, toi et ta famille, plus longtemps.

— Mademoiselle, je voudrais vous remercier pour tout ce que vous avez fait pour moi, dit Snout. Vous êtes la seule à m'avoir parlé comme ça, comme à une vraie personne.

— Si seulement tu voulais bien changer d'avis, reprit Beatrice d'une voix pressante. Si tu reviens en classe, je te promets de me battre avec plus d'énergie contre l'administration.

— Je n'oublierai jamais ce que vous avez fait pour moi, mais je suis content d'être un soldat maintenant, et plus un écolier», conclut Snout en redressant les épaules.

Il n'y avait apparemment rien de plus à dire. Beatrice fouilla dans sa sacoche et en sortit l'exemplaire de l'*Énéide* de Virgile qui avait appartenu à son père.

« Un peu de réconfort dans ta longue quête », dit-elle.

Il se mordit la lèvre pour réprimer toute manifestation de faiblesse, mais lorsqu'il lui prit le volume des mains, sa voix tremblait.

« *Audentis fortuna iuvat,* mademoiselle.

— Je prie pour que la fortune te sourie effectivement, Snout», dit-elle.

Qu'il était cruel d'entendre cette célèbre citation, prononcée par un guerrier destiné à mourir, sur les lèvres de ce jeune garçon qui flottait dans son uniforme d'homme.

«Faut qu'on aille au train, mademoiselle, annonça le maréchal-ferrant. Il doit être de retour au campement pour le dîner.»

Quand Snout s'éloigna, le bras de son père à nouveau posé sur son épaule, Beatrice resta sur le seuil pour offrir le sien à sa mère qui pleurait tout bas.

« Il serait parti de toute façon, même si on avait dit non », murmura Mme Sidley. Elle s'effondra contre le chambranle, et Beatrice fit tout son possible pour l'empêcher de tomber. « On a le cœur bien lourd, mademoiselle, mais au moins, comme ça, sa pauvre sœur et moi, on est sûres de recevoir une carte postale de temps en temps. »

23.

La disparition du lieutenant Lancelot Chalfont North, vicomte Craigmore, du premier bataillon du Royal Flying Corps, fils unique du comte North, fut annoncée en grande pompe dans tous les journaux. Comme il ne semblait y avoir aucune raison de distinguer cette famille titrée du flot ininterrompu de victimes aristocratiques, et comme aucune grande bataille et aucun acte d'héroïsme n'étaient responsables de ce décès, Hugh en conclut que la presse n'avait pas voulu manquer l'occasion de publier pour accompagner cette affligeante nouvelle une photographie tape-à-l'œil d'un Craigmore fringant dans sa tenue de pilote avec son écharpe blanche, agitant la main depuis le cockpit de son Farman d'entraînement.

La cérémonie londonienne devait se tenir dans l'intimité et tout le gotha se bousculait pour obtenir une invitation. La plus douloureuse des occasions se transforma ainsi en événement mondain, et lorsque la rumeur courut qu'un membre de la famille royale avait l'intention d'assister aux obsèques, les manœuvres des dames de la haute société londonienne devinrent impitoyables. Le colonel Wheaton et Lady Emily avaient reçu une invitation, et Tante Agatha fit savoir que M. Tillingham avait écrit une lettre de condoléances de trois pages ne tarissant pas d'éloges sur ce jeune homme – en compagnie duquel il avait passé une soirée si divine qu'elle ne s'effacerait jamais de sa mémoire –, missive dont il avait été récompensé par l'envoi d'une enveloppe bordée de noir.

Quand Hugh était allé prendre le thé chez Lucy, prêt à réitérer ses excuses pour l'avoir abandonnée au bal de Rye, elle s'était empressée de lui demander s'il avait l'intention d'assister aux funérailles du meilleur ami de son cousin et lui avait proposé de l'accompagner pour le soutenir. Il avait éludé la question. Il aurait été heureux d'offrir son appui à son cousin si celui-ci le lui avait demandé, mais ne pouvait avouer à Lucy que Daniel n'avait pas reçu d'invitation.

« S'il est indispensable que nous soyons officiellement fiancés..., avait-elle ajouté avec une fausse pudeur et Hugh en avait déduit qu'elle était prête à bien des compromis en échange d'une invitation.

— Je ne m'attends pas à être invité », avait-il répondu sèchement et il l'avait priée de l'excuser de ne pas pouvoir s'attarder : il devait s'occuper de son cousin éploré.

Ayant obtenu une permission, Daniel s'était rendu à Londres mais, alors qu'il avait adressé à la famille de Craigmore un message de condoléances dans lequel il se disait prêt à rendre tous les services qu'on pourrait lui demander, il n'avait reçu aucun signe de vie, pas plus chez son père, où il passait relever le courrier tous les jours, que chez Hugh. Quand il n'était pas occupé dans les bureaux de *La Revue de poésie*, qui avait accepté de publier son poème sur David à la mémoire du jeune fils de Lord North, Daniel restait allongé des heures durant dans un état de stupeur accablée sur un lit de camp installé dans le dressing de Hugh, tirant à la logeuse de celui-ci des larmes pour « ce pauvre jeune homme » et son ami défunt.

La veille des obsèques, rentrant chez lui à la fin d'une journée d'exercices et de formation à la médecine de combat, Hugh trouva Daniel assis sur le seuil à compter les pigeons qui se promenaient sur le toit d'en face.

« On m'a mis dehors », dit Daniel en réponse à la salutation de son cousin.

Hugh soupira. Après une longue journée, il avait un peu de mal à se montrer patient avec Daniel, aussi fragile qu'une coquille d'œuf vide.

« Ma logeuse n'est pas là ? Faut-il vraiment que tu restes assis par terre comme un vagabond ?

— Je suis allé chez Craigmore où j'ai appris que je suis *persona non grata*.

— Que s'est-il passé ? »

Non sans quelque inquiétude pour son uniforme, Hugh se glissa à côté de son cousin, remontant son pantalon aux genoux, les pieds en canard pour éviter le contact avec la dernière marche. La posture n'était pas très digne mais au moins, espérait-il, exprimerait-elle son soutien.

« Comme le majordome refusait de me laisser entrer, je suis resté devant la porte du pavillon du gardien, même quand ils ont menacé d'appeler la police. Finalement, la sœur de Craigmore m'a fait signe depuis une porte latérale percée dans le mur du jardin, et elle est sortie dans la rue pour me parler.

— Et toi qui la prenais pour une jeune personne falote, remarqua Hugh.

— Elle a été la seule à avoir le courage de me dire en face que toute la famille me reproche la mort de Craigmore.

— C'est ridicule.

— Figure-toi qu'ils avaient choisi le Flying Corps pour le soustraire à ma mauvaise influence. Il avait repoussé toutes les exhortations à rejoindre l'ancien régiment de son père, mais n'a pas pu résister à l'attrait de l'avion, et son père lui a offert un commandement pour qu'il renonce à moi.

— Grotesque ! s'écria Hugh, tout en sachant au fond de lui que Daniel disait vrai. Et quand bien même, on ne saurait te tenir responsable de ce qui s'est passé.

— Une perte pour un père, un chagrin pour une mère. Je suis condamné à être le bouc émissaire chargé d'emporter tous nos péchés dans le désert.

— Et les obsèques ?

— Ma présence n'est pas désirée. Vingt-quatre camarades et professeurs de l'université suivront le cercueil en toque et toge, mais moi, je suis prié de ne pas me montrer.

— C'est cruel.

— Sa sœur m'a proposé un billet pour la galerie réservée aux anciens précepteurs, aux domestiques à la retraite, ce genre de personnes, poursuivit Daniel, l'air plus surpris qu'offensé. Elle a bravé ainsi la colère de ses parents et risqué d'entacher sa réputation. Elle s'est dite désolée de ne pas pouvoir en faire davantage pour moi.

— Au moins, tu pourras assister à la cérémonie.

— J'ai refusé, bien entendu.

— Pourquoi ? Tu aurais été à l'intérieur de l'église !

— Que sont les obsèques à part pompe et cantiques larmoyants, sans compter les dames qui s'éventent pendant les prières en comparant leurs chapeaux ? » Au grand soulagement de Hugh, Daniel se releva et passa la main sur son front comme s'il s'éveillait d'un songe. « J'ai fait mon éloge funèbre sous forme de poème. Je me tiendrai dans la rue sous la pluie et regarderai passer mon ami une dernière fois.

— Comment sais-tu qu'il pleuvra ? demanda Hugh, prenant mentalement note de vérifier qu'il avait deux parapluies chez lui.

— Dieu n'aurait pas la cruauté de nous railler en nous infligeant du beau temps. Le chagrin s'accommode mieux de cieux nuageux. »

Il pleuvait, ainsi que l'avait souhaité Daniel, une pluie froide, persistante, qui flétrissait les chapeaux des dames et s'insinuait dans les manteaux de laine, glaçant les spectateurs qui se pressaient dehors et les invités serrés entre les pierres froides de l'église. Une foule nombreuse s'était massée au bord de la rue pour voir passer le cortège. Certains étaient venus saluer le mort, d'anciens combattants bardés de médailles, et quelques pensionnaires de la maison de retraite de l'armée britannique dans leurs tuniques écarlates. Bien d'autres, dont la fascination morbide avait été frénétiquement attisée par la presse illustrée, étaient venus montrer du doigt et s'extasier sur le défilé de notabilités, scrutant les voitures en quête d'éventuelles têtes couronnées.

Les journaux à sensations n'avaient cessé de remplir leurs pages d'un étalage de photographies : Craigmore enfant, Craigmore lors d'une course de canoës, aviron sur l'épaule, une vue panoramique et brumeuse du domaine familial. Un cliché récent montrait sa sœur et sa fiancée, sanglotant autour d'une fontaine contournée, sous des voiles de crêpe noir et des plumes affaissées, l'une tenant une bible, l'autre une épée dans son fourreau. Le *Times* lui-même avait publié le matin même le programme de la cérémonie, accompagné de quelques strophes d'un poème funèbre. En lisant ces vers qui lui paraissaient étrangement familiers, Hugh s'était rendu compte, avec un étonnement croissant, qu'il s'agissait d'un passage de l'« Ode au "David de Florence" », publiée précédemment dans *La Revue de poésie.*

Dans une rue proche de l'église, Hugh et Daniel prirent position sous une porte cochère, sur une marche qui leur permettrait d'assister au défilé tout en étant plus ou moins à l'abri de la pluie. Daniel, à qui la reproduction de son poème dans le *Times* n'avait inspiré aucune allégresse et qui avait formulé les plus vives objections quand Hugh avait fait mine de courir acheter quelques exemplaires supplémentaires du journal, frissonnait dans son manteau de laine, col remonté, un numéro de *La Revue de poésie* dans sa poche. Il s'était obstiné à rester tête nue et ses cheveux se collaient déjà sur son visage. Hugh y voyait une affectation ritualiste propre à lui valoir une bonne bronchite, sinon pire.

Des cornemuses et des grosses caisses annoncèrent l'arrivée du corbillard, tiré par quatre chevaux noirs. Leurs sabots étaient enveloppés de sacs de toile pour assourdir le bruit, et ils étaient coiffés de lourds plumets violets tandis que de grandes œillères noires abritaient leurs yeux de leur triste mission. Deux valets étaient montés sur le marchepied arrière et six cavaliers entouraient le fourgon de part et d'autre. Le cercueil de chêne, portant des ornements de bronze et de lourdes barres du même métal, était recouvert d'un drapeau aux armes de la famille et d'une profusion de roses rouges.

Lorsque le cercueil passa, Hugh prit Daniel par le coude sans rien dire. Son cousin frissonna et suivit le corbillard des yeux, tendant la main vers lui lorsqu'il s'éloigna. Il continua longuement à le chercher du regard, comme s'il pouvait le voir tourner devant l'église, voir la longue procession d'ecclésiastiques et d'acolytes agitant leurs encensoirs et brandissant un crucifix de laiton rutilant, voir enfin le cercueil de Craigmore déposé, en douceur et de manière irrévocable, au pied de l'autel.

« Nous ferions mieux d'aller nous mettre à l'abri », remarqua Hugh.

Le cortège de voitures était passé depuis longtemps et la rue était déserte.

« Encore un instant, s'il te plaît », supplia Daniel.

Après avoir attendu qu'un omnibus isolé soit passé, il descendit sur la chaussée pour ramasser une unique plume d'autruche violette échappée à l'aigrette d'un cheval. Elle était boueuse et trempée, mais il la secoua rapidement et la glissa à l'intérieur de sa veste, afin qu'elle sèche contre son plastron. Il laissa ensuite Hugh lui prendre le bras et ils rentrèrent ensemble sous la pluie.

24.

Agatha Kent laissa s'écouler trois longues journées avant de faire une apparition bruyante et publique au cottage à l'heure du thé, apportant un assortiment de victuailles pour la malade et un présent pour Mme Turber.

« Il est si pénible d'avoir la grippe dans sa maison, madame Turber », dit-elle distinctement depuis le seuil, veillant à bien se faire entendre de tous les voisins. Elle offrit à la logeuse une grosse boîte enrubannée remplie de friandises au massepain. « Mon mari les a fait porter de Londres exprès pour vous. »

Mme Turber ne put qu'ouvrir une bouche muette comme celle d'une carpe, car, de toute évidence, la politesse exigeait qu'en acceptant le cadeau, elle avale en même temps le mensonge éhonté qui l'accompagnait.

« D'après le docteur Lawton, elle va beaucoup mieux, annonça Beatrice à Agatha qui franchit la porte d'une démarche majestueuse. Elle passe généralement l'après-midi à dormir, mais je peux aller la réveiller si vous voulez.

— Lady Emily m'a confié qu'à l'hôpital, tout le monde regrette les petits récitals de piano de Céleste, mais évidemment, il faut avant tout qu'elle se rétablisse, reprit Agatha, parachevant son opération de domptage de Mme Turber. Surtout, ne dérangez pas la malade pour moi. J'ai juste un mot à dire à Mlle Nash sur une ou deux questions. »

Refermant la porte du salon au nez de Mme Turber, Agatha se dirigea vers la fenêtre où elle resta immobile, retirant lentement ses gants d'automobiliste avant de déposer son grand chapeau de conductrice, avec son voile épais, sur la banquette qui se trouvait dans l'embrasure de la fenêtre. Elle paraissait d'humeur sombre.

«Je commençais à me demander si vous viendriez, hasarda Beatrice. Pardonnez-moi, mais tant de dames s'empresseraient de se laver les mains d'une telle affaire, et n'ayant aucune nouvelle de vous...

— J'espère n'avoir jamais prétendu être supérieure en quoi que ce soit aux autres dames de cette ville, rétorqua Agatha. Ce serait le comble de la présomption. » Elle s'assit sur la banquette et jeta ses gants sur son chapeau. «J'ai bien peur d'être aussi étroite d'esprit que n'importe qui d'autre. Le tout, c'est d'en être consciente, ajouta-t-elle.

— Je dois dire que je suis sous le choc, moi aussi», admit Beatrice lentement.

Au cours des derniers jours, elle avait eu du mal à rester à l'intérieur du cottage avec Céleste. Ces longues heures enfermée dans sa chambre à essayer d'écrire, avec peu de conviction et encore moins d'idées; cette envie irrépressible d'avaler son petit déjeuner et de filer à l'école de si bonne heure que le concierge était obligé de l'introduire par la porte latérale; tous ces prétextes pour ne pas avoir à sentir l'odeur fraîche de savon sur la peau de Céleste, à voir son corps s'épanouir sous sa robe de chambre, à observer son visage éclairé par les braises mourantes du feu et à être témoin de la solitude de sa mélancolie. Elle avait évité Céleste comme si son malheur était un péché marqué au fer rouge dans sa chair. Agatha, silencieuse, arracha un fil détaché de ses gants.

« Mais au fond de mon cœur, je sais qu'il est de mon devoir de femme de lutter contre ma propre faiblesse et de combattre l'injustice, conclut Beatrice.

— Les femmes porteront toujours le poids de la faute d'Ève, semble-t-il, reprit Agatha. Il en allait déjà ainsi dans ma jeunesse, et j'ai bien peur que cela ne reste ainsi bien après notre disparition. » Elle regarda longuement par la fenêtre comme si elle voyait défiler les années. « La guerre ne fait qu'empirer les choses. Un soldat meurt, et une jeune fille qui se considérait comme fiancée se retrouve avec des rêves fracassés et un enfant sur les bras. Cette fois, m'a dit le pasteur, il contourne toutes les règles pour marier les couples dans l'intervalle entre l'arrivée de l'ordre de mission et l'embarquement.

— Qu'allons-nous faire ?

— Je sors à l'instant de chez Amberleigh de Witte. Je suis allée lui demander l'asile pour notre pauvre réfugiée. Quelques mois de convalescence après cette mauvaise "grippe" et l'enfant placé auprès d'une femme de fermier accommodante – il arrive que l'on puisse trouver de tels arrangements dans le voisinage.

— J'étais sûre que vous ne nous aviez pas abandonnées. Mlle de Witte est la solution idéale. Elle n'est pas reçue dans le monde, et Céleste connaît déjà son cottage. Comment ai-je pu ne pas penser à elle ?

— C'est inutile, soupira Agatha. Amberleigh nous refuse son concours.

— Mais pourquoi ? Elle est bien placée pour savoir ce que c'est que d'être mise au ban de la société.

— Précisément. Mlle de Witte m'a informée de façon très convaincante de ce que je pouvais faire de ma demande d'assistance. Comme elle l'a souligné à l'aide de quelques exemples mortifiants, je n'ai consenti aucun effort pour lui ouvrir ma porte.

— Est-ce vrai ?

— Mademoiselle Nash, j'espère être une femme raisonnable, mais je ne suis pas une révolutionnaire. Leur prétendu mariage ne résisterait pas à un examen attentif, et Mlle de Witte en portera inévitablement les stigmates. Je ne peux pas l'inviter à prendre le thé chez moi.

— J'ai cru qu'ils préféraient rester seuls, remarqua Beatrice. Ils sont ensemble.

— Peu d'unions sont capables de résister à la solitude, observa Agatha. La femme se languit de compagnie et finira certainement par exaspérer son mari par un excès d'attentions domestiques.

— Ils ont leur travail, l'écriture. Cela devrait les soutenir, sûrement ?

— Avez-vous rencontré beaucoup d'écrivains, mademoiselle Nash ? Ils me paraissent plus qu'avides de reconnaissance sociale. J'ai bien peur que M. Tillingham ne publie plus une ligne tant il passe de temps à faire des ronds de jambe au lieu d'être assis à son bureau.

— Refuserez-vous donc d'inviter Céleste à prendre le thé chez vous ? » demanda Beatrice, entendant les pas d'Abigail et le cliquetis du plateau de thé dans le couloir.

Agatha ne répondit pas tout de suite, et attendit qu'Abigail ait posé le grand plateau et disposé les tasses.

« Merci, Abigail, ce sera tout, dit Beatrice. Je verserai le thé moi-même. »

Quand la domestique fut sortie, Agatha lui répondit enfin :

« Vous ne pouvez savoir quelle compassion j'éprouve pour Céleste. Mais si je peux continuer à l'inviter pour le thé par pure charité, je ne saurais lui proposer de venir dîner ni la recevoir chez moi en présence d'autres invités. » La main de Beatrice tremblait pendant qu'elle servait le thé, et quelques gouttes d'Earl Grey tombèrent dans la soucoupe. « Si je vous confie une vérité aussi peu flatteuse pour moi, reprit Agatha, c'est parce qu'il est bon de connaître ses limites, ma chère enfant.

— Qu'allons-nous faire ?

— J'ai également écrit à la sage-femme de ma défunte sœur, dans le Gloucestershire. Elle a toujours été d'une grande discrétion. Mais si cette solution échoue, nous devrons veiller à préserver notre réputation.

— Personnellement, peu m'importe, lança Beatrice.

— L'absence de sincérité n'est pas une qualité non plus, vous savez, remarqua Agatha. Nous sommes toutes des créatures sociales, mon enfant. Je ne pense pas que vous souhaitiez perdre votre logement ni votre emploi ? »

Beatrice secoua la tête.

« Non, bien sûr. Mais je vous aurais crue plus progressiste, madame Kent, répondit-elle sèchement. Après tout, Céleste n'est pas coupable de ce qui lui arrive.

— Vous me trouvez peu éclairée, mais à présent, c'est vous qui êtes aveugle, l'interrompit Agatha. Ce n'est pas pour rien que l'on parle d'un sort pire que la mort. Si pareille rumeur se répandait, même en l'absence d'enfant, aucun homme ne pourrait envisager de faire d'elle son épouse, ni même sa maîtresse, et aucune femme ne la recevrait plus. » Elle vida sa tasse et ramassa ses gants. « Je pense que cette tache-là persistera longtemps après que vos suffragettes auront réalisé leur rêve d'émancipation, ma chère.

— C'est affreux, murmura Beatrice, mais la vérité des paroles d'Agatha la fit rougir.

— Vous devriez vous méfier de la contagion. Bientôt, l'état de Céleste deviendra manifeste et elle ne pourra plus rester sous votre toit.

— Céleste est épuisée et désespérée. Comment ne pas avoir pitié d'elle ?

— Bettina Fothergill est capable de sentir la pitié à cent lieues et sera ravie de nous faire sombrer toutes ensemble. Comprenez-moi bien, je vous prie. Ce n'est qu'en cultivant un niveau convaincant d'indifférence que nous pourrons lui être utiles. »

Beatrice fit de son mieux pour continuer à vivre normalement, mais la rumeur, discrètement mise en branle par Mme Turber, exerça une influence aussi lente et subtile qu'un changement de baromètre avant l'arrivée de nuages de pluie. Les amies de Mme Turber continuaient à venir prendre le thé. Mais alors qu'elles admiraient autrefois avec empressement la beauté de la jeune fille, elles semblaient désormais plus enclines à la dévisager sans mot dire, mâchonnant leurs canapés avant d'aller discuter tout bas avec Mme Turber dans le couloir. Les Belges du pavillon de jardin paraissaient s'occuper davantage de leurs propres enfants, laissant Céleste à sa broderie silencieuse, tandis que son père empruntait à la bibliothèque de M. Tillingham des ouvrages de plus en plus épais qu'il lisait dans son coin, près de la fenêtre.

À l'école, Mlle Devon et Mlle Clauvert manifestaient à Beatrice une froideur ostensible. Chaque fois qu'elle venait prendre sa tasse de thé habituelle dans la salle des professeurs, elle avait l'impression de les voir rapprocher leurs chaises dans un coin et lui tourner le dos. Mais Beatrice imputait cette attitude au fait que Mlle Clauvert l'avait récemment surprise à écrire une lettre à M. Dimbly avant le début des cours. Comme l'en avait informée sévèrement Mlle Devon après que Mlle Clauvert, en larmes, fut rentrée chez elle avec la migraine, M. Dimbly avait demandé à Mlle Clauvert de lui écrire, ce qu'elle avait pris pour une forme de promesse. La lettre de Beatrice avait donc tout de l'intrusion importune. Ce genre de sottises n'intéressait guère la jeune fille, plutôt satisfaite de pouvoir prendre son thé matinal tranquille.

Eleanor Wheaton elle-même avait cessé de venir la voir à l'improviste et de lui adresser des invitations mais, tout en renforçant le climat mélancolique du petit cottage, la disparition de la jovialité exubérante et de la générosité excessive de la jeune baronne n'alerta pas Beatrice. Peut-être son indifférence relevait-elle de la cécité délibérée.

Ce furent les dames du Comité de secours qui finirent par prêter forme et voix à l'intensité des passions qui bouillonnaient sous les toits blottis les uns contre les autres de Rye. Lors d'un déjeuner de travail exceptionnel, Mme Fothergill suggéra que Beatrice soit exclue des débats.

« Pardon ? s'étonna celle-ci. De quel sujet ne suis-je pas censée être informée ?

— Une question délicate, ma chère, répondit Lady Emily. Nous tenons compte de votre sensibilité et de votre position, c'est tout.

— J'ai clairement fait savoir qu'à mon sens, cette question n'a même pas à être abordée ici, commenta Agatha Kent, feignant d'être distraite par la recherche d'un mouchoir perdu au fond d'une de ses poches.

— Vous pouvez consigner cette observation dans votre procès-verbal, chère Agatha, reprit Mme Fothergill. Mais selon moi, nous avons une responsabilité à l'égard de ceux qui nous accordent des dons, et l'obligation morale de faire preuve d'une certaine vigilance concernant nos invités.

— Je puis vous assurer que je ne suis certainement pas la personne la plus sensible de cette pièce, intervint Beatrice. Vous n'avez pas à craindre de me choquer.

— Puisqu'on vous confie de jeunes esprits, vous devriez sans doute veiller à mieux préserver votre réputation, lança Mme Fothergill.

— Il me semble que cela concerne directement Mlle Nash, reprit Agatha, abandonnant sa poche pour regarder Bettina Fothergill droit dans les yeux. Si vous êtes décidée à mettre ce sujet sur le tapis, Bettina, que Mlle Nash sache de quoi il retourne. »

Beatrice décela une certaine tension sous la neutralité de son ton, et son cœur se serra.

«Je ne vois aucune objection à sa présence, approuva Lady Emily. Nous aurons peut-être besoin de sa coopération.

— J'aimerais vous rappeler à toutes que ce dont nous parlons ici doit être tenu pour entièrement confidentiel, reprit Agatha en jetant un regard noir à Bettina Fothergill. Pour l'amour du ciel, finissons-en avant que M. Tillingham n'arrive.»

Puisqu'on lui donnait la parole, Mme Fothergill parut soudain pressée de commencer. Elle toussota à plusieurs reprises et remua les lèvres comme pour essayer différentes formules d'introduction.

«Il est évidemment tout à fait regrettable que cette jeune fille ait été victime d'un tel acte de violence, commença-t-elle. Mme Turber est la plus chrétienne et la plus charitable des personnes, et cette situation désastreuse lui tire des larmes.

— Mme Turber a un goût déplorable pour les ragots et toute la compassion d'un seau à charbon, coupa Agatha Kent. J'ai du mal à l'imaginer en pleurs.

— On ne peut guère parler de ragots, ma chère Agatha, reprit Mme Fothergill. Mme Turber m'a assuré qu'elle serait restée muette si cette créature, cette Amberleigh de Witte, n'avait déjà évoqué cette triste affaire en ma présence.

— De quoi est-il question?» chuchota Beatrice à Agatha, bien qu'elle eût compris sur-le-champ et que l'audace avec laquelle ces dames se proposaient de disséquer et d'examiner à la loupe le calvaire intime de Céleste comme s'il ne s'agissait que d'un problème de subsides ou du prix du savon destiné au foyer de la rue basse la laissât sans voix.

Incapable de continuer à feindre l'indifférence, Agatha baissa les yeux vers ses souliers et son cou s'empourpra. Beatrice ne l'avait jamais vue ainsi réduite au silence.

« Il est de notoriété publique que votre protégée a subi une indignité innommable, commenta Alice Finch, provoquant quelques hoquets parfaitement audibles autour de la table. Enfin voyons, mesdames, si nous devons en discuter, appelons un chat un chat.

— Cette pauvre, pauvre fille, murmura Minnie Buttles.

— Tellement regrettable. Une jeune personne si charmante, renchérit Mme Fothergill. Mais nous habitons une ville respectable, et nous ne pouvons pas rester sans réagir, mesdames. Mme Turber m'a fait savoir, avec la plus extrême discrétion, qu'elle souhaite que cette personne ait quitté sa maison avant la semaine prochaine.

— Jamais je ne la mettrai à la rue, protesta Beatrice.

— Je crains que vous n'ayez pas le choix, ma chère, rétorqua Mme Fothergill. Les administrateurs de l'école voient d'un très mauvais œil la poursuite de cet arrangement. Votre emploi doit être mis au débat lors de la prochaine réunion. » S'éventant avec son mouchoir, elle ajouta : « Je n'ose imaginer ce que Lady Marbely aurait à dire à ce sujet.

— Céleste n'y est pour rien, insista Minnie.

— N'est-ce pas la raison même pour laquelle nos armées sont entrées en Belgique ? demanda Alice Finch. Pour venger pareilles ignominies ?

— Nous sommes prêtes à faire notre devoir de façon générale, répondit Mme Fothergill. Mais il nous est évidemment impossible de continuer à recevoir cette jeune personne dans nos salons dans un état pareil.

— Ne prendrez-vous pas ma défense, madame Kent ? » demanda Beatrice d'une voix qui n'était plus qu'un chuchotement rauque.

L'horreur que lui inspirait la crudité de cette conversation était encore aggravée par la honte qu'elle ressentait à s'inquiéter de sa propre situation.

«Jusqu'à présent, je n'avais pas imaginé que l'Angleterre puisse tomber, reprit Alice Finch, bondissant sur ses pieds. Mais qu'est devenue l'Angleterre, si vous n'êtes pas prêtes à vous dresser pour protéger une enfant innocente, victime des blessures de la tyrannie?

— Les excentricités sociales de certaines ont bénéficié dans cette ville de plus d'indulgence qu'elles ne sont en droit d'en attendre, mademoiselle Finch, répliqua Mme Fothergill, le visage rayonnant devant la défaite muette d'Agatha. Peut-être souhaiterez-vous l'accueillir chez vous?

— Cela mettrait mon père, le pasteur, dans une situation pour le moins singulière, observa Minnie tandis qu'Alice se rasseyait brutalement, l'air furieuse. Mais nous tâcherons de le convaincre, s'il est impossible de lui trouver un autre asile. Mme Kent pourrait peut-être l'héberger?»

Agatha secoua la tête.

«S'il s'agissait d'une de nos réfugiées d'extraction paysanne, nous pourrions certainement fermer les yeux sur cette fâcheuse affaire, intervint Lady Emily. Mais son père et elle dînent à nos tables et elle fréquente nos propres filles. Je suis bien obligée de donner raison à Mme Fothergill : lui trouver un autre toit ne suffira pas à régler le problème.

— Mme Kent a cherché à nous dissimuler cette situation scandaleuse pendant des jours, reprit Bettina Fothergill, les yeux brillants de plaisir. Nous ne pourrions pas compter sur elle pour garder cette jeune personne sous clé comme il conviendrait.

— Où voulez-vous qu'elle aille? demanda Beatrice, tandis qu'une petite flamme de colère combattait son sentiment de mortification. Elle a déjà été chassée de chez elle. Elle vit ici parmi des étrangers. Ayant déjà tant souffert, va-t-elle souffrir encore de notre propre fait?

— Ailleurs, personne ne connaîtrait son histoire, remarqua Agatha, intervenant enfin. Il serait peut-être préférable aussi bien pour Céleste que pour son père de prendre un nouveau départ.

— Il faudrait trouver un lieu discret et suffisamment éloigné, renchérit Lady Emily.

— Hors de portée de personnes peu scrupuleuses qui pourraient être tentées de colporter leurs médisances, ajouta Alice Finch avec un regard sévère à Bettina Fothergill qui se contenta d'opiner énergiquement du chef.

— M. Tillingham dispose d'excellentes relations au Comité national de secours de guerre, observa Lady Emily. Il pourra sûrement trouver un nouveau point de chute à nos invités par le biais d'un autre comité régional.

— Quelle honte pour ce pauvre cher professeur ! s'écria Mme Fothergill. Un homme aussi instruit ne mérite pas de tels désagréments.

— Qui parlera à M. Tillingham ? demanda Minnie. Je mourrais d'embarras de devoir évoquer ce sujet devant lui.

— Mme Kent est notre plus habile diplomate, rappela Alice Finch.

— Sans doute Mme Kent préférera-t-elle faire ce que lui dicte l'honneur en démissionnant de notre petit comité, reprit Bettina Fothergill d'un ton détaché, comme si tout cela ne la concernait pas. Cela lui permettrait de ne pas parler en notre nom. »

Le silence se fit autour de la table. Tandis que Lady Emily contemplait ses propres mains gantées, Mme Fothergill se rengorgeait. Beatrice trouva qu'elle ressemblait à un chat qui tient dans sa gueule la perruche de l'enfant de la maison. Agatha s'exprima enfin, s'adressant directement à Lady Emily :

« Vous aurez ma lettre de démission demain, lui annonça-t-elle. Et Mme Fothergill n'aura qu'à parler à Tillingham à ma place. »

Lady Emily acquiesça d'un signe de tête.

« Il serait fort préjudiciable à l'image de notre ville que certains milieux apprennent que le maire et moi sommes liés d'une manière ou d'une autre à ce déménagement, objecta Mme Fothergill, troublée. Si Bexhill savait cela...

— Je parlerai à Tillingham, coupa Alice Finch. Je lui transmettrai votre proposition, mais ne me demandez pas de faire semblant de l'approuver.

— J'aperçois justement le maître qui descend dans le jardin, dit Lady Emily. Ajournons cette séance pour laisser Mlle Finch accomplir son déplaisant devoir.

— Faites-lui bien comprendre l'urgence de la situation, et la nécessité d'une discrétion absolue, insista Mme Fothergill. Qu'ils soient partis sans bruit sous huitaine. »

Lorsque le petit groupe se dispersa, Agatha s'éloigna rapidement sans dire un mot à personne. La défaite d'une force aussi redoutable laissa Beatrice abattue et nauséeuse, et pendant un instant, elle eut l'impression que le roc sur lequel était bâti le bourg, s'élevant aussi immuablement du sol sableux des marais, risquait de se fracturer et de se dérober sous ses pieds.

Deux jours plus tard, à son retour de l'école, Beatrice trouva son petit salon envahi de religieuses. Abigail leur apportait de l'eau bouillante pour le thé, et Mme Turber, qui traînait dans le passage entre les deux logements, prit Beatrice à part pour lui dire : « Elles ont déjà eu deux assiettes de tartines beurrées et tout un gâteau au carvi. Et elles prétendent mener une vie de pauvreté et de contemplation...

— Que font-elles ici ? » demanda Beatrice.

Céleste et elle avaient rendu occasionnellement visite aux trois religieuses pour leur apporter quelques provisions et leur servir d'interprètes auprès de leurs hôtesses, les demoiselles Porter. Mais Beatrice n'avait pas pensé à les inviter à prendre le thé, et elles n'étaient jamais venues la voir. Céleste faisait passer le plateau de thé et offrait des tasses, mais elle était d'une telle pâleur et si visiblement malheureuse que cette visite semblait ne lui apporter aucun réconfort spirituel.

« C'est son père qui les a amenées, puis il a filé comme l'éclair, poursuivit Mme Turber. Quel homme charmant ; il me fait tellement de peine.

— Si sa fille ne se retrouvait pas sans toit, vous auriez bien moins de raisons de le plaindre.

— Quel terrible scandale. Bien sûr, s'il ne s'agissait que de ma réputation personnelle, je la garderais... »

Le mensonge était si flagrant que Beatrice ne put qu'admirer Mme Turber, comme on peut admirer la touche d'un peintre sans apprécier le tableau pour autant.

« Je vais les rejoindre, dit-elle alors. Voulez-vous bien demander à Abigail de m'apporter une tasse ? »

Quelques phrases suffirent à lui faire comprendre que les religieuses devaient partir pour le nord quelques jours plus tard afin de rejoindre d'autres membres de leur ordre qui avaient été invitées à prendre possession d'une partie d'un grand couvent. Elles étaient excitées comme des écolières à l'idée de retrouver la vie cloîtrée à laquelle elles étaient habituées, et ravies d'apporter à leur ordre, depuis les cendres de leur exil, une novice aussi délicieuse. Avec le léger décalage inévitable, même quand on maîtrise très bien une autre langue, Beatrice mit un instant à comprendre qu'elles parlaient de Céleste.

« Céleste, dites-moi que ce n'est pas vrai », s'écria-t-elle.

Céleste lui jeta un regard noyé de douleur et de défaite.

« Mon papa a décidé que je devais prononcer mes vœux. Il dit que cela lui donnera beaucoup de joie et que je retrouverai l'innocence d'un ange aux yeux de Dieu.

— Mais vous, avez-vous envie d'entrer dans les ordres ?

— Ces religieuses ne font pas vœu de silence, répondit Céleste lentement. Je pourrai chanter et apprendre à jouer de l'orgue. »

L'aînée des religieuses expliqua en français à Beatrice que le père de Céleste avait pris sa décision et qu'on remettrait à la jeune fille de nouvelles chaussures et une chaude cape de laine pour le voyage ; de plus, les habitants de Rye avaient promis de verser vingt livres à leur ordre.

« Et... et l'enfant ? demanda Beatrice, trébuchant sur le mot qu'elle prononçait pour la première fois en présence de Céleste.

— Leur ordre accepte les mères célibataires et trouve des familles pour les bébés, expliqua Céleste, laissant involontairement sa main retomber sur son ventre. Elles ne posent pas de questions.

— Vous n'êtes pas obligée de faire cela, Céleste, protesta Beatrice. Nous trouverons une autre solution.

— Si j'accepte, mon père peut rester ici, chez M. Tillingham. Autrement, elles disent que nous devrons tous les deux faire un long voyage, et sa santé n'est pas très bonne.

— Une excellente solution pour lui, je n'en doute pas un instant. Mais vous, que souhaitez-vous ?

— N'avez-vous pas vous-même servi votre père fidèlement jusqu'à sa mort ? Une fille ne doit-elle pas faciliter la vie de son père ?

— Mon père ne m'a jamais demandé de sacrifier le reste de mon existence et... »

À l'instant même où elle prononçait ces paroles, Beatrice repensa au jour où, au milieu de sa dernière année à l'université de Californie, son père lui avait annoncé qu'ils rentraient retrouver sa famille en Angleterre. Elle avait plaidé doucement sa cause, mais il avait déjà réservé les billets, une tâche dont elle se chargeait habituellement, et donné à leur propriétaire toutes les instructions pour leur faire envoyer leur mobilier. Sentant la mort approcher, il s'était tourné vers la demeure de son enfance comme si c'était un talisman. Elle ignorait tout ce qu'il avait dû accepter pour être repris dans le sein de sa famille. Ce qu'elle savait, c'est qu'il s'était laissé convaincre de mettre son héritage sous curatelle et de signer les documents à cet effet. Ce n'était pas l'argent qui lui importait, mais elle avait été douloureusement blessée de découvrir qu'après toutes les années où elle lui avait servi de dame de compagnie, il n'avait pris aucune disposition pour assurer son indépendance. Il avait troqué son avenir à elle contre quelques mois de nostalgie. Elle se tourna vers Céleste, assise au milieu des robes de lin grossier et des cornettes amidonnées, et essaya de répondre honnêtement :

«Je crois qu'un père a pour mission de nous protéger, mais que s'il échoue, s'il nous trahit, nous devons nous protéger nous-mêmes.»

Les religieuses, qui ne comprenaient pas un mot d'anglais, finirent de grignoter leur gâteau avec la satisfaction de celles qui n'attendent de la vie que des plaisirs simples et commencèrent à se lever dans un bruissement de robes et à rassembler leurs quelques effets avant de se retirer. Lorsqu'elles prirent congé, Céleste inclina le front pour que chacune l'embrasse. Beatrice esquissa un signe de tête, mais ne leur tendit pas la main. C'étaient de gentilles vieilles dames et l'interruption soudaine de leur existence contemplative avait certainement été tout aussi perturbante que le sort de tous les autres réfugiés. Elle ne leur en voulait pas. Il n'en demeurait pas moins qu'elles condamnaient Céleste à la prison.

« Il doit y avoir une autre solution, répéta-t-elle à Céleste. Je ne vous abandonnerai pas. »

Alors même qu'elle prononçait ces mots, elle prit conscience qu'elle ne pourrait pas tenir cette promesse. Si elle perdait son emploi et que sa rente cessait de lui être versée, elle n'aurait d'autre possibilité que de regagner Marbely Hall.

« Je me demande si les murs du couvent sont assez hauts pour cacher ma honte, lui chuchota Céleste. Même si Dieu me pardonne, moi, je ne pourrai jamais oublier. »

25.

La publication du poème de Daniel dans le *Times* apporta une grande satisfaction à Agatha, qui y vit la preuve définitive de son authentique vocation de poète. Cette parution fut également très remarquée dans le bourg de Rye, où le journal passa de main et main, consolant un peu Agatha de l'indignité d'avoir été radiée du Comité de secours belge par Bettina Fothergill.

À Londres, le poème fut cité et reproduit dans d'autres organes de presse pour accompagner les photographies du défunt, et quand John revint de la ville, il raconta l'avoir entendu mis en musique sur une mélodie populaire et chanté dans un music-hall, où il avait été très applaudi. Il n'eut cependant pas le bonheur de séduire Lord North qui, dans une lettre acerbe adressée au *Times*, étrilla la vulgarité grossière avec laquelle le quotidien avait annoncé la mort de son fils en l'accompagnant de photographies publiées sans autorisation et de vers alambiqués d'un goût des plus douteux. Le grand homme ne s'abaissa pas à écrire à la presse de moindre influence, mais ses avocats s'en chargèrent peut-être car plusieurs journaux populaires publièrent de brèves rétractations repentantes. Les protestations de la famille de Craigmore ne firent apparemment qu'ajouter à la notoriété du poème et Agatha reçut encore plus de félicitations de voisins dont l'intérêt pour la littérature était titillé par ce léger parfum de scandale. Emily Wheaton elle-même l'arrêta à la sortie de l'église pour la complimenter, et si Agatha s'alarma de constater que les faveurs du public avaient même eu raison de la réserve de la petite noblesse locale, elle ne fut pas mécontente que tous les paroissiens aient pu surprendre leur dialogue, lequel signalait de surcroît à une Bettina Fothergill maussade la fin probable de sa disgrâce.

Elle avait écrit à Daniel à sa caserne, le félicitant de la publication du poème à mots couverts, pour ne pas donner l'impression de trop s'enorgueillir d'un succès qui reposait sur la mort d'un jeune homme. Elle fut surprise de recevoir par retour du courrier un télégramme lui annonçant qu'il quittait le régiment d'artillerie légère des artistes et rentrerait à la maison par le train du vendredi soir en compagnie d'Oncle John.

Agatha était à la gare quand le train en provenance d'Ashford arriva. En temps normal, elle se serait contentée d'envoyer Smith avec la voiture, ou même de laisser Daniel gravir la colline par ses propres moyens, mais dès qu'elle avait reçu le télégramme annonçant son retour, elle avait accablé Jenny et la cuisinière d'une avalanche d'ordres et déclaré à Smith qu'elle l'accompagnerait au train.

Elle avait pris plaisir à demander que les draps soient aérés, des feux allumés dans les chambres et des bouillottes préparées. Le gros rôti de mouton qu'elle avait prévu pour le déjeuner du dimanche fut préparé pour être mis au four, et elle avait inspecté le cellier avec la cuisinière, hésitant entre des conserves de saumon ou d'huîtres fumées, et se demandant si l'occasion se prêtait à un bocal d'asperges. La cuisinière était d'avis que le maître de maison et le jeune homme s'estimeraient plus gâtés si on leur servait un pudding à la confiture, et Agatha accepta de piocher dans leurs réserves de sucre en nette diminution et d'y ajouter un pot de confiture de cerises. Des œufs à la diable et un peu de laitue tardive compléteraient le menu, et la cuisinière promit de préparer une crème anglaise pour accompagner le pudding.

Cette frénésie de logistique domestique semblait nettement préférable à la paralysie et à la peur qui l'avaient terrassée à l'annonce de la mort du jeune Craigmore. Comme pour prouver la véracité d'un vieux cliché, son sang s'était glacé dans ses veines ; Agatha l'avait senti rejoindre ses extrémités, comme s'il cherchait à quitter son corps, et ses mains s'étaient engourdies. Elle ne savait plus très bien comment elle était rentrée chez elle, mais se rappelait vaguement que Beatrice Nash l'avait soutenue par le bras jusqu'à la porte de l'auberge et que John lui avait tenu la main jusqu'à la maison, dans la voiture. Si être gelée et terrifiée avait été une réaction excessive au drame qui avait frappé un jeune ami de Daniel dont elle n'avait aperçu le séduisant visage que très fugacement, riant dans un champ de houblon, elle n'avait pas eu envie d'approfondir la question. Mais ces derniers temps, elle n'avait cessé de penser à lui, et sa disparition lui rappelait le jour du début de l'été où elle avait vu une grosse abeille tituber en dessinant un parcours maladroit sur les dalles de la terrasse. Elle avait eu suffisamment de courage et de pitié pour la ramasser à l'aide d'une grosse feuille d'hosta bleue capitonnée et aller la déposer sur le gazon, où l'insecte avait continué à se débattre et à bourdonner, comme une sonnette sur laquelle appuie un visiteur impatient, jusqu'à ce que ses petites pattes grêles se dérobent définitivement. Plus tard, le jardinier lui avait appris que la ruche s'était effondrée, toutes les abeilles mortes à l'intérieur de leurs rayons, et qu'il faudrait se passer de miel cette année.

Le train arriva, avec une ponctualité aussi rassurante que sa progression sans heurt sur les rails rectilignes, la régularité avec laquelle des passagers montaient et descendaient des wagons dans des gares de brique identiques et le sifflement du jet de vapeur et l'odeur âcre de la cendre. John et Daniel apparurent, le second encore en uniforme, portant son sac de soldat. Elle attendit que le chef de gare les eût salués, que Daniel et John lui eussent serré la main et échangé quelques amabilités avec lui. Ils l'aperçurent alors qui les attendait sur le quai, et la chaleur de leurs sourires fit fondre sa réserve. Elle courut vers eux comme une écolière et s'efforça de les envelopper tous les deux d'une même étreinte énergique, pleurant et riant à la fois.

« Du calme, protesta John, se dégageant doucement pour ramasser son chapeau qu'elle avait fait tomber au sol. Où sont passées ma femme et sa célèbre retenue diplomatique ?

— La vie est trop précieuse pour que nous continuions à la gâcher par pure convenance, répliqua-t-elle. Dorénavant, je vous embrasserai en public, John Kent. »

Tout en s'exécutant, elle s'attendait à entendre Daniel lancer quelque pique insolente, mais il garda le silence, et quand elle échappa aux bras de son mari, elle constata que le sourire de son neveu ne parvenait pas à dissimuler un épuisement affligé. Elle l'embrassa sur la joue et glissa une main sous son bras, prenant la main de John dans l'autre.

« Et si nous rentrions ? suggéra-t-elle.

— Si vous pouviez me déposer d'abord chez le colonel Wheaton, je dois me présenter sur-le-champ, dit Daniel. Mais ne vous inquiétez pas, je serai à la maison pour le dîner.

— Chez le colonel Wheaton ? » s'étonna Agatha.

Ni Daniel ni John ne semblaient vouloir croiser son regard. Elle s'arrêta, les mains sur les hanches.

« Qu'est-ce que cela signifie, au juste ?

— J'ai demandé à être transféré dans le régiment du colonel Wheaton, avec effet immédiat, expliqua Daniel. Tante Agatha, félicitez-moi. Je pars pour la France. »

Après le dîner, Agatha s'assit sur la terrasse dans la nuit qui s'épaississait, enveloppée dans un manteau pour se protéger du froid de la fin octobre, songeant que les derniers rayons du soleil couchant pouvaient être affreusement douloureux pour un cœur dans la peine. John était assis sur un banc, à côté d'elle, sirotant son brandy comme si de rien n'était. Elle ne lui parla pas. Elle ne pouvait pas lui parler. Il n'avait fait que ce qui lui avait paru nécessaire pour aider Daniel, mais elle ne pouvait se défendre de ressentir une blessure profonde et douloureuse, une impression de trahison. À l'autre bout de la pelouse, Daniel était presque une ombre, simple silhouette se découpant sur l'ultime clarté du ciel. Il fumait un cigare, plongé dans ses pensées.

« S'il y avait eu une meilleure solution, je l'aurais dissuadé de faire ça », dit John.

Elle sentit son regard posé sur elle. Avec, elle en était sûre, l'expression d'honnêteté et de franchise qui lui avait valu tant de succès dans le monde diplomatique. Elle ne répondit pas, se contentant de boire son thé, les yeux rivés sur Daniel et le ciel, au-delà.

« Je vous assure que c'était ce qu'il y avait de mieux à faire, reprit-il.

— Il part en France », murmura Agatha. Les mots étaient glacés sur ses lèvres. « Vous m'aviez promis qu'il n'y mettrait jamais les pieds.

— J'avais promis de tout faire pour lui trouver une position aussi peu exposée que possible. Mais les circonstances ont changé, Agatha. Il était sur le point d'être rendu à la vie civile.

— Une libération parfaitement honorable, précisa Agatha.

— Oui, sans doute, c'est ainsi que la chose a été présentée. Personne n'a jamais formulé la moindre accusation précise, mais une ombre d'ambiguïté aurait plané à jamais sur cette affaire. L'intervention de Lord North y a amplement pourvu.

— Au moins, il aurait été en sécurité, s'obstina Agatha.

— Mais à quel prix, ma chère ? Une vie sans honneur n'est pas une vie. Je vous garantis que s'il avait été obligé de quitter l'armée, même dans des conditions honorables, on y aurait vu la preuve que les invraisemblables allégations du père de Craigmore n'étaient pas sans fondement.

— Comment peut-il suggérer que Daniel ait exercé la moindre influence pernicieuse sur son fils ? C'est ridicule ! Se permet-il de le calomnier simplement parce qu'il est poète ?

— Lord North est égaré de douleur au point d'en perdre la raison, et je suis certain que, pour lui, tous les bohèmes sont suspects, expliqua John. Une affectation discrète dans le régiment du colonel Wheaton était de loin la solution la plus satisfaisante, et Wheaton a été ravi de m'accorder cette faveur, car il est persuadé que je ne suis pas étranger à l'intégration de sa réserve territoriale et de lui-même dans l'armée régulière.

— Est-ce le cas ?

— Je ne vous en dirai rien, pour ne pas porter préjudice à votre confiance dans mon pouvoir d'influence.

— Votre influence ayant été incapable de protéger Daniel, je n'aurai plus aucune confiance en elle. Je ne le laisserai pas partir en France, John.

— Agatha, nous en avons déjà parlé.

— Oui, oui, je sais, les fameuses limites de mes droits avunculaires. Je me suis mordu la langue quand Hugh s'est engagé, parce qu'il est médecin et assuré de rester à l'arrière. La situation de Daniel est bien différente.

Pour l'amour du ciel, John, les hommes de Wheaton sont sur le point de partir pour le front.

— Pas si vite, rectifia John. Leur entraînement n'est pas terminé. Aucun ordre d'embarquement n'a encore été donné.

— Le jeune Craigmore est mort. Le fils du poissonnier est mort. J'ai compté cinq enterrements pour un mariage dans le cahier mondain de cette semaine. »

Sa voix se brisa et elle rentra le menton pour dissimuler le tremblement de sa bouche. Elle ne voulait pas jouer les femmes geignardes et pusillanimes, et pourtant, lorsqu'elle imaginait Daniel agitant la main à la vitre d'un transport de troupes, elle sentait s'évaporer toute une existence de force et de résistance, la laissant vide comme une paille sèche.

« Il faut prendre sur vous, ma chère. Je ferai mon possible, mais nous devons jouer finement. Daniel n'est pas moins patriote que tout autre jeune homme, et il serait peiné d'apprendre que nous nous opposons à son départ.

— Je préférerais encore partir moi-même, s'entêta Agatha.

— Voilà qui mettrait les Allemands en déroute, vous pouvez en être assurée. Malheureusement, l'armée ne veut pas de vous.

— Parce que je suis une femme.

— Parce que vous êtes trop obstinée et que vous avez des idées trop arrêtées. Imaginez une armée d'Agatha Kent – refusant toutes d'obéir aux ordres.

— Vous exagérez. »

Elle avait beau savoir que son mari cherchait à atténuer sa douleur, elle n'en fut pas moins réconfortée. C'était leur façon d'être. Elle en avait déjà fait l'expérience quand John l'avait tirée du malheur après la mort de son fiancé.

C'étaient les uniformes qui lui remettaient cet épisode en tête. Ils avaient décidé de se marier précipitamment parce que le régiment de son fiancé avait été envoyé inopinément à Suez. Assise dans sa robe de mariée, elle attendait dans l'après-midi paisible que son père vienne la chercher. Il y avait eu une explosion de munitions à la gare. Un homme en tenue de capitaine était venu les prévenir. Alors avaient commencé ces interminables mois dans le Gloucestershire, où sa famille espérait que la compagnie de sa sœur contribuerait à la faire émerger de son hébétude morbide. Elle sentait encore l'odeur de jasmin flétri de son bouquet de mariée. Et elle détestait le Gloucestershire, où elle n'avait remis les pieds qu'une fois, pour l'enterrement de sa sœur.

John l'avait aimée malgré tous les efforts qu'elle avait faits pour l'en dissuader. Il l'avait emmenée dans tous les lieux exotiques où il était muté, ce qui lui avait permis de devenir une femme plus solide. Même quand ils avaient appris qu'ils ne pourraient pas avoir d'enfants, ce dont elle s'était blâmée en s'arrachant les cheveux, il avait préservé sa santé mentale grâce à ses plaisanteries et à ses douces paroles. Elle avait toujours pu tempêter et frapper des poings contre le torse de John, vitupérant contre le monde entier; il la protégeait calmement, l'empêchant de sombrer. Elle avait honte d'avoir été, ce soir, aussi revêche que s'il lui avait déjà fait défaut. Elle soupira.

«J'imagine que je ferais mieux de laisser tout cela entre vos mains et de me contenter de profiter, comme je l'ai toujours fait, du moindre jour que Daniel et Hugh peuvent passer avec nous.

— Il me semble qu'en agissant de la sorte, vous avez obtenu plus de bonheur maternel qu'une mère de dix enfants, approuva John. Tandis que moi, je jouis de tous les bienfaits du statut d'oncle sans avoir à supporter les dépenses afférentes à la paternité. Nous pouvons estimer avoir bien de la chance l'un comme l'autre.

— Et maintenant, qui exagère ?» demanda Agatha qui feignait d'ignorer que John contribuait modestement aux frais d'éducation de leurs neveux et leur glissait des traites substantielles à Noël et pour leurs anniversaires.

S'il prenait plaisir à défendre la frugalité et le travail, il aurait remué, elle le savait, ciel et terre pour les deux garçons. Aussi lui sourit-elle en lui embrassant la main, sans lui montrer qu'elle craignait, cette fois, alors que la terre s'ébranlait d'un bout à l'autre de l'Europe, qu'il pût manquer à sa parole.

Au cours des jours qui suivirent, on entendit circuler de telles rumeurs sur l'imminence des ordres d'embarquement des soldats du colonel Wheaton qu'Agatha fut prise d'une terrible inquiétude. Elle avait beau avoir toute confiance en son mari, il ne lui avait donné aucune nouvelle. Qu'adviendrait-il si son aide arrivait trop tard ? Déterminée à faire feu de tout bois pour sauver Daniel de son absurde obstination, elle se rendit chez les Wheaton un après-midi avec son plus large sourire, apportant une grande corbeille de friands et d'allumettes au fromage.

« Une modeste contribution au thé des convalescents », annonça-t-elle au commandant Frank venu l'accueillir dans le vestibule.

Les murs avaient été dépouillés de leurs tableaux et les statues drapées de bâches, sans qu'Agatha sût très bien s'il s'agissait de les protéger d'éventuels dégâts ou de préserver les soldats du spectacle de leur nudité de bronze et de marbre. Un jeune caporal était assis à un bureau et un grand panneau de liège destiné aux messages était attaché par du fil de fer à la rampe de l'escalier. Un chemin de thibaude recouvrait les sols de marbre.

« Merci, madame Kent, dit le capitaine. Ils apprécient toujours quelques douceurs maison avec leur thé.

— Comment les choses se passent-elles ?

— J'ai un peu de mal à satisfaire toutes les dames désireuses de jouer du piano et de chanter l'après-midi. Entre celles qui sont incapables de tenir une note, celles qui ne cessent de gémir sur le sort de "ces pauvres hommes" et celles qui sont en quête d'un futur mari pas trop grièvement blessé, un certain nombre de nos patients réclament de pouvoir prendre le thé dans leur chambrée.

— Et ma chère amie, Lady Emily ? demanda Agatha. Comment vous entendez-vous avec elle ?

— Nous nous arrangeons. En toute confidence, mes collaborateurs et moi-même approuvons tous ses projets et les transmettons au quartier général pour approbation immédiate. Laquelle approbation exige toujours un délai des plus opportuns, ce qui nous permet de poursuivre notre travail tranquillement.

— Vous me faites penser à mon mari, commandant, sourit-elle. En toute confidence également, j'ai entendu parler d'un ou deux ministres du gouvernement avec lesquels un arrangement comparable permet au travail important de s'effectuer sans anicroche.

— Voulez-vous que je vous fasse visiter nos installations ? C'est presque l'heure du thé, et je pourrais vous en offrir une tasse dans la salle de bal. Qu'en dites-vous ?

— En réalité, j'espérais voir le colonel Wheaton s'il est là. Je préférerais éviter d'aller au campement où je risquerais de le déranger dans l'exercice de ses fonctions.

— La famille s'est retirée dans l'aile est, expliqua le commandant. Mais le colonel traîne généralement dans les parages à l'heure du thé pour remonter le moral des blessés. Voulez-vous que je vous conduise jusqu'à lui ? »

Le colonel termina sa tournée de la salle de bal et vint s'asseoir en compagnie d'Agatha et du commandant Frank. Ce dernier, toujours discret, trouva quelque prétexte pour s'éclipser, et Agatha estima que le bourdonnement continu des conversations et l'interprétation pianistique quelque peu discordante mais enthousiaste de Minnie Buttles leur assuraient une intimité suffisante pour qu'elle lui expose sa requête.

« Ce n'est pas le thé le plus raffiné du monde. Je crois bien que l'armée achète celui qu'elle estime assez fort pour vous rincer proprement la bouche, dit le colonel en reposant sa grande tasse verte dans sa soucoupe.

— Je suis certaine qu'il ne fait aucun mal à vos patients. »

Tandis qu'elle parcourait la salle du regard, son cœur se serra à la vue de tant d'officiers pleins d'entrain, buvant du thé, lisant le journal, prétendant ignorer leur tête bandée, leur membre manquant ou la toux rauque qui leur déchirait la poitrine. À la table voisine, un jeune capitaine sans blessure apparente cherchait à maîtriser le tremblement de ses mains qui faisait cliqueter sa tasse dans sa soucoupe et renversait du thé sur la nappe. Agatha détourna les yeux et une infirmière apporta au jeune homme un bol qu'elle était allée chercher à la cuisine.

« Ils sont remarquablement courageux, n'est-ce pas ? commenta Agatha.

— Ceux-là ont eu de la chance. Ils sont vivants et en Angleterre – ils ne risquent pas de retourner au front. Pour la plupart de ces hommes, la guerre est finie.

— Si seulement elle pouvait l'être pour nous tous, soupira Agatha.

— Accordez-moi d'abord l'occasion de mettre la main à la pâte, protesta le colonel. Mes gars attendent des ordres du jour au lendemain à présent. Nous sommes tous impatients d'aller nous frotter aux Boches.

— Je sais bien, colonel, et je sais aussi que vous tenez beaucoup, votre fils et vous, à servir notre pays.

— Lui plus que moi, reconnut le colonel. Je ne suis qu'un vieillard qui a repris du service. Je suis heureux de pouvoir retourner sur le terrain, mais Harry, c'est autre chose : un brillant avenir l'attend. Cette guerre donnera le coup d'envoi à la carrière d'un certain nombre de jeunes gens, et Harry a de bonnes chances de faire son chemin à condition d'être au cœur de l'action.

— Mon neveu Daniel n'est pas un militaire de carrière. En revanche, c'est un remarquable poète. Vous avez peut-être vu son poème dans le *Times* ?

— Nous ne lui en tiendrons pas rigueur, promit le colonel. Il fait un excellent boulot pour entraîner les hommes. Un officier très prometteur, croyez-moi.

— Il a l'âme très sensible.

— Ne vous inquiétez pas, fit le colonel en se penchant vers elle pour lui tapoter la main. J'ai appris à juger le caractère d'un homme et croyez-moi, nous en avons un ou deux qui m'inspirent de sérieux doutes. Ce n'est pas le cas de votre neveu. Il est impatient d'en découdre. Toute cette poésie n'empêche pas un homme de servir son pays et je vais écrire à Lord North, tout général de brigade qu'il soit, pour le lui faire clairement savoir.

— Lord North ?

— Oui, cette vieille baderne m'a adressé un message abscons pour me conseiller de me débarrasser promptement de votre Daniel. Quelque chose à voir avec son poème. Mais comme je l'ai fait savoir à Lady Emily, depuis que cet homme a eu la grossièreté de quitter notre demeure sans même se fendre d'un merci, je me suis convaincu qu'il est un peu ramolli du cerveau et suis bien décidé à l'ignorer. Pour qui se prend-il ? Peut-être est-il général de brigade à présent, mais je ne suis pas sous ses ordres. »

Le colonel souligna ses propos en tapant du poing sur la table, faisant sauter les tasses dans leurs soucoupes et trébucher la pianiste. Agatha baissa la voix, en constatant que toutes les têtes se tournaient vers eux.

« Voulez-vous dire qu'il a cherché à faire expulser mon neveu de l'armée ?

— Exactement. Parfaitement absurde. Il a l'air de considérer la poésie comme un effroyable témoignage de décadence.

— Rien de plus grotesque, approuva Agatha. Mais je dois admettre que je m'inquiète pour un jeune poète dans l'ardeur des combats. Votre fils et vous-même avez les armes dans le sang, mon cher colonel. Tout le monde peut constater que vous êtes de la lignée des guerriers d'Angleterre et n'êtes jamais aussi heureux qu'au cœur de la mêlée...

— Je vous remercie de votre confiance, chère madame, se rengorgea le colonel.

— Mais il me semble que mon Daniel servirait bien plus utilement son pays si on lui attribuait un poste dans l'information, peut-être. Mon mari lui cherche précisément une affectation de ce genre, où Daniel pourrait employer ses dons artistiques avec autant d'efficacité que vous-même vos compétences martiales, cher colonel.

— Je comprends vos sentiments, madame Kent. Mais votre neveu est venu me trouver pour me supplier avec la dernière énergie de lui permettre de faire partie du premier contingent qui partira. Il a été tout à fait catégorique : il veut aller se battre.

— C'est un garçon passionné », admit-elle. Elle sentait sa respiration s'accélérer tandis que l'angoisse se resserrait, telle une ceinture de fer, autour de sa poitrine. « Il n'est certainement pas le meilleur juge de ses propres aptitudes.

— Je puis vous assurer qu'il n'acceptera jamais un tel transfert, madame Kent. Si votre mari et vous le persuadiez de changer d'avis, je ne lui ferais évidemment pas obstacle. J'éprouve le plus grand respect pour M. Kent, et j'enverrai son neveu où il le désire. Mais croyez-moi, il s'y opposera.

— Dans ce cas, il faut l'exclure de l'armée, colonel Wheaton, insista Agatha. Non pas pour satisfaire Lord North, mais pour moi. Je vous en supplie.

— Mme Kent, il me semble que vous feriez mieux de mesurer vos propos. » Le colonel regarda autour de lui, comme s'il espérait que sa femme ou le commandant Frank viendraient interrompre cette conversation. « Votre neveu a déjà été menacé d'expulsion et M. Kent m'a prié, par faveur spéciale, de l'accueillir dans mon régiment.

— Je ne voulais pas dire que vous deviez l'exclure réellement. Une simple menace devrait suffire. Expliquez-lui que l'intervention de Lord North vous place dans une situation impossible.

— Madame, les insinuations de Lord North l'accusent d'un comportement moralement décadent. Votre mari ne souhaiterait certainement pas que je menace votre neveu, en faisant mine d'ajouter foi à des allégations aussi sordides.

— Il arrive que nous devions guider les jeunes gens sur la bonne voie. J'espère ainsi avoir été utile à votre fille au bal de la kermesse en lui conseillant de retirer son nouveau médaillon. Quelque esprit fouineur aurait pu se demander comment elle avait pu recevoir ce bijou contenant la photographie de son mari dans son nouvel uniforme, alors que toute communication avec l'Allemagne est interdite. »

Un long silence s'appesantit entre eux. Agatha se leva, ramassa ses gants et son sac. La moustache du colonel semblait soudain affligée d'un léger tic.

« Tout ce que je vous demande, colonel, c'est d'aider mon neveu à revenir à la raison, conclut-elle. Nous sommes amis depuis si longtemps que je sais que nous pouvons nous faire entièrement confiance. »

26.

En recevant son ordre d'embarquement en même temps que trois jours de permission pour régler ses affaires, Hugh décida de commencer sa guerre en jouant au lâche ; il irait passer ce congé à la campagne avant de rejoindre son unité à Folkestone pour traverser la Manche. Ce faisant, se dit-il, il espérait éviter d'avoir à défiler jusqu'au train au milieu du tralala de fanfares et de banderoles. Ces départs ostentatoires et rituels semblaient offrir des occasions idéales de promesses irrévocables, et la vérité qu'il évitait de reconnaître était que si son engagement au côté de Sir Alex était ferme et définitif, il éprouvait quelque réticence à l'idée de faire le moindre serment à Lucy Ramsey.

Après son apparition au bal de Rye, la jeune fille n'avait pas fait mystère de son désir de célébrer officiellement leurs fiançailles. Or chaque avance qu'elle avait pu lui faire avait provoqué chez lui un mouvement de recul. Ces derniers jours, il avait été constamment sur la défensive, se dérobant à la moindre conversation, profitant du premier prétexte pour quitter la pièce, laissant derrière lui le joli minois de Lucy perplexe et blessé. L'arrivée de son ordre de mission n'avait pas mis fin à ses hésitations ; il avait pris congé de la jeune fille sans cérémonie, à la fin d'un thé en compagnie de son père, et les avait quittés tous deux sur une cordiale poignée de main, en évitant soigneusement tout risque d'étreinte larmoyante.

Le train au départ de Londres était bondé de soldats et Hugh se glissa dans l'angle d'un wagon rempli d'Écossais qui avaient déjà laissé leurs familles à Aberdeen, ce qui leur donnait tout loisir de critiquer bruyamment et à grand renfort d'obscénités les adieux qui se déroulaient sur le quai, sous leurs fenêtres.

« Ha, c'est qu'il en a plein les mains, le gaillard. Hardi, petit !

— Regarde un peu ce pauvre diable, avec sa femme et trois mioches accrochés à ses basques. Il va aller prendre un peu de vacances chez les Boches.

— Ouh là là ! Elle est tellement moche celle-là qu'elle convaincrait un quaker de s'engager. Tu crois pas qu'il aurait pu lui faire son dernier bécot chez lui pour épargner nos pauvres yeux ?

— Tu pourrais avoir un peu de respect pour ces pauvres Londoniennes, protesta un autre. Elles sont toujours moins laides que ta femme.

— Il en a pas ! C'était sa mère ! »

Le spectacle de tous ces postérieurs recouverts de kilts qui se serraient les uns contre les autres au-dessus de puissantes jambes aux veines saillantes, et la bousculade bon enfant des hommes qui jouaient des coudes et de leurs larges épaules pour s'approcher de la vitre mirent Hugh mal à l'aise. Il les aurait voulus moins turbulents, mais n'avait pas envie de jouer les officiers ridiculement guindés en leur demandant de se calmer.

« Sous-lieutenant Grange, Hugh Grange ? demanda un employé des chemins de fer en glissant la tête à l'intérieur du compartiment.

— Oui, c'est moi. »

Il avait répondu à voix basse, mais en tournant la tête vers l'homme, il prit conscience que ses compagnons de voyage levaient déjà les yeux au ciel et il les entendit marmonner avec leur accent épais et inintelligible.

« Y a quelqu'un qu'est venu vous dire au revoir, annonça l'employé. Excusez-moi, messieurs. » Il repoussa brutalement les Écossais et passa la tête par la vitre pour crier : « Par ici, mademoiselle. »

Les autres passagers et lui firent alors un effort ostensible pour s'écarter de la fenêtre et laisser la place à Hugh. Celui-ci s'approcha à contrecœur, rempli du sentiment atroce d'être la cible de regards ironiques et de langues acerbes.

« Hugh ! Hugh ! Je suis là », s'écria Lucy Ramsey.

Elle était vêtue d'un manteau gris foncé, de bottines violettes et d'un boa noir, image même de la femme en deuil, et était accompagnée de deux autres jeunes filles, qui reniflaient déjà dans leurs mouchoirs dans l'attente d'une scène émouvante.

« Vous n'auriez pas dû venir, remarqua Hugh. Les quais sont noirs de monde.

— Je ne pouvais pas vous laisser partir sans vous avoir dit correctement au revoir.

— Descendez donc la retrouver », lança un des Écossais.

Un de ses camarades avait dû soulever le loquet, parce que Hugh se trouva presque projeté hors du wagon par l'ouverture d'une portière. Il trébucha sur la marche menant au quai pour tomber dans les bras grands ouverts de Lucy.

« Je ne peux pas supporter de vous laisser partir, reprit-elle en reculant d'un pas pour lever le visage vers lui et lui adresser un regard éperdu de tendresse.

— Pourtant, si je restais, vous me remettriez une de vos fameuses plumes », observa Hugh, cherchant à conserver un ton badin.

Il sourit aux autres jeunes filles et lutta contre l'envie de s'arracher aux bras de Lucy. Penchés à la fenêtre du wagon, les soldats suivaient la scène avec le plus vif intérêt.

«Je tiens évidemment à ce que vous partiez, Hugh, poursuivit Lucy. Mais que ferai-je en votre absence? Ne pas savoir si vous êtes mort ou vif sera pour moi un supplice quotidien.»

Une larme ruissela sur sa jolie joue et elle la laissa tomber bravement sans l'essuyer. Hugh savait qu'il aurait dû compatir à sa détresse, mais ne put se défendre de songer que jamais Beatrice Nash ne lui aurait infligé une scène aussi grotesque.

«Je ne crains rien, rassurez-vous», dit-il en se dégageant doucement de ses bras.

Il se reprocha immédiatement sa maussaderie. Elle était si jeune! Il ne pouvait pas traiter son désarroi avec une telle désinvolture.

«Les unités sanitaires et les hôpitaux sont à bonne distance des lignes, ajouta-t-il.

— Si seulement nous avions un espoir concret auquel nous accrocher, poursuivit-elle. Je sais que je vous ai fait attendre bien cruellement, Hugh, mais accepterez-vous que j'envoie une annonce au *Times* ? Cela nous réconforterait dans nos plus sombres moments d'inquiétude.

— Donne-lui, donne quelque chose à quoi s'accrocher, puisqu'elle te le demande», lança une voix égrillarde, et plusieurs hommes ricanèrent grossièrement.

Hugh aurait volontiers riposté mais il préféra couper court en évitant de réagir.

«En toute conscience, je me refuse à vous lier par une promesse en ces temps de péril, répondit-il d'un ton qu'il espérait aimable mais ferme. Je ne voudrais pas que vous gâchiez votre jeunesse et votre beauté à pleurer.

— Il me semble que je ferais une veuve des plus intéressantes», répliqua-t-elle. Raccrochant une boucle de cheveux échappée derrière son oreille, elle lui sourit. «Évidemment, nul ne souhaite pareil sort à qui que ce soit, mais une femme raisonnable saurait tirer parti d'une position aussi avantageuse pour exercer quelque autorité en des temps pareils. »

Hugh ne sut pas très bien comment réagir – venait-elle réellement de lui proposer d'être sa veuve ? Il cherchait encore une réponse pertinente quand le sifflet du train retentit. L'employé des chemins de fer se pencha depuis le wagon situé derrière le sien pour crier « En voiture ! ».

« Il faut que j'y aille », annonça Hugh.

Lucy laissa échapper un sanglot et posa la tête contre son torse dans une attitude qui pouvait lui permettre de prendre la liberté d'un baiser passionné. Hugh hésita devant son visage de porcelaine, mais la repoussa doucement pour lui prendre la main. Il la baisa, puis baisa la main de ses amies, apparemment ravies d'être ainsi intégrées dans ce petit drame. Lorsque la locomotive cracha un gros nuage de vapeur, Hugh sauta dans le wagon et referma la portière. Il agita la main par la fenêtre vers les trois jeunes filles en larmes, avant d'être repoussé à l'intérieur du compartiment, à son grand soulagement, par des soldats qui voulaient tous se pencher par la vitre, envoyer des baisers et crier compliments et insultes pendant qu'une fanfare saluait le départ du train.

Au dîner, l'atmosphère était si tendue que le moindre grincement de fourchette sur une assiette résonnait comme un coup de feu. Sensible à ce climat, Jenny, la domestique, cherchait à faire le moins de bruit possible, ce qui la rendait maladroite. Elle posa brutalement la cruche et renversa sur la nappe une louche de soupe aux pois destinée à Hugh. Il posa sa serviette sur la flaque verte qui s'élargissait, et elle lui jeta un regard reconnaissant.

« Comment s'est passé ton voyage ? demanda Oncle John.

— Le train était bondé », répondit Hugh.

Un nouveau silence pesant lui emplit les oreilles.

« Quand repars-tu ? reprit son oncle.

— Lundi matin. Par le premier train. »

Leur sujet de conversation n'était manifestement pas heureux, car Tante Agatha étouffa un sanglot étranglé dans sa serviette, repoussa sa chaise avec suffisamment de violence pour en briser un pied et quitta précipitamment la salle à manger.

« Je suis désolé de l'avoir perturbée, s'inquiéta Hugh. Je suis convaincu qu'il ne m'arrivera rien.

— C'est à cause de Daniel, expliqua son oncle.

— Évidemment », répondit Hugh incapable de réprimer la nuance d'exaspération qui s'insinua dans sa voix. Décidément, son propre départ pour le front allait être éclipsé. « Il sera au cœur de l'action, je sais, mais a-t-il déjà reçu des ordres ?

— J'ai bien peur que la vendetta de Lord North n'ait relevé sa tête hideuse une nouvelle fois.

— Quelle injustice !

— Le colonel Wheaton n'avait pas l'intention de prêter l'oreille aux vociférations de Lord North, mais il semblerait que quelqu'un l'ait persuadé de faire pression sur Daniel pour qu'il démissionne.

— De qui peut-il s'agir ? Qui aurait l'idée de faire une chose pareille ? »

Puisque le colonel avait décidé d'ignorer le puissant Lord North, Hugh ne voyait pas qui était susceptible de le faire changer d'avis.

« Voilà le hic, justement. Le colonel a fait comprendre à Daniel que c'est votre Tante Agatha qui lui a forcé la main.

— Tante Agatha ? s'étonna Hugh. C'est impossible !

— Évidemment, elle ne savait pas ce qu'elle faisait. Elle n'a aucune idée du danger que représentent les allégations de Lord North. Elle ignore tout de l'ampleur des failles morales qu'impliquent ses accusations, et je dois avouer que je n'ai pas le courage de mettre les points sur les *i* et de lui expliquer clairement de quoi son neveu risque d'être accusé.

— Mais ça n'a aucun sens, de toute manière, protesta Hugh en rougissant, Je connais bien mon cousin, et jamais il ne... c'est insultant.

— Elle croit agir toujours pour le mieux, mais cette fois, elle est allée trop loin. Daniel est parti, nous ne savons pas où. Tout ce que nous savons, c'est qu'il ne veut plus avoir le moindre contact avec nous.

— Que va-t-il faire ?

— Ta tante espérait qu'il démissionnerait et accepterait un poste au bureau de la propagande à Londres. Mais Daniel a bien l'intention de se battre et il a réclamé une audition devant une commission militaire.

— Il a du cran, c'est bien, approuva Hugh.

— C'est une très mauvaise idée, rétorqua John. On ne gagne jamais rien à remuer la boue. Quelles que soient les conclusions de la commission, ils risquent fort de le renvoyer de toute manière. »

Oncle John poussa un profond soupir et, pour la première fois, Hugh vit devant lui le visage d'un vieil homme. Son oncle si plein de vitalité et de rondeur diplomatique était épuisé.

« Il est parfois plus facile d'affronter une guerre qu'une épouse, poursuivit John. Agatha sait qu'elle a très mal agi, et bien sûr, n'en est que plus obstinée à prétendre qu'elle a eu raison. Elle a le cœur brisé.

— Cela va sûrement s'arranger », dit Hugh, mais il avait le cœur glacé à l'idée, inconcevable, d'une brouille familiale.

Tante Agatha était comme un astre immuable dans leur univers, le pôle autour duquel ils avaient toujours pu se rassembler. Il ne pouvait imaginer que Daniel pût cesser de paresser, les pieds posés sur les canapés du salon, ou d'agacer la cuisinière en réclamant du gâteau au petit déjeuner.

« Des propos effroyables ont été échangés, ajouta son oncle.

— Je suis certain que Daniel regrette déjà ceux qu'il a pu prononcer. Si vous avez la moindre idée du lieu où il pourrait se trouver, permettez-moi d'aller lui parler.

— Il est trop tard pour lui parler, j'en ai peur. L'audition aura lieu dimanche. »

Daniel était assis près du feu dans le bureau de M. Tillingham, la tête entre les mains. Hugh avait obtenu de le voir après de longues minutes d'attente angoissée dans le vestibule du rez-de-chaussée, d'où il avait une excellente vue sur le professeur qui prenait une solide collation dans la salle à manger de l'écrivain, savourant un petit porto accompagné de fromages aux arômes puissants.

« Entrez mon garçon, dit M. Tillingham, apparemment soulagé de le voir. Je crois que mes maigres facultés de conseiller ne sont pas loin d'être épuisées, et que des renforts ne seront pas inutiles.

— Hugh n'a pas à s'occuper de mes problèmes sordides, protesta Daniel. Il part pour le front, M. Tillingham, et ne doit pas être distrait par les outrages mesquins que l'on me fait subir.

— Repose ta coupe de ciguë, Daniel, intervint Hugh. L'heure des grands gestes est révolue.

— Quels gestes conviennent à la trahison de ma tante ? A-t-elle fini de laver mon sang de ses mains ?

— Elle voulait éviter que tu ne partes au front. S'il est évidemment indigne de chercher à garder quelqu'un qu'on aime près de soi en laissant les autres partir à sa place, tu dois comprendre qu'elle a agi par amour, et non par malveillance.

— Elle s'est mêlée de mes affaires une fois de trop. Elle n'imagine pas dans quelle situation elle me place.

— Il n'est pas trop tard pour démissionner. Oncle John est à peu près certain de pouvoir te faire entrer au bureau de la propagande. »

Daniel se leva pour s'approcher de la cheminée, les mains dans les poches, et posa le pied sur le garde-feu. Tournant le visage vers la lueur des flammes, il resta silencieux un moment.

« Craigmore tenait beaucoup à partir pour la France, dit-il enfin. Je ne l'écoutais pas quand il parlait de servir son pays. J'étais trop occupé à parler moi-même. » Il se retourna avec un petit sourire contraint. « Je pars pour le front afin de rendre hommage à Craigmore, d'achever ce qu'il a commencé et de servir comme il souhaitait tant le faire.

— Craigmore est mort, observa Hugh. Ce que tu pourras faire dans cette guerre n'y changera rien. Tous tes actes de vengeance ne le ramèneront pas.

— Il ne s'agit pas de vengeance, mais de devoir. Craigmore croyait à la nécessité de faire son devoir, et je ne reculerai pas devant le mien en restant dans je ne sais quel bureau londonien à rédiger des affiches de recrutement.

— Si cette audition se passe mal, tu risques de te faire chasser de l'armée à grand fracas. Je ne suis pas sûr que tu comprennes parfaitement dans quel pétrin tu te trouves, Daniel.

— Je crains que votre cousin n'ait raison, mon jeune ami, approuva M. Tillingham. Je me rappelle qu'il y a une vingtaine d'années, un autre jeune auteur a choisi la même posture. Son obstination a été à l'origine du plus grand scandale de l'époque.

— Vous ne pouvez pas prétendre comparer Daniel à ce dramaturge », protesta Hugh, horrifié.

Toutes les implications de cette comparaison lui donnaient la nausée. Il n'arrivait même plus à regarder son cousin en face.

« Enfin tout de même, cet homme était un... C'était un dégénéré notoire. »

Daniel regarda le bout de ses chaussures tandis que M. Tillingham s'absorbait dans la contemplation du pommeau d'argent de sa canne et en frottait une ternissure.

« Présomption ou noblesse d'esprit – quels qu'aient été ses motifs, tout ce que cet imbécile y a gagné, c'est la prison et une mort de miséreux », ajouta Tillingham d'un ton de léger reproche, à l'égard de l'écrivain ou de Hugh, ce dernier n'aurait su le dire. Ses yeux avaient l'air plus las et ses paupières plus lourdes que d'ordinaire tandis qu'il regardait le feu. « Ce scandale et la peur ont provoqué la débandade d'un certain nombre d'artistes et d'écrivains qui ont émigré sur le continent ou se sont réfugiés dans des maisons de campagne.

— Je ne dis pas que ce n'était pas un bon auteur, ajouta Hugh, soucieux d'adoucir son jugement à l'emporte-pièce et de ne pas jouer les moralisateurs intransigeants face au silence morose de Daniel. C'était une autre époque, voilà tout, conclut-il.

— Le père de Craigmore s'évertue à faire peser sur notre amitié l'ombre de cet opprobre, et c'est précisément pourquoi je refuse de me dérober et de laisser le champ libre à ses insinuations, expliqua Daniel. Mais la situation n'est pas du tout la même, crois-moi. Ils n'ont rien entre les mains qui puisse étayer de tels soupçons.

— Quelques lettres, deux ou trois poèmes – qui n'excèdent pas les outrances enthousiastes d'un poète s'abandonnant à sa verve juvénile, intervint M. Tillingham. J'ai moi-même écrit des lettres plus sentimentales et plus scandaleuses en mon temps. Ça ne veut rien dire.

— Accepteriez-vous de répéter cela devant la commission ? demanda Daniel.

— Mon cher garçon, vous savez que je ferais n'importe quoi pour vous », s'écria M. Tillingham tandis que Hugh surprenait sur ses traits une expression d'horreur rapidement réprimée. « Malheureusement, m'exposer dans une telle affaire ne manquerait pas de mettre en péril mon travail de guerre national, qui présente une extrême importance. » Comme Daniel ne répondait pas immédiatement, il poursuivit d'un ton enjôleur, comme si l'accumulation de circonstances atténuantes pouvait suffire à le faire acquitter. « Je suis moi-même un vieux bohème. La respectabilité que j'ai acquise n'est qu'une mince et fragile carapace sous laquelle je dissimule ma nudité, la préservant ainsi de l'humiliation et du mépris publics.

— Je comprends, murmura Daniel. Loin de moi l'idée de vous placer dans une situation embarrassante.

— J'ajouterais que l'une ou l'autre de mes lettres signifiaient très précisément ce qu'elles disaient, et que je ne saurais compter sur leurs destinataires pour ne pas les produire, dans l'éventualité où mon nom viendrait à être mentionné dans le cadre d'un tel scandale, ajouta Tillingham, manifestement alarmé.

— Je te conjure de démissionner, Daniel, et de ne pas mettre ta réputation en péril, reprit Hugh. Mais si tu persistes dans ton projet, je viendrai volontiers témoigner de ta moralité. » S'approchant de lui, il lui serra vigoureusement la main. « Je te connais depuis toujours, cousin, et je suis prêt à jurer sur la Bible que ta conduite aussi bien que ta morale sont absolument irréprochables.

— C'est très gentil de ta part, remercia Daniel.

— Ce n'est pas un faux témoignage, s'il en est convaincu, crut bon de préciser M. Tillingham.

— M. Tillingham ! » bredouilla Hugh, tandis que Daniel et Tillingham échangeaient un sourire de connivence.

Ils furent interrompus par un coup frappé à la porte, et la gouvernante annonça que Mlle Nash était en bas avec le professeur et qu'elle avait cru comprendre qu'il se passait quelque chose de grave. Lorsqu'ils arrivèrent dans la salle à manger, ils y trouvèrent Beatrice Nash visiblement dévorée d'angoisse, en compagnie du professeur qui paraissait aussi inquiet qu'un homme peut l'être après un copieux dîner, avec pudding, fromage et une demi-bouteille de vieux porto.

Hugh aurait eu une foule de choses à dire à Beatrice et aurait aimé pouvoir au moins lui sourire. Mais la mine de la jeune fille appelait une gravité aussi sombre que la discussion qui venait de se dérouler dans le bureau de l'écrivain.

« Céleste a disparu, annonça-t-elle. Elle m'avait dit qu'elle allait rendre visite à son père et, ne la voyant pas rentrer, je suis venue la chercher, mais le professeur m'apprend qu'elle n'est pas venue.

— En effet, confirma le professeur. Nous avons passé le début de la soirée ici, M. Tillingham et moi ; nous dînions.

— Puisque c'est la dernière nuit qu'elle passe ici avant son départ, il me paraissait normal qu'elle souhaite vous voir, professeur », observa Beatrice sèchement.

Le professeur se détourna pour nettoyer ses lunettes.

« Il m'a paru préférable de ne rien changer à nos habitudes. Nous nous dirons adieu demain matin. Ce sera suffisant, ne pensez-vous pas ?

— Certainement pas, professeur. Elle est très malheureuse, et maintenant, elle s'est enfuie. Je crains le pire.

— A-t-elle emporté des affaires ? demanda Hugh.

— Je ne sais pas, répondit Beatrice. Je vais aller vérifier tout de suite.

— Je vous accompagne, proposa Hugh. En attendant, M. Tillingham, peut-être pourriez-vous téléphoner à mon oncle pour qu'il la fasse chercher en voiture le long des routes ?

— Daniel, voulez-vous bien faire fonctionner le téléphone pour moi ? demanda M. Tillingham. Je vis dans une peur panique de la demoiselle du central.

— Faites attention à ce que vous direz, recommanda Beatrice.

— En effet, inutile de donner matière à de nouveaux ragots, opina Hugh. Pour une fois, espérons que tous les voisins ne sont pas à l'écoute sur la ligne collective. »

Arrivée au cottage, Beatrice courut à l'étage pour inspecter la garde-robe de Céleste et regarder sous son lit.

« Il va falloir draguer la rivière, prophétisa Mme Turber, criant depuis le pied de l'escalier, les bras croisés sur la poitrine.

— Il ne manque que sa robe blanche avec la dentelle, annonça Beatrice en redescendant au salon. Je n'ai pas l'impression qu'elle la portait ce soir, mais je n'en suis pas sûre.

— Y a-t-il autre chose qui ait disparu ? demanda Hugh. Pardonnez-moi de poser la question, mais y avait-il dans la maison de l'argent qu'elle aurait pu emporter ?

— Juste ciel, mon coffret ! » s'exclama Mme Turber en se précipitant dans son logement.

Quelques instants plus tard, un cri perçant retentit et Abigail arriva en courant au salon.

« Mademoiselle, je vous en prie, l'argent est là, mais le petit pistolet de Mme Turber a disparu. Celui que le capitaine lui avait donné.

— Oh non... », murmura Beatrice.

Accablée, elle se reprochait son impuissance. Comment avait-elle pu ne rien remarquer ? Quel genre d'amie était-elle si elle était capable de laisser Céleste se faufiler hors de la maison avec une arme dans son balluchon ?

N'avait-elle entendu aucun frémissement dans la voix de la jeune fille quand elle lui avait dit bonsoir ? N'avait-elle décelé aucune crainte, aucune mâchoire serrée par la détermination ?

« Beatrice, écoutez-moi », dit Hugh. Elle sentit qu'il lui secouait le bras et reprit ses esprits. « Inutile de nous perdre en conjectures. Organisons plutôt les recherches de façon rationnelle.

— On la retrouvera dans la rivière, s'obstina Mme Turber.

— Dans ce cas, vous l'aurez à jamais sur la conscience, madame Turber. »

Beatrice mourait d'envie de griffer le visage bouffi de suffisance de sa logeuse.

« Mais voyons, que..., bégaya Mme Turber.

— Vous resterez ici, coupa Hugh. Daniel et moi fouillerons les berges pendant que M. Tillingham et le professeur se rendront dans la partie haute de la ville. Oncle John et son chauffeur sillonnent déjà toutes les routes principales sur une quinzaine de kilomètres à la ronde.

— Je vous accompagne, s'écria Beatrice. Je ne supporterai pas de rester ici sans rien faire.

— Les réservistes et les boy-scouts font des patrouilles nocturnes le long du canal, remarqua Abigail. Voulez-vous que je coure demander au chef scout s'ils peuvent ouvrir l'œil ?

— Je ne suis pas certaine que ce soit une bonne idée », hésita Beatrice.

Elle était torturée par l'indécision, ne sachant pas s'il était préférable de disposer du plus grand nombre possible d'yeux ou d'éviter à tout prix un nouveau scandale qu'il serait impossible d'étouffer. Se tournant vers Hugh, elle vit qu'il comprenait immédiatement son dilemme.

« Je suis certain que ce ne sera pas nécessaire, dit-il. Inutile d'alarmer plus de gens qu'il ne faut. Je suis sûr que nous allons la retrouver nous-mêmes, et rapidement.

— Vous allez tous vous faire descendre par les patrouilles si vous vous promenez dans les marais la nuit, annonça Mme Turber. Vous verrez ! »

Se hâtant vers le quai obscur, Hugh, Daniel et Beatrice commencèrent à chercher parmi les bateaux de pêche et les barges. Un veilleur de nuit qu'ils croisèrent n'avait pas vu de femme passer, mais un mousse pensait avoir peut-être aperçu une silhouette se glisser sur la berge d'en face. En échange de quelques pièces, il grimpa en se dandinant jusqu'au sommet d'un grand mât pour scruter le marais enténébré et rapporta avoir vu bouger une tache blanche qui pouvait être une robe de dame, très en aval, le long de la digue.

« Ça peut aussi bien être rien qu'une vieille voile qui sèche sur une clôture, remarqua le veilleur de nuit. Un homme voit ce qu'il est payé pour voir. »

Sans tenir compte de cette remarque, ils franchirent le pont en courant pour emprunter le sentier herbeux menant à la mer. Les maisons cédèrent la place à des arbres rabougris puis à des étendues de touffes d'herbe rase et salée, ne convenant qu'aux moutons et aux chèvres.

« Si elle a un pistolet, à quoi bon se rendre à la rivière ? demanda Hugh, toujours pragmatique.

— Parce qu'elle a un pistolet, la rivière est plus probable que le train, remarqua Daniel. Le train... un pistolet serait parfaitement inutile évidemment, mais c'est une mort tellement répugnante.

— Tu m'as l'air bien renseigné.

— Tous les poètes imaginent la mort. La rivière est la solution la plus romantique. Je pense que le pistolet n'est là que pour apporter un surcroît d'assurance.

— Prétendre expliquer un acte irrationnel par un raisonnement logique n'est que folie, intervint Beatrice. Cessez donc de discourir et dépêchez-vous. »

La berge traversait un petit hameau de cabanes de pêcheurs, après quoi le cours d'eau dessinait un dernier méandre et se jetait directement dans la mer. Le sol irrégulier, fait de broussailles et de galets, rendait leur progression plus difficile sur la berge surélevée, bordée de grands tas de bois et de planches. Une hutte isolée, noire de goudron et coiffée d'un toit de tôle, était tapie dans l'obscurité. Émergeant de l'ombre de la cabane, une figure solitaire, une femme, s'approcha du bord de la rivière et, sous leurs yeux, jeta un balluchon blanc dans l'eau.

« Céleste ! » hurla Beatrice.

Essoufflée après cette course folle, elle avait du mal à crier et sentait son cœur battre à tout rompre dans sa poitrine. Lorsque Céleste se tourna vers eux et que la lueur de la lune fit étinceler le petit pistolet qu'elle tenait dans sa main, le pied de Beatrice glissa sur une touffe d'herbe qui poussait au milieu des galets et elle tomba de tout son poids. Elle se cogna les genoux puis les poignets sur les cailloux en essayant d'amortir sa chute. Elle se mordit la lèvre et un goût de sang lui envahit la bouche.

«Je m'occupe d'elle, dit la voix de Hugh et elle sentit ses bras autour d'elle, l'aidant à se remettre à genoux. Toi, continue, Daniel.

— Il faut que je la rattrape, protesta-t-elle en se débattant pour se relever. Aidez-moi à me remettre debout, Hugh, aidez-moi.

— Doucement, vérifions d'abord que vous n'êtes pas blessée. De toute façon, il est sans doute préférable de ne pas nous précipiter tous en même temps. »

Les genoux en feu, hors d'haleine, elle avait du mal à tenir sur ses jambes. Un goût de sang au fond de la gorge lui donnait des haut-le-cœur.

« Ça va aller », dit-elle.

Ses mains et ses poignets étaient douloureux et elle les serra précautionneusement contre sa poitrine.

« Permettez-moi de vous aider. Vous voulez bien ? »

Il glissa son bras autour d'elle et avec son soutien, Beatrice entreprit de faire quelques pas maladroits vers l'endroit où ils voyaient Daniel parler à Céleste.

« Plus vite, dit-elle. Il faut que je la sauve.

— J'ai l'impression que Daniel s'en sort à merveille. »

Sous les yeux de Beatrice, Céleste s'éloigna du bord immédiat de la rivière pour s'asseoir sur une bitte d'amarrage utilisée par les grands bateaux qui se mettaient à quai à l'embouchure. Daniel se trouva un perchoir identique, à distance respectueuse.

« En général, les jeunes filles apprécient beaucoup Daniel.

— Et s'il échoue ? s'obstina Beatrice. Il faut que je la rejoigne.

— Ma tante connaît aujourd'hui de graves ennuis parce qu'elle était persuadée d'être la seule capable de tout gérer. Croyez-vous pouvoir accepter, dans certaines circonstances, que d'autres vous aident ? »

Son visage, incliné vers elle, était plein de bonté. Elle prit une profonde inspiration et s'appuya contre lui, songeant qu'elle aurait bien voulu laisser tomber sa tête sur son épaule et s'y reposer. Ils restèrent longuement immobiles, l'un à côté de l'autre, à regarder Daniel parler et Céleste lui répondre timidement, sans qu'ils puissent distinguer leurs propos.

Et puis Céleste éclata de rire. Ce son, parvenant à leurs oreilles, parut à Beatrice aussi doux que le chant estival de l'alouette volant au-dessus des marais. Les gens qui rient ne se tirent pas une balle dans la tête et ne se précipitent pas dans l'eau froide d'une rivière, songea-t-elle. Les gens qui rient sont certainement sauvés.

« Si elle se jette à l'eau maintenant, mon cousin aura quelques explications à nous donner, remarqua Hugh. Devons-nous intervenir avant qu'il ne lui inflige une dose d'humour supplémentaire ? »

Ils s'abritèrent dans la minuscule hutte. En silence, Hugh alluma le poêle ventru, que le pêcheur à qui appartenait la cabane avait laissé bourré de petit bois et de charbon. Il ne fallut à Beatrice que quelques minutes pour se réchauffer et elle resta assise, entourant Céleste de ses bras, jusqu'à ce que celle-ci ait également cessé de frissonner et que la chaleur du poêle lui ait rosi le visage. Une opération de reconnaissance dans leur abri aux odeurs de goudron produisit une bouteille de rhum, scellée par de la ficelle cirée. En un rien de temps, Daniel brisa le sceau et exhorta Céleste à en avaler une gorgée, pour lutter contre le froid. Ils burent tour à tour, et entre la chaleur du poêle et celle du rhum qui se frayait un passage brûlant jusque dans ses entrailles, Beatrice eut l'impression qu'elle pourrait rester dans cette hutte pour l'éternité, plongée dans un état de béatitude absolue. Hugh versa du rhum sur un mouchoir et lui nettoya doucement le sang et le sable qui souillaient ses mains. L'heure tardive et le soulagement l'ensommeillaient; elle s'appuya contre l'épaule de Hugh et ses paupières se fermèrent dans une douce somnolence.

« Il faudrait sans doute rentrer maintenant, suggéra Hugh. Beaucoup de gens se promènent dans le noir à la recherche de... à notre recherche.

— Je veux bien, acquiesça Céleste. Il faut que je présente mes excuses à mon père.

— Nous étions fous d'inquiétude, murmura Beatrice. Je vous en prie, Céleste, promettez-moi d'accepter notre aide. Je ne supporterais pas que vous cherchiez à attenter à vos jours une nouvelle fois. »

Céleste rougit comme une enfant repentante et parla tout bas :

« Je suis vraiment désolée de vous avoir fait de la peine. Mais vous savez, jamais je n'aurais pu me tuer. C'est un péché.

— Mais... et la rivière ? s'étonna Beatrice. Et le pistolet ?

— Notre petite mademoiselle Céleste avait tout prévu avec une intelligence diabolique, commenta Daniel.

— Je jette ma robe dans la rivière, alors pendant un moment peut-être on croit que je suis morte, expliqua-t-elle. Et moi, je pars pour une autre ville où je prends un train pour Londres. Dans la grande ville, peut-être que je peux être une autre réfugiée ?

— Et le pistolet ? » insista Beatrice.

Céleste rougit encore, de douleur et de honte cette fois.

« Ce n'est pas un péché, Mme Turber l'a dit, de se tuer pour se protéger des hommes. Je ne subirai plus jamais ça.

— Oh, Céleste, comment avez-vous pu imaginer un plan pareil ? » Beatrice serra farouchement la jeune fille dans ses bras. « Si vous devez partir, je partirai avec vous. Je ne vous abandonnerai plus.

— Vous n'aurez pas à vous déraciner, mademoiselle Nash, fit Daniel, qui prit la main de Céleste et la baisa. Céleste et moi sommes deux amis, pareillement en butte au scandale et aux difficultés. Nous souhaitons échapper définitivement à cette situation et sommes fermement décidés à mettre nos ennemis en déroute par un unique coup de génie qui, je dois l'avouer, est de mon entière invention.

— De quoi peux-tu bien parler ? demanda Hugh. La situation est grave et l'heure n'est pas aux plaisanteries.

— Hugh, Beatrice, félicitez-nous. Céleste a accepté d'être mon épouse.

— Ton épouse ? s'exclama Hugh. Tu es fou à lier ou quoi ?

— Bien au contraire. Nous sommes parfaitement sains d'esprit, l'un comme l'autre. Rien de tel que d'envisager la mort et l'exil comme deux solutions parfaitement pertinentes pour vous éclaircir l'esprit.

— Cela sauvera-t-il Céleste ? » demanda Beatrice.

Elle n'était pas sûre de bien comprendre, mais se prenait à espérer que Céleste, mariée à Daniel Bookham, ne serait plus une personne à fuir, mais une jeune femme à féliciter.

« C'est elle qui me sauve, reprit Daniel. Je me rendrai à mon audition en jeune marié, en époux d'une ravissante jeune femme. L'antique institution du mariage triomphera de toutes les insinuations et de toutes les calomnies.

— Mais vous serez enchaînés l'un à l'autre pour la vie, fit remarquer Hugh. De plus, il y a un enfant.

— Si Dieu le veut, nous aurons un bébé l'année prochaine, confirma Daniel. Un peu tôt peut-être, mais tout à fait bienvenu.

— Je croyais que c'était moi qui étais hostile au mariage, observa Beatrice. Pour l'amour du ciel, Hugh Grange, cette solution arrange tout.

— Je veux que Daniel soit heureux, dit Hugh.

— Et moi, je veux que Céleste soit heureuse.

— Le bonheur exige peut-être une définition nouvelle, plus pressante, en ces temps difficiles, reprit Daniel. Je peux vous assurer que ma proposition a été d'une entière honnêteté. J'ai offert à Céleste tous les avantages matériels du mariage et toute la protection d'un frère. Elle ne subira aucun tort de mon fait et nous vivrons l'un comme l'autre à l'abri des regards malveillants.

— Ce sont des dispositions peu conventionnelles, remarqua Hugh, dont le visage commença pourtant à s'éclairer d'un soulagement prudent.

— Je crois que nous devrions pouvoir nous ménager une vie confortable à partir des cendres dans lesquelles les esprits mesquins nous ont enterrés.

— Cette solution vous convient-elle, Céleste ? » demanda Beatrice.

Le sourire d'adoration qui s'épanouissait sur le visage de Céleste ne permettait pas de savoir si elle avait parfaitement compris la teneur de la proposition de Daniel. Beatrice elle-même n'en était pas certaine, mais était incapable de trouver les mots justes pour s'en assurer.

«Je suis très heureuse, répondit Céleste.

— Soyez tranquille, chère Beatrice, je ne faillirai à aucun des devoirs que mon épouse pourra exiger de moi, et aucun de mes agissements dans le monde ne sera en mesure de l'embarrasser, précisa Daniel. Honneur et discrétion nous accompagneront jusque dans la vieillesse.

— Elle va se marier», dit Beatrice à Hugh.

Malgré elle, sous l'effet du rhum et de l'émotion, elle éclata en sanglots et enfouit sa tête dans le manteau de Hugh pour pleurer.

27.

On aurait pu craindre des chicaneries administratives de la part de la mairie et de l'église, mais le lendemain matin, alors que Beatrice et Céleste les attendaient dans le salon du cottage, Daniel et Hugh arrivèrent en brandissant tous les documents nécessaires.

« C'est la guerre, expliqua Hugh. Le pasteur préfère un mariage sans bans à une épidémie de jeunes filles laissées pour compte.

— Comme Céleste vous a accompagnées à l'office Mme Turber et vous, il nous a inscrits tous les deux parmi ses paroissiens et m'a envoyé chercher une dispense à l'hôtel de ville, poursuivit Daniel. Moyennant deux témoins, et une modeste contribution à la corbeille de quête, il nous mariera à trois heures.

— Et nous serons de retour pour le thé, conclut Hugh.

— Il ne me reste plus qu'à demander la bénédiction de votre père, dit Daniel.

— Et s'il refuse ? demanda Céleste. Les religieuses, elles viennent me chercher à midi. » Elle s'agrippa à la main de Beatrice, le visage apeuré. « Et si je lui ai apporté une trop grande honte ?

— Soyez raisonnable, Céleste. Daniel est un excellent parti. Il ne pourra qu'être ravi.

— Venez avec moi, supplia Céleste. Je vous en prie, venez avec moi.

— Nous irons tous ensemble chez M. Tillingham, proposa Daniel. Ainsi, dès que j'aurai obtenu la bénédiction de votre père, j'annoncerai publiquement notre bonheur, ce qui nous permettra à tous d'observer le visage de notre écrivain quand il se rendra compte qu'il va être obligé de sacrifier son meilleur champagne afin que nous puissions célébrer dignement une aussi merveilleuse nouvelle.

— Si j'étais joueur, je relèverais le pari », dit Hugh avec un grand sourire.

Ce fut un quatuor radieux qui se rendit dans la maison voisine, chez M. Tillingham, où trois d'entre eux attendirent anxieusement au salon pendant que Daniel et le professeur s'entretenaient dans la salle à manger. Seul un bruissement de voix leur parvenait à travers les murs épais, et Beatrice s'efforça de ne pas tendre une oreille indiscrète. Elle chercha plutôt à distraire Céleste en lui montrant une lettre du roi adressée à M. Tillingham en remerciement pour le travail de guerre qu'il avait effectué avec les réfugiés, lettre que l'écrivain avait encadrée d'une épaisse baguette d'ébène et exposée bien en vue entre une lampe et un petit globe sur une desserte.

« Oh, c'est là que la gouvernante a rangé ce vieux machin ! s'exclama M. Tillingham en les rejoignant d'un pas nonchalant. Je lui avais demandé de fourrer ça dans un coin. »

Hugh lui exposa brièvement leur mission et l'écrivain sembla en effet lutter un moment avant de trouver une réaction opportune. À la grande surprise de Beatrice, il les pria de l'excuser car il voulait demander à la gouvernante de leur apporter du champagne bien frais.

« Vous avez perdu votre pari, fit-elle remarquer à Hugh.

— La vie aurait dû m'apprendre à ne jamais parier contre mon cousin. »

La porte de la salle à manger s'ouvrit enfin, et des pas s'approchèrent de celle du salon. C'était Daniel, le visage crispé de colère.

« Il refuse, annonça-t-il. Il prétend que Céleste est promise à l'Église catholique et que, malgré l'accueil chaleureux qu'ils ont reçu à Sainte-Marie, il ne pourra jamais envisager pour elle un mariage hors de la foi catholique.

— Tout est perdu, murmura la jeune fille.

— Attendez, intervint Hugh, nous devrions pouvoir trouver un compromis. »

D'autres pas se firent entendre dans le couloir et le professeur apparut sur le seuil. Après une brève inclinaison du buste, il s'adressa à sa fille.

« Tu dois absolument te reprendre. Les sœurs seront bientôt là. Je suis certain que tu as conscience de ton devoir et que tu es prête à faire ce que je te demande ?

— Franchement, votre autoritarisme me paraît excessif, s'interposa Hugh. Après toutes les bontés dont vous avez fait l'objet, professeur, il me semble que mon cousin mériterait que vous le traitiez mieux.

— Notre reconnaissance est sans limite. Mais un engagement a déjà été pris pour ma fille et je suis évidemment libre de faire les choix qui me paraissent les meilleurs pour elle.

— Mais ce mariage sauverait sa réputation, fit valoir Beatrice. Il scellerait toutes les lèvres et elle pourrait rester ici, avec vous.

— Je ne saurais vous faire comprendre l'importance et les mystères de notre foi catholique, chère madame, dit le professeur. Croyez-moi, un père sait ce qui est préférable pour sa fille. »

Tout soleil sembla soudain disparaître de la pièce sans que Beatrice sût si c'était l'effet d'un nuage qui passait ou celui du désespoir.

« Mon mariage fera peut-être taire les rumeurs, mais lui, il saura toujours la vérité, intervint alors Céleste. Il m'envoie loin de lui parce qu'il ne supporte plus de me voir.

— Ce n'est pas exact, protesta le professeur, dont le visage exprimait le contraire.

— Voilà pourquoi je suis allée à la rivière, Père, reprit Céleste. Pour que vous n'ayez plus à me voir ni à remarquer que ma honte devient chaque jour plus visible.

— Il n'y a rien à ajouter, coupa le professeur. Ma décision est prise.

— Si je dois partir au couvent, je vais tout avouer avant. Je vais demander à Beatrice d'aller chercher M. Poot afin de faire une déposition publique.

— Tu ne feras rien de tel, s'écria le professeur, le visage en feu. Vas-tu te taire à la fin ?

— Je lui raconterai ce qui s'est passé quand les Allemands sont arrivés. Je lui dirai que vous m'avez fait enfiler ma robe neuve, avec sa jolie dentelle, et que vous avez demandé à la servante de me remonter les cheveux. Que vous m'avez pincé les joues pour qu'elles soient plus roses et que vous m'avez donné la croix en or de ma mère à épingler sur mon sein.

— Cesse immédiatement. Et vous tous, je vous prie de sortir.

— Il me semble que vous pourriez me laisser le privilège de congédier mes propres invités de ma demeure, professeur, intervint M. Tillingham qui avait surgi derrière lui sans qu'il le remarque. Personnellement, je trouve le récit de cette jeune personne absolument captivant.

— Vous êtes allé cueillir des roses parfumées dans le jardin et la servante en a glissé une au-dessus de mon oreille, poursuivit Céleste. Et une autre dans la dentelle de mon corsage... »

Elle se leva de sa chaise et affronta son père. Incapable de soutenir son regard, celui-ci baissa les paupières, frottant ses pieds sur le tapis.

« Vous avez demandé à la servante de sortir notre plus belle vaisselle ainsi qu'une bouteille de champagne que vous gardiez pour une grande occasion. Était-ce le champagne de mes noces, Père ? Vous avez fait servir du champagne et du cognac avec le thé. J'étais au salon et la servante m'exhortait à fuir. Tous les domestiques se sont sauvés, mais vous, vous êtes allé à la porte et vous avez invité cet officier allemand à prendre le thé.

— J'étais responsable de la bibliothèque, dit le professeur en parcourant la pièce du regard, cherchant désespérément un soutien. Nous n'avions rien à craindre des Allemands, ce sont des gens civilisés et nous n'étions pas des paysans affolés. Nous sommes restés pour protéger les livres.

— Alors nous avons pris le thé, et il m'a fait beaucoup de compliments et vous ne m'avez pas ordonné de quitter la pièce. Au contraire, vous l'avez approuvé, vous avez parlé de la beauté de ma mère et de la vie protégée que j'avais menée, qui avait préservé ma fraîcheur et ma simplicité.

— Cet homme avait des sœurs, intervint le professeur. Il comprenait la valeur de ma vigilance.

— Je témoignerai que vous avez parlé de votre vigilance. Mais, Papa, pourquoi n'avez-vous pas été vigilant ce jour-là ? Quand nous avons senti une odeur de fumée, quand la bibliothèque a pris feu, vous m'avez dit de ne pas bouger et vous êtes sorti.

— C'était pour sauver les livres. L'officier a mis des hommes à ma disposition pour m'aider à les porter en lieu sûr. » Il s'interrompit avant d'ajouter : « Nous avions une bible de Gutenberg et un livre d'heures qui aurait, dit-on, appartenu à Aliénor d'Aquitaine. Nous possédions de nombreux manuscrits rares et précieux que j'ai sauvés ce jour-là. Nous les avons portés dans la chapelle et les avons stockés dans une crypte parfaitement saine.

— Il vous a donné des hommes pour sauver vos livres, mais quand je me suis levée pour vous accompagner, vous m'avez ordonné de refaire du thé et de rester avec cet officier pour le distraire. Il a posé ses lèvres contre mon oreille, Père, et m'a chuchoté des choses tellement immondes que je ne pouvais plus respirer. » Sa voix se fit alors rêveuse, comme si elle s'éloignait de ce qu'elle voyait en esprit. « *Il m'a poussée sur le canapé et il a arraché mes jupons et mon corsage. Il m'a fait si mal**... » Elle se tourna vers son père et sembla se reprendre, poursuivant en anglais. «J'ai crié, je vous ai appelé, mais vous n'êtes pas venu, Père. Je regardais les aiguilles de la pendule de porcelaine se déplacer, avec une affreuse lenteur, autour du cadran; et *maman**, elle m'observait depuis son cadre doré, et son visage était terriblement triste. Mais vous, Père, vous n'êtes pas venu.

— Je ne savais pas, protesta son père. Je n'aurais jamais pu imaginer...

— À quoi bon prétendre protéger une fille si vous êtes incapable d'imaginer les monstres contre lesquels vous devriez la défendre ? demanda Beatrice.

— Je pense qu'il savait tout, dit alors M. Tillingham. D'un point de vue purement littéraire, c'est en tout cas ainsi que je présenterais les choses.

— C'est la pire des tragédies, approuva Daniel. La pire des trahisons : le trésor qui passe avant l'honneur, la valeur d'une fille pesée, et jugée insuffisante.

— Que dites-vous? s'irrita le professeur. Ce n'est pas un sujet de discussion pour vos interminables dîners littéraires.

— Au contraire, cher professeur, au contraire! rétorqua M. Tillingham. Une fois votre fille cloîtrée dans un lointain couvent, nous serons libres d'explorer ce thème dans nos œuvres sans risquer de la plonger dans un nouvel embarras.

— Il faudrait évidemment changer les noms, renchérit Beatrice. Personnellement, c'est ce que je ferais.

— Ce voile de mystère ne fera sans doute que stimuler les spéculations. Nul ne saurait endiguer le goût du public pour les récits grivois.

— Vous n'aurez pas l'audace de vous livrer à pareille indignité ! » Le professeur s'approcha d'une chaise et s'y laissa tomber, vaincu. « Aucun être humain digne de ce nom ne peut désirer salir ainsi le nom d'autrui ni celui d'une grande université.

— Je ne permettrais jamais qu'on porte atteinte au nom de mon épouse, intervint alors Daniel. Je protégerais sa réputation, et celle de mes héritiers, à tout prix. »

Tout en parlant, Daniel garda les yeux rivés sur M. Tillingham, qui fronça les sourcils ; sans doute, songea Beatrice, ce dernier éprouvait-il quelque réticence à renoncer à son séduisant scénario.

« Bon, très bien, soupira enfin l'écrivain. Mais il est toujours douloureux de trouver une veine aussi riche et de ne pas être autorisé à l'exploiter. Je crois que la dyspepsie me guette.

— Peut-être qu'un peu de champagne vous ferait du bien, suggéra Hugh.

— M'accorderez-vous à présent la main de votre fille, professeur ? reprit Daniel. Je fais le serment de ne jamais lui causer le moindre tort. Je reconnaîtrai son enfant et notre porte vous sera toujours ouverte.

— Fort bien », marmonna le professeur. Avec un effort manifeste, il regarda sa fille dans les yeux. « Je retire mon objection au mariage, et si tel est ton désir, par respect des convenances, je te conduirai à l'autel. »

Ses traits ne perdirent rien de leur froideur, mais sa barbe trembla.

« J'en serai très heureuse », répondit Céleste.

Elle tendit la main à son père, mais parut se raviser et, la posant sur sa bouche, se détourna pour regarder par la fenêtre.

« Champagne pour tout le monde ! » annonça M. Tillingham, mettant ainsi fin à l'embarras général. Il prit une bouteille des mains de sa gouvernante et lui fit discrètement signe de s'esquiver sur-le-champ avec la deuxième. « Une bouteille devrait être amplement suffisante. »

Tout en passant les coupes à la ronde, il prit le bras de Beatrice et l'entraîna dans un angle de la pièce.

« Merci, M. Tillingham, dit-elle. Vous avez fait pencher la balance aujourd'hui et changé des vies pour le meilleur.

— Oh, je n'y suis pour rien, vous savez, répliqua-t-il. Je suis bien trop égoïste pour consacrer du temps à autrui. Je tiens à vous prévenir, ma chère enfant, que ce défaut est un des risques des existences solitaires.

— Je veillerai soigneusement à éviter pareille calamité.

— Ce n'est une calamité que si elle vous rend cruel », ajouta-t-il. Il fixa le professeur du regard en prononçant ces mots, et Beatrice vit briller dans ses yeux l'intelligence pénétrante qui illuminait ses écrits. « Bettina Fothergill a jugé bon de venir me voir à propos de votre position au sein de notre comité, et, en toute confidence, de votre situation à l'école. »

Peut-être était-ce l'épuisement d'une nuit d'insomnie ou le trop-plein d'angoisse des derniers jours, mais Beatrice perdit toute envie de lutter. Elle se laissa tomber lentement sur une chaise dure et posa son verre sur la desserte voisine.

« Je suppose qu'on va me congédier à la fin du trimestre », soupira-t-elle.

Incapable de lever les yeux vers M. Tillingham, elle contempla un buste de marbre blanc posé sur la table et constata, avec une dernière étincelle d'humour, qu'il représentait l'écrivain en personne.

« Non, non, il n'est pas question que vous partiez, protesta-t-il. Les choses sont parfaitement claires. Je vais passer voir cette chère Bettina aujourd'hui même pour lui faire comprendre à quel point il me serait désagréable que vous quittiez la ville au moment même où nous sommes, vous et moi, en plein travail sur notre livre consacré à votre père.

— Je ne comprends pas, murmura-t-elle.

— C'est très simple, ma chère enfant. J'ai constaté que je suis beaucoup trop paresseux pour m'engager seul dans une telle entreprise. Il sera beaucoup plus profitable de faire reposer ma propre contribution sur votre excellente introduction. Vous me livrerez une petite postface – les réflexions purement personnelles d'une fille aimante, rien d'académique, surtout – et nous mettrons nos intelligences en commun afin d'envisager une ou deux légères modifications dans les lettres à inclure dans ce recueil. Qu'en pensez-vous ?

— Vous n'êtes pas sérieux, M. Tillingham. »

Elle lui jeta un regard scrutateur comme pour vérifier s'il n'était pas souffrant ou n'avait pas l'esprit troublé par son propre champagne. Son visage grave ne révélait rien, mais l'effort qu'il faisait pour feindre une totale nonchalance l'empourprait légèrement.

« Bien au contraire ! Voir le visage prétentieux de cette créature se décomposer comme une boule de papier dans un âtre qu'on vient d'allumer me procurera un instant de joie non négligeable et compensera assez bien l'inconvénient d'avoir à sacrifier un peu de mon temps et, mettons, le cinquième de ma rétribution ? »

Beatrice sourit et réprima un violent désir de lui prendre la main pour la baiser.

« Les gens devraient savoir que vous dissimulez une âme profondément généreuse.

— Soyez rassurée, ce n'est qu'un spasme passager, protesta M. Tillingham, l'air horrifié. Je vous en prie, n'en parlez à personne de crainte que d'autres ne viennent solliciter mon temps et ma bourse.

— Dans ce cas, pourrions-nous convenir que vingt-cinq pour cent de vos honoraires vous assureront mon entière coopération en même temps que mon silence ? » suggéra-t-elle en riant.

Daniel et Céleste se marièrent en toute discrétion à l'église Sainte-Marie à trois heures de l'après-midi. Son père la conduisit à l'autel tandis que Beatrice et Hugh étaient témoins. M. Tillingham était le seul invité, son rôle consistant à jeter des regards sévères au professeur de temps en temps. Hugh avait essayé de convaincre Daniel de faire venir leur tante et leur oncle, mais son cousin avait obstinément refusé qu'on les prévienne. Voyant le visage consterné de Hugh, Beatrice souffrait pour lui. Daniel adressa un télégramme à son père, s'attendant à une scène, et eut la surprise de recevoir des félicitations laconiques accompagnées d'une coquette traite bancaire. Comme Beatrice l'entendit chuchoter par M. Tillingham à Hugh alors qu'ils entraient dans l'église les uns derrière les autres, le soulagement de son père avait dû surmonter toute réserve à l'égard de cette union précipitée.

Debout sous la voûte de la vieille église, resplendissante de cuivres astiqués et remplie du parfum de chrysanthèmes tardifs disposés dans de hauts vases, Beatrice éprouva un rare sentiment de paix en songeant que, parfois, les choses s'arrangeaient au mieux. Elle tourna les yeux vers Hugh, vers son visage grave ; il se tenait très droit et écoutait attentivement afin d'être prêt quand on l'appellerait pour signer le registre. Le comparant à son père, elle dut convenir alors que ce dernier avait été moins digne de confiance, moins droit. Sa spontanéité avait souvent fini par leur porter tort. Il avait renoncé à des situations, déménagé, renvoyé des domestiques, aux moments les moins opportuns. Comme un certain nombre d'autres décisions qu'il avait prises, son dernier voyage de retour n'avait pas été judicieux.

Elle n'imaginait pas que Hugh Grange pût avoir des lubies soudaines – ce qui représentait à ses yeux une qualité idéale chez un homme. Pendant qu'ils jetaient tous une petite poignée de riz sur les jeunes mariés dans le cimetière, elle se demanda si elle le reverrait avant son départ pour Londres. Elle n'avait lu pour le moment aucune annonce de fiançailles dans les journaux, et en éprouvait un étrange réconfort qui ranimait en elle des sentiments d'une chaleur qu'elle avait depuis longtemps préféré bannir de sa vie. Elle était bien résolue à étouffer tout désir susceptible de troubler l'existence qu'elle avait choisie. Mais en jetant du riz sur la mariée, elle s'autorisa à souhaiter que Hugh l'invite à aller se promener avec lui.

« J'espère que tout se passera bien à l'audition de Daniel demain, dit-elle lorsque les jeunes mariés s'éloignèrent dans un cab pour aller prendre un train en direction de Hastings et rejoindre la suite d'hôtel que Daniel avait réservée – il en partirait pour se rendre directement à l'audition du lendemain, avec sa jeune épouse et la facture de l'hôtel.

— Moi aussi, acquiesça Hugh. Si tout est réglé, nous embarquerons pour la France ensemble lundi matin.

— Pour la France ? demanda Beatrice, le cœur serré.

— Nous sommes envoyés au front tous les deux. »

Beatrice se sentit défaillir. Le front avait désormais perdu son aura de grande aventure. La Force expéditionnaire britannique se faisait peu à peu décimer à Ypres, tandis que les armées adverses se retranchaient, dessinant une ligne sinistre à travers la Flandre. L'issue du conflit n'avait plus rien de la certitude enthousiasmante prophétisée par toute la presse.

«Je vous souhaite un bon voyage», dit-elle, tandis que ses espoirs ténus s'évanouissaient devant le spectre de son départ.

L'audition prit fin avant même d'avoir commencé. Dans la cabane grossière qui servait de quartier général au colonel, la beauté de Céleste, vêtue d'une robe sobre et d'une paire de gants blancs offerts par Beatrice, éblouit le colonel et le petit groupe d'officiers réunis autour de lui. Daniel demanda au colonel de bénir son union, et celui-ci parut aussi soulagé qu'un homme gracié sur l'échafaud. Il aurait été presque amusant, songea Hugh, de voir le colonel mener pareille audition. Sans doute aurait-il eu le plus grand mal à prononcer les mots nécessaires sur un tel sujet.

Le jeune couple se dit adieu sur le terrain de manœuvres et plus d'un soldat, jetant un coup d'œil depuis sa tente ou passant devant eux en formation, essuya une larme en voyant les amoureux séparés aussi rapidement par l'embarquement imminent de leur régiment. Hugh devait raccompagner Céleste chez elle, et Daniel les pria d'annoncer la nouvelle de son mariage en même temps que de son départ à leur tante et à leur oncle.

«Demande-leur de ne pas venir à la gare, ajouta Daniel. Je n'aimerais pas me montrer discourtois envers eux dans un lieu aussi public.

— Et moi? remarqua Hugh. Je te rappelle que je pars par le même train que toi. N'aurai-je personne pour me dire au revoir?

— Fais comme il te plaira. Je ne te refuserai pas ce réconfort. Le sergent-major acceptera bien de me cacher sous un siège, au besoin.

— Je ferai mes adieux à la maison, convint Hugh, songeant avec horreur à la scène qui pourrait se produire à la gare. Quelles dispositions as-tu prises pour ton épouse ?

— Aucune, j'en ai peur. Je suppose qu'elle aura droit à une indemnité, non ? J'avais pensé qu'elle continuerait à habiter au même endroit. Beatrice pourrait s'occuper d'elle.

— Je ne pense pas que ce soit possible, objecta Hugh. C'est chez ton père qu'elle devrait aller.

— Surtout pas, mon Dieu ! Mieux vaudrait le couvent, finalement. Que dois-je faire, Hugh ?

— Je parlerai à Oncle John. Peut-être pourront-ils l'héberger. »

Il s'efforçait de parler d'un ton neutre, mais espérait de tout cœur que Daniel accepterait. Pareil arrangement permettrait sans doute une réconciliation générale le moment venu.

« Je ne changerai pas d'avis, répondit Daniel. Mais je te serais reconnaissant, Hugh, si tu pouvais effectivement leur parler tout à l'heure. » Il lui adressa un grand sourire et lui serra la main. « Je te retrouverai au train demain. J'ai hâte que la vraie guerre commence. »

Le colonel fit raccompagner Hugh et Céleste à Rye dans un lourd haquet chargé de matériel en partance pour la gare, d'où Hugh reconduisit la jeune femme à pied jusqu'au cottage de Beatrice. Elle y fut accueillie avec force effusions et félicitations de Mme Turber, le mariage de Céleste exerçant sur elle exactement l'effet escompté. On pouvait espérer qu'elle répandrait la bonne nouvelle aussi efficacement qu'elle avait colporté la mauvaise.

« Il faut que je rentre, annonça Hugh à Beatrice en s'attardant sur le seuil. Je veux essayer de réparer la brouille entre Daniel, notre tante et notre oncle. »

Il avait l'air si soucieux que Beatrice regretta de ne pas pouvoir l'aider.

« Seront-ils très contrariés par ce mariage ? » demanda-t-elle.

La gravité de l'acte qu'ils avaient commis en complotant d'unir pour la vie Céleste à Daniel à l'insu de sa tante lui pesait.

« Nous vivons des temps difficiles, et ce qui est fait est fait. » Il s'interrompit. « Nous partons demain matin, Daniel et moi, et je voulais vous demander si vous accepteriez de m'écrire ?

— Je me suis attiré quelques ennuis en consentant à écrire à M. Dimbly. J'ignorais qu'envoyer du courrier pouvait sous-entendre une autre forme d'attachement. »

Tout en parlant, elle avait conscience de n'être pas tout à fait sincère et sentait les mots franchir maladroitement ses lèvres. Elle hésita avant d'ajouter :

« Et puis, je ne voudrais pas heurter Mlle Ramsey.

— Je ne sous-entendais aucune obligation et aucun attachement, dit-il avant de poursuivre après une seconde, il est toujours agréable de recevoir du courrier quand on est loin de chez soi.

— Dans ce cas, je serai heureuse de vous écrire », répondit-elle avec une nuance d'interrogation dans la voix.

Semblant lutter contre ses émotions, il lui prit la main et la serra.

« Il m'est impossible, en toute honnêteté, de vous dire que je suis entièrement libre de toute obligation à l'égard de Mlle Ramsey. J'ai honte de reconnaître que je ne me suis sans doute pas conduit avec une parfaite franchise. » Il hésita encore avant d'ajouter : « Mais je puis aussi vous dire qu'aucun engagement formel ne nous lie l'un à l'autre. »

Son cœur bondit dans sa poitrine et elle attendit la suite. Il la regarda avec une telle intensité que pendant un moment de pur ravissement, elle crut qu'il allait la prendre dans ses bras.

« Hugh ? demanda-t-elle, prononçant son nom avec un sentiment d'intimité nouvelle.

— J'ai bien peur que le moment ne soit jamais opportun, dit-il enfin. Je pars pour la France et pour rien au monde, je ne vous demanderai quoi que ce soit tant que je ne serai pas libre.

— Dans ce cas, je devrai me contenter de votre amitié, Hugh », murmura-t-elle, et bien que son regard s'embuât, elle se refusa à gâcher son départ par des larmes. « Et nous nous écrirons comme deux amis.

— Vous êtes la meilleure des femmes, Beatrice Nash, dit-il, portant sa paume à ses lèvres.

— Voulez-vous que je vienne vous dire au revoir demain ? » demanda-t-elle tout en se demandant si elle le supporterait.

Elle éprouvait le même sentiment de vide béant qu'à la mort de son père. Elle lutta pour chasser l'image de la rivière glacée et du redoutable passeur. Contrairement à son père, pria-t-elle, Hugh reviendrait.

« Je vous en prie, non, ne venez pas. Je ne voudrais pas vous exposer à la vulgarité de ces départs sur le quai.

— Je penserai souvent à vous, dit-elle, cillant pour chasser ses larmes.

— Si tout se passe comme je l'espère avec mon oncle et ma tante, je pense qu'ils viendront chercher Céleste. La solitude ne vous pèsera pas trop, Beatrice ?

— Je suis habituée à être indépendante, Hugh. »

Mais en le voyant descendre la rue pavée, elle serra ses bras autour d'elle de toutes ses forces pour s'empêcher de le rappeler. Jamais encore elle n'avait pris aussi clairement la mesure du prix de l'indépendance. Jamais encore elle ne s'était sentie aussi seule.

QUATRIÈME PARTIE

À présent, Dieu soit loué, lui qui nous a accordés avec Son heure,
S'est emparé de notre jeunesse et nous a réveillés de notre sommeil,
Avec des mains sûres, un œil clairvoyant, une puissance affinée,
Pour que, tels des nageurs plongeant dans l'eau pure, nous détournant
Avec joie d'un monde devenu vieux, froid et fatigué,
Nous quittions les cœurs malades que l'honneur ne saurait émouvoir,
Les demi-hommes, et leurs chants vils et mornes,
Et toutes les petites vanités de l'amour !

Rupert Brooke, « 1914 – I : Paix »,
in *Si je meurs... 1914 et autres poèmes*

28.

La cigarette ne semblait pas apaiser le tremblement de ses mains, mais Hugh s'obstinait à inhaler l'âcre fumée dans l'espoir qu'elle parviendrait au moins à dissiper l'odeur fétide de sang séché et d'iode qui s'infiltrait dans ses narines, sa gorge et par tous les pores de sa peau. Il savait qu'il aurait dû aller se laver et rejoindre le mess des officiers pour le dîner, mais il était dans un tel état d'épuisement qu'il n'avait qu'une envie : rester assis à l'abri du seuil de l'hôpital chauffé par le soleil à fumer la cigarette que lui avaient tendue les brancardiers avant de reprendre leur long chemin jusqu'au front.

L'hôpital de l'arrière auquel il avait été affecté depuis qu'il avait débarqué au nord de la France dans le courant de l'automne précédent était situé dans un petit village à quelques kilomètres de la côte. Il occupait un ancien établissement vinicole, qui avait lui-même pris la succession d'une abbaye médiévale. Les vieilles pierres semblaient emmagasiner le froid pour mieux le diffuser alors que l'hiver s'intensifiait, et les rares fenêtres laissaient pénétrer peu de jour, mais au moins, les murs épais étouffaient l'écho des canons que l'on pouvait distinguer faiblement, en direction de l'est. Hugh avait rapidement constaté qu'il détestait jouer au chirurgien faisant sa tournée matinale à travers les rangées de blessés et indiquant, d'un mouvement de l'index, ceux dont il souhaitait s'occuper ce jour-là. Au bout de quelques semaines, il avait annoncé à ses infirmières qu'il ne retiendrait que trois traumatismes crâniens par jour. Pendant le reste de son temps de travail, il préférait qu'on lui envoie les cas qui paraissaient les plus urgents.

Debout sur le sol de brique poisseux de sang, tandis qu'une interminable kyrielle de civières étaient hissées puis redescendues de sa table d'opération, Hugh perdait souvent le compte des heures. Il se frottait les mains lentement, la peau sèche et irritée par l'eau bouillante, le savon de Marseille et la brosse dure avec laquelle il se récurait entre deux patients. Il ne négligeait jamais de se laver les mains, même quand les infirmières pinçaient des artères déchirées, même quand il entendait que les blessés inhalaient du sang. Il était toujours déterminé dans ses gestes, modéré dans le ton de ses ordres, et impassible face aux blessures les plus atterrantes. Cela lui avait valu l'attention de ses supérieurs, qu'il avait tant recherchée pendant ses années d'études, mais à présent, leurs compliments le laissaient froid. Ses rêves de notoriété et de fortune, l'image du chirurgien qu'il pourrait être un jour, avec un cabinet prospère et une grande maison sur Harley Street, étaient devenus insignifiants et vains en présence de ce carnage quotidien. Son calme n'était qu'un engourdissement qui le préservait de la démence.

Il tira une dernière bouffée de cigarette, sentant la chaleur ardente au bout de ses doigts et résistant à grand-peine à l'envie de laisser brûler sa chair. Il jeta enfin le mégot et l'écrasa sous son godillot, couvert d'une couche de sang, de poussière et de grandes éclaboussures violettes d'iode. Il se releva et s'étira, faisant rouler ses épaules pour rejeter le poids des douze heures qu'il avait passées, penché au-dessus de chairs blessées dans les ombres projetées par un éclairage insuffisant. L'air était froid en ce début de soirée de la fin février, mais au moins, il ne pleuvait pas. Il avait l'impression qu'il pleuvait tout le temps en France, une attention particulièrement malveillante de la providence, les averses n'étant jamais suffisamment violentes pour interrompre les combats mais entraînant une humidité qui ajoutait au fardeau de chaque journée.

« Bonne nuit, docteur. »

Deux infirmières, enveloppées dans de longues pèlerines de laine et chaussées de grosses bottes, franchirent le seuil. Sa gorge desséchée l'empêcha de leur répondre et il se contenta de leur adresser un signe de la main et de suivre des yeux leurs cornettes de lin amidonné descendre la route en se balançant, telles deux colombes blanches, incongrues dans ce paysage sinistre et boueux. Les infirmières l'avaient surpris par leur endurance paisible. C'était plus dur pour les femmes. Non pas parce qu'elles étaient plus faibles, mais parce que les blessés, apercevant un visage féminin comme auréolé par la coiffe blanche, se cramponnaient souvent à leur main, avides d'une simple parole de réconfort – une demande de compassion qu'aucun homme ne se serait permis de lui adresser à lui, le médecin. Le travail était déjà suffisamment pénible avec les dossiers médicaux à remplir et la torpeur qui l'anesthésiait. Comme il devait être douloureux de sentir cette couche de glace professionnelle transpercée plusieurs fois par jour par un homme mourant, chuchotant un message à sa mère !

« Monsieur Grange, je veux dire, mon lieutenant ? » La voix lui était familière. « C'est bien vous, monsieur Grange, mon lieutenant ? »

Le soldat maigrichon enfoui dans le col d'un trenchcoat trop grand pour lui menait une carriole de civil bringuebalante, tirée par un lévrier irlandais gris qui n'avait qu'une oreille. La petite charrette était surchargée, sa cargaison soigneusement abritée sous une bâche ficelée. Elle n'aurait pas plus ressemblé à un chargement militaire digne de ce nom si elle avait été recouverte d'une tente de cirque. Le garçon repoussa son calot, et le cerveau épuisé de Hugh enregistra lentement les angles du visage et le regard aiguisé.

« Snout ! Est-ce vraiment toi ? Que fais-tu ici ?

— La guerre, comme vous, mon lieutenant, répondit Snout avec un large sourire.

— Oui, mais que fais-tu *ici*? insista Hugh, s'avançant sur la route pour lui serrer la main. Je croyais que le régiment du colonel Wheaton se trouvait plus au nord ?

— On nous a fait venir pour combler les brèches à une trentaine de kilomètres à l'est. On en a vu de dures, mon lieutenant.

— Mon cousin est-il avec toi ? demanda Hugh, d'une voix aussi neutre que possible alors que son cœur se serrait soudain dans l'angoisse d'une mauvaise nouvelle.

— Oui, mon lieutenant, il va bien, répondit Snout. Les autres se moquent de lui parce qu'il écrit des poèmes quand ils attendent de sortir de la tranchée, mais il est toujours le premier à bondir quand le signal est donné.

— Et Harry Wheaton ?

— Il s'est pris un éclat d'obus dans le bras et est passé capitaine. Il doit rester au camp, mais ça ne l'empêche pas de continuer à commander. Je suis son planton. Et me voilà à battre la campagne sur ses ordres.

— Qu'est-ce que tu as dans ta charrette ?

— Le colonel Wheaton a dans l'idée de donner un souper pour le régiment, et le capitaine Wheaton m'a envoyé pour que j'essaie de trouver les produits de luxe qu'il leur faut, comme du jambon, du champagne et des boîtes d'un machin qui s'appelle "foyes grass".

— Du foie gras ? s'étonna Hugh. Ne me raconte pas que tu as du foie gras dans cette carriole miteuse ?

— Je ne saurais pas vous le dire, mon lieutenant. À cause que je ne sais pas lire l'écriture étrangère qu'il y a sur les boîtes. Mais l'homme chez qui je l'ai eu m'a juré que c'en était, et le capitaine Wheaton devra faire avec. Après tout, c'est la guerre.

— Veux-tu revenir à mon cantonnement et prendre le thé avec moi, Snout ? » Comme le jeune garçon hésitait, Hugh ajouta : « Écoute, je sais que c'est contraire au règlement, mais je suis tellement content de voir un visage de chez nous ! Et figure-toi que j'ai mis des biscuits de côté pour une occasion spéciale comme celle-ci.

— Allez, viens, Wolfie, il y a des biscuits pour nous », acquiesça Snout en tirant sur le harnais du chien.

Tandis que Hugh se mettait en marche à côté de Wolfie, qui sentait fort le chien mouillé, Snout se tourna vers lui avec un immense sourire de gosse.

« Alors ça, monsieur Hugh ! Les autres, ils ont l'air de penser qu'ils peuvent demander à un vieux bohémien comme moi de contourner le règlement tout le temps. Mais personne ne nous a encore invités à prendre le thé, pas vrai, mon vieux Wolfie ? »

Hugh lui rendit son sourire, soudain honteux. Il avait eu l'intention de demander à Snout d'apporter un message à Daniel, ce qui constituait également une infraction au règlement. Après tout, il n'avait pas moins de préjugés que les autres.

« Je crois que j'ai aussi un peu de viande en conserve, ajouta Hugh. Si ton chien n'a rien contre le perdreau. »

Hugh avait envisagé de passer ses deux jours de permission sur la côte, où un officier qui faisait savoir qu'il était prêt à payer la note, de quelque montant qu'elle fût, était assuré de pouvoir déguster pour son dîner un plat d'huîtres fraîches, un bon rôti et une bouteille de vin rouge dénichée dans la cave personnelle de l'aubergiste. Comment les hôteliers réussissaient à se procurer ces petits luxes en pleine guerre, c'était un mystère pour Hugh, mais lors de sa dernière permission, il avait presque eu les larmes aux yeux en reconnaissant une truffe au chocolat sur le bord de son assiette.

Sa rencontre inopinée avec Snout l'avait pourtant incité à renoncer à ce séjour sur la côte et à demander un sauf-conduit pour aller faire la tournée des postes de secours avancés et vérifier comment s'effectuait le transport des blessés entre le front et l'hôpital. Une semaine plus tard, laissez-passer en main, il monta à bord d'une ambulance qui se dirigeait vers l'est, espérant arriver au cantonnement de son cousin à la tombée de la nuit, si les indications pour le moins fantaisistes de Snout se révélaient exactes.

« Si vous nous inspectez et que vous trouvez qu'on n'est pas à la hauteur, vous croyez qu'ils vont nous faire rentrer chez nous ? » demanda le chauffeur, un caporal bedonnant à la vareuse tachée, qui avait fourré une cigarette éteinte entre ses lèvres dès qu'ils avaient quitté le point de contrôle de l'hôpital.

Il se pencha pour essuyer la buée qui envahissait le pare-brise. Dehors, un crachin ajoutait encore à la tristesse du paysage lugubre de la route, entre la boue, les arbres morts et les convois apparemment interminables de camions, de chevaux et d'hommes qui se déplaçaient laborieusement dans les deux sens.

« Ce n'est pas une véritable inspection », répondit Hugh tout en songeant qu'une trop grande partie de cette guerre semblait se résumer à un interminable défilé de soldats et de véhicules se rendant éternellement ailleurs. « Je veux simplement jeter un coup d'œil, pour sortir un peu de la salle d'opération et me faire une meilleure idée de la manière dont les choses se passent.

— Il vient juste jeter un coup d'œil, Archie, répéta le chauffeur à son acolyte avec un fort accent cockney. Une petite excursion, c'est ça ?

— On peut vous faire faire le grand tour, chef, proposa Archie. Avec arrêt à la boutique souvenirs avant de rentrer, pas vrai, Bill ? »

Ils éclatèrent de rire et leur impertinence n'échappa pas à Hugh. Il les comprenait pourtant. Son poste d'évacuation sanitaire recevait régulièrement la visite de dignitaires – officiers supérieurs aussi bien qu'une occasionnelle femme journaliste – qui semblaient n'avoir aucune difficulté à obtenir l'autorisation de venir fourrer leur nez partout, allant jusqu'à interrompre le travail en salle d'opération pour poser des questions ridicules et exiger de consulter rapports et fichiers.

« Mon cousin est lieutenant quelque part, du côté de la crête, par là, reprit-il, avec un geste du menton vers la ligne floue de collines basses et grises qui se dessinait au loin. Ça fait un moment que nous n'avons plus eu de ses nouvelles, alors j'espère arriver à le voir. »

Il y eut un instant de silence, puis le chauffeur, Bill, reprit la parole d'un ton moins jovial.

« Ça a pas mal bardé là-haut. Ils ont dû nous appeler pour donner un coup de main une paire de fois, et on a embarqué un sacré tas de gars, pas vrai, Archie ? »

Son collègue resta muet, regardant par la vitre. Enfonçant la main dans sa poche, Bill en sortit une allumette, qu'il frotta contre le tableau de bord avant de l'approcher de sa cigarette.

« Je suis navré, murmura Hugh.

— On a perdu deux de nos brancardiers, et il y a eu de lourdes pertes parmi ceux qui étaient déjà là-haut, fit Archie.

— La semaine dernière, on a vu un brancardier sortir des tranchées. Il tenait plus sur ses pieds, il était couvert de sang, poursuivit Bill. Un obus avait emporté son coéquipier et soufflé la moitié du pauvre type qu'ils trimballaient et lui, il avait tellement perdu la boule qu'il s'en est même pas rendu compte. »

Il rit et tira énergiquement sur sa cigarette.

« Il va s'en sortir ? demanda Hugh.

— On lui a filé un bon coup de brandy et une tasse de thé et on l'a remis dans la bonne direction, répondit Archie. Tant qu'on a deux jambes et deux bras, on peut porter une civière.

— Ça s'est un peu calmé depuis, fit Bill. Votre cousin doit être planqué dans une jolie cave bien sèche, mon lieutenant. À jouer au whist en bouffant du mulligatawny[1].

— Ça m'étonnerait, rétorqua Hugh.

— Y a eu une embrouille avec l'intendance, expliqua Archie. Ils ont envoyé dans le coin vingt mille boîtes de mulligatawny. Tout le monde en a marre.

— On peut en obtenir deux boîtes contre une pincée de tabac, reprit Bill. Pas qu'on fasse du trafic de denrées gouvernementales, bien sûr.

— Bien sûr, renchérit Hugh.

— Les gens du coin aussi en ont leur claque. Je leur dis : *Vous avez une motty burr ?* Et ils agitent les mains : *Non, non, pas di mullytawnaaay.* »

L'approximation phonétique de la *motte de beurre** arracha un sourire à Hugh. Les Tommies avaient adapté avec une rapidité surprenante la langue française à leur usage, bien que leur vocabulaire semblât se limiter à la nourriture, à la boisson et aux jurons.

« Il paraît qu'un petit malin a collé des étiquettes de soupe de poule sur ses boîtes de mully et les a échangées à un fermier du coin contre des lapins, poursuivit Bill.

— Et moi, j'ai entendu dire que les paysans y collent des étiquettes de n'importe quoi, pâté ou pudding aux raisins, et nous les revendent, rétorqua Archie. Il va bien y avoir un pauvre diable qui finira par se faire fusiller sur ce coup-là, si vous voulez mon avis.

1. Soupe anglaise d'origine indienne. (*N.d.T.*)

— Alors comme ça, vous rafistolez les blessés, vous? reprit Bill. Nous, on fait que déposer ces pauvres bougres, et personne nous dit jamais s'ils s'en sont sortis ou pas.

— Nous avons mis en place un système efficace à partir des postes d'évacuation sanitaire, expliqua Hugh. Bien sûr, certains ne vont jamais plus loin que notre unité. S'ils sont trop gravement atteints, nous leur administrons de la morphine et leur proposons de transmettre des messages à leur famille.

— Nous aussi, on a un système, fit Bill. S'il reste les trois quarts d'un bonhomme, on l'embarque. S'il en reste moins, on lui file une cibiche et on garde sa morphine pour un autre pauvre type. C'est bizarre, mais quand ils sont foutus, on dirait qu'ils ne sentent plus la douleur.

— C'est un drôle de truc, c'est sûr, approuva Archie. Vous auriez pas une sèche, d'ailleurs, chef? »

L'ambulance le déposa devant les ruines d'un village dont il ne restait guère qu'une demi-église et une poignée de petites maisons dont tous les toits de chaume avaient brûlé. Au-delà du village, des bois criblés d'obus s'élevaient doucement vers des collines basses. Un campement de tentes de l'armée britannique composait une nouvelle petite agglomération, regroupée autour d'une modeste grange sur la berge d'un cours d'eau.

Quittant des yeux la longue planche posée devant lui sur des tréteaux, Harry Wheaton poussa un hurlement de bienvenue en reconnaissant Hugh sur le seuil du bâtiment.

« Bon sang de bonsoir, ça fait drôlement plaisir de te voir, Grange. Des nouvelles de chez nous?

— J'ai reçu du courrier hier. Mon oncle et ma tante vont bien, mais Mlle Nash m'écrit, entre autres choses, que la nounou de ta sœur est sur le point de partir un peu précipitamment.

— Des lettres de Mlle Nash, espèce de cachottier? s'écria Wheaton en haussant un sourcil. Et que dit-elle à propos de Fräulein ?

— Des rumeurs d'activités suspectes et de lettres en provenance d'Allemagne, répondit Hugh, ignorant les insinuations de Wheaton. On n'a rien pu prouver, semble-t-il, mais cela a fait suffisamment de bruit pour que ta famille lui trouve une place en Amérique et lui paye la traversée.

— Pauvre Fräulein. J'avais prévenu Eleanor qu'elle allait causer des ennuis à cette pauvre femme.

— Qu'est-ce qu'Eleanor a à voir avec une affaire d'espionnage ?

— Rien, rien du tout. Quelques lettres d'amour, peut-être. Tout à fait inoffensives, bien sûr, mais je lui avais conseillé de ne pas mêler la nounou allemande à ses trafics.

— Je vois.

— Eleanor n'en fait jamais qu'à sa tête. Elle s'imagine que les règles ne s'appliquent pas à elle, poursuivit Wheaton d'un air enjoué. Tant mieux si elle va bien. Je suis sûr que Fräulein se plaira beaucoup en Amérique.

— Et toi, tu as eu du courrier ?

— Ça a été un peu chaud par ici, répondit Wheaton en montrant son bras, maintenu en écharpe par une large bande de toile. Le service postal a été la première victime des bombardements. On attend encore que la distribution reprenne.

— Un médecin a jeté un coup d'œil à ton bras? demanda Hugh.

— Blessure superficielle, répondit Wheaton. Pas assez grave pour justifier une permission. Le paternel m'a chargé d'organiser un grand dîner pour le régiment, comme si j'étais un larbin du Claridge's, mais je dois dire que ce petit répit à l'abri des tranchées de tir n'est pas de refus. »

Son visage se crispa et s'assombrit tandis qu'il parlait, et Hugh comprit qu'aux yeux de Harry Wheaton lui-même, le front n'avait plus rien d'un terrain d'aventures pour jeunes gens de bonne famille.

« Comment va le colonel ? demanda-t-il doucement.

— Entre nous, il a quelques années de trop pour ce genre de guerre. Toutes ces tranchées à creuser l'exaspèrent et il voudrait être à Berlin mardi.

— Il faut avouer que personne ne s'attendait à un tel enlisement. »

Les lignes de combat, si mouvantes à l'automne, s'étaient peu à peu immobilisées à travers toute la Flandre ainsi que dans le nord de la France, et durant l'hiver, les armées avaient creusé des réseaux de tranchées de plus en plus complexes. C'était un mode de combat lent, usant, et l'hôpital de Hugh accueillait un flot régulier de blessés, victimes non seulement des offensives majeures, mais aussi de tireurs isolés et de la grêle d'obus qui faisaient que chaque jour était un voyage au cœur de l'Enfer.

« C'est une nouvelle manière de faire la guerre, indéniablement, approuva Wheaton. J'ai dû expliquer au colonel que l'utilisation de mitrailleuses et de barbelés n'a rien de déloyal. » Avec un nouveau sourire, il passa une main impatiente dans ses cheveux coupés court. « Tu conviendras que c'est quand même bizarre. Alors que tant d'autres s'inquiètent pour leurs maris et pour leurs fils, moi, je me fais du mouron pour mon père.

— Vous avez un vrai QG ici », remarqua Hugh en parcourant du regard la grange obscure, avec ses immenses chevrons, son sol de terre battue et ses bâches séparant quelques stalles au fond du local.

Sur un côté, il vit des piles de tables et de chaises pliantes et un tas de banderoles attendant d'être déployées pour les festivités. Dans un angle, deux soldats faisaient fonctionner une radio dans un coffret en bois, et une odeur de cuisine leur parvenait depuis une zone recouverte d'une toile, derrière une porte latérale.

« Où rangez-vous l'argenterie du régiment ? demanda-t-il.

— L'argenterie et un service de table au grand complet doivent arriver aujourd'hui de la côte en carriole, répondit Wheaton en consultant de grands plans étalés sur les tréteaux. Nous avons de la vraie viande à la cave. La soupe est en conserve. Les cuistots nous préparent une nouveauté pour le dessert avec des surplus de pudding de Noël et nous avons du champagne dans la glacière.

— Quelle organisation ! admira Hugh. Si seulement nos offensives étaient préparées avec une telle minutie.

— On ne se bat pas le ventre creux, et les officiers supérieurs aiment manger correctement. Si tout se passe bien, j'obtiendrai peut-être un nouvel avancement.

— Il paraît que le jeune Snout - Dickie Sidley - t'a donné un coup de main ? C'est chic de ta part de le garder à l'abri du front.

— Un sacré petit teigneux celui-là, et il a un drôle de flair pour trouver des combines. Je suis désolé de devoir t'apprendre qu'il a été blessé par un obus la semaine dernière.

— Rien de grave ? s'inquiéta Hugh, imaginant déjà le petit corps maigre ensanglanté et sans vie.

— Il va bien, mais son satané chien s'est sauvé après l'explosion et le petit n'arrête pas de prendre la poudre d'escampette pour aller le chercher. J'ai essayé de lui trouver des excuses, mais il va finir par se faire fusiller comme déserteur.

— Je peux le voir ? demanda Hugh. Nous avons reçu un certain nombre de victimes de bombardements qui semblent désorientées. J'essaie de décrire leurs symptômes.

— Je l'ai envoyé chez ton cousin, dans les tranchées.

— Mais ce n'est qu'un gamin ! protesta Hugh, horrifié.

— Justement. Je ne blaguais pas en te parlant de désertion. Je me suis dit qu'il serait plus en sécurité avec Daniel. Moins de risques d'aller se balader n'importe où, s'il est coincé au fond d'une tranchée.

— J'aimerais aller les voir. Crois-tu que ce soit possible ?

— Ils redescendent du front demain. La nouvelle n'est peut-être pas arrivée jusqu'à toi, mais Lord North, le général de brigade, s'est vu confier le commandement de cette région militaire.

— Tu plaisantes, j'espère ? Le père de Craigmore ? Ce type est une ordure.

— Il assistera au dîner du régiment demain, poursuivit Harry. Nous organisons des exercices et un défilé en grande tenue avant le repas. Tu es cordialement invité, si tu es encore là.

— Merci, très volontiers, accepta Hugh. Mais j'aimerais vraiment monter au front et voir par moi-même comment les choses se passent. Je fais une sorte de tournée d'inspection.

— Une requête fichtrement inhabituelle. La plupart demandent à partir dans l'autre sens. Mais je t'en prie. Je vais te faire conduire là-bas dès que le bombardement du soir sera fini.

— Le bombardement du soir ?

— Tout ça est réglé comme du papier à musique : le matin au réveil et juste après l'heure du thé, expliqua Wheaton. On se pilonne réciproquement pendant une heure ou deux, et pendant le reste de la journée, on lave nos chaussettes et on joue aux dames. »

La montée vers les lignes était traîtresse dans l'obscurité. Une odeur de fumée et de poudre imprégnait le brouillard et des feux brûlaient dans des trous d'obus tout le long de la petite crête où les tranchées de tir protégées par des sacs de sable faisaient face aux lignes allemandes, dans la vallée en contrebas. De longues balafres sombres dessinées dans la terre révélaient le tracé des tranchées de communication qui zigzaguaient jusqu'à l'arrière, où les troupes de service pouvaient prendre quelques heures de sommeil à tour de rôle. Plus loin encore, d'autres sections de réserve bivouaquaient dans les abris qu'elles avaient pu trouver. Pendant que Hugh suivait son guide, des groupes chargés de barriques d'eau et de ravitaillement les dépassèrent au pas de course et ils croisèrent plusieurs équipes de brancardiers transportant les blessés et les morts de l'action du soir.

Daniel était installé dans une cabane de pierre bâtie à flanc de coteau qui offrait une solide protection contre les obus perdus. Ses hommes campaient sous le muret de pierre d'un pâturage et s'étaient fabriqué un abri à l'aide de troncs éventrés et de bâches. Des petits feux étaient allumés à intervalles réguliers pour faire chauffer l'eau du thé, et, s'arrêtant sur le seuil de la cabane, Hugh éprouva un curieux sentiment d'intimité au milieu d'un paysage d'enfer. La porte était masquée par un vieux drap. Hugh toussota et une voix l'invita à entrer.

Daniel était allongé sur un lit de camp, lisant un livre à la lueur d'une bougie. Quelques flammes s'élevaient dans un âtre de pierre, et une marmite de soupe frémissait. Dans un angle de la cabane, Snout était endormi sur un tas de paille, sous une couverture grossière. Le deuxième lit de camp était vide. Deux petites esquisses à l'aquarelle étaient fixées au mur, et une literie roulée suggérait qu'un deuxième officier partageait ce logement exigu.

«Je dois rêver, dit Daniel. Mon cousin Hugh profite de ses vacances pour faire une randonnée à travers la France?

— Je passais par là, et j'ai senti une odeur de soupe.

— C'est du mulligatawny.

— C'est ce qu'on m'a dit. »

Il ne fallut à Daniel qu'un instant pour bondir sur ses pieds et les deux jeunes gens tombèrent dans les bras l'un de l'autre. Hugh songea alors qu'au cours de toutes leurs années d'affection partagée, jamais ils n'avaient échangé une étreinte aussi cordiale, ni même une claque dans le dos. Il était étrange et navrant qu'il fallût une guerre pour abolir la retenue contrainte de la vie.

« La guerre rétrécit curieusement nos besoins, commenta Daniel. Dans la vie ordinaire, je n'avais jamais pris conscience du plaisir que j'avais à te voir.

— Trop aimable à toi. As-tu eu des nouvelles de la maison ?

— Tante Agatha ne cesse de m'écrire, Hugh. Et j'essaie de trouver en moi suffisamment de magnanimité pour lui répondre, mais pour le moment, je n'ai fait que brûler des brouillons.

— J'ai apporté tout mon courrier pour te le montrer », dit Hugh, en sortant de sa capote un petit paquet enveloppé de toile cirée. Il était déçu par l'obstination de son cousin, mais cette soirée était trop précieuse pour qu'il coure le risque de se disputer avec lui. « Ce lit de camp est libre pour la nuit ?

— Oui. » Daniel hésita avant d'ajouter : « Mon vieux copain Worthington, de l'artillerie légère, s'est fait percer le crâne par un tireur embusqué il y a deux jours. Il faut que je fasse parvenir ses peintures à sa femme. »

Hugh resta silencieux, à court de mots, et Daniel repoussa une bûche dans l'âtre.

« Comment va le petit ? demanda enfin Hugh en désignant Snout endormi.

— Tout cela est un peu trop dur pour lui. Cet obus qui a détruit sa carriole et fait fuir son chien. Nous n'avons pas constaté de blessures, mais visiblement, il a légèrement perdu la boule. J'essaie de le faire renvoyer au pays, mais ce n'est pas facile. Pourtant n'importe quel imbécile voit bien qu'il n'a pas dix-neuf ans.

— S'endort-il aux moments les plus incongrus ? demanda Hugh. Nous avons observé plusieurs cas de neurasthénie de ce genre.

— En plus, on a beaucoup de mal à le réveiller. De toute évidence, il y a quelque chose qui cloche quand un petit gars comme ça continue à ronfler malgré l'odeur de bacon du petit déjeuner. »

Ils burent de la soupe et une ordonnance leur apporta un gros morceau de fromage odorant et une baguette fraîche. Où pouvait-il y avoir encore une boulangerie qui faisait du pain ? se demanda Hugh. La baguette avait un goût de paix.

« Il y a dans le pain frais mangé dans un lieu pareil quelque chose qui vous donne envie de pleurer, tu ne trouves pas ? » demanda Daniel. Il tendit une flasque à son cousin et Hugh avala une gorgée de rhum fort. « J'ai essayé d'expliquer ça dans un poème, mais je suis loin d'y être arrivé ; de jolies phrases à propos de places de village chauffées par le soleil et de filles qui pouffent de rire dans des langues étrangères, d'amis qui se promènent dans des paysages estivaux avec un sac à dos, libres comme l'air... du blabla.

— À l'hôpital, le pain est généralement farineux et a un goût de fer à cause des boîtes métalliques dans lesquelles il est livré. La nourriture ne manque pas dans l'armée britannique, mais la qualité laisse franchement à désirer. »

Après ce repas frugal, Daniel offrit à Hugh une pipe provenant du paquetage de Worthington et les deux cousins fumèrent en entretenant le petit feu.

« Crois-tu vraiment que ce sont nos besoins qui ont rétréci ? demanda Hugh. N'est-ce pas seulement que la peur et les privations nous permettent de mieux apprécier les choses simples ?

— Je pense que notre aptitude au bonheur se trouve peu à peu engloutie par toutes les années que nous consacrons à essayer de faire notre chemin dans le monde, par la nécessité d'aller de l'avant. Or la guerre dévore toutes ces années d'étiolement, comme un vieux penny qu'on fait tomber dans du vinaigre. » Il s'interrompit pour bourrer sa pipe, tassant lentement le tabac qu'il ralluma avec un tison. « Ici, nous faisons notre devoir, c'est tout ; et quand le devoir est incapable de détourner la balle égarée d'un tireur isolé, on abandonne l'idée présomptueuse que l'homme peut contrôler son destin.

— La guerre rend humble, c'est sûr », opina Hugh.

Il songea à ses premières tentatives pour sauver les soldats atteints de blessures à la tête, et se rappela que ses notes écrites étaient devenues d'abord plus succinctes et plus sanglantes, puis qu'il avait entièrement cessé de faire des rapports, parce que toutes les notes du monde ne pouvaient rien changer à la réalité : la plupart des hommes qui avaient un trou dans le crâne mouraient et il pouvait sauver plus de soldats en les opérant de presque tout, sauf du cerveau.

« C'est une forme de liberté, ajouta Daniel. Je suis libéré, non pas de la peur de la mort, mais de la conviction que je peux contrôler la mort.

— Ainsi parla le poète guerrier, déclama Hugh. J'imagine bien des rimes entre *mort* et *sort*.

— Tu plaisantes, mais peut-être qu'aujourd'hui, je pourrais vraiment écrire à propos du David, dit Daniel, le visage grave. Non plus sous les traits d'un beau berger, mais sous ceux d'un jeune soldat effrayé, qui avait conscience de son devoir.

— David pensait que Dieu le protégeait, murmura Hugh.

— Ce qui ne le distingue guère de tous les soldats qui sortent des tranchées, fusil à la main. Prie Dieu et rentre la tête dans les épaules !

— Je vais boire à ce conseil, dit Hugh en avalant une nouvelle lampée du rhum bon marché que contenait la flasque de Daniel. Bon sang, ce machin-là pourrait servir de carburant aux camions de l'armée !

— Ce bon vieux Hugh, s'écria Daniel en riant. Tu as toujours su me remettre d'aplomb. Inutile de parler poésie avec toi, mais peut-être apprécierais-tu un ou deux limericks que j'ai recueillis auprès de mes hommes. »

29.

Malgré la proximité des lignes allemandes, le colonel Wheaton avait exigé qu'une fanfare au grand complet accompagne les exercices et la parade. Le régiment recevait le général de brigade Lord North et des officiers supérieurs de plusieurs autres régiments, et nulle menace allemande ne devait être autorisée à ternir le prestige de cet événement. Le général arriva en compagnie d'une petite armée d'ordonnances et, enchaînés dans un chariot, d'un groupe de prisonniers qui étaient passés en conseil de guerre pour différents crimes capitaux, mais n'avaient pas encore été fusillés. Les exécutions avaient été retardées pour une question administrative, l'absence d'aumônier susceptible d'assurer les services pastoraux requis. Malheureusement, on apprit que, comme le colonel avait fait venir un aumônier pour prononcer le bénédicité du dîner, les festivités céderaient la place, à l'aube, à un peloton d'exécution. Ni le colonel ni l'aumônier, qui avait fait le déplacement attiré par la promesse d'un bon dîner et se voyait obligé de passer la nuit avec les condamnés, n'était franchement ravi.

On avait même érigé une modeste tribune de planches clouées sur des barriques afin que les invités puissent jouir d'une bonne vue sur le défilé. Les chevaux étaient étrillés et enrubannés, les uniformes brossés, les godillots boueux grattés et cirés, et tous les hommes avaient été harcelés et insultés par les sergents-majors jusqu'à ce que leur équipement et eux-mêmes forment des rangs à peu près présentables. Ceux qui venaient de revenir des tranchées furent relégués en périphérie, où leurs uniformes sales et la fatigue qui les faisait chanceler se feraient peut-être moins remarquer. En considération des animosités passées, Harry Wheaton avait pris soin de placer l'unité de Daniel très en retrait, à l'abri du regard du général. Aux premiers rangs, les officiers supérieurs avaient déballé tenues de cérémonie et sabres, et le colonel avait fait venir, en même temps que l'argenterie, le bélier, mascotte officielle du régiment. L'animal portait une cape écarlate ornée de soutaches dorées et ses cornes enroulées étaient ornées de pointes, dorées elles aussi. Il affichait une moue aussi dédaigneuse que celle d'un général et agitait la tête, tirant sur sa lourde chaîne de laiton, chaque fois qu'il apercevait une touffe d'herbe.

En tant que visiteur non officiel et officier subalterne, Hugh observa discrètement les manœuvres et le défilé depuis un lieu situé à l'ombre, sur le côté de la tribune. La ressemblance entre cette cérémonie et les parades militaires solennelles d'Angleterre était troublante, et Hugh n'aurait pas été extrêmement surpris d'apercevoir des rangées de dames abritées sous leurs ombrelles et des enfants agitant des fanions pendant que les unités défilaient devant la minuscule estrade. Seul le grondement sourd de tirs d'artillerie invisibles lui rappelait qu'ils se trouvaient sur un terrain de guerre active.

Après la parade, le général et son entourage furent invités à passer les troupes en revue et ils longèrent lentement les rangées de soldats sous la conduite du colonel Wheaton, tandis que le capitaine Wheaton fermait la marche. La fanfare fit une pause pendant l'inspection et dans le silence, Hugh entendit le battement d'ailes d'un corbeau solitaire au-dessus de la vallée. Il n'avait pas vu beaucoup d'oiseaux ces derniers temps, car ils semblaient éprouver de l'aversion pour les paysages dévastés par l'homme, et il portait toute son attention sur cette image rare quand un terrible vacarme éclata dans la cuisine, derrière la grange.

Une silhouette grise arriva au petit galop en provenance des tentes et Hugh reconnut un énorme chien, tenant entre ses mâchoires un gros rôti de bœuf dégoulinant de jus. L'odeur appétissante de la viande cuite attira bien des regards en biais de la part des hommes figés au garde-à-vous. Le chien s'arrêta en entendant un sifflement perçant ; il fit demi-tour et trottina docilement vers un des rangs les plus reculés, lâchant son butin aux pieds du soldat Dickie « Snout » Sidley.

« Vilain Wolfie, dit une voix de jeune garçon qui portait à travers l'espace ouvert, tandis que Snout attrapait le chien par son collier. Où étais-tu passé ?

— Que fait cette affreuse bête sur un terrain de manœuvres de l'armée britannique ? gronda le général, en s'avançant à grands pas en direction de Snout.

— Je vous demande pardon, mon général, je vais l'emmener, mon général », dit Snout, adressant en réalité sa supplique à Daniel, comme un enfant se tournant vers le seul adulte qu'il connaît dans l'assistance.

Il se baissa et ramassa la viande entre ses deux mains.

« Ne parlez pas si l'on ne vous adresse pas la parole, soldat, fit le colonel Wheaton. Et pour l'amour du ciel, que quelqu'un emporte ce bœuf. »

Un des cuisiniers, arrivé en courant, s'avança avec un plat et prit le morceau de viande.

« Il est gâché, mon colonel, observa-t-il. On ne peut plus rien en faire.

— Je peux l'avoir pour Wolfie, alors ? demanda Snout. Il aime bien le bœuf.

— Ce garçon est un imbécile, ou quoi ? demanda le général tandis que le cuisinier administrait une taloche à

Snout et repartait promptement. Recrutons-nous donc des crétins ?

— Capitaine Wheaton ? demanda le colonel Wheaton.

— Lieutenant Bookham ? demanda le capitaine Wheaton.

— Avec votre permission, mon général, intervint Daniel. Ce garçon a souffert des bombardements et l'on a cru le chien perdu. Ils ont besoin, l'un comme l'autre, d'un moment pour se remettre, mon général.

— Blessé au cours d'un bombardement, mon général, précisa Harry Wheaton.

— Je ne suis pas sourd, hurla le général de brigade. J'ai parfaitement entendu ce qu'a dit le lieutenant.

— Pardon, mon général, firent les deux Wheaton en chœur.

— Lieutenant, cet animal est-il un chien militaire officiellement enregistré ? » demanda le général.

Daniel haussa un sourcil en direction de Harry, qui répondit :

« Non, mon général.

— Ce qu'il portait dans sa gueule faisait-il partie des fournitures gouvernementales ? reprit le général en se tournant vers Harry.

— Cette viande devait, me semble-t-il, être servie au dîner du régiment, mon général. Pour être juste, je tiens à préciser que ce chien et sa carriole ont joué un rôle déterminant dans les tâches du soldat Snout concernant la livraison de plusieurs éléments dudit dîner.

— J'exige qu'on se débarrasse de cette bête, reprit le général. C'est un immonde bâtard qui déshonore le nom du régiment.

— Bien, mon général », acquiesça le colonel Wheaton.

Harry Wheaton eut l'air contrarié, mais garda le silence.

« M'autorisez-vous à prendre la parole, mon général ? intervint Daniel.

— Lieutenant Bookham – Daniel Bookham –, c'est bien cela?

— Ce chien a été en quelque sorte réquisitionné lorsque le soldat Snout l'a trouvé abandonné, mon général. Il tire une lourde carriole et s'est montré extrêmement utile.

— Lieutenant, pourquoi ne suis-je pas étonné de vous entendre prendre la défense d'infractions aussi manifestes au règlement? Ce chien est un voleur et le garder constitue un détournement de ressources. Nous ne gagnerons jamais cette guerre sans un minimum de discipline.

— Ce n'est pas un voleur», coupa Snout, cramoisi.

L'insulte, songea Hugh, avait touché le garçon au vif.

«Ça fait des jours qu'il est perdu, et il mourait de faim. Normalement, il ne mange que des restes.

— Débarrassez-vous-en immédiatement», rétorqua le général en se tournant vers Harry Wheaton.

Il avait déjà pivoté sur ses talons pour poursuivre son inspection quand Snout se laissa tomber à genoux et serra le cou du chien dans ses bras.

«Vous ne pouvez pas le tuer, vous ne pouvez pas!» cria-t-il, en larmes. Le chien lécha d'une langue gigantesque son visage trempé. «Il a rien fait. C'est juste qu'un chien!

— Capitaine, reprit le général. Abattez ce chien et mettez ce soldat aux arrêts pour indiscipline. Veillez à ce qu'il soit copieusement rossé pour son comportement.

— Mon général, ce n'est qu'un enfant, et il a été touché par un obus», objecta Daniel.

Le général se retourna lentement, et un sourire sans humour lui déforma les lèvres.

«Colonel, il me semble que votre lieutenant désire être mis aux arrêts, lui aussi. Je serais ravi de lui accorder satisfaction, mais je suis prêt à fermer les yeux sur son insubordination afin de ne pas gâcher votre petite fête.

— Autorisation d'emmener le soldat Sidley, mon colonel ? demanda Daniel en se tournant vers le colonel Wheaton.

— Oui, oui, et faites cela sans tapage, dit le colonel.

— Non, non, je veux pas qu'on le tue ! hurla Snout tandis que Daniel faisait signe à deux caporals de venir l'encadrer.

— Snout, fais ce que je dis, ça vaudra mieux », chuchota Daniel en se baissant vers le visage du petit et en posant la main sur le chien qui grondait à présent.

Hugh se demanda si son cousin avait un plan pour sauver l'animal. Lui-même contournait à grands pas la lisière du terrain de manœuvres pour essayer de s'approcher discrètement de Snout et de Daniel, quand le petit parvint à dégager un de ses bras et à envoyer un violent coup de poing dans la mâchoire de Daniel, le faisant tomber de tout son long.

Le général fit signe à un membre de sa suite.

« Emmenez ce soldat sous bonne garde et mettez-le avec nos prisonniers. Frapper un officier est un crime capital. Enfant ou homme, il en répondra à l'aube. »

L'homme de Lord North prêta main-forte aux deux caporaux et à eux trois, ils réussirent à maîtriser le jeune garçon, qui hurlait et donnait des coups de pied.

« Je n'ai rien, assura Daniel alors qu'un des hommes l'aidait à se relever. Ce n'est qu'un accident, c'est tout.

— Quel dommage, fit le général qui s'approcha de Daniel et s'inclina vers lui en baissant la voix. Vous voilà une fois de plus responsable de la mort d'un jeune homme. »

Avec un petit rire sec, il s'écarta pour faire signe au colonel.

« Harry ? » fit le colonel en pointant le menton vers son fils.

Harry sortit son arme de service et se dirigea vers le chien.

« Tout doux, mon garçon », dit-il en lui grattant les oreilles.

À la grande surprise de Hugh, le chien se tint parfaitement calme, presque comme s'il avait compris, et Harry l'abattit proprement d'une balle derrière l'œil. Lorsque le grand corps gris s'abattit sur le sol, Snout, que l'on entraînait alors derrière la grange, poussa un hurlement aussi animal que celui d'un chien et suffisamment obsédant, songea Hugh, pour fléchir le cœur le plus endurci.

« Bien, dit le général. Faisons rompre les rangs et allons dîner. »

Daniel s'apprêtait à ajouter quelque chose, mais Hugh l'attrapa juste à temps et lui serra le bras violemment. Harry Wheaton rangea son pistolet dans son étui, apparemment imperturbable. Seule sa pâleur trahissait son émotion.

« Mieux vaut attendre la fin du dîner pour réclamer un geste de clémence, conseilla-t-il. Passe le porto et ensuite, demande la faveur du roi, si je puis dire.

— Nous sommes responsables de nos hommes, Wheaton, rappela Daniel.

— C'est bien joli de monter au créneau, remarqua Harry. Mais tâche de ne pas te faire casser ou pire pour insubordination, Bookham. Je sais que tu as des différends anciens avec Lord North. Efforçons-nous de profiter de ce festin. Quant à moi, j'essaierai de mettre le général d'humeur clémente.

— Je n'ai plus faim, lança Hugh. Débrouille-toi pour convaincre les pouvoirs en place. Moi, je vais surveiller le gamin. »

Cinq prisonniers se serraient dans la vieille bergerie sans toit. Ils étaient tous si sales et recouverts de croûtes qu'il était difficile de leur donner un âge, de distinguer leur rang ou même de reconnaître qu'ils étaient anglais. Chacun se pelotonnait seul dans son coin, genoux remontés contre le menton ou roulé en boule par terre, se grattant de temps en temps à cause des poux qui infestaient la plupart des Tommies. Ils n'étaient pas enchaînés, mais leurs visages apathiques suggéraient qu'ils ne représentaient aucune menace pour les deux soldats chargés de les garder. Un homme lui avait quémandé une cigarette, illustrant une fois de plus, songea Hugh, que cet humble objet était devenu l'ultime petite flamme d'humanité.

« Inspection médicale, annonça Hugh avec un geste en direction de sa grosse sacoche, espérant que son rang et ses insignes des services médicaux de l'armée déguiseraient l'absence d'autorisation officielle d'approcher les prisonniers.

— Oui, mon lieutenant », répondirent les gardiens, se raidissant dans une sorte de garde-à-vous indifférent.

Leur salut n'aurait pas été du goût du général, et Hugh se demanda s'ils savaient à quel point la frontière entre leurs prisonniers et eux était ténue.

« Repos, dit-il. Qui sont ces prisonniers ?

— Des criminels, des simulateurs, des déserteurs, fit le plus petit des deux, au visage boutonneux et à la lippe méprisante. Ils sont tous passés en conseil de guerre et doivent être fusillés demain matin, mon lieutenant.

— D'habitude, le général fait tirer sur eux à vue, mais comme il venait ici, il a tenu à organiser une petite mise en scène, compléta l'autre. Pour nous remonter le moral à nous autres, quelque chose de ce genre, mon lieutenant.

— Ils ont eu à boire et à manger ? »

Un des gardiens lui jeta un regard vide tandis que l'autre haussait les épaules.

« On vient de prendre la relève, mon lieutenant, expliqua le plus grand. On les surveille, mon lieutenant, c'est tout.

— Ce sont peut-être des criminels et des déserteurs ; mais ce sont des soldats britanniques, comme nous.

Peut-être avez-vous entendu notre général de brigade insister sur la nécessité de respecter les règles ?

— Oui, mon lieutenant », approuva le plus grand.

L'inquiétude qui déformait ses traits suggérait qu'il ne connaissait que trop les colères homériques de Lord North.

Jugeant qu'il était le plus réceptif à l'autorité, Hugh s'efforça de froncer sévèrement les sourcils tout en disant :

« Vous êtes responsables de l'état de ces prisonniers, soldat. Filez à la cuisine et rapportez une gamelle de thé et des tartines beurrées.

— Oui, mon lieutenant, acquiesça le soldat qui esquissa un salut avant de partir au petit trot.

— Je vais les examiner pour vérifier qu'ils ne sont pas blessés et ne souffrent pas de maladies contagieuses, annonça Hugh au gardien restant. Êtes-vous tenu de rester à côté de moi ?

— Je verrai très bien d'ici, mon lieutenant, répondit le gardien, qui avait renoncé à sa moue de dédain et affichait une inquiétude de bon augure. Des maladies contagieuses, mon lieutenant ? Faites attention, tout de même. »

Hugh jeta un coup d'œil en passant à deux hommes. L'un présentait au-dessus de l'œil une vilaine entaille, dont les bords suppuraient. Hugh lui donna un petit flacon d'iode et une poignée de gaze et lui conseilla de nettoyer sa plaie. Le soldat à la cigarette souffrait d'un pied des tranchées, plus affreux que tous ceux que Hugh avait déjà vus : des lambeaux de chair blanche et fripée se détachaient des chevilles, ses orteils étaient en sang, noirs de croûtes déchiquetées. L'odeur puissante révélait le début d'une gangrène. Hugh lui donna un paquet de morphine pour combattre la douleur et une paire de chaussettes de laine propres pour cacher l'état de ses pieds. S'il n'était pas fusillé le lendemain, il aurait besoin de soins corrects pour éviter l'amputation.

Les deux autres étaient sales mais ne paraissaient pas blessés. Ils somnolaient paisiblement. Hugh poursuivit son chemin vers son véritable objectif, l'angle de la bergerie où Snout gisait, roulé en boule et inconscient, sur un tas d'herbe. Il avait un œil au beurre noir, la lèvre fendue et du sang coulait toujours de son nez. Quand Hugh tendit la main pour le retourner sur le dos, il gémit et se débattit faiblement.

« Calme-toi, Snout. C'est moi, Hugh Grange. Je vais te nettoyer un peu. »

Le garçon hocha lentement la tête. Il garda les yeux fermés, mais des larmes s'échappèrent de ses paupières closes, ruisselant sur ses joues maculées de sang. Hugh le palpa, à la recherche d'éventuelles fractures, et vérifia qu'il ne souffrait pas de blessures internes. Le petit avait reçu un ou deux coups dans le ventre, mais il n'y avait pas d'épanchement de sang sous la peau. Les soldats qui l'avaient traîné jusque-là n'avaient pas apprécié ses ruades et les lui avaient fait payer.

Hugh prit son bidon d'eau et de la gaze pour nettoyer le visage du garçon puis tamponna sa lèvre fendue avec de l'iode et lui donna une compresse mouillée à poser sur son œil contusionné. Enfin, il l'aida à s'asseoir, son dos osseux appuyé contre le mur de pierre.

« Ils ont tué Wolfie, monsieur Hugh, dit Snout, la lèvre tremblante. Il est mort ?

— Il nous a quittés, Snout, confirma Hugh. Il est parti calmement, comme un bon chien. Tu peux être fier de l'avoir aussi bien dressé.

— Il était déjà comme ça, vous savez. J'ai rien fait que le harnacher à la carriole.

— Je regrette tellement, murmura Hugh.

— Avec lui, j'avais du courage, mon lieutenant. La guerre, c'est pas du tout comme ils avaient dit.

— Je comprends. Ce n'est pas exactement la glorieuse épopée de Virgile, c'est ça? Tu ne dois pas être honteux d'avoir peur, Snout, tu sais.

— Mlle Nash, elle m'avait donné son Virgile à elle», dit Snout. Hugh ferma les yeux un moment pour mieux retenir l'image fugace du visage de Beatrice, invoquée dans une bergerie en ruine. «Mais le bombardement l'a complètement déchiré, ajouta le petit.

— Pour le moment, Snout, tu es dans un drôle de pétrin, reprit Hugh, ouvrant les yeux et cherchant à se concentrer sur la situation présente. Tu te rappelles que tu as frappé le lieutenant Bookham?

— J'ai fait ça, moi? demanda Snout, surpris. C'est un homme bon, le lieutenant. Il donne toujours la croûte de ses sandwichs à Wolfie.»

Le garçon parut s'assoupir et Hugh lui secoua doucement le bras.

«Il faut que tu comprennes ce qui se passe, Snout. Il faut que tu sois prêt à passer en conseil de guerre demain matin.»

Les yeux de Snout s'entrouvrirent et un sourire rêveur lui éclaira le visage.

«Merci de nous avoir invités au thé, mon lieutenant. Ça a beaucoup plu à Wolfie.»

Le petit s'endormit tout à coup profondément, et Hugh eut beau le secouer, il ne se réveilla pas. Hugh l'allongea doucement et sortit de son sac une petite couverture, un sac en papier contenant un petit pain et un bidon d'eau. Il enveloppa le jeune garçon endormi dans la couverture, le borda, et glissa les provisions dessous, espérant que les autres prisonniers ne remarqueraient rien. Snout respirait paisiblement, son pouls était régulier et fort. Hugh ne pouvait rien faire de plus pour le moment. À contrecœur, il le laissa dormir.

«Ce garçon est mineur et blessé», dit-il au gardien qui se tenait à la porte.

Pendant qu'ils parlaient, son compagnon revint avec un gros pichet de thé et un paquet de sandwichs. Hugh adressa un regard sévère aux deux hommes :

« Il n'est pas encore passé en conseil de guerre. S'il lui arrive quoi que ce soit, je vous en tiendrai pour responsables et vous aurez à en répondre devant le général. C'est bien compris ? »

Il laissa les deux gardiens marmonnant et dûment intimidés – par l'autorité naturelle de Hugh ou par l'évocation du général, il n'aurait su le dire.

Allongé sur le sol de la cabane de Daniel, Hugh cherchait à empêcher sa capote de glisser de sa couverture et avait entrepris d'enfiler des chaussettes sur ses gants pour lutter contre le froid mordant quand son cousin entra, ivre et hurlant de joie.

« Les sentences sont commuées ! annonça-t-il. Le régiment a demandé publiquement à ce que cette cérémonie soit couronnée par un geste de clémence et le général a prononcé un discours à la Salomon, pétri de sagesse, ce qui lui a valu des ovations à n'en plus finir.

— Quel soulagement ! Snout est donc libre ?

— Je suppose qu'il va y avoir une audition demain matin. Mais vu ce qui s'est passé ce soir, Harry est persuadé qu'il rejoindra nos rangs, moyennant quelques semaines de retenue de solde pour insolence.

— Qui a fait cette demande ? Pas toi ?

— Oh non ! Je suis resté bien à l'abri des regards du général. C'est Harry Wheaton qui s'en est chargé. Il a balancé une ou deux citations fumeuses en latin et quelques métaphores à propos de chasse à courre. Que Dieu lui vienne en aide si quelqu'un a noté ses propos – je suis certain qu'ils ont été parfaitement inintelligibles à tous ceux qui n'étaient pas ivres de champagne et gavés de rôti de bœuf, excellent au demeurant. Toujours est-il que ça a marché. »

L'aube se leva, maussade et rougeâtre dans un ciel gonflé de nuages sombres, si froide que la boue gelait dans les ornières et que l'eau s'était figée dans les brocs. Au lieu de chants d'oiseaux, ce fut le grondement de l'artillerie lourde qui accueillit le jour naissant, et le campement fut bientôt envahi du hurlement d'hommes pressés, du piétinement des chevaux et du vrombissement de moteurs. Lorsque le bruit des explosions d'obus et la fumée commencèrent à s'éloigner en direction du village, Hugh, qui se hâtait de rejoindre le quartier général installé dans la grange, se demanda si le défilé de la veille, et surtout la fanfare, avaient vraiment été une bonne idée. Les Allemands semblaient avoir corrigé la portée et l'orientation de leurs tirs d'artillerie, et un obus venait de tomber dans la rivière tandis qu'un autre avait sifflé au-dessus de leurs têtes pour aller exploser dans l'église, déjà en ruine.

À l'intérieur du quartier général, Lord Noth affichait un air revêche qui trahissait une migraine colossale. Il refusa de réviser ses projets quand on lui suggéra de partir plus tôt que prévu pour se mettre en lieu sûr.

« Nous ne gagnerons pas cette guerre si nous nous mettons à couvert au moindre bombardement, rétorqua-t-il. Faisons comprendre à ces Boches que nous sommes la marée montante et que leurs efforts ne sont pas plus efficaces que ceux de galopins qui jettent des galets dans les vagues.

— Je négligerais mon devoir si je n'insistais pas pour prendre les mesures appropriées à la protection d'un élément aussi vital de notre commandement, pressa le colonel Wheaton. Il faut que vous-même et vos officiers puissiez commander depuis un lieu moins exposé. »

Le général n'était pas complètement insensible à la flatterie.

« Dans ce cas, retirons-nous dans la cave et faisons vite », acquiesça-t-il.

Des tables et des lanternes furent promptement transportées dans la cave adjacente, une petite annexe à demi enfoncée dans le sol, aux murs de pierre épais et au toit en mottes d'herbe. Ne comprenant pas ce qui se passait, Hugh rejoignit discrètement son cousin, qui se tenait au côté de Harry Wheaton.

« J'ai bien peur que le général ne se reproche l'image de laxisme qu'il a pu donner hier soir en accordant sa grâce aux prisonniers, lui expliqua Harry Wheaton. Et ne pouvant pas reprendre la parole donnée au régiment, il a décidé de faire un exemple du seul prisonnier qui n'ait pas encore été condamné et qui, donc, n'était pas inclus dans son geste de clémence.

— Il va faire passer Snout en conseil de guerre, murmura Daniel, blême.

— L'exiguïté de ce local nous conduira à limiter nos effectifs, annonça le général. En principe, nous pouvons constituer un tribunal à nous deux, colonel. J'imagine que la perspective de faire respecter la discipline et de veiller à l'application de la loi ne vous inspire aucune réserve ?

— Non, mon général, répondit le colonel. Mais peut-être le capitaine Wheaton pourrait-il se joindre à nous ? Il me semble que la présence de trois officiers est préférable s'ils sont disponibles.

— Fort bien, accepta le général à contrecœur, visiblement mécontent de voir son autorité contestée. Hé, vous, là, le docteur, dit-il en hélant Hugh. Il nous faut un médecin pour examiner le prisonnier et constater la mort après une éventuelle exécution.

— J'aimerais dire quelques mots en faveur du prisonnier, mon général, intervint Hugh. Il a le droit d'être défendu.

— Si vous souhaitez le faire, vous agirez également comme officier médecin, répliqua le général. Autrement, nous n'avons pas la place de vous accueillir ici.

— Très bien, acquiesça Hugh.

— La présence de l'officier qui a été frappé est également requise, poursuivit le général, d'un air plus suffisant que jamais alors qu'il feignait de ne même pas reconnaître Daniel. L'aumônier pourra gagner son pain, et mon aide de camp dressera le procès-verbal de l'audience. Il se chargera également du reste de la paperasserie. Je pense que tout est prêt ? »

Snout avait l'air encore plus jeune que l'été précédent, en ce temps où ses plus graves soucis étaient de retenir les déclinaisons latines et de trouver quelques sous pour s'acheter des bonbons et des cigarettes. Il était amaigri par les rigueurs de l'hiver et son visage meurtri affichait l'expression égarée d'un enfant arraché à son sommeil. Ses mains étaient ligotées avec un bout de corde et Hugh s'étonna qu'on ait pu juger indispensable d'entraver ce gamin.

L'aide de camp du général fit asseoir le garçon sur une chaise et lui retira son calot. Puis il lui lia les chevilles à la chaise avec une seconde corde.

« Mon général, est-ce vraiment nécessaire ? protesta Harry Wheaton. Il ne nous fait courir aucun danger.

— S'il est condamné à mort, nous exécuterons la sentence immédiatement, expliqua le général. Il serait absurde de constituer un peloton d'exécution en plein bombardement. »

L'aumônier déguisa un haut-le-cœur en toussotement et Daniel suffoqua, tandis que le colonel Wheaton se hâtait d'ajouter :

« Aucune décision ne sera prise avant que nous n'ayons entendu les dépositions, évidemment.

— Simple précaution, reprit le général. Mieux vaut attacher un prisonnier tant qu'il se montre docile. »

Le compte rendu des événements fut d'une rapidité brutale et la réaction du général à l'exposé des circonstances atténuantes tout aussi laconique.

« Peu importe que vous n'ayez pas été blessé, lieutenant Bookham, ou que vous éprouviez l'envie, naturelle chez un officier, de protéger votre homme. Il vous a frappé au vu et au su de tous, et ignorer ce geste de violence à l'égard d'un officier serait désastreux pour la discipline des troupes et pourrait même nous faire perdre la guerre.

— Je tiens à vous faire remarquer qu'il est mineur, et n'aurait jamais dû être enrôlé, répliqua Daniel.

— L'excuse n'est pas valable, répondit le général. Vous partagez mon opinion, colonel ?

— Ce garçon s'est engagé volontairement avec l'autorisation expresse de sa famille, confirma le colonel Wheaton. Autrement, je ne l'aurais pas accepté dans mon régiment. Si ses proches avaient présenté une requête exigeant son retour, je pourrais évidemment l'examiner, mais...

— Comme ce n'est pas le cas, nous n'avons aucune raison de ne pas appliquer notre réglementation militaire habituelle, coupa le général.

— Mon général, en tant qu'officier médecin, j'estime que ce garçon n'est pas en état d'être jugé, intervint Hugh. Je suis persuadé qu'il souffre de neurasthénie due aux effets d'une explosion d'obus.

— Si nous excusions le comportement de tous les soldats qui ont des bourdonnements d'oreilles à la suite d'un bombardement, nous n'aurions plus d'armée du tout. Si j'ai bien compris, cette angoisse aurait conduit ce garçon à s'écarter du campement à plusieurs reprises ?

— C'est exact, mon général, confirma Harry Wheaton. Mais c'est un bon petit gars qui ne se serait jamais éloigné s'il avait eu tous ses esprits. Nous pouvons tous attester de son excellent caractère.

— Un déserteur donc, en plus d'un mutin, conclut le général. Je suis navré, mais il me semble que cette affaire est claire comme de l'eau de roche. Pour moi, ce garçon est un simulateur et s'est rendu coupable d'avoir frappé son officier commandant devant tout le régiment. Il faut en faire un exemple. Colonel Wheaton ?

— Je regrette infiniment que les agissements de ce petit aient été si publics qu'il soit impossible de les ignorer. Je reconnais qu'il est coupable, mais je recommande la clémence.

— Permettez-moi d'en faire autant, ajouta Harry Wheaton. L'attitude du général hier soir a fait grand honneur au régiment et a remonté le moral de tous nos hommes. Je suis convaincu que le général poursuivra sur la voie de la sagesse et de la justice en ce triste matin.

— Nous sommes donc tous d'accord, déclara le général. Malheureusement, la clémence d'hier ne saurait être réitérée au risque d'apparaître comme de la faiblesse. Je suis responsable de la discipline des hommes placés sous mon commandement et en tant que tel, je condamne ce garçon à être fusillé.

— Non ! protesta Hugh. C'est monstrueux.

— Sentence qui sera appliquée sur-le-champ, en raison des circonstances. »

Le général se tourna vers son aide de camp, qui consignait les délibérations dans un registre officiel. L'officier s'interrompit, comme s'il ne savait pas très bien comment enregistrer la sentence.

« Sur-le-champ, répéta le général. Qu'on fasse boire un peu de rhum à ce garçon et que l'aumônier lui dise quelques mots. »

Snout était resté calme pendant toute l'audience, regardant autour de lui d'un air hébété. L'aide de camp lui apporta une flasque et l'aida à boire. Il fit la grimace mais but avidement, avec l'expérience d'un soldat qui sait que sa ration quotidienne de rhum le protégera du froid quelques instants. L'aumônier tira une chaise près de lui et commença à réciter un psaume d'une voix paisible.

« Vous avez été remarquablement efficace, hier, capitaine, observa le général d'un air impassible en s'adressant à Harry Wheaton. Souhaitez-vous vous porter volontaire ? Je constituerai un peloton d'exécution si cela est nécessaire, mais risquer la vie de douze hommes sous ce bombardement me paraît inutile.

— C'est un chien qu'il a abattu hier », rappela Daniel d'un ton féroce, en se dispensant du « mon général » de rigueur.

Il fit un pas en direction de Lord North, le visage crispé de détermination. Hugh tendit le bras pour arrêter son cousin.

« Je vous supplie de revenir sur votre décision, dit Hugh. Les symptômes médicaux ne font aucun doute et son âge à lui seul représente une circonstance atténuante.

— Je ne vois guère de différence entre un chien et un traître, rétorqua calmement le général. Déserteurs, simulateurs – ce sont des cabots enragés qu'il faut abattre avant qu'ils ne contaminent le reste de la meute.

— Ignorez-vous donc tout sentiment de compassion ? demanda Daniel d'une voix étranglée par une vive émotion. Faut-il vraiment que vous frappiez ce garçon pour m'atteindre, moi ? »

Hugh passa devant Daniel et le fit reculer d'un mouvement d'épaules :

« Tais-toi donc ! chuchota-t-il d'un ton farouche. Ne lui accorde pas ce plaisir !

— J'ignorerai les insultes du lieutenant parce que je n'ai pas que cela à faire ; j'ai une guerre à mener, moi, lança sèchement le général au colonel Wheaton. Le capitaine accepte-t-il d'exécuter la sentence ou devons-nous risquer la vie des douze hommes d'un peloton d'exécution ?

— Le garçon réclame M. Hugh, annonça l'aumônier. Y a-t-il un M. Hugh parmi vous ? »

Après une dernière bourrade de mise en garde à Daniel, Hugh s'approcha de Snout. Le petit pleurait désormais, les larmes ruisselant silencieusement dans son cou. Hugh s'accroupit à côté de lui et essuya son visage avec un mouchoir.

« Je veux ma maman, sanglota Snout. Je veux voir ma maman et ma sœur, Abigail, monsieur Hugh.

— Je sais, Snout, je sais.

— Je veux juste que rentrer chez moi, monsieur Hugh.

— Tu vas rentrer chez toi, Dickie, dit Hugh en prenant les mains liées du garçon entre les siennes. Aie confiance en moi. Bientôt, tu descendras le coteau de Rye. Ta mère et ton père t'attendront à la porte.

— Est-ce que Wolfie sera là aussi, vous croyez ?

— Je sais que ton chien te retrouvera s'il le peut. Je serai là, avec toi, Dickie. Le lieutenant Daniel est ici. Le capitaine Wheaton aussi. »

Levant la tête, Hugh vit Daniel s'essuyer les yeux et Harry se détourner pour dissimuler sa détresse.

« C'est assez », gronda le général. Lui-même était pâle comme si sa conscience ou un excès de bile le tracassaient. « Peut-être vaut-il mieux faire tout de même appel à un peloton. Je vois bien que le capitaine n'est pas en état.

— Je vais m'en charger », dit Hugh.

La mort de Snout était inévitable et attendre un peloton d'exécution ne ferait que prolonger le supplice du garçon. Son cœur menaçait de se briser dans sa poitrine, mais il avait vu des patients mourir tous les jours. Il savait ce qu'il en coûtait de prolonger les souffrances d'un blessé et avait appris à quel moment il valait mieux se contenter de tendre une main, et laisser partir un homme.

« Je suis médecin. Ce sera rapide et indolore.

— Pour l'amour de Dieu, non, Hugh », hurla Daniel.

S'interposant entre Hugh et Snout, il repoussa son cousin avec une brutalité qui le fit s'effondrer sur des sacs de pommes de terre.

« Oh Seigneur ! Que j'ai horreur de ces bataillons de villages. Tout le monde se connaît et personne ne veut tirer contre le jardinier de son voisin, s'écria le général. Écartez-vous messieurs, je vais régler cette affaire moi-même. »

À l'instant où il sortait son pistolet de son étui, Daniel se jeta devant Snout et l'aide de camp se précipita pour l'écarter. Les deux hommes se prirent au collet avec la maladresse féroce des vraies bagarres qui se déroulent dans un espace clos. La chaise de Snout bascula, l'entraînant, toujours ligoté, dans sa chute. Le général agitait son pistolet, dans la direction de Daniel plus que dans celle de Snout, et Hugh hurla, craignant qu'il ne tue son cousin, par accident ou à dessein. Les Wheaton, père et fils, semblaient pétrifiés, figés sur place, comme s'ils imaginaient déjà l'effet de cette échauffourée sur leurs futures carrières. Enfin, le colonel Wheaton s'interposa entre le général et Daniel, inspirant à Hugh un élan de gratitude.

Quand l'obus percuta le toit, Hugh ne perçut qu'une violente commotion accompagnée d'un blanc aveuglant et d'un vacarme assourdissant, avant de sombrer dans l'inconscience.

Il n'avait pas envie de se réveiller. Il se sentait bien sous ses couvertures, et le moindre mouvement était douloureux ; il était bien plus agréable de se laisser retomber dans un profond sommeil. Il remua encore, et eut l'impression que ses couvertures l'en empêchaient.

Il avait de la boue dans la bouche et dans les narines. Il toussa, il cracha, essayant de dégager ses poumons encombrés. L'air sentait l'herbe, la terre mouillée et le feu de bois. Il avait du mal à continuer à dormir désormais, mais il était si pénible de se réveiller dans la souffrance, les oreilles bourdonnantes.

Des voix lointaines crièrent son nom. Des mains palpèrent sa poitrine. Lorsqu'il reprit connaissance, il ne vit au-dessus de lui qu'un ciel noir. De grosses gouttes de pluie commencèrent à s'écraser sur son visage. Il se rappela alors qu'un obus s'était abattu sur la cave et il essaya de crier, mais il n'avait plus de voix. Il ne pouvait qu'ouvrir la bouche et sentir la pluie sur sa langue. Une vive douleur le déchira quand quelqu'un le souleva par les épaules, et il perdit conscience lorsque d'innombrables mains l'arrachèrent à la terre qui l'engloutissait.

30.

Le poste d'évacuation sanitaire était un chaos de civières disposées en rangées désordonnées, sous la pluie. Les blessés mouraient avant d'avoir pu être examinés. Le bombardement avait été de grande ampleur, presque une offensive, et les victimes recouvraient toute la surface d'un champ de blé. Hugh avait repris connaissance dans un véhicule familier où il avait pu constater qu'il n'était pas grièvement blessé. C'était l'ambulance d'Archie et Bill, et Archie avait lancé des plaisanteries à propos de vacances à la mer tout en lui bandant le torse pour maintenir ses deux côtes cassées et en pansant une vilaine entaille qu'il avait à la tête. On ne pouvait rien faire en revanche pour mettre fin à son infernal bourdonnement d'oreilles. Hugh avait conservé ses godillots pendant l'explosion mais curieusement, il avait perdu son pantalon et avait été allongé à demi nu sur la civière. Archie avait posé une couverture sur lui, sans lui épargner les commentaires grivois. Il était à présent assis sur une caisse devant le poste d'évacuation sanitaire, s'efforçant de reprendre suffisamment ses esprits pour proposer ses services ou parcourir le champ de civières à la recherche de son cousin et des autres.

« Voilà un pantalon et une tasse de thé, lui dit Archie. Faut qu'on y aille maintenant, chef. On en conduit une cargaison à la gare.

— Avez-vous vu mon cousin? En ont-ils dégagé d'autres de l'endroit où j'étais?» demanda-t-il.

Il but une gorgée de thé brûlant et sentit la chaleur se répandre dans sa gorge.

«J'saurais pas trop vous dire, répondit l'ambulancier.

— Je n'aurais jamais imaginé que les anges puissent être aussi laids, mais je dois avouer que j'ai été bien content de vous voir. Merci.

— C'est nous que vous trouvez laids? rétorqua Archie. Vous avez dû vous prendre un truc à l'œil, en plus du reste.»

Une main posée sur ses côtes douloureuses, Hugh arpenta aussi rapidement qu'il le pouvait les rangées de civières, inspectant aussi les grappes d'hommes plus ou moins estropiés assis dans l'herbe du champ. Il savait qu'il ne disposait que de quelques minutes avant que quelqu'un ne lui fasse obstacle ou qu'il ne se sente obligé de donner un coup de main pour aider les blessés. Il se reprochait l'égoïsme qui le poussait à chercher son cousin, alors que tant d'autres cousins, frères et fils perdaient leur sang et criaient, mais la nécessité de trouver Daniel lui martelait les tempes comme un tambour. Il était poussé le long des rangées par l'idée horrifiante que s'il ne le trouvait pas, il ne pourrait jamais supporter de rentrer chez lui.

Un garrot qui se desserrait sur un inconnu l'arrêta enfin. Un soldat appela à l'aide pour son voisin et Hugh, voyant jaillir le sang d'une artère, courut remettre en place la ceinture de cuir sur la cuisse du blessé et refaire le pansement avec des morceaux de tissu arrachés à son propre mouchoir.

«Merci, mon lieutenant, sans vous, il était fichu», remarqua celui qui l'avait appelé.

Quand Hugh se tourna pour lui parler, le soldat était déjà mort, les yeux vides, tandis qu'une grosse tache sanguinolente s'élargissait encore depuis une plaie sur le bas de l'abdomen. Hugh lui ferma les yeux et croisa les bras de l'homme sur sa poitrine. Il regretta de ne pas avoir de linge pour lui couvrir le visage, et dut se contenter de poser le calot du mort sur ses mains. En guise de prière, il prit la décision d'aider Daniel en faisant son devoir envers tous les blessés.

« Où sont les tentes d'opération ? demanda-t-il à un planton qui passait. Je suis chirurgien. »

Il travailla dix ou douze heures d'affilée, debout devant une table d'opération de fortune, agissant presque mécaniquement pour étancher le sang et refermer les plaies qui se succédaient devant lui. Ses côtes lui faisaient tellement mal qu'il était obligé de s'interrompre par moments et d'attendre que ses nausées refluent, mais il refusa de prendre de la morphine de crainte que sa vigilance ne s'émousse. Les plantons arrivaient à peine à faire bouillir les instruments assez vite pour ne pas se laisser distancer par l'afflux de blessés et Hugh, levant les yeux après avoir remis un côlon en place à travers une perforation béante due à un éclat d'obus, remarqua avec stupeur que l'infirmière n'était pas la même que lorsqu'il s'était mis au travail. Il n'avait pas pris conscience du changement d'équipe et avait simplement continué à tendre machinalement la main pour attraper les instruments, avant de les reposer dans une paume tendue dès qu'il avait fini.

La nuit était déjà bien avancée quand le flot de blessés commença enfin à se tarir et Hugh, secouant la tête pour éclaircir sa vision brouillée, se rendit compte qu'il n'était plus en mesure de se concentrer correctement. La douleur lancinante de ses côtes brisées lui faisait à présent monter les larmes aux yeux. Il avait les tempes battantes et les doigts gourds à force de triturer et de recoudre des chairs. Après avoir échangé quelques mots avec l'infirmière, il sortit de la tente. Il se lava le visage et les mains au savon de Marseille et à l'eau glacée et prit un gros sandwich au jambon et une tasse de thé des mains d'une cantinière installée à l'arrière d'une camionnette d'épicerie. On lui tendit une paire de chaussettes neuves et il les enfila, pleurant presque de plaisir en sentant la laine chaude et sèche sur ses pieds. Il réquisitionna une couverture et bien qu'au bord de l'effondrement, il ressortit de la tente, muni d'une lampe à pétrole. Il marcha, le dos voûté comme un vieillard, se traînant entre les rangées serrées d'hommes allongés dans les tentes et au-dehors, leurs bandages blancs éclatants sous la lueur givrée de la lune. Il observait leurs visages sales, défigurés, et pensait à eux comme à des frères, des cousins. Et tout en demandant à Dieu de veiller sur Daniel, il lui suffisait d'être là, parmi les compagnons d'armes de son cousin, et d'avoir fait son possible pour les aider tous.

Hugh finit par trouver ceux qu'il cherchait dans un champ où étaient allongés plusieurs centaines de blessés endormis, en entendant Harry Wheaton réclamer à cor et à cri à une infirmière une bouteille de bourgogne et une douzaine d'huîtres.

« Le service dans cet établissement laisse vraiment à désirer, bougonna Wheaton tandis que l'infirmière s'éloignait. Mon ami prendra du homard. »

Wheaton protestait contre le bol de soupe de queue de bœuf et le morceau de pain qu'elle lui avait laissé. Il était assis sur un lit de camp, le bras en écharpe et les jambes recouvertes d'une bâche.

« Harry ! s'exclama Hugh. Je vous ai cherchés partout.

— Et tu nous as trouvés, enfin ce qui reste de nous. Réveille-toi, Bookham, ton cousin est là. »

Daniel était étendu, à demi inconscient, sur le lit de camp voisin, la tête prise dans un épais bandage.

« On m'a demandé de le tenir éveillé, ajouta Harry. Mais il a toujours été d'une paresse incurable, pas vrai Bookham ? Tu n'as jamais dit non à une petite sieste.

— Daniel, tu m'entends ? » demanda Hugh.

Il s'accroupit à côté du lit de Daniel et lui prit le poignet. Le pouls était faible mais régulier.

Les paupières de son cousin frémirent, et il se passa la langue sur les lèvres.

« Hugh, c'est toi ? Je te croyais mort.

— Comment vas-tu ? Tu peux bouger ?

— Écoute-moi, Hugh. » Daniel leva une main et Hugh la saisit. « Il faut que tu ramènes le petit chez lui. Je t'en prie, promets-moi de ramener le petit chez lui.

— Il veut parler du jeune Sidley », expliqua Harry.

D'un signe de tête, il désigna la rangée d'en face et Hugh s'approcha du garçon, dont le torse était bandé et dont la respiration était irrégulière.

« Il s'est pris un éclat d'obus dans un poumon, paraît-il.

— Snout, tu m'entends ? » appela Hugh.

Le garçon ouvrit les yeux et le dévisagea longuement. Puis il esquissa un petit sourire et referma les yeux. Hugh revint vers Daniel.

« J'ai entendu parler les médecins, chuchota Harry. Ceux qui ont de bonnes chances de survivre au voyage sont inscrits sur une liste pour être embarqués dans les trains sanitaires en direction de la côte. Les autres non.

— C'est un nouveau système, confirma Hugh. Cela permet de sauver le maximum de vies et évite aux plus atteints des souffrances supplémentaires et inutiles.

— Daniel et le jeune Snout ne sont pas sur la liste, ajouta Harry. Si tu as un tout petit peu d'influence, tu ferais bien de te magner.

— Où sont les autres ? Ton père ? Lord North ?

— Morts. » Harry détourna le visage pour dissimuler son émotion. « Mon père n'est plus, Hugh.

— Je suis tellement désolé.

— Nous sommes les seuls survivants. Comme je leur ai dit : quel dommage, alors que le conseil de guerre venait de conclure à l'innocence du garçon et que nous étions sur le point de partir.

— Merci, dit Hugh en serrant le bras de Harry.

— Évidemment, ton cousin n'a pas pu s'empêcher d'en rajouter en prétendant que le général s'était jeté sur le petit gars au moment où l'obus s'est abattu. Il a toujours adoré raconter des histoires. Grâce à lui, Lord North a toutes les chances de devenir un héros national. »

Le médecin responsable du poste d'évacuation était prêt à se montrer obligeant.

« Vous avez fait un boulot du tonnerre pour nous aujourd'hui, lieutenant. Je vais ajouter le nom de votre cousin à la liste des transports et vous remettre un laissez-passer pour pouvoir l'accompagner jusqu'à la côte.

— Et son planton ?

— Désolé. Ajouter un officier à la liste est un geste de courtoisie. Aider de simples soldats à resquiller commence à tenir de l'infraction au règlement. Croyez-moi, nous consacrons déjà bien trop de notre temps à repousser des sollicitations plus convaincantes les unes que les autres.

— J'apprécie beaucoup votre aide, docteur », se résigna Hugh.

Il savait qu'il était inutile d'insister. Il aurait agi pareillement s'il avait été à la place du médecin, et aurait peut-être même refusé tout passe-droit à Daniel. Comme il était différent, songea-t-il, de respecter les règles en général ou de les appliquer à sa propre famille ! Il songea à l'efficacité avec laquelle il réalisait ses opérations, réparant ce qu'il pouvait et essayant de ne pas être trop affecté par la mort de ses blessés. Il y en avait toujours d'autres qui attendaient, et il ne pouvait pas se permettre de perdre du temps à s'affliger.

À l'aube, Hugh attendait aux côtés de Harry et Daniel que les ambulances viennent chercher une nouvelle fournée de blessés. Ravi de voir Archie et Bill remonter le champ, il leur fit signe.

« Vous pouvez prendre les miens ? demanda-t-il.

— Pour sûr, chef, avec plaisir, répondit Archie. Peu importe qui on emmène, pourvu qu'on ait les bons tickets. »

Une étiquette verte attachée à la veste des blessés identifiait ceux qui étaient aptes au transport.

« Emmenez le petit à ma place, dit alors Daniel tandis que ses doigts trituraient l'étiquette posée sur son torse. Il suffira de dire qu'il y a eu une erreur et je trouverai une place dans le prochain convoi.

— Il faut que tu partes tout de suite, objecta Hugh. Pas de discussion. »

Bill haussa un sourcil et Hugh l'entraîna à l'écart.

« Il est en mauvais état ? demanda Bill.

— Oui. Il a un trou dans le crâne, et il est impossible de nettoyer ou de soigner correctement ce genre de blessures au poste d'évacuation. Si j'arrive à le ramener en Angleterre, ou même jusqu'au grand hôpital de la côte, il a des chances de s'en tirer.

— Et le petit gars ?

— Pas fameux non plus. Le poumon risque de s'infecter. Il faut le mettre au chaud et lui administrer des soins intensifs, mais ils ont refusé de l'inscrire sur la liste des départs.

— Écoute, le mieux, c'est que tu les emmènes tous les deux et que j'attende le prochain convoi, coupa Harry Wheaton en essayant de détacher son ticket de sa seule main valide.

— Décidément, tout le monde joue les héros, aujourd'hui, remarqua Bill. T'as vu tous ces gars de la haute, Archie ? Plus chevaleresques les uns que les autres, pas vrai ?

— J'en ai la larme à l'œil, renchérit Archie. Jamais rien vu de plus beau, même au music-hall.

— Quelle insolence ! lança Harry.

— Ma foi, si le bras n'est pas infecté, dit Hugh, je suppose que nous pouvons effectivement envisager de retarder le départ du capitaine Wheaton.

— Sauf que c'est pas sa seule blessure, hein, chef ? » intervint Bill.

D'un geste du poignet, il rejeta la bâche qui couvrait le lit de camp de Harry. La jambe gauche du jeune homme avait disparu au-dessous du genou, ne laissant qu'un moignon sanglant enveloppé d'une telle épaisseur de bandages qu'on aurait dit la branche étêtée d'un arbre.

« Bon sang, Harry, pourquoi n'as-tu rien dit ? s'écria Hugh. Une amputation, ce n'est pas rien !

— Je ne voulais pas de ta pitié. J'ai bien assez à faire avec la mienne.

— Il faut que tu sois hospitalisé toi aussi, Harry. La gangrène est une vraie menace si tu restes ici.

— Bien, bien, Archie, qu'est-ce que tu dirais qu'on recommence à bosser comme des sagouins en prenant un ou deux passagers de plus et en semant la pagaille dans les étiquettes ? Ça serait pas la première fois, après tout.

— Je vais être bon pour une retenue sur ma paye, ce coup-ci, c'est sûr, commenta Archie. Et puis, ça les amènera qu'au train.

— Et si en plus, on se paumait en route ? suggéra Bill. On pourrait les conduire jusqu'à la côte ?

— Ça non plus, ça serait pas la première fois. Alors magne-toi le pot, avant que le sergent-major ait pigé la combine. »

Au port, leur ambulance se mêla à celles qui arrivaient de la gare et conduisit directement le petit groupe de Hugh et trois autres hommes au grand hôpital aménagé près des quais. Bill et Archie se firent vivement sermonner parce qu'ils amenaient six blessés avec seulement cinq dossiers de transfert. Le sergent-major en poste sur l'aire de chargement ne se laissa pas prendre à leurs mines prétendument contrites et à leur feint embarras qui dissimulaient mal des regards de connivence sarcastique. Si l'on n'avait pas eu un besoin aussi criant de leurs services, ils auraient fort bien pu être jetés, l'un comme l'autre, au fond d'un cachot – dont le sergent-major prétendait disposer –, mais il préféra leur retenir quinze jours de solde et les renvoyer s'occuper d'un nouveau transport sans leur laisser le temps de dîner.

Hugh leur serra la main et leur proposa de l'argent, mais tous deux lui opposèrent un refus cinglant.

« Gardez ça, fit Bill. Le champagne et les cigares, ça coûte les yeux de la tête, ici, au port, vous allez voir.

— Vous feriez mieux d'aller vous chercher une poule avec ça, renchérit Archie. Ça ferait peut-être venir un sourire sur votre face de carême. »

Ils repartirent en continuant d'échanger des propos grossiers sur l'apparence et l'attitude guindée de Hugh, qui comprit enfin que ces rustres à l'esprit prosaïque constituaient un élément aussi essentiel à la légendaire épine dorsale de l'Angleterre que l'esprit qui régnait sur les terrains de sport d'Eton.

L'hôpital servait également de point de rassemblement des blessés en partance pour l'Angleterre, et le trop-plein des salles occupait deux entrepôts des quais, où l'on essayait de soigner les patients et de les maintenir en vie jusqu'à l'arrivée d'un navire-hôpital qui les reconduirait au pays. Dans ces entrepôts, l'organisation était un peu moins rigide que dans le bâtiment principal et Hugh réussit à persuader plusieurs plantons de ne pas séparer Snout de son officier, le capitaine Wheaton. Une fois qu'ils furent tous installés en compagnie de Daniel, Hugh demanda à Harry Wheaton de veiller sur eux pendant qu'il essaierait de leur trouver des places sur le prochain bateau.

«Je ne vois pas bien ce que je peux faire pour eux à part les regarder baver, répliqua Harry, fort occupé à faire l'intéressant et à jouer les braves dans l'espoir d'attirer l'attention d'une charmante infirmière en tablier blanc amidonné qui apportait du thé le long des rangées de lits.

— Débrouille-toi simplement pour qu'ils continuent à baver, dit Hugh. Ne les laisse pas mourir pendant mon absence, c'est tout ce que je te demande.»

Dans un grand bureau ouvert sur les quais, il trouva son patron, le colonel Sir Alex Ramsey, encadré par deux murailles de classeurs et acculé dans un recoin par le mobilier des employés et des infirmières eux-mêmes cernés par leurs propres rangées de classeurs. Au-dessus d'eux, de grandes lampes métalliques peintes en vert projetaient une lueur d'une pâleur malsaine sur les dossiers.

« Comme vous pouvez le voir, les choses ne se sont pas passées comme nous le pensions, lui annonça le chirurgien. Me voilà contraint de gérer la moitié des hôpitaux. Je passe mes journées avec un coupe-papier à la main au lieu d'un scalpel. »

Il n'avait cependant pas l'air mécontent de cet arrangement.

« Pour ma part, je n'ai pas arrêté, dit Hugh. Vous ne m'aviez pas menti en me faisant valoir l'expérience que j'allais pouvoir accumuler. Peut-être cela s'est-il fait aux dépens de quelques pauvres types qui ont eu la malchance de tomber sur moi et non sur un chirurgien plus expérimenté.

— Je n'ai pas renoncé à tout espoir de pouvoir inaugurer un hôpital spécialisé dans les blessures crâniennes l'année prochaine, ou un peu plus tard.

— Je suppose que cela veut dire que la guerre n'est pas près de s'achever ?

— Nous faisons tout pour en voir le bout. Mais que puis-je faire pour vous, mon garçon ? »

Hugh se lança dans un récit abrégé des événements et supplia le chirurgien de remettre à son petit groupe trois sauf-conduits pour le prochain navire en partance pour l'Angleterre. Le cas de Snout le fit hésiter, lui aussi.

« Il est mineur, mon colonel, insista Hugh.

— Bien, sans doute n'est-il pas inutile de prouver notre intérêt pour nos hommes et de montrer que nous n'accordons aucun privilège aux officiers, admit le chirurgien. Je suppose que vous aimeriez les accompagner ?

— On me doit encore une permission.

— Mettrez-vous à profit quelques heures pour aller rendre visite à ma fille ? » demanda le chirurgien.

Hugh sentit son cœur s'affoler et repoussa cet élan de panique. Son sens de l'honneur lutta un instant avec la nécessité d'assurer la sécurité de son cousin. Il essaya d'évoquer Lucy en esprit, mais ce fut l'image de Beatrice Nash, riant sur la terrasse de sa tante, ses cheveux échappant aux épingles sous l'effet d'une brise soudaine, qui s'imposa à lui.

« J'interprète votre silence comme un non, reprit alors Sir Alex. C'est bien dommage, mais que voulez-vous ? Elle s'est prise d'amitié pour le jeune Carruthers, vous savez. Il a rejoint les Coldstream Guards.

— J'en suis très heureux pour elle.

— Vous êtes meilleur chirurgien que lui, observa-t-il. Mais évidemment, on n'y peut rien. Je n'ai d'autre choix que d'en faire mon associé.

— Je comprends parfaitement, mon colonel », répondit Hugh, soulagé de voir la maison en brique rouge et le somptueux cabinet de consultation disparaître officiellement de son avenir.

Il ne demandait qu'à renoncer au rêve de devenir un grand chirurgien londonien, car il avait perdu tout intérêt pour ce qu'il considérait désormais comme les attributs futiles de la notoriété et de la société. Il ne voyait que les petits toits rouges de Rye, blottis sous l'église, et la vaste étendue verdoyante des marais au soleil couchant, le promontoire sombre des collines du Sussex au-delà, et un petit cottage au bord d'une rue pavée en pente.

« Voilà un sauf-conduit valable dix jours, dit le chirurgien. Bonne chance, mon garçon. »

Pendant qu'ils attendaient l'arrivée du navire-hôpital, Hugh discuta avec les autres médecins, changea lui-même des pansements et persuada les infirmières d'apporter aux blessés plus de bouillon de bœuf, plus de beurre, plus de couvertures. Il fit valoir ses compétences pour pouvoir rester toute la journée et, la nuit, il dormait par terre au pied du lit de Daniel, enveloppé dans une couverture. Si l'amour et les soins pouvaient ramener son cousin et ses compagnons sains et saufs en Angleterre, il était bien résolu à ne ménager ni l'un ni les autres pour eux.

Malheureusement, l'état de Daniel s'aggrava tandis que celui des autres s'améliorait. Il était sujet à des accès de forte fièvre durant lesquels il tremblait de tous ses membres, le corps couvert de sueur. La boîte crânienne n'avait pas été ouverte, une lésion qui aurait rendu la mort du jeune homme inévitable, mais sa blessure à la tête n'évoluait pas comme Hugh l'aurait souhaité et il craignait un œdème au cerveau. Daniel commençait à perdre ses repères, et appela une infirmière « Tantine » à plusieurs reprises.

Le matin où le navire-hôpital apparut dans la Manche, Daniel était d'un calme et d'une lucidité étranges au sortir d'une nuit agitée, marquée par des frissons et des sueurs.

« Je ne partirai pas d'ici, Hugh, dit-il. Toute la nuit, j'ai rêvé du jardin de Tante Agatha et d'Oncle John, et de nous deux, toi et moi, en train de fumer sur la terrasse. J'ai su que c'était la dernière fois que je m'y trouvais.

— Ne dis pas cela, protesta Hugh. Le bateau arrive, Daniel.

— Je n'ai pas peur. Je crois que Craigmore m'attend. Seulement, je suis triste de vous quitter et je ne veux pas que vous soyez malheureux.

— Le bateau arrive, répéta Hugh.

— Il faut que tu t'occupes du petit, poursuivit Daniel. Que tu le ramènes à sa mère.

— Nous le ramènerons ensemble.

— Wheaton est-il réveillé ?

— Je dormirais de bon cœur, si vous ne jacassiez pas comme des pies à côté de moi, répondit Harry d'un ton bourru qui cachait son émotion.

— Je suis vraiment désolé pour ton père, dit Daniel.

— Si tu le vois là-haut, fume un cigare avec lui pour moi. Et dis-lui de ne pas venir agiter tous les râteliers quand je lui emprunterai ses fusils pour la chasse.

— Quel sentiment délicat, murmura Daniel. Quand je pense que je t'ai toujours pris pour une brute, Harry. »

Cet échange plein de verve semblait l'avoir ragaillardi, mais sa respiration demeurait très superficielle.

« Tu rentreras à la maison avec moi, reprit Hugh. J'insiste.

— Il faut encore que je te donne mes poèmes. » Daniel glissa laborieusement la main sous son oreiller et en tira un petit carnet noir. « Fourre-les dans un tiroir si tu veux, mais peut-être pourrais-tu demander à Beatrice Nash de s'occuper de les faire publier.

— Pas à ton ami M. Tillingham ? s'étonna Hugh.

— Non, non, il les remanierait intégralement à son image. Ta Beatrice a la main légère. Si tu souhaites les publier, donne-les à Beatrice.

— Ce n'est pas *ma* Beatrice.

— Fais en sorte qu'elle le soit, Hugh. Je n'en vois pas d'autre qui soit capable de te supporter.

— Daniel, il faut que tu sois fort», dit Hugh, sentant pourtant une larme couler sur sa propre joue.

Son jeune cousin toujours si plein d'énergie était terriblement affaibli et sa peau semblait avoir déjà pris l'étrange teinte translucide et cireuse de la mort.

«Veux-tu bien écrire une lettre pour moi, Hugh, comme on l'accorde à tous les gars qui doivent nous quitter?

— Bien sûr», acquiesça Hugh.

Il chercha un stylo et trouva une page blanche à la fin du carnet.

«Transmets à mon père tous mes respects filiaux et dis-lui que j'espère avoir fait mon devoir. À mon oncle John, écris que je lui envoie tout l'amour qu'un neveu ait jamais pu éprouver pour un oncle aimant.» Il s'interrompit pour reprendre son souffle, et ajouta : «Dis à Céleste qu'en m'accordant sa main, elle a fait de moi le plus heureux des hommes et m'a rendu mon honneur et mon courage. J'espère que sa vie et celle de son enfant seront heureuses.

— Et quel message veux-tu me confier pour Tante Agatha?» demanda Hugh.

Daniel ne répondit pas. Il sembla sombrer dans le sommeil.

«Ne pars pas sans lui avoir pardonné, Daniel. Ne la laisse pas dans la colère, mon cousin; pour moi, sinon pour elle.

— Dis-lui que j'ai toujours su, murmura Daniel d'une voix éteinte.

— Qu'elle t'aimait?

— Dis-lui que j'ai toujours senti son immense amour m'envelopper comme une couverture. Maintenant que me voici au seuil du lieu qu'elle redoutait...» Il s'interrompit et sembla voir s'ouvrir sous ses yeux un nouveau paysage. « Dis-lui que je comprends mieux pourquoi elle s'est évertuée à me sauver. J'ai conduit ses pires craintes à se réaliser.

— Ce n'est pas ta faute, Daniel. Tu as fait ton devoir.

— Oh, Hugh, elle va être tellement malheureuse ! Dis-lui que je mourrai avec son nom sur les lèvres.

— Tu es la moitié de ma vie, cousin », murmura Hugh. Il arrivait à peine à écrire à cause des larmes qui mouillaient le papier et diluaient l'encre. « Tu ne peux pas me laisser rentrer seul au pays. Je t'en prie, ne pars pas.

— Tu es la moitié de ma vie aussi. Vis pour nous deux, Hugh. Aime pour nous deux. Et je t'en conjure, essaie d'être un peu moins collet monté.

— Dois-je écrire cela aussi ? demanda Hugh, qui souriait et pleurait à la fois.

— Oui, mon cher Hugh. C'est la petite note inattendue qui fait le poème. Et cette petite note inattendue, c'est toi. »

31.

Elle écrivait à Daniel tous les jours entre dix et onze heures du matin, réservant ce moment pour venir s'asseoir dans son bureau et contempler les branches dénudées des arbres, le givre sous les haies, tout en formulant soigneusement ses phrases. C'était un hiver glacial, et la véranda qui lui servait de bureau n'était pas chauffée. Jenny lui apportait une brique chaude pour poser les pieds, comme toujours, et elle portait des gants dont elle avait coupé l'extrémité des doigts ; le froid et la buée de son haleine ajoutaient une juste dimension de pénitence à ce rituel.

Elle ne le suppliait pas de lui rendre son amour, ni de lui pardonner ce qu'elle avait cru bon de faire dans un brouillard d'angoisse et de peur. Elle ne voulait pas l'accabler de prières. Elle rédigeait au contraire un récit alerte des petits événements qui s'empilent les uns sur les autres pour composer une journée ordinaire. Elle lui parlait de Smith et du jardinier qui arrachait les derniers choux gelés au potager. Elle lui disait qu'elle allait devoir parler sérieusement à la cuisinière, qui refusait d'enfiler ses chaussures et s'obstinait à ne porter que des chaussettes d'homme à la cuisine à cause de ses oignons douloureux. Elle se répandait sur la félicité de Céleste et sur sa détermination à ne pas laisser son tour de taille croissant l'empêcher de visiter les malades et de poursuivre ses travaux d'aiguille. La jeune femme avait confectionné de la dentelle pour des bonnets de bébé dont elle avait donné une grande partie à d'autres jeunes mères, et elle jouait du piano toutes les semaines à l'hôpital et dans les hospices.

Ils avaient aménagé un poulailler derrière l'écurie et envisageaient de retourner la pelouse de son jardin privé pour y planter des légumes au printemps. Par excès de prudence, elle prenait soin de ne pas détailler les allées et venues de John, préférant l'appeler « un oncle à toi ». Les nouvelles les plus captivantes qu'elle lui transmettait à son sujet était qu'il s'était conduit comme un bébé lorsque le dentiste avait dû lui extraire une dent, et s'était pris de passion pour l'élevage des chèvres, des animaux qui avaient l'avantage de donner du lait et de la viande tout en étant d'un format plus compatible que des vaches avec un jardin urbain, fût-il aussi vaste que le leur. Jenny et la cuisinière, rapportait-elle, ayant renâclé à l'idée de manger de la chèvre aussi énergiquement que si on leur avait proposé de manger du serpent à sonnettes ou du crocodile, « un oncle à toi » était en pleine négociation avec un fermier des environs qui s'était dit prêt, le moment venu, à les échanger contre une portion plus modeste d'agneau de boucherie.

Elle ne lui demandait rien en contrepartie. Elle ne réclamait ni lettres ni poèmes. Elle n'incluait pas la moindre phrase suggérant qu'elle espérait recevoir de ses nouvelles, ou aspirait à voir son visage. Elle lui livrait simplement de petits instantanés soigneusement rédigés de la vie à la maison, songeant que, peut-être, ces brefs portraits le réconforteraient ; et elle gardait pour elle l'espoir secret qu'il ne grimacerait pas en apercevant sa propre silhouette se promener dans les scènes qu'elle représentait.

Agatha avait cessé de lire les journaux et les périodiques illustrés, toutes ces revues de dames avec leurs regards obliques sur la guerre. Chaque recette de tourte sans viande ou de pudding de Noël économique à la carotte, chaque modèle de chaussettes à tricoter, chaque annonce de campagne de collecte de bandages, était un coup de poignard dans son cœur, plus douloureux que les bulletins d'informations quotidiens. Elle les écartait tous et vivait en se passant du réconfort qu'elle aurait pu éprouver à attiser, à nourrir et à cultiver sa peur. L'accomplissement immuable et patient de ses devoirs était son nouveau rituel, son livre d'heures. La rédaction de sa lettre le matin, les visites, une toilette soignée pour le dîner, même quand il n'y avait pas de viande et que Céleste et elle s'installaient devant la table à jouer du salon pour éviter d'avoir à faire du feu dans la salle à manger. Remonter les pendules, commander du fourrage d'hiver pour le cheval, continuer à s'occuper des réfugiés, inspecter les souliers à apporter chez le cordonnier. Elle s'investissait dans chaque tâche, ne laissant dans son esprit aucune place pour le luxe de la douleur.

Noël était arrivé et passé dans une chaleur feutrée. Beatrice Nash et M. Tillingham étaient venus dîner. Agatha avait offert à M. Tillingham un petit recueil de poèmes anciens en latin que John avait déniché chez son bouquiniste préféré, à deux pas de Charing Cross Road. Beatrice lui avait donné un marque-page d'ivoire ayant appartenu à son père et Céleste lui avait confectionné un délicieux petit chiffon à lunettes en dentelle. Non sans emphase, M. Tillingham avait tendu à chacune des dames la même boîte à gants en faux chagrin qu'à sa secrétaire. Sa parcimonie n'avait pas surpris, mais l'indifférence qui l'avait conduit à n'établir aucune distinction entre toutes ces dames avait manifestement blessé Beatrice. Agatha espérait que l'exemplaire ancien de Chaucer à reliure de vélin avec des illustrations en couleurs qu'elle avait offert à Beatrice compenserait un peu cette déconvenue. Ils avaient, John et elle, reçu une lettre de Hugh, formelle et raide, comme à son habitude, remplie de descriptions optimistes de son cantonnement et de l'efficacité de l'hôpital où il travaillait. Il ne se plaignait pas de sa situation et ne disait rien des horreurs qu'il avait pu voir; Agatha lui en était reconnaissante. Elle en fit lecture à haute voix après le dîner de Noël, et Céleste sortit une carte postale, toute brodée de fleurs de laine et de sentiments préimprimés, sur laquelle Daniel avait griffonné de brefs vœux de joyeux Noël pour tous. La carte circula et Agatha la prit avec impatience entre ses mains, suivant la signature du doigt comme si cela pouvait faire surgir Daniel dans la pièce.

La carte était posée sur le manteau de la cheminée dans la chambre verte de Céleste, et Agatha s'y glissait parfois pour la tenir entre ses doigts et se plonger dans la contemplation des boucles de calligraphie. Si Jenny ou Céleste entraient inopinément, elle passait un doigt sur le dessus de cheminée et soufflait sur une trace de poussière imaginaire avant de demander que le ménage soit plus soigneusement fait, ou secouait les rideaux en se demandant tout haut s'ils n'avaient pas besoin d'être rafraîchis.

Ce jour-là, elle écrivit que les vents de mars s'étaient apaisés et que, grâce aux journées plus lumineuses et aux nuits qui reculaient après leur domination hivernale, les perce-neige et les premières jonquilles défiaient le gel dans les massifs exposés au sud. Elle n'en tirait aucune conclusion, aucun espoir, laissant simplement ces faits s'épanouir sur son mince papier à lettres dans les pleins et les déliés de sa plume. Malgré l'orme dénudé dont les rameaux tapaient aux carreaux de son bureau, malgré le froid glacial que laissait rayonner les vitres, elle imaginait presque le printemps dans le ciel bleu vif et dans les petits moineaux qui ébouriffaient leurs ailes et aiguisaient leur bec sur les branches.

Lorsque le téléphone sonna dans les entrailles de la maison, elle bannit ce bruit importun de son esprit. Elle ne voulait pas être dérangée pendant cette heure privilégiée, et Jenny ferait savoir à l'intrus qu'elle n'était pas encore rentrée. Un coup frappé à la porte viola ce dispositif bien ordonné et sous l'effet de la surprise, elle lâcha son stylo qui fit une tache sur la page.

« Excusez-moi, madame, dit Jenny, mais c'est M. Kent au téléphone et il insiste. »

Le sursaut de peur, la profonde inspiration, l'effort pour réprimer tout tremblement ; Agatha se leva lentement, posa un buvard sur sa lettre et rangea son stylo dans son étui.

« Dites à M. Kent que j'arrive », répondit-elle, laissant la servante redescendre rapidement pendant qu'elle retirait ses mitaines et la couverture de laine qui lui servait de châle et parcourait d'un pas digne le couloir de l'étage, avant de descendre les escaliers cirés. Inutile de courir, au risque de glisser et de se tordre la cheville. Inutile de supposer que son mari appelait de Londres pour lui annoncer une crise imprévue. Mieux valait s'en tenir à sa vie de patience soigneusement édifiée...

« Je viens de recevoir un télégramme codé du patron de Hugh, lui annonça John. "Grange, Wheaton, Bookham, Sidley STOP Rentrent Angleterre STOP HS Folkestone 18h00 STOP."

— Oh, mon Dieu, ils sont blessés, murmura Agatha.

— J'ai appelé le commandant Frank à l'hôpital. Il envoie une ambulance. Ils rentrent à la maison, Agatha !

— Il faut que j'aille à Folkestone.

— J'ai un train dans une heure. Laisse-moi m'occuper de ça, Agatha. Nous ne savons pas ce qui nous attend.

— Je veux venir, insista Agatha. Aucune force terrestre ne m'empêchera d'être sur le quai. »

Elle raccrocha et appela à grands cris Céleste, Jenny, la cuisinière et Smith. Toute la maisonnée arriva en courant.

Beatrice sortait de l'école pour rentrer déjeuner chez elle quand Agatha Kent faillit la dépasser dans la rue sans même la saluer.

« Madame Kent ? Agatha ? appela Beatrice.

— Je ne peux pas m'arrêter, lui répondit Agatha. Je dois aller à Folkestone et évidemment, la voiture a été réquisitionnée il y a plusieurs semaines. Quant aux trains, ils sont à désespérer ces temps-ci. Il faut que je trouve quelqu'un qui ait une voiture ou un camion. »

La plupart des véhicules particuliers avaient été rachetés par l'armée pour le service de guerre et les trains étaient si lents et si bondés de soldats que les voyages étaient devenus extrêmement difficiles.

« Avec deux chevaux, vous y seriez en quelques heures », remarqua Beatrice.

Il y avait une bonne cinquantaine de kilomètres jusqu'à Folkestone, mais un cheval au trot pouvait accomplir ce trajet en quatre ou cinq heures.

« Ils seraient épuisés et boiteux après un tel effort et je ne pourrais plus rentrer à la maison. » Agatha s'interrompit pour prendre une profonde inspiration. « Les garçons sont sur un navire-hôpital avec Harry Wheaton et le jeune Sidley, ajouta-t-elle, l'air accablé. Ils sont peut-être tous grièvement blessés. Nous n'en savons rien.

— Alice Finch, suggéra Beatrice. Allons trouver Alice Finch. »

Alice avait réussi à obtenir, non sans mal, que sa motocyclette soit exemptée de toute réquisition, car elle en avait besoin pour son corps de messagers à bicyclette et à moto. Celui-ci comprenait plusieurs dames vigoureuses, quelques scouts et un assortiment de vélocipédistes masculins amateurs trop âgés ou trop jeunes pour être sous les drapeaux mais qui appréciaient le frisson des expéditions nocturnes à bicyclette pour aller porter des messages entre les différents postes de sentinelles côtiers.

« Une motocyclette ? demanda Agatha. Je ne suis pas sûre que...

— Bien sûr que si, trancha Beatrice. J'espère simplement qu'elle pourra nous emmener toutes les deux. Je vous accompagne. »

Elle n'eut pas une pensée pour ses cours de l'après-midi. Elle avait sous les yeux l'image de Hugh, ensanglanté et allongé, pâle, sur une civière, pendant qu'elles gravissaient rapidement la côte jusqu'au cottage d'Alice et l'arrachaient, en même temps que Minnie Buttles, à leur déjeuner. Alice accepta immédiatement de les emmener, et Minnie courut leur chercher des lunettes, ainsi qu'une paire d'amples culottes de moto pour Beatrice qui serait obligée de voyager à califourchon. On sortit la moto de son hangar, et Agatha se glissa tant bien que mal dans le sidecar, un bidon d'essence de réserve sous ses pieds. Puis Beatrice serra fermement le pantalon peu familier sous sa ceinture et grimpa derrière Alice. Celle-ci prit un peu d'élan, poussée par Minnie, et le moteur démarra. Alice mit les gaz et, dans un vacarme qui attira les boutiquiers sur leur seuil et fit aboyer les chiens, les trois dames filèrent vers le bas de la grand-rue et traversèrent le marais, cheveux et rubans de chapeaux au vent.

Pour des yeux non avertis, les docks de Folkestone étaient un véritable capharnaüm. Des camions et des ambulances sillonnaient les quais sans se soucier en apparence des processions de soldats, de brancardiers et de blessés à pied, qui défilaient comme des colonnes de fourmis d'entrepôt en entrepôt. Un immense bateau à vapeur, mal peint, était amarré au milieu de ce chaos, avec une croix rouge sur la cheminée pour toute protection contre les sous-marins allemands qui patrouillaient dans la Manche. Des hommes déchargeaient des civières depuis le pont et par la porte de la soute, tandis que ceux qui pouvaient encore marcher descendaient la passerelle en clopinant. Beaucoup s'appuyaient sur des béquilles, certains étaient poussés en fauteuil roulant. Plusieurs hommes furent portés jusqu'au quai par des plantons, assis sur des chaises en métal ordinaires.

Au sommet du coteau qui surplombait les quais, Alice arrêta le moteur.

« J'ai l'impression que le port n'est pas accessible au public. Je vais essayer d'utiliser mes laissez-passer pour vous conduire le plus près possible. »

Les laissez-passer d'Alice se réduisant à des certificats que Minnie et elle avaient imprimés dans leur studio et qu'elles avaient distribués à tous les membres de leur corps de messagers, Beatrice était convaincue qu'elles ne seraient jamais autorisées à s'approcher du bateau.

Par bonheur, le tout jeune soldat de faction au plus modeste des postes de contrôle avait déjà bien du mal à ne pas faire des nœuds avec son fusil et son bloc-notes, alors qu'il devait en plus lever et abaisser la lourde barrière.

« Brigade motocycliste, transport d'infirmières, hurla Alice alors qu'elles approchaient. Je ne peux pas m'arrêter sinon mes bougies vont me lâcher. » Elle sortit un certificat de son manteau et le lui tendit tout en continuant à faire avancer la moto en roue libre avec ses pieds. « Ouvre-nous ça en vitesse mon gars, aboya-t-elle. Tu ne voudrais quand même pas décapiter deux infirmières chefs avec ta barrière ?

— Non, non, madame », répondit-il et, tout en écarquillant les yeux devant le spectacle incongru de femmes en pantalon et en lunettes graisseuses, il courut lever la barrière et leur fit signe de passer, son fusil tombant de son épaule et restant suspendu à son coude selon un angle périlleux.

Alice se dirigea droit vers la passerelle de débarquement pour ranger sa moto au milieu d'une rangée d'ambulances qui attendaient.

De près, la foule commença à avoir l'air moins désordonnée. Beatrice repéra une certaine organisation dans le déplacement des blessés : certains étaient conduits vers des ambulances, d'autres vers un bâtiment aménagé en hôpital de fortune. Elle vit plusieurs hommes munis de listes sur des planchettes à pince qui donnaient des indications au fur et à mesure du débarquement des civières. Des infirmières allaient et venaient dans les rangées d'hommes, examinant leurs blessures.

« Nous devrions interroger un de ceux qui ont des bloc-notes, suggéra Beatrice. Ce sont eux qui ont les listes de blessés.

— Non, ils nous feraient certainement expulser, observa Agatha. Vous avez vu où ils ont parqué les familles ? »

Près de la route principale, derrière des barrières, un petit groupe de gens agitaient les bras et criaient. Mais ils étaient trop loin pour entendre quoi que ce soit aussi bien que pour se faire entendre.

« Mieux vaut interroger une infirmière. »

Elle s'éloigna des ambulances et s'adressa à une infirmière vêtue d'un austère uniforme bleu marine et d'une cornette sous une capote d'homme dépenaillée. L'infirmière jeta un coup d'œil autour d'elle et hocha la tête. Puis elle rejoignit un homme qui tenait une planchette à pince et lui parla. Pendant qu'il consultait ses fiches, Beatrice parcourut les innombrables visages, cherchant celui de Hugh. Elle songea avec horreur qu'à première vue beaucoup d'hommes auraient pu être lui : une façon de tourner la tête, une ligne de mâchoire, une paire d'yeux gris sous un lourd bandage, une main tendue par un blessé dont la face brûlée était méconnaissable. Un instant, elle craignit d'avoir oublié à quoi ressemblait Hugh. Peut-être s'était-il effacé de sa mémoire comme les traits de son père n'avaient cessé de le faire durant l'hiver, au point qu'elle était obligée de s'asseoir et de faire un effort pour se remémorer un à un chaque détail, le moindre frémissement de sourcils, jusqu'à avoir reconstitué son visage en entier et pouvoir le retrouver instantanément.

Elle aperçut d'abord John Kent qui, surgissant derrière la dernière ambulance de la rangée, s'adressa au chauffeur. Agatha le vit, elle aussi, et commença à courir vers lui. Beatrice se tourna pour la suivre, quand la silhouette de Hugh se dressa devant elle. Elle ne l'avait pas vu approcher. Elle sentit son cœur bondir dans sa poitrine tandis que son regard le parcourait de haut en bas, à la recherche de blessures. Elle ne s'embarrassa pas de fausse pudeur; il y avait trop de blessés pour que l'on songeât encore aux bonnes manières.

« Beatrice », s'écria-t-il.

Elle se jeta dans ses bras, enfouit la tête dans le creux de son épaule, et il la serra contre lui de toutes ses forces, tremblant comme s'il devait faire un effort pour ne pas s'effondrer.

« Les autres sont avec vous? demanda-t-elle en plongeant son visage dans ses cheveux. Daniel?

— Daniel nous a quittés, dit Hugh d'une voix éteinte. Je n'ai pas réussi à le ramener à la maison, Beatrice.

— Quel malheur! »

Tout en le réconfortant, elle vit Agatha qui jouait des coudes pour regarder à l'intérieur de l'ambulance. Son mari l'attira vers lui et lui parla à l'oreille. Les genoux d'Agatha se dérobèrent alors que John la pressait contre lui, et elle rejeta la tête en arrière en poussant un hurlement rauque qui semblait jaillir des plus profondes entrailles de la douleur.

« Nous devons rejoindre votre tante », remarqua Beatrice.

Hugh hésita un instant, comme réticent à la laisser partir. Puis il releva le menton, feignant de ne pas avoir la vue brouillée de larmes contenues, et ils se hâtèrent de se porter au secours de John et de sa femme éperdue de chagrin.

Agatha était emplie de sentiments doux-amers en suivant l'ambulance jusqu'à Rye puis en la voyant s'arrêter devant la demeure des Wheaton où Lady Emily et Eleanor sanglotèrent de joie et de douleur, berçant Harry Wheaton dans leurs bras. Elle descendit du siège avant comme si ce trajet de quelques kilomètres avait suffi à faire d'elle une centenaire. John la soutenait. Elle ne put qu'incliner la tête lentement devant Lady Emily. Et Lady Emily ne put que déposer un baiser sur sa joue, comme si la mort avait frappé les deux femmes de mutisme. Hugh aida à décharger la civière pendant que le commandant Frank examinait les étiquettes des blessés et indiquait dans quelle salle de l'hôpital il fallait les transporter.

« Celui-ci n'est pas pour nous, remarqua le commandant. C'est un simple soldat, et cet hôpital est réservé aux officiers.

— C'est un garçon d'ici, expliqua Hugh. Il a été le planton de Harry, et aussi de mon cousin Daniel. La dernière volonté de mon cousin a été que nous le ramenions chez lui.

— Je comprends bien ce sentiment. Mais c'est impossible. Pas de salles mixtes, vous comprenez ? Il faut l'envoyer en train à Brighton.

— Il n'en est pas question, protesta Hugh. Il ne supportera jamais le voyage. De plus, sa famille n'a pas l'argent nécessaire pour aller jusqu'à Brighton s'occuper de lui.

— J'ai les mains liées, expliqua le commandant. Vu l'état où il est, il n'aurait sans doute même pas dû traverser la Manche.

— Installez-le dans l'aile privée de la maison », intervint Harry Wheaton d'une voix que l'épuisement et la douleur rendaient indistincte ; son moignon suintait aux bords du bandage et de toute évidence, il souffrait bien plus qu'il ne le montrait. « Dressez un lit de camp dans le bureau de mon père. Les infirmières s'y rendront facilement, et sa famille pourra aller et venir par la porte du jardin.

— Harry, nous n'allons tout de même pas installer le fils du maréchal-ferrant dans le bureau de ton père, s'indigna Lady Emily. Tu n'y penses pas ? Quelle injure à sa mémoire !

— Ce n'est plus son bureau.

— Pardon ? demanda sa mère.

— C'est moi qui vous demande pardon, Mère. Mais mon père, le colonel, veillait sur ses hommes et je dois en faire autant. »

Il fit un signe aux ambulanciers qui portaient la civière sur laquelle Snout gisait inconscient, les joues écarlates, la respiration sifflante.

« Vite, vite. Dans le bureau, s'il vous plaît. » Harry ajouta, tout bas : « Peut-être que si j'avais pris la défense de ce gringalet un peu plus tôt...

— Je vais prévenir ses parents, dit Alice. Et reconduire Mlle Nash chez elle. »

Au moment où Beatrice grimpait dans le side-car, retroussant son pantalon une nouvelle fois sous les yeux médusés de Lady Emily, Hugh s'approcha et prit sa main dans la sienne.

« Il semblerait qu'une fois de plus, le devoir nous sépare. Je dois veiller à ce que Snout soit correctement installé puis rejoindre mon oncle et ma tante.

— Ne vous en faites pas pour moi, répondit-elle en lui rendant la pression de sa main. Je suis si soulagée que vous soyez là pour les aider. La disparition de Daniel est une perte insoutenable, Hugh.

— Quand j'aurai accompli ces deux missions, puis-je venir vous rendre visite ?

— J'en serais très heureuse. Je ne me coucherai pas avant que vous soyez venu.

— Il se peut que je ne vous quitte plus, reprit-il en lui serrant la main avec force. J'ai compris maintenant que je suis ici chez moi.

— Je ne vous laisserai plus repartir », dit-elle et elle le regarda bien en face, sans que la moindre hésitation la fasse rougir.

Quand Hugh s'éloigna, Alice mit le contact et poussa l'engin jusqu'à ce que le moteur eût démarré.

« Je vais envoyer Minnie chez son père pour une petite conversation de minuit, annonça Alice. Quelqu'un aura besoin du pasteur à la première heure demain matin. »

Beatrice rentra chez elle et alluma un feu dans l'âtre et sous la bouilloire de sa petite cuisine. Elle sortit son maigre dîner qui l'attendait sous un torchon humide et le disposa pour lui donner tant bien que mal l'aspect d'un souper froid. Elle dénicha une bouteille de sherry que lui avait offerte un jeune homme gâté, dont un obus avait désormais emporté une jambe. Quand la bouilloire chanta, elle la vida dans sa cuvette et fit soigneusement sa toilette, éliminant la poussière et la fatigue du jour. Vêtue d'une robe d'intérieur, les cheveux brossés et détachés sur ses épaules, elle verrouilla la porte menant à l'appartement de sa logeuse et s'assit à la lueur des flammes, nerveuse mais sans crainte, pour attendre Hugh. Tels sont les troubles de la guerre, songea-t-elle. Certains, assis dans un salon, pleurent un être cher, d'autres essuient le front d'un garçon mourant pendant que dans un cottage d'une rue pavée, deux jeunes amoureux ne peuvent qu'essayer de résister par leur amour et leur passion au fardeau accablant de la mort et de la perte.

Hugh et Beatrice se marièrent le lendemain, marchant ensemble vers l'église par un matin d'une douceur inattendue, comme pour célébrer l'équinoxe, cet instant où le monde se tient en parfait équilibre entre lumière et obscurité, et où le printemps annonce le renouveau de la vie. La guerre semblait avoir balayé et rendu vaines toutes les convenances ordinaires du deuil et du mariage. Hugh téléphona à son oncle de bonne heure, tout en l'assurant qu'il comprendrait fort bien qu'ils préfèrent rester chez eux. John et Agatha Kent, accompagnés de Céleste, vinrent pourtant à l'église ; et bien que leur chagrin les fît défaillir, ils ne prononcèrent pas un mot de reproche, n'ayant pour les jeunes mariés que paroles d'affection et vœux de bonheur. Alice Finch et Minnie Buttles signèrent le registre à leur place, et le pasteur abrégea et simplifia le rituel antique, qui se passa du luxe superflu des cantiques et des prières.

Le jeune Snout survécut encore une semaine, succombant lentement à une pneumonie secondaire à une fièvre des tranchées sans lien avec sa blessure ultérieure ; Hugh passa de longues heures avec le docteur Lawton au chevet du garçon et en consultation avec les médecins de l'hôpital. La famille de Snout passait tout son temps chez les Wheaton, entrant et sortant sans bruit par le jardin. Sa mère invalide y était transportée tous les matins et semblait reprendre des forces en se battant pour la vie de son fils. Son arrière-grand-mère apportait des herbes et des tisanes, des concoctions malodorantes qui aidaient le jeune garçon à respirer, sans arriver pour autant à vaincre l'infection. Elle lui frictionnait le torse avec des baumes et prononçait tant de prières et d'incantations que les infirmières de l'hôpital qui allaient et venaient parlaient tout bas de sorcellerie.

La lente accumulation de chagrins au cours d'une longue guerre est telle que les demandes de messes de souvenir se mettent à l'emporter sur les mariages et que les paroissiens commencent à garder leurs manteaux noirs soigneusement brossés et suspendus à l'avant de leurs penderies. Le bulletin paroissial, distribué à la main le mardi, annonçait que la messe du dimanche serait dite à la mémoire de deux officiers tombés et enterrés en France : le colonel Archibald Preston Danforth Wheaton, officier commandant, Deuxième Bataillon, Cinquième Division, Royal East Sussex de Wheaton Hall, Rye ; et le lieutenant Daniel Sidney Bookham, lui aussi du Deuxième Bataillon, Cinquième Division, Royal East Sussex, de Rye et de Lansdowne Terrace, Londres. Le bulletin indiquait clairement TUÉS AU COMBAT, une incitation supplémentaire pour attirer du monde à l'église, qui n'était pas sans évoquer l'écriteau d'un épicier annonçant « nouvel arrivage du Devon », ou « cueillis du jour ». Mais d'abord, il y avait un jeune garçon à enterrer.

Les funérailles de Richard Sidley eurent lieu le samedi. Beatrice s'en voulait d'affronter ce triste rituel avec le cœur brûlant et les joues rosies d'une jeune mariée. Hugh et elle étaient restés allongés, dans les bras l'un de l'autre, jusqu'au dernier moment ce matin-là, à regarder avancer les aiguilles de la pendule et à trouver n'importe quel prétexte pour ne pas se lever, quitte à bâcler un peu leur toilette, pourvu qu'ils pussent grappiller quelques instants supplémentaires loin de la foule.

Ils se trouvaient à présent dans la rue pavée devant l'église, attendant l'arrivée du convoi funèbre. Agatha, qui avait affirmé obstinément être suffisamment vaillante pour venir, se tenait entre son mari et Céleste, son visage pâle et tiré tranchant sur son manteau noir. Céleste semblait, elle aussi, avoir vieilli de plusieurs années, mais elle tenait le bras d'Agatha avec une force tranquille et Beatrice songea qu'au cours de ces dernières journées, elle avait déjà acquis la faculté d'endurance d'une mère.

Une grande partie de la ville semblait rassemblée sur l'étroit trottoir ; le maire lui-même était venu avec sa femme, vêtu de sombre, sa chaîne officielle cachée sous un pardessus foncé. De nombreux camarades de classe de Snout frottaient leurs pieds sur le pavé. Certains avaient la mine penaude, comme si leur conscience leur reprochait les sarcasmes et les mauvais traitements dont ils avaient jadis accablé le pauvre garçon. Le cercueil apparut alors en haut de la rue, porté sur le meilleur fardier du croquemort et recouvert de l'Union Jack ainsi que des armes de la ville, avec leurs lions rampants. Derrière le cercueil, venait la mère de Snout, assise dans une carriole tirée par un poney, que son père tenait par la bride. À côté de lui, la sœur de Snout, Abigail, portait une brassée de lis, et, curieusement, une grosse jarre pleine de pièces de monnaie glissée sous son bras.

Un remous dans la foule de citadins salua l'arrivée dans la rue de l'arrière-grand-mère de Snout, conduisant sa roulotte au toit cintré, vêtue d'un manteau écarlate maintenu par des souverains d'or et d'une lourde jupe noire raidie par de nombreux jupons noirs et rouges. Ses cheveux gris tressés en couronne autour de sa tête étaient coiffés d'un chapeau haut de forme recouvert d'un long voile de dentelle noire. La roulotte venait d'être repeinte, ses roues rouge et or visibles de loin. Les chevaux dans les brancards tiraient de conserve, leurs crinières et leurs fanons lustrés jusqu'à ressembler à de la soie flottant sous la brise. Les harnais couverts de grelots tintinnabulaient et le cuir ciré rutilait.

Derrière la roulotte marchait une file de tsiganes, venus des quatre coins du comté. En tête, un jeune garçon menait un cheval sans cavalier, une paire de souliers noués par leurs lacets en travers de son dos. Puis défilaient les hommes, le visage fermé, leurs manteaux noirs illuminés par des écharpes rouge vif, des fleurs et des boutons dorés. Derrière eux arrivaient des carrioles chargées de bouquets et de couronnes, tandis que d'autres roulottes transportaient des femmes et des enfants. En queue de cortège venaient de jeunes bohémiennes avec leurs mères, toutes dans leur plus belle robe, cheveux tressés recouverts d'un châle ou d'une mantille foncés. Les hommes restèrent à l'extérieur de l'église, armée sombre, muette et sévère. Seul le hennissement occasionnel d'un cheval impatient et le tintement des grelots de son harnais rompaient le silence de la rue. Beatrice vit des bonnes gens de Rye s'éclipser discrètement, leur dignité leur interdisant de partager le sanctuaire de l'église avec des romanichels. D'autres se hâtèrent d'entrer et Beatrice les suivit vaguement des yeux, cherchant à repérer ceux qui étaient venus pleurer, ceux qui étaient venus pour être vus par les autres et ceux qui avaient hâte que la messe fût dite pour pouvoir aller raconter à tous leurs amis l'arrivée des tsiganes en deuil.

La liturgie religieuse familière de l'église recouvrit Richard Sidley du plaid réconfortant du conformisme et il rejoignit sa dernière demeure dans le cimetière de la colline avec toute la solennité et le respect dus à un soldat mort au combat et à un jeune habitant de la communauté. Mme Stokes se tenait près de la tombe au côté du père de Snout, son petit-fils, tous deux figés et droits, à l'image des anges de pierre des monuments voisins, tandis que son peuple se tenait un peu à l'écart de la sépulture, aussi silencieux que le cimetière lui-même. Beatrice fit un gros effort pour afficher le même stoïcisme. Mais lorsque le pasteur récita le passage de l'Évangile selon saint Jean « Dans la maison de mon Père, il y a de nombreuses demeures », elle s'appuya contre le bras robuste de Hugh et pleura dans sa manche ce garçon qui avait donné sa jeune vie pour un pays et pour une ville qui n'avaient pas toujours su le reconnaître à sa juste valeur.

Plus tard, lorsque la foule commença à se disperser, Beatrice vit Mme Stokes étreindre Agatha. Les deux femmes se parlèrent tout bas, et Agatha embrassa encore la vieille femme sur la joue.

« C'est toujours à nous, les vieilles, d'enterrer nos enfants, dit Mme Stokes. Pourquoi le Bon Dieu ne nous prend-il pas à leur place ?

— Je me le demande aussi, approuva Agatha. Nous ne sommes pas aussi fortes qu'Il le croit.

— Quand je Le verrai enfin, je Lui ferai savoir ce que je pense, croyez-moi, reprit Mme Stokes. Même si je dois finir en enfer, j'aurai mon mot à dire. »

La lumière du soir s'inclinait sur l'étendue plane des marais, et le froid du crépuscule rappelait que l'été était encore loin. Moins d'une année s'était écoulée depuis le jour où Hugh Grange s'était rendu à la gare pour accueillir Beatrice. Désormais, conduisant la charrette anglaise à travers le marais tout en observant la courbure de sa joue et la manière dont ses mains se croisaient sur ses genoux, il avait peine à croire qu'elle fût son épouse. Le prix de leur bonheur avait été élevé, mais insuffisant pour venir à bout de leurs espoirs. Il devait retourner au front quelques jours plus tard et ils ne pouvaient être sûrs que son nom ne figurerait pas un jour sur la liste des victimes. Mais aujourd'hui et demain, il était marié, il était amoureux, et il vivrait chaque instant comme une année.

« Entends-tu l'alouette ? » lui demanda-t-elle. Un chant tremblant s'éleva, au-dessus du martèlement des sabots sur la route. « Quand l'été viendra, elles envahiront le ciel par nuées. On appelle ça une *exaltation* d'alouettes.

— Alors, je serai de retour, dit-il. Nous nous allongerons dans les prés pour compter les oiseaux.

— Je ne suis pas certaine qu'un dénombrement soit tout à fait dans l'esprit de l'exaltation », murmura-t-elle, et malgré son sourire, la tristesse de cette journée fit trembler son menton.

Arrivés sur la grève, ils traversèrent les dunes main dans la main pour retrouver la famille de Mme Stokes et leurs amis rassemblés sur la plage en contrebas. À la lisière du groupe se tenaient Abigail, Céleste, Tante Agatha et Oncle John, ce dernier portant un petit balluchon dans ses bras. Hugh l'avait aidé à en rassembler le contenu dans l'après-midi : un volume de Longfellow, dont les marges portaient de nombreuses annotations, taché de vin et des stigmates du souper tardif d'un poète étudiant, une veste d'intérieur de velours très portée, rapiécée aux coudes et aux poignets effilochés, son calot de l'armée, que Hugh avait rapporté. Ils n'avaient pas ajouté de poème de Daniel, espérant les faire apprécier d'un plus vaste public, mais Tante Agatha avait sacrifié un précieux classeur rempli de ses écrits d'enfance. Ils s'étaient tous rassemblés pour dire adieu à Richard Sidley dans l'intimité, loin des yeux fureteurs de la ville, et Mme Stokes avait fait l'honneur à la tante et à l'oncle de Hugh de les inclure dans ce rituel afin qu'ils puissent prendre congé de leur cher Daniel.

Oncle John s'avança pour gravir les marches de bois de la roulotte de Maria Stokes et déposer son balluchon à l'intérieur de la porte ouverte, près du petit tas de vêtements et de biens de l'arrière-petit-fils de la vieille tsigane. Abigail se précipita alors pour ajouter sa précieuse jarre de pièces, et son père prit un panier d'herbes odorantes et de fleurs des champs des mains de sa femme et le glissa à côté.

« C'était mon fils, déclara le père de Snout. Il a été un bon élève, un bon soldat, et un bon fils pour sa mère. » Prenant un tison dans le feu, il le brandit en l'air. « Et au fond de lui-même, il a toujours été un des nôtres, un fier tsigane. »

Il jeta le tison à l'intérieur et la roulotte, repeinte de frais, s'embrasa telle une torche et se consuma rapidement en une boule de feu et de fumée. Défiant la guerre, son panache s'éleva haut dans le ciel, et la roulotte brûla comme un fanal. Des hommes prirent un violon et un accordéon et commencèrent à jouer une mélodie lente, gémissante. Ils restèrent là, tandis que la lumière s'effaçait peu à peu du ciel derrière la ville de Rye et que le croissant de lune brillait, plus clair, à l'est; et les vagues imperturbables ignoraient les futiles rituels de l'humanité pour se précipiter vers la grève avant de reculer, sous le pouvoir étrange et régulier de la gravitation.

Épilogue

« Viens avec moi, dit-il, et je te montrerai où gît ton fils. »

Rudyard Kipling, « The Gardener » (1925)

Au cœur de l'été de 1920, Beatrice et Hugh accompagnèrent Tante Agatha de l'autre côté de la Manche. Les champs du nord de la France et de la Flandre s'étaient déjà revêtus de nouveaux manteaux d'herbe et de foin pour recouvrir la nudité mutilée des champs de bataille. Les premières semailles avaient eu lieu dans les régions les moins dévastées, et les têtes rouges des coquelicots se balançaient à nouveau au milieu des blés. Tous les hôtels, toutes les auberges affichaient complet; abondamment décorés de fanions qui voltigeaient dans la brise, ils avaient déployé des toiles de couleurs vives, sous lesquelles des dames dînaient, arborant des robes amples et gaies qui célébraient une ère nouvelle, plus progressiste.

Tous étaient venus, pris d'une envie irrépressible de rendre visite aux morts dispersés à travers la colline dans les cimetières de petites bourgades, au milieu des bois, ou, bien souvent, dans ce qui n'avait été qu'un champ proche d'un poste d'évacuation sanitaire. Les corps ne seraient pas rapatriés. On avait prévu en revanche d'aménager de nouveaux cimetières, dignes des disparus. À Londres comme à Rye, tout le monde ne parlait que de guides de voyage et échangeait des adresses de petites pensions de famille idéales pour faire la tournée des champs de bataille.

« Vieux Jacques et sa femme se sont merveilleusement bien occupés de nous à la Pension Michel », avait répété Bettina Fothergill à qui voulait l'entendre. Son unique neveu, Charles Poot, avait réussi à décrocher un poste gouvernemental à Londres et à passer ainsi toute la guerre à l'abri, mais elle s'était rendue sur la tombe du neveu d'un lointain cousin de son mari, compensant son manque de proximité avec les victimes en se posant en spécialiste de la logistique. Beatrice remarqua que ceux qui avaient subi les plus lourdes pertes étaient bien plus discrets à propos de leurs pèlerinages, partant pour la France sans rien dire à personne et revenant avec une photographie de l'emplacement de la tombe prise par un photographe local entreprenant. Maintenant qu'elle était en France, elle éprouvait plus de compréhension pour ces habitants opportunistes, qui offraient leurs services de photographes ou leurs éclats d'obus en guise de souvenirs, et avaient transformé leurs fermes en auberges de fortune : dans ces terres ravagées, il était encore bien difficile de gagner sa vie et de nourrir une famille pendant l'hiver.

Hugh avait confié ses patients au docteur Lawton désormais à la retraite, dont il avait repris le cabinet. Quelques grommellements de mécontentement s'étaient fait entendre à Rye, car malgré l'admiration que leur inspirait le jeune chirurgien décoré qui avait renoncé à ses ambitions londoniennes pour mener la vie tranquille d'un médecin de campagne, les habitants égoïstes lui en voulaient d'emmener sa jeune épouse en vacances au mois de juillet, congé pourtant longtemps différé. Beatrice avait continué à enseigner à l'école jusqu'à la fin de la guerre grâce à la pénurie d'enseignants mais, dès l'armistice, on l'avait gentiment renvoyée à ses fourneaux, puisqu'elle n'était plus célibataire. Elle consacrait à présent l'essentiel de son temps à la littérature. Le petit volume de poèmes de Daniel Bookham qu'elle avait édité, accompagné d'une jolie préface exaltant sa passion pour les idéaux platoniciens et ses deux immenses amours, son ami et son épouse, avait été bien accueilli et avait pris place parmi les nombreux recueils de jeunes poètes, couchés pour l'éternité dans les champs de France. Elle travaillait également à son roman, ayant reçu une modeste avance de l'éditeur de son père en remerciement pour le travail qu'elle avait réalisé sur le livre de Tillingham. L'Oncle John ne les avait pas accompagnés en France. Tourmenté depuis quelque temps par une sciatique, il était resté avec Céleste qui était devenue si pleinement leur fille et son petit garçon leur petit-fils qu'il n'avait pas été question qu'elle quitte l'Angleterre à la fin de la guerre, au moment où son père avait précipitamment regagné leur pays.

Beatrice se leva de bonne heure ce matin-là, comme à son habitude, et s'assit à la fenêtre de leur chambre, à la pension, pour essayer d'écrire quelques lignes. Mais elle constata que son attention se partageait entre la splendeur de la lumière matinale qui se déversait sur les champs et celle de son jeune époux, étendu de tout son long dans un fouillis de draps. Elle n'aurait jamais pu imaginer que le mariage lui permettrait de goûter davantage et plus parfaitement aux autres plaisirs de l'existence. Partager des lectures, discuter de leur travail, écrire des lettres, voir la vie reflétée dans les yeux d'autrui lui avait inspiré un profond sentiment de satisfaction. Une fine veine de chagrin courait néanmoins sous son bonheur, dont des millions de femmes souffriraient comme elle durant de longues années. Ce chagrin n'empêchait pas leurs pieds de marcher, il ne leur interdisait pas d'accomplir les tâches quotidiennes de la vie ; mais il parcourait la population comme les câbles de cuivre du réseau téléphonique, reliant toutes ces femmes les unes aux autres, les rattachant à la tragédie qui avait dévasté leurs cœurs comme elle avait dévasté les champs qui s'étendaient devant sa fenêtre.

Grâce à l'influence d'Oncle John et de M. Tillingham, Daniel avait été parmi les premiers à quitter sa tombe de fortune pour trouver le repos dans une des nouvelles nécropoles officielles, encore inachevée. M. Tillingham, qui leur avait organisé une visite privée, devait les retrouver pour le petit déjeuner. Il avait profité du travail accompli auprès des réfugiés pour revendiquer un poste au sein de la Commission impériale des cimetières militaires, où il avait rejoint le groupe de conseillers littéraires d'une équipe de concepteurs comprenant les meilleurs architectes, paysagers et ingénieurs britanniques. Il espérait bien obtenir, à tout le moins, un titre de chevalier pour prix de ses efforts. Il passait une grande partie de l'été dans la région, où il pouvait se promener parmi les sites, assurant un contrôle quotidien des travaux et exerçant une influence outrepassant tout ce qu'on lui demandait.

Agatha était déjà attablée quand Beatrice et Hugh descendirent. Une assiette avec des œufs pochés et des fruits était posée, intacte, devant elle. Elle buvait son thé, tenant sa tasse à deux mains, et interrompit son geste comme perdue dans le babillement des moineaux qui s'ébattaient dans la jardinière fleurie.

« Bonjour, ma tante », dit Hugh avant de l'embrasser sur la joue.

Elle ferma les yeux sous son baiser. Beatrice avait l'impression que la présence de Hugh apportait à Agatha autant de joie que de peine, et craignait que sa tante ne pût jamais le voir sans sentir, debout à son côté, le fantôme de son cousin.

« Bonjour tout le monde », lança M. Tillingham, surgissant dans la salle à manger avec la jovialité expansive d'un monarque se dirigeant vers son trône.

Le vieux serveur s'inclina, et la fille de cuisine se précipita, apportant à l'écrivain son épais toast et son œuf mollet ; c'était un habitué, et il leur avait amené de nombreux clients. Aussi étaient-ils aux petits soins pour lui.

« Une belle journée pour ce qui nous attend, indéniablement, reprit M. Tillingham. Nous laisserons la grille fermée jusqu'à ce que vous ayez fini, chère madame, mais nous ferons bien de nous mettre en route de bonne heure. »

Sur ces mots, il entreprit de faire un sort méthodique à son copieux petit déjeuner.

Sous le ciel d'azur salué par le pépiement des oiseaux dans les peupliers et une légère brise qui faisait scintiller les feuilles, le cimetière était d'une beauté presque douloureuse. Il était entouré d'un mur rectangulaire d'une grande simplicité, assez bas pour ne pas dissimuler la splendeur de la campagne environnante. Les tombes en pierre blanche de Portland, apportées depuis le Dorset, était disposées en rangées régulières, de part et d'autres de sentiers rectilignes engazonnés. Une croix à la grille et un monolithe à l'autre extrémité apportaient à ce lieu poids et spiritualité. Mais aux yeux de Beatrice, sa vraie beauté résidait dans les dizaines de rosiers roses, posés à terre en grandes gerbes, qu'un jardinier plantait patiemment entre les pierres tombales pour que les morts puissent dormir dans un joli jardin anglais soigneusement entretenu.

Ils descendirent de voiture, et M. Tillingham s'arrêta au portail pour parler à un gardien. Hugh aida Agatha à remonter le sentier et ils se rassemblèrent sur les marches de la Pierre du Souvenir monolithique, pendant que le gardien consultait le jardinier à propos de la tombe qu'ils étaient venus voir.

« C'est Kipling qui a choisi l'inscription, un peu trop banale peut-être à mon goût, expliqua Tillingham en désignant la formule, puissamment ciselée, ET LEUR NOM EST VIVANT POUR DES GÉNÉRATIONS. Je leur ai fait remarquer qu'il eût été plus léger de remplacer les générations par l'éternité, mais comme il s'agit d'une citation biblique, ils ont fait des histoires et ont tenu à conserver la formule habituelle. Permettez-moi de vous donner un bref aperçu du sens de la Croix du Sacrifice et de son ornement de bronze... »

Mais Agatha Kent s'avança vers le gardien et le jardinier qui se dirigeaient vers eux, et ils lui parlèrent en français, indiquant un point à mi-distance des rangées endormies.

« Voulez-vous bien nous excuser un moment ? demanda Hugh. Je crois que ma tante aimerait s'y rendre seule. »

Il regarda Beatrice pour lui demander son assentiment et elle lui répondit par un sourire et un hochement de tête. Aussi près du chagrin, elle n'était guère qu'une touriste par rapport à son mari et à sa tante. Elle attendrait patiemment en compagnie de M. Tillingham, à qui il ne resterait qu'à triturer sa chaîne de montre et à observer la scène de loin ; et ils pourraient, lui comme elle, songer à la propre vacuité de leur présence dans l'histoire qui se déroulait dans ce petit enclos.

Au bras de Hugh, Agatha s'engagea à gauche dans une rangée de tombes et lentement, avec une infinie lenteur, entreprit de la longer. Beatrice savait qu'elle déchiffrait chaque nom, que ce fût pour différer la torture ou dans l'espoir qu'une telle incantation pût effacer celui de Daniel du pâle calcaire. Mais la pierre fut trouvée et le son d'un unique sanglot résonna le long des sépultures jusqu'au lieu où ils attendaient.

« Les mères, ce sont toujours les mères... », commenta le jardinier.

Beatrice ouvrit la bouche pour rectifier, quand soudain, il fut aussi clair à ses yeux que le ciel bleu qui s'étendait au-dessus d'eux que, bien sûr, il disait la vérité.

Un instant s'écoula avant qu'elle n'ose jeter un regard vers M. Tillingham. Son visage était aussi avide que celui d'un glouton avant le festin. Elle savait qu'il se demandait déjà comment exploiter la tragédie secrète d'Agatha, comment imaginer une histoire alléchante propre à apporter un nouvel éclat à sa réputation et à s'entourer d'une aura d'exquise compassion. Elle ne comprenait pas qu'il pût continuer ainsi à dérober l'âme de ses connaissances et à les mélanger sur sa palette comme un peintre brutal. Car il lui semblait à présent que tous ses romans étaient remplis de gens qu'il avait côtoyés et trahis. Sans doute sentit-il son regard posé sur lui. Il toussa, il passa d'un pied sur l'autre puis tourna ses yeux gris pâle vers elle et dit, l'air vaguement contrit :

« On prend toujours la précaution de changer les noms, cela va de soi. C'est la moindre des courtoisies. »

Elle s'éloigna pour rester seule avec sa peine, observant une scène qu'aucun écrivain, elle le savait, ne pourrait jamais restituer avec suffisamment de talent pour que les hommes cessent de faire la guerre : Agatha à demi agenouillée dans l'herbe, Hugh incliné avec une grâce silencieuse pour lui offrir son soutien, le blanc laiteux des pierres tombales et le rose éclatant des fleurs sur l'herbe fraîchement tondue. Au-dessus d'eux, une unique alouette égrenait ses louanges cristallines dans la voûte bleue du ciel.

Remerciements

Quand la Première Guerre mondiale s'acheva, le 11 novembre 1918, de nombreux jeunes poètes, parmi lesquels Rupert Brooke et Wilfred Owen, étaient morts pour leur pays. L'œuvre des poètes de guerre marquera le souvenir de ce conflit aussi éternellement que l'image du coquelicot...

Écrivains et poètes sont au cœur de mon roman, et il n'est peut-être pas fortuit que les auteurs les plus réputés du Sussex et du Kent, qui occupaient un rayonnage spécial dans la librairie de Rye quand j'étais petite, aient tous vécu durant cette période : Henry James, E. F. Benson, Radclyffe Hall, Vita Sackville-West, Rudyard Kipling et Virginia Woolf. Edith Wharton se trouvait sur cette étagère, elle aussi, car elle venait régulièrement à Rye chercher son ami Henry James dans sa grosse voiture. Hélas, la librairie a disparu, ainsi que les bouquinistes chez qui je dépensais en volumes cartonnés et poussiéreux de ces mêmes auteurs l'argent que je gagnais en travaillant le samedi. Mais leur œuvre et leurs vies continuent de m'inspirer.

Un roman situé dans un contexte historique pose un défi majeur. Parmi les nombreux livres, sites internet et autres sources que j'ai consultés pour préparer l'écriture de *L'Été avant la guerre*, je tiens à mentionner tout particulièrement quelques ouvrages : *Une autobiographie* d'Agatha Christie et *Testament of Youth* de Vera Brittian m'ont fait découvrir des jeunes femmes arrivées à l'âge adulte au cours de cette période, et dont l'éducation rigide a été balayée par le tumulte de la guerre.

Myself When Young, édité par Margot Oxford, contient l'évocation de l'enfance édouardienne de célèbres Anglaises et m'a livré une foule de détails. *Henry James à l'ouvrage*, rédigé par Theodora Bosanquet qui fut longtemps sa secrétaire (édité par Lyall Powers et traduit en français par Chantal Verdier), ne contient pas seulement un portrait intime du « Cher Maître », comme il aimait à se faire appeler, mais, chose plus précieuse, m'a livré un aperçu de la vie de Theodora, femme célibataire et indépendante qui poursuivit sa propre carrière littéraire après la mort de James.

L'histoire militaire peut être aride, mais *Le Dernier Été de l'Europe* de David Fromkin m'a offert un récit clair et détaillé des journées qui ont précédé la déclaration de guerre, ce qui m'a permis de me faire une bonne idée des activités d'Oncle John. Dans *Boy Soldiers of the Great War* de Richard Van Emden, j'ai découvert avec effroi que plus de deux cent cinquante mille Richard Sidley mineurs avaient pu s'enrôler dans l'armée britannique. Le Rapport Bryce, un document commandé par le gouvernement britannique en 1915, très comparable à celui sur lequel travaille M. Poot, décrivait les actes de barbarie commis en Belgique et était d'une drôlerie sinistre et involontaire dans son refus de décrire certaines atrocités précisément parce qu'elles étaient trop atroces. En revanche, je n'ai pas été amusée du tout de découvrir que le viol, bien que mentionné à maintes reprises, n'était probablement pas officiellement interdit aux plus hauts échelons et n'entrait donc pas dans la catégorie des crimes de guerre. J'ai trouvé des journaux de guerre, des photographies et des archives sur de nombreux sites internet, parmi lesquels 1914-1918.net et firstworldwar.com, alimentés l'un comme l'autre par des passionnés qui réalisent un brillant travail de collecte et de conservation d'informations. Je tiens à prendre le temps de remercier Google pour le miracle que représente la possibilité de pouvoir approfondir n'importe quelle idée, même imparfaitement formulée.

Ma description de la vie dans la bourgade édouardienne de Rye doit beaucoup à une série de brochures intitulées *Rye Memories*, fruit d'un projet d'histoire orale d'élèves de mon ancien établissement scolaire, fondé par Thomas Peacock (appelé Rye Grammar School en 1914 et aujourd'hui Rye College), avec des personnes âgées de la ville. Merci à Mme Jo Kirkham, MBE, ancienne maire et historienne de Rye qui a financé ce projet et m'a conseillée à maintes reprises en me donnant des informations complémentaires sur l'histoire locale. La gazette du *Bexhill Quarterly* de 1914 a été une découverte inestimable faite dans la bibliothèque de Rye, et a valu à Bexhill de jouer un petit rôle dans ce roman.

Au fur et à mesure de mes recherches sur les tsiganes britanniques, j'ai été prise d'une honte croissante face à mon ignorance de la situation mondialement difficile du peuple rom, une minorité ethnique reconnue par les Nations unies, contre laquelle le racisme et les préjugés se sont poursuivis sans interruption pendant plus de mille ans. Je souhaite remercier le professeur Ethel Brookes de l'université Rutgers, spécialiste internationale des études roms, de m'avoir fait découvrir *We Are the Romani People* de Ian Hancock et de m'avoir apporté conseils et largeur de vues en discutant de mon travail.

Toutes les erreurs de recherche sont de mon fait, mais j'ai bénéficié de conseils avisés sur Virgile et le latin grâce à l'écrivain Madeline Miller. Si mes poèmes doivent plus à l'« Ode à une grenouille agonisante » des *Pickwick Papers* qu'au legs inoubliable des poètes de guerre britannique, ma prosodie a été disséquée d'une main experte par la poétesse lauréate du Whiting Award, le professeur Julie Sheehan de SUNY Stony Brook Southampton (bonjour à tous, à Southampton !). Je serais coupable de négligence si je ne remerciais pas également les établissements qui m'ont permis d'effectuer mon travail de recherche et de rédaction : les bibliothèques. La New York Public Library de la 42e Rue et ses livres représentent à mes yeux les palais de marbre de la civilisation. La section des périodiques de la British Library à Colindale m'a donné accès à de grands recueils reliés cuir de journaux et de revues originaux de 1914, que j'ai passé des heures à lire sur un énorme bureau de chêne incliné. Cette division est désormais fermée et ces périodiques originaux interdits de consultation pour des raisons de conservation. Malheureusement, le microfilm et les contenus accessibles sous forme numérique ne sauraient remplacer le frisson et les bonheurs fortuits que recèle la lecture intégrale de journaux tels que mes personnages auraient pu en lire. J'ai pris grand plaisir à travailler dans la bibliothèque locale de Rye, avec son rayonnage consacré aux ressources de l'histoire de la ville, ainsi que dans la Rogers Library de Southampton, dans l'État de New York, où je me suis réfugiée pour terminer ce roman au cours de plusieurs longs séjours.

Je suis bien placée pour attester qu'un deuxième roman est loin d'être plus facile à écrire que le premier, et bien des gens méritent ma reconnaissance pour m'avoir soutenue dans cette lutte créatrice. Je commencerai par remercier mon agent Julie Barer du Book Group, et tous ses collaborateurs, dont Anna Geller et Meg Ross – en y ajoutant un petit bonjour reconnaissant aux anciens élèves de Barer, William, Leah, Gemma et Anna W. Lors de ma toute première entrevue avec Julie, j'ai peu à peu compris que cette agent extraordinaire était disposée à m'accepter et à m'assurer une petite place dans la grande communauté des écrivains.

Quand je suis sortie de son bureau dans une rue animée de New York, j'ai eu l'impression que le paysage de mon deuxième roman s'étendait devant moi et que je me tenais sur une colline du Sussex en compagnie d'Agatha Kent. J'ai failli me faire écraser par un taxi, mais c'est à ce moment-là que ce roman est né, dans un instant de pure euphorie.

Mes remerciements éternels s'adressent à Susan Kamil, mon éditrice de Random House, qui a pris le risque de publier le premier roman d'une inconnue et m'a soutenue tout au long de la rédaction du deuxième. Ses suggestions de révision sont toujours pertinentes. Et son rire est contagieux. Toute l'équipe de Random House est incroyable : merci à Gina Centrello, Avideh Bashirrad, Sally Marvin, Andrea DeWerd, Robbin Schiff, Benjamin Dreyer, Evan Camfield, Jennifer Garza, Leigh Marchant et Molly Turpin. Merci également à Caitlin McCaskey et Lisa Barnes du Penguin Random House Speakers Bureau.

Ma merveilleuse maison d'édition au Royaume-Uni, Bloomsbury, m'a apporté une précieuse assistance pour la préparation de l'édition britannique. J'éprouve une grande reconnaissance envers Alexandra Pringle, mon éditrice, et envers le fondateur Nigel Newton, qui partage ma passion pour le Sussex. Merci aussi à Antonia Till, Alexa von Hirschberg, et Angelique Tran Van Sang. J'éprouve une immense et chaleureuse estime pour mon agent britannique, Caspian Dennis, d'Abner Stein, dont les gentilles paroles m'ont soutenue à des moments où j'avais le moral dans les chaussettes. Toute ma reconnaissance à Patrick Gallagher et Annette Barlow (Australie), Maggie Doyle et Katel Le Fur (France), Annette Weber (Allemagne), et à tous mes autres remarquables éditeurs et maisons d'édition du monde entier.

La vie d'écrivain peut être frustrante et solitaire, et ce sont mes amis et ma famille qui me soutiennent, sans m'épargner pour autant les yeux au ciel et les coups de pied dans le derrière bien mérités quand j'en ai besoin. Merci à mes amies écrivaines Mary Kay Zuravleff, Susan Coll, Michelle Brafman, et Cindy Krezel. Merci à Lisa Genova et à Tim Hallinan pour leurs conseils à longue distance. Amis de Brooklyn, je vous remercie tous, et plus particulièrement Susan Leitner, Sarah Tobin, et Leslie Alexander, qui m'a connue avant même que je ne prenne un stylo en main, tout comme Joe Garafolo, Helena Huncar et sa famille.

Enfin, mais toujours en premier, vient la famille. À mes parents, Alan et Margaret Phillips, qui ont quitté le Sussex pour mener une nouvelle vie passionnante dans le sud-ouest de la France et ont juré leurs grands dieux que pour eux, mon roman n'avait besoin d'absolument aucune révision, merci pour votre amour inconditionnel ! Toute ma reconnaissance va également à mon beau-père, le journaliste David Simonson, dont les soins exemplaires qu'il a assurés à mon élégante et gracieuse belle-mère, Lois Simonson, lorsque sa santé a décliné nous ont donné à tous une leçon d'amour et de sens de la famille. Merci à ma sœur, Lorraine Pearce, et à tous les siens de maintenir notre lien avec le Sussex et de continuer à nous inviter aux réunions familiales.

Merci tout spécialement à toi, Ian Simonson, mon fils aîné, ingénieur informaticien, de m'avoir apporté ton aide dans le domaine de la conception de sites internet et d'avoir sauvé la chronologie de mon histoire sur un point essentiel. Jamie Simonson, mon cadet, est parti étudier à l'étranger pendant la période de révision, peut-être pour m'empêcher de mobiliser ses remarquables talents d'écrivain ! Notre plus grande joie a été de voir le monde à travers les yeux de nos fils lorsqu'ils se sont transformés en jeunes gens merveilleux. Ils sont une source d'inspiration, même s'ils me taquinent impitoyablement à propos de ce que j'écris !

Et il y a, toujours, mon John, mon amour, mon meilleur ami et mon mari depuis une trentaine d'années. Que ces années soient passées aussi vite signifie simplement qu'elles ont été heureuses. À un avenir à fond de train !

La photocomposition de cet ouvrage
a été réalisée par
GRAPHIC HAINAUT
30, rue Pierre Mathieu
59410 Anzin

Imprimé en France par CPI
en mai 2016

Dépôt légal : mai 2016
N° d'édition : 55358/01
N° d'impression : 3016827